ANDREW HODGES

Alan Turing: THE ENIGMA

ЭНДРЮ ХОДЖЕС

ЭНДРЮ ХОДЖЕС

ИГРА В ИМИТАЦИЮ

Москва
АСТ

УДК 791.43-2+159.95
ББК 85.374(3)+88.3
Х69

Andrew Hodges
Alan Turing: THE ENIGMA

Публикуется с разрешения автора и его литературных агентов
Zeno Agency Limited (Великобритания)
при участии Агентства Александра Корженевского (Россия).

Перевод с английского О. Костерева, М. Витебский,
В. Тен, Г. Веселов

Ходжес, Эндрю.

Х69   Игра в имитацию / Эндрю Ходжес / пер. с англ. О. Кос-
теревой, М. Витебского, В. Тен, Г. Веселова. — Москва:
АСТ, 2015. — 576 с.

ISBN 978-5-17-089741-4

О загадочной, «зашифрованной» судьбе великого криптографа снят
фильм «Игра в имитацию», который получил главную награду Кинофес-
тиваля в Торонто в 2014 году. В роли Тьюринга — Бенедикт Камбербэтч,
прославившийся своей ролью в телесериале «Шерлок». А его несостояв-
шуюся невесту Джоан Кларк сыграла Кира Найтли.

Национальный совет кинокритиков США и Американский институт
киноискусства включили «Игру в имитацию» в топ 10 фильмов 2014 года.
Также фильм получил пять номинаций на премию «Золотой глобус».

Настало время миру узнать о Тьюринге.

УДК 791.43-2+159.95
ББК 85.374(3)+88.3

ISBN 978-5-17-089741-4

ПРЕДИСЛОВИЕ

На стене одной из лондонских гостиниц установлена мемориальная доска, она гласит: «Здесь родился Алан Тьюринг (1912—1954), взломщик кодов пионер информатики». Мало кто сегодня знает, что первым человеком, который стал использовать термин «компьютер» в современном понимании, был именно Алан Тьюринг. До него так называли банковских работников, которые пользовались арифмометром — механической вычислительной машиной.

Более того, сегодня ни один IT-специалист не обходится без изучения «машины Тьюринга» — «фундамента» теории алгоритмов. Ее описание можно найти во всех серьезных учебниках по математической логике и теории вычислимости. Тьюринга называют первым теоретиком современного программирования, первым в мире хакером. Он — один из основателей информатики и, в частности, — теории искусственного интеллекта. Он же составил и эмпирический тест для оценки искусственного интеллекта компьютера.

Недаром имя Тьюринга стоит в одном ряду с математическими и философскими гениями человечества — Р.Декартом, Г.В. Лейбницей, Б.Расселом, Д.Гильбертом. В честь ученого названа Премия Тьюринга — самая престижная в мире награда в области информатики.

Однако этот удивительный человек, проживший короткую, но яркую жизнь, получил признание лишь через много лет после своей трагической смерти. И до сих пор о нем были опубликованы лишь скудные сведения.

А между тем Алан успел сыграть даже важную роль в борьбе с фашистами во время Второй мировой войны. Он работал в Правительственной школе кодов и шифров, где разрабатывали способы взлома шифров и кодов Германии, Италии, Японии и других государств, которым противостояла антигитлеровская коалиция. Так, британское военное ведомство приказало ученому разгадать секрет «Энигмы» — специального устройства, использовавшегося для шифровки радиограмм в германском военно-морском флоте и в «люфтваффе». У британской разведки было это устройство, но перехваченные радиограммы немцев не поддавались расшифровке. Немцы считали «Энигму» неприступной.

Тьюрингу же довольно быстро удалось найти «ключи» к немецким шифрам: он разработал устройство под названием «Бомба». Позже им же был взломан и самый сложный вариант «Энигмы», который использовали нацистские подводники. Так его «хакерская деятельность» внесла во время войны существенный вклад в победу союзных войск над германским флотом.

После разгрома Германии Тьюринг возглавил научную группу, которая разрабатывала британскую электронно-вычислительную машину. И уже в 1951 году в Манчестере начал работать один из первых в мире компьютеров. Разработка программного обеспечения была возложена на Тьюринга. Ему принадлежит авторство и первой шахматной программы для ЭВМ.

Но, несмотря на эти гениальные разработки, долгое время его место в истории развития научных и инженерных идей представлялось довольно однобоко благодаря некоторым американским историкам науки. Их задачей было абсолютизировать свой национальный приоритет не только в появлении компьютеров, но и в создании всей информатики. Поэтому имя Тьюринга так долго замалчивалось, а его открытиям не придавали должной значимости.

Смерть гения до сих пор остается загадкой. За два года до своей кончины ученый был осужден за совершение гомосексуальных половых актов. Тогда это считалось преступлением. Ему предложили на выбор два вида наказания: принудительную гормональную терапию, которая могла помочь подавить либидо, или тюремное заключение. Тьюринг отдал себя в руки медикам. А умер в 1954-м от отравления цианистым калием. Что это было: убийство, самоубийство, случайность? Следствие установило, что ученый покончил с собой сам. Но его родные и близкие так и не считали. Он мог стать жертвой гомофобии. И только спустя почти 60 лет, в 2013 году, великий гений человечества был посмертно помилован королевой Великобритании Елизаветой II.

Кстати, яд был впрыснут в яблоко. Тьюринг умер, лишь слегка надкусив его. Некоторые программисты считают, что именно этот фрукт позже и стал эмблемой знаменитой компьютерной фирмы «Apple».

«Блетчли-парку (там располагалось главное шифровальное подразделение Великобритании — Правительственная школа кодов и шифров . — Ред.) был нужен исключительный талант, исключительная гениальность, и гениальность Тьюринга была именно такой».

Историк и ветеран Блетчли-парка Эйза Бригс.

«Я не берусь утверждать, что мы выиграли войну благодаря Тьюрингу. Однако без него могли бы ее и проиграть».

Один из коллег Тьюринга.

ЧАСТЬ ПЕРВАЯ

ЧАСТЬ ПЕРВАЯ

Глава 1

Esprit de Corps / Командный дух

Первый шаг в учебе так понравился мне,

Само углубление в смысл, в соразмерность, в силу стремленья,

До мельчайших жучков и животных, до зренья, чутья и любви,

Первый шаг настолько привел меня в трепет, так понравился мне,

Что и вряд ли сделал второй, да и не хотел его сделать,

Лишь хотел замереть, отрешившись от времени, и все это воспеть в восторженных песнях.

Социальное происхождение Алана Тьюринга, сына Британской империи, восходило к древнему дворянскому роду. Все его предки: купцы, солдаты и священнослужители, — принадлежали к среднему классу, но не могли прочно обосноваться в одном месте. Многие из них завоевали свое положение в обществе во время колониальной экспансии Великобритании.

Корни семьи Тьюрингов восходят к XIV веку, к старому шотландскому роду Тьюринов из Фоврэна графства Абердиншир. Первым в роду носителем титула баронета стал Джон Тьюринг, которому он был дарован в 1683 году. Девизом рода Тьюрингов был «Audentes Fortuna Juvat» (Удача благоволит смелым), но несмотря на всю свою храбрость, удача им вовсе не благоволила. В годы гражданской войны в Англии 1642—1652 годы, зародившейся в Шотландии и Ирландии, сэр Джон Роберт Тьюринг поддержал сторону роялистов, которые в итоге потерпели поражение, и Фоврэн вскоре был разграблен сторонниками «Национального ковенанта». Отказавшись от возмещения убытков после Реставрации, Тьюринги оставались в безвестности в течение всего XVIII века.

В 1792 году сэр Джон Роберт Тьюринг вернул из Индии своему роду благосостояние и восстановил почетный титул. К несчастью, как и старшие поколения рода Тьюрингов, он умер, не оставив после себя наследника мужского пола, и к 1911 году из древнего рода Тьюрингов в мире остались лишь три небольших семейства. Восьмым наследником титула баронета стал восьмидесятичетырехлетний британский консул в Роттердаме. Затем титул перешел к его брату и его наследникам, которые образовали голландскую ветвь рода Тьюрингов. Одним из потомков их двоюродного брата является Джон Роберт Тьюринг, дед Алана.

Джон Роберт Тьюринг в 1848 году получил степень математика в Тринити-Колледже Кембриджского университета и стал одиннадцатым в ранге, а затем оставил математику ради посвящения в духовный сан и позже получил должность викария в Кембридже. В 1861 году он женился на девятнадцатилетней Фанни Бойд, покинул Кембридж и переехал в графство Ноттингемшир, расположенное в центральной части Англии, где стал отцом десяти детей. Двое умерли в младенчестве, и оставшиеся в живых четыре мальчика и четыре девочки были воспитаны в бедности на скромное жалование священнослужителя. Вскоре после рождения младшего сына Джон Роберт перенес инсульт и скончался в 1883 году.

Отец Алана Тьюринга Джулиус Мэтисон Тьюринг был вторым сыном в семье. Он родился 9 ноября 1873 года. Но в отличие от Джона Тьюринга, его больше привлекала не математика, а гуманитарные науки — литература и история. В 1894 г. он получил степень бакалавра в Корпус-Кристи-Колледже Оксфордского университета. Он никогда не забывал свои ранние годы вынужденной бережливости и так и не смог заплатить «смехотворные» три гинеи, чтобы получить степень магистра. Вместе с тем он никогда не упоминал о том, в каких лишениях он провел свое детство, будучи человеком гордым. Он не стал жаловаться на свою судьбу и добился всего сам. Для своего юного возраста он был образцом преуспевающего молодого человека. Так, на правах конкурсной программы во время Великой либеральной реформы 1853 года он получил должность в государственной гражданской службе Британской Индии, которая в то время пользовалась репутацией, превосходящей даже Министерство иностранных дел. Он занял седьмое место в списках из 154 кандидатов в общем конкурсе в августе 1895 года. Его научные работы в области индийского правоведения, тамильского языка, распространенного в юго-восточной Индии, и истории Британской Индии были оценены по достоинству, и он снова занял седьмое место в заключительной части конкурсной программы в 1896 году. И уже 7 декабря 1896 года он был направлен на службу в администрацию округа Мадраса, который включал в себя большую часть южной Индии, став старшим по званию из семи новых жителей этой провинции. Британская Индия во многом изменилась с тех пор, как ее покинул сэр Роберт в 1792 году.

Взяв у друга семьи 100 фунтов взаймы, он приобрел себе пони и снаряжение для него, и был послан во внутренние районы Индии. В течение десяти лет он служил в районах Беллари, Курнул и Визигапатам в качестве помощника сборщика налогов и магистрата. В его обязанности входило делать объезды по деревням, создавать отчеты об уровне сельского хозяйства в регионе, о состоянии канализаций, оросительных систем, вакцинации населения, вести счета и контролировать службу других государственных чиновников. Тогда он выучил язык телугу и стал главным помощником сборщика налогов в 1906 году. В апреле 1907 года он впервые навестил родную Англию. Нет ничего удивительного в том, что молодой человек после десяти лет труда в одиночестве и вдали от дома созрел для мысли о поисках жены. И тогда во время путешествия домой он встретил Этель Стоуни.

Со стороны матери Алана целые поколения также вносили свою лепту в строительство Британской Империи. Этель Сара Стоуни происходила из протестантской ирландской семьи, потомков Томаса Стоуни из Йоркшира (1675—1726), который в юности приобрел земли в самой старой колонии

Англии после революции 1688 года и стал одним из протестантских землевладельцев в католической Ирландии. Его поместья в Трипперэри перешли по наследству его пра-правнуку Томасу Джорджу Стоуни (1808—1886), у которого было пять сыновей. Самый старший из них унаследовал земли, а остальные отправились искать удачу в разные части растущей Британской Империи. Третий сын стал инженером-гидротехником и занимался проектированием шлюзов Темзы Манчестерского судоходного канала и Нила. Пятый сын эмигрировал в Новую Зеландию, а четвертый, Эдвард Уоллер Стоуни (1844—1931), дед Алана по материнской линии, отправился в Индию в качестве инженера. Там он накопил значительное состояние, став главным инженером Мадрасской железной дороги. Под его руководством был построен мост Тангабудра. Также он был известен изобретением запатентованного бесшумного вентилятора Стоуни.

Хотя семья Стоуни не испытывала недостатка в средствах, ее детство было таким же безрадостным, как и ранние годы Джулиуса Тьюринга. Все четверо детей Стоуни были отправлены в Ирландию получать образование. Подобное было повсеместным явлением в Британской Индии, и жизни детей, обделенных родительской любовью, были частью большой цены, уплаченной за Империю.

В течение семи лет Этель и ее сестра Эви вели жизнь, подобную остальным юным девушкам Кунура: совершали поездки в экипаже, рисовали акварелью, участвовали в любительских театральных постановках и посещали официальные обеды и пышные балы. Однажды, когда отец взял семью провести отпуск в Кашмире, Этель влюбилась в врача-миссионера, и он ответил ей взаимностью. Но родители воспротивились союзу влюбленных, поскольку миссионер был беден. Чувство долга ставилось выше любви, и она оставила своего возлюбленного. Таким образом ничто не могло препятствовать встречи Этель Стоуни с Джулиусом Тьюрингом на борту корабля, направляющегося в Англию весной 1907 года.

Алан появился на свет 23 июня 1912 года в лондонском роддоме в Пэддингтоне 7 июля его крестили в церкви Святого

Спасителя и дали имя Алан Мэтисон Тьюринг. Затем отцу пришлось вернуться в Индию, чтобы занять новую должность и оставить миссис Тьюринг с двумя сыновьями — младенцем Аланом на руках и его четырехлетним старшим братом Джоном. В сентябре 1913 года она также покинула своих детей. Мистер Тьюринг решил оставить сыновей в Англии, чтобы уберечь их хрупкое здоровье от жаркого климата в Мадрасе. Несмотря на то, что Индия сыграла огромную роль в судьбе обоих семей — Тьюрингов и Стоуни — Алану Тьюрингу так никогда и не довелось увидеть ярких красок Востока. Ему было суждено провести детство среди холодных ветров Ла-Манша, поневоле оказавшись «изгнанником» на родине.

Мистер Тьюринг оставил сыновей на попечении друга семьи — отставного полковника Уорда и его жены. Они жили в Сент Леонардс-он-Си, приморском городке вблизи города Гастингс. Их огромный дом, известный своим названием «Бастон Лодж», располагался чуть выше уровня моря. Через дорогу в большом доме проживал сэр Райдер Хаггард, прославившийся книгой «Копи царя Соломона». Однажды, когда Алан был постарше, он, как обычно, плелся вдоль сточной канавы без дела и случайно нашел бриллиант и кольцо с сапфиром, принадлежавшие леди Хаггард, за что получил награду в два шиллинга.

Семейство Уордов были людьми другого сорта и не могли позволить себе случайно потерять драгоценности. Миссис Уорд приложила все свои силы, чтобы воспитать мальчиков достойными людьми. Тем не менее именно она подарила им тепло и материнскую ласку, и оба мальчика привязались к ней и любовно называли миссис Уорд своей «бабушкой». Между тем основным воспитанием детей занималась Нэнни Томпсон, управляющая детским садом и гувернантка классной комнаты. В доме росли и другие дети: кроме четырех дочерей Уордов, в доме в качестве пансионера проживал еще один мальчик. Позже Уорды приютили еще и двоюродных братьев маленьких Тьюрингов — троих детей майора Кирвана. Алан очень любил вторую дочь Уордов Хейзел, но ненавидел ее младшую сестру Джоан, которая была чуть старше Алана и младше его брата Джона.

Этот дом не был родным мальчикам. Родители навещали их по возможности, но даже в те редкие случаи воссоединения семьи, они не чувствовали себя, как в своем родном доме. Когда миссис Тьюринг вернулась весной 1915 года, она устроилась вместе с сыновьями в доме с мебелью и прислугой в Сент Леонардс — мрачных комнатах, украшенных вышитыми картинами со строчками из церковных гимнов. К тому времени Алан уже научился говорить и мог привлечь внимание незнакомцев своими не по годам проницательными и язвительными замечаниями, а также как своенравного сорванца, который мог тут же вспыхнуть и устроить скандал, если не получал желаемого. Но кто бы мог подумать, что эксперименты юного исследователя, закапывающего сломанных солдатиков в землю в надежде, что, подобно растениям, они отрастят свои конечности, не были чистой шалостью ребенка. Алан еще не умел находить ту тонкую грань, отличающую инициативу от непослушания, и всеми способами противился повиноваться в детстве.

Первая мировая война почти никак не коснулась семейства Тьюрингов. Все, чем был ознаменован 1917 год: война с массовым использованием новейших видов оружия, длительные осады немецкими подводными лодками, воздушные налеты, вступление Америки в войну, начало революции в России, — должно было обозначить картину мира, которую унаследует новое поколение. Но все это повлияло лишь на личное решение миссис Тьюринг остаться в Англии. В мае того же года Джона, старшего брата Алана, отправили в подготовительную школу Хазелхерст, расположенную неподалеку от минеральных источников Танбридж-Уэлс в графстве Кент, и миссис Тьюринг осталась с одним Аланом. Одним из ее излюбленных занятий было регулярное посещение церкви, и в Сент Леонардс она стала прихожанкой англиканской церкви, расположенной далеко от дома, и каждое воскресенье Алан нехотя плелся на службу. Ему не нравился запах ладана, за что он называл церковь «дурнопахнущей». Также миссис Тьюринг любила проводить время за акварелью, и в этом проявлялся ее истинный талант. Она часто брала сына на встречи художников, где этот большеглазый мальчишка в соломенной шляпке выдумывал причудливые выражения и слова (например, он назвал крики чаек «куоканьем»), чем приводил в восторг учениц художественной школы.

Читать Алан научился сам за три недели по книге под названием «Чтение без слез». И еще быстрее он научился считать и имел раздражающую маму привычку останавливаться у каждого фонарного столба и зачитывать вслух его порядковый номер. Он был одним из тех уникальных людей, которые с трудом различают понятия «лево» и «право» и поэтому рисовал на большом пальце левой руки красную точку, которую называл «опознавательным знаком».

В детстве он говорил, что хочет стать врачом, когда вырастет. Подобная цель была одобрена родителями: отец был согласен оплатить взнос на обучение мальчика, а мать была рада выбору достойной и уважаемой профессии. Для этого необходимо было заняться образованием сына. И летом 1918 года миссис Тьюринг отправила Алана в начальную школу Святого Михаила изучать латынь.

Джордж Оруэлл был старше Алана на девять лет, и его отец тоже был служащим в Британской Индии. Он называл себя выходцем из «нижнего-верхнего-среднего класса». Перед началом войны он писал:

> ты был либо «джентльменом», либо «неджентльменом», и если вам все же посчастливилось принадлежать к высшему классу, вы изо всех сил старались вести себя соответствующим образом, несмотря на свой доход. ... Скорее всего, отличительной чертой верхнего среднего класса можно было назвать то, что его традиции ни в коей мере не были коммерческими, а в основном военными, должностными и деловыми. Люди этого класса не владели землей, но ощущали себя землевладельцами в глазах Бога и поддерживали полуаристократические взгляды на жизнь, предпочитая работу в противопожарной службе торговле. А маленькие мальчики во время обеда перебирали косточки сливы на тарелке и пытались угадать свою судьбу, бубня под нос «армия, флот, церковь, медицина, право».

Семья Тьюрингов подходила под это описание. В жизни их сыновей не было ничего интересного и выдающегося, кроме, быть может, тех дней, что семья провела в Шотландии. Роскошью для них были походы в кинотеатр, на ледовый каток и возможность наблюдать, как трюкач выполняет прыжок с пирса на велосипеде. В доме Уордов происходило постоянное очищение от грехов, от запахов, чтобы отличить их отпрысков от остальных детей в городе. «Я тогда был очень маленьким, мне еще не исполнилось шести лет, — вспоминал Оруэлл, — когда я впервые узнал суть социально-классовых различий. Раньше героями моего детства были обычно люди рабочего класса, ведь они, казалось, всегда заняты такими интересными вещами, например рыбаки, кузнецы или каменщики. ... Но мое восхищение длилось до того момента, как мне запретили играть с детьми водопроводчика, ведь они были «из народа», и мне сказали избегать общения с ними. Это было настоящее проявление снобизма, если хотите, но также было необходимо, ведь люди среднего класса не могли себе позволить, чтобы их дети выросли с простонародным говором».

Тьюринги не могли позволить себе ничего лишнего, ведь даже при высокооплачиваемой должности отца необходимо было откладывать средства на будущее. И все, на что им были необходимы средства, — частная школа. В этом вопросе ни война, ни инфляция, ни разговоры о революции не могли ничего изменить. Сыновья Тьюрингов обязаны были пойти в частную школу, и все силы семьи были направлены на достижение этой цели. Более того, отец никогда не позволял мальчикам забыть о том, чем они обязаны отцу за свое образование. Долгом Алана было получить образование, не вызывая проблем, и в частности в нужной мере выучить латынь, которая была необходима для поступления в частную школу.

Во время краха Германской империи и начала унизительного перемирия, Алан сел за прописи и учебники по латыни. Его не интересовала латынь, более того, он испытывал трудности с письмом. Казалось, мозг не успевал скоординировать мелкую моторику руки. Мальчику пришлось целых десять лет провести в борьбе со скрипучими перьями и протекающими ручками, и за все эти годы ни в одной из его записей не обошлось без зачеркиваний, клякс и постоянно меняющегося почерка.

В феврале 1919 года мистер Тьюринг вернулся в семью после трехлетней разлуки. Ему пришлось постараться, чтобы снова завоевать уважение Алана, который отличался своенравным характером и дерзил старшим. Если у него имелось мнение по какому-нибудь вопросу, он высказывал его со словами «я знаю» или «я всегда знал». Так, он «всегда знал», что запретным плодом в садах Эдема было не яблоко, а слива.

Тем не менее в декабре того же года родители снова покинули своих сыновей, и Алан вновь остался на попечении Уордов, а Джон вернулся в Хазелхерст. На этот раз отца отправили в центр Мадраса на службу в департаменте доходов, а Алан остался в Сент Леонардс-он-Си, пораженный смертельной скукой, все свое время проводя за составлением рецептов. Он настолько отставал от своих сверстников в учебе, что к приезду матери в 1921 году, когда ему было около девяти лет, он еще не научился выполнять деление в столбик.

По возвращении мать заметила изменения в поведении Алана, произошедшие за время разлуки: из «живого, общительного и дружелюбного» Алан превратился в «замкнутого мечтателя». На фотографиях десятилетний мальчик всегда предстает с задумчивым и отрешенным лицом. Вскоре мать решила увезти сына из Сент Леонардс, провести лето в Бретани. Отчасти из-за потраченных на поездку денег, она приняла решение самостоятельно обучить Алана в Лондоне и была немало изумлена его пристрастию к опытам с магнитом и железными опилками. Тем временем в мае 1921 года мистера Тьюринга вновь повысили до должности секретаря департамента развития в правительстве Мадраса, ответственного за сельское хозяйство и торговлю всей провинции. И он снова вернулся в декабре, чтобы на этот раз отвезти семью в швейцарский курортный городок Санкт-Мориц, где Алан научился кататься на лыжах.

Директор школы Святого Михаила, мисс Тейлор, на все лады хвалила Алана, заявляя, что «он гений». Но в прокрустово ложе школьной программы юное дарование вписаться никак не смогло. И в начале 1922 года мать определила его в пансион Хезельхерст, где учился старший брат.

Хезельхерт в те годы представлял собой небольшое учебное заведение, в котором одновременно проходили обучение тридцать шесть мальчиков в возрасте от девяти до тринадцати лет. Кроме директора мистера Дарлингтона, воспитанием подопечных занимался учитель математики мистер Бленкинс, учитель рисования и музыки — в основном из репертуара Муди и Санки — мисс Джиллет, и смотрительница пансиона. Джону нравилось обучение в пансионе, и в последний семестр своего обучения он был назначен старостой.

А вот его младший брат не разделял восторгов, и режим Хезельхерста показался ему мукой. «Теперь он не мог заниматься своими привычными делами», — объясняла его неприязнь к пансиону мать. Теперь весь его день был расписан: уроки, время на игры и обеды, — и Алану оставались жалкие минуты на удовлетворение своих интересов. Когда Алан приехал в пансион, он увлекался оригами. И как только остальные мальчишки узнали о его хобби, пансион тут же наводнили бумажные лягушки и кораблики. Джон не разделял этот интерес, и следующее разочарование ожидало его, когда мистер Дарлингтон узнал о пристрастии Алана к картам. Директор решил провести всеобщий тест на знание географии, в котором Алан занял шестое место, обойдя своего старшего брата, которому эта наука всегда казалась довольно скучной. В другой раз Алан сидел в последнем ряду на школьном концерте и задыхался от смеха, в то время как Джон исполнял гимн «Земля надежды и славы».

Джон покинул Хезельхерст перед Пасхой и перешел в школу-пансион Мальборо. Летом мистер Тьюринг снова отвез семью в Шотландию, на этот раз в город Лохинвер. Там Алан воспользовался возможностью изучить географию местности и горных путей и рыбачил на озере наравне с Джоном. Братья испытывали чувство конкуренции, но их соперничество никогда не доходило до драки. Вместо этого они устраивали игры, как, например, во время ужасно скучных вечеров, когда семью навещал дедушка Стоуни. Очки получал тот, кому удастся отвлечь дедушку от невероятно скучных историй его клуба. А в Лохинвере Алан постоянно одерживал победу над остальными членами семьи в послеобеденной игре «кто дальше выплюнет шкурку от крыжовника», которая миссис Тьюринг казалась плебейской. Умело надувая шкурки, Алан умудрялся выплюнуть их за забор.

В те моменты, когда отец возвращался со службы, казалось, жизнь ничем не была омрачена. Но уже в сентябре Алану пришлось вернуться в Хезелхерст, и родители с разрывающимися сердцами наблюдали из окна такси, как их сын бежит за машиной с раскинутыми руками. Теперь Тьюринги отправились в Мадрас вдвоем. Алан продолжил свое обучение безо всякого интереса к занятиям и школьной жизни. По свидетельству преподавателей, мальчик находился в каком-то отрешенном состоянии и получал средние оценки. В ответ Алан нелестно отзывался о своих учителях. Когда мистер Бленкинс начал свой курс элементарной алгебры, в своем письме старшему брату Алан не преминул отметить, что «учитель допустил ошибку, неправильно определив значение «x».

Хотя ему нравилось принимать участие в небольших представлениях и школьных дебатах, он ненавидел и старался избегать уроков физкультуры и послеобеденное время для спортивных игр. Зимой мальчики играли в хоккей, и Алан по большему счету только бегал от мяча. Впрочем, ему нравилось выступать в роли судьи, и он всегда старался точно определить, пересекла ли линию шайба. В конце семестра ученики вместе исполняли песню, и Алану были посвящены следующие строчки:

> Тьюрингу нравится в футболе
> Бегать с циркулем по полю

Дальше идут строчки, описывающие, как Алан наблюдает за ростом маргариток, пока остальные играют в футбол. Этот образ вдохновил его мать на создание причудливой картины карандашом. И хотя это была лишь детская шутка, в которой высмеивалась мечтательность мальчика, она была правдива — с Аланом вновь происходили некоторые изменения.

В конце 1922 года некий благодетель подарил мальчику книгу «Чудеса природы, о которых должен знать каждый ребенок». Позже Алан скажет матери, что именно эта книга открыла ему природу вещей и научный взгляд на мир. На самом деле, именно тогда Алан впервые познакомился с понятием науки. Более того, она стала для него книгой жизни. Как и многие другие новые вещи, эта книга прибыла в Англию из США.

Книга впервые была издана в 1912 году, и ее автор Эдвин Тенней Бревстер так описывал ее:

> ...первая попытка познакомить юных читателей с определенными слабо связанными, но современными темами, как правило объединенными под названием «общая физиология». Скорее даже попытка приучить детей от восьми до десяти лет сначала задумываться над вопросом: «Что общего между мной и другими живыми существами и чем я отличаюсь от них?» Кроме этого в книге я попытался помочь родителям, зачастую сбитым с толку каверзными вопросами детей, попробовать ответить на них самим, в особенности на самый трудный из всех: «Каким образом я появился на свет?»

Другими словами можно сказать, что книга охватывала многие темы — о науке и не только. Первая глава отвечала на вопрос «Как зарождается цыпленок в яйце?», а следующие главы повествовали «О других видах яиц» и «Из чего сделаны мальчики и девочки». Бревстер приводит цитату из старого детского стишка и замечает, что: он достаточно правдив относительно того, что мальчики и девочки не похожи друг на друга, и не стоит пытаться переделать их сущность.

Тем не менее, основная суть половых различий не была раскрыта в книге, умело отклоняясь от темы, автор размышлял о природе яиц морских звезд и морских ежей и вдруг снова возвращался к физиологии человека:

Таким образом, устройство человека больше похоже на кирпичный дом. Мы сделаны из маленьких живых «кирпичиков». Мы вырастаем, потому что кирпичики начинают делиться пополам, и эти половинки тоже начинают расти. Но каким образом они узнают когда и где им следует расти быстрее, и когда расти медленнее, и когда им следует не расти вовсе, пока малоизвестно науке.

«Чудеса природы» оставили без ответа, откуда появляется первая клетка человека, сделав лишь невнятный намек, что «само яйцо возникло в результате деления другой клетки, которая, несомненно, была частичкой тела родителя». Автор, по-видимому, оставил этот вопрос для объяснения «сбитому с толку каверзными вопросами» родителю.

Тем не менее в других вопросах «Чудеса природы» обладала более «современными научными сведениями», и была не просто «книгой о природе». В ней нашла выражение идея о существовании причины, почему именно так устроен мир, и что эту причину нужно искать не в религии, а в науке. В тексте объяснялось, почему мальчики любят бросать вещи, а девочкам нравится играть в кукол, а также доказывалось на примере устройства живого мира, почему идеал Отца должен отправляться на работу в офис, а идеалу Матери надлежит оставаться дома. Этот образ идеальной жизни американской семьи был довольно далек для понимания сыну находящихся на службе в Индии родителей, и в большей степени Алана могло заинтересовать описание работы мозга:

Теперь Вам стало понятно, почему Вам приходится по пять часов проводить в школе за неудобными партами, изучая вещи на первый взгляд менее интересные, чем возможность сбежать с урока и отправиться плавать? Это необходимо для создания новых мыслительных процессов в вашей голове. ... Когда мы молоды, наш мозг все еще растет и развивается. За многие и многие годы работы и приобретения знаний мы постепенно развиваем мыслительные процессы тех частей мозга, что располагаются у нас за ушами. Эти области будут работать до конца нашей жизни. И когда мы становимся взрослыми, мы больше не сможем создать новые точки мыслительных процессов.

Человек представлялся «более умным», чем другие создания, но уже без упоминания наличия «души». Процессы деления и дифференцирования клеток еще не были изучены, но уже исключалось предположение о божественном вмешательстве. Поэтому, если Алан действительно «наблюдал, как растут маргаритки», он, возможно, в это время думал, что, хотя это и выглядело так, будто маргаритки сами знали, как им расти, на самом деле все зависело от сложно устроенной системы клеток, работающих как единый механизм. А как насчет него самого? Как он понимал, что должен сделать? Так что у юного исследователя было множество вопросов, из-за которых он витал в облаках, пока остальные мальчишки неподалеку гоняли шайбу.

Помимо изучения маргариток Алану нравилось изобретать новые вещи. В письме от 11 февраля 1923 года он написал:

Дорогие мама и папа,
У меня теперь есть киноаппарат который мне дал Майкл силз и вы можете сами нарисовать новые пленки для него я сейчас делаю его копию в качестве подарка вам на пасху я отправлю его в другом конверте если вам будут нужны новые пленки напишите в каждой пленке по шестнадцать картинок но я решил что смогу нарисовать и «Мальчик стоял у чайного столика» помните стишок из «касабьянки» на этой неделе я снова занял второе место. Смотрительница передает вам привет ГБ сказал раз у меня такой толстый почерк мне нужны новые перья «T. Wells» так что теперь я пишу ими завтра будет лекция Уэйнрайт на этой неделе был предпоследним это чернила моего собственного изготовления

Преподаватели приложили все усилия, чтобы воспрепятствовать несоответствующим научным интересам Алана, но не могли остановить его деятельность юного изобретателя — в частности механизма для решения проблем с почерком, которые постоянно изводили его:

1 Апреля (День Дурака)
Угадайте, чем я пишу. Это мое собственное изобретение, авторучка наподобие этого: (черновая схема) видите чтобы наполнить ее нужно надавить на E (мягкий кончик наполнителя авторучки) и отпустить и тогда чернила сами набираются в ручку. Я устроил механизм так чтобы при

нажиме выливалось меньше чернил но пока ручка продолжает постоянно забиваться.

Интересно, Джон уже видел статую Жанны д'Арк, ведь она находится в Руане. В прошлый понедельник юнцы выступали против скаутов было довольно интересно на этой неделе не было службы надеюсь Джону нравится в Руане не думаю что мне удастся сегодня еще что-нибудь написать простите. Смотрительница говорит, что Джон что-то прислал.

Это послужило темой для следующих двух строчек в песне об авторучке, что «течет за четверых». В другом письме, написанном в июле, уже зелеными чернилами, которые были (скорее всего) запрещены для пользования учениками, описывалась достаточно грубая схема печатной машинки. Пребывание Джона в Руане было частью больших изменений, происходивших в семье Тьюрингов. Перед началом учебы в Марлборо он сообщил отцу о своем намерении покинуть дом Уордов и получил его согласие. Родители нашли дом священника в Хартфордшире и летом 1923 года переехали в новый дом. Тем временем перед Пасхой Джон впервые оставил своего младшего брата и уехал в Руан, где остановился у мадам Годьер. А уже летом Алан («просто мечтающий об этой поездке») отправился вместе с братом, знакомиться с культурой Франции на несколько недель. Там Алан произвел неизгладимое впечатление на представительницу мелкой буржуазии мадам Годьер. По ее словам, Алан вел себя «comme il est charmant», когда его заставляли мыть уши, в отличие от брата, который тут же получал выговор от хозяйки дома. Джон искренне ненавидел мадам Годьер, но ее ласковое отношение к Алану позволяло ему устраивать вылазки в кино.

Более счастливая жизнь ждала мальчиков в новом доме в Хартфордшире, куда они приехали провести оставшуюся часть лета. Это был дом приходского священника из красного кирпича времен правления короля Георга в небольшом городке Уоттон-эт-Стоун, где жил архидиакон Ролло Мейер, очаровательный и умудренный годами старик, интересы которого составляли уход за розарием и теннисный корт, в отличие от Уордов с их дотошными придирками и строгой дисциплиной. Джону и Алану понравилась новая обстановка: Джона больше привлекало присутствие девушек на теннисном корте (ему уже было пятнадцать, и он был весьма заинтересован в их обществе), а Алана возможность побыть в одиночестве, устраивать прогулки на велосипеде по лесу и учинять в своей комнате такой беспорядок, как ему заблагорассудится, поскольку новый хозяин не особо обременял себя заботой о чистоте комнат. Также Алан вырос в глазах миссис Мейер, когда во время церковного праздника цыганка предрекла ему судьбу гения.

Но попечительство Мейеров длилось недолго, поскольку мистер Тьюринг внезапно решил оставить свою государственную службу в Индии. Он был недоволен положением своего конкурента, некоего Кэмпбелла, который выпустился в том же 1896 году и получил более низкий результат на вступительном экзамене, но был продвинут по службе до должности главного секретаря правительства Мадраса. Таким образом, мистер Тьюринг махнул рукой на свои собственные возможности продвижения по карьерной лестнице. И родители Алана так и не получили звания сэр Джулиус и леди Тьюринг на родине, хотя они обладали высоким доходом в размере 1000 фунтов пенсионных.

Но Тьюринги не вернулись в Англию, поскольку отец Алана принял решение избежать высоких налогов. Налоговое управление позволило ему избежать подоходного налога при условии пребывания в Великобритании не более шести недель в году, поэтому Тьюринги обосновались в французском курортном городе Динар, расположенном напротив портового города Сен-Мало на берегу Ла-Манша. Впредь мальчики должны были уезжать во Францию на время рождественских и пасхальных каникул, в то время как родители планировали навещать их в Англии летом.

В результате нового положения Алан теперь видел смысл в изучении французского языка, и вскоре у него появился новый любимый школьный предмет. Но ему больше нравилось изучать язык как некий шифр, на котором он написал открытку матери о намечающейся «la revolution» в Хазельхерсте, о которой, как предполагалось, мистер Дарлингтон без знания французского не сможет узнать.

Но именно в науке он находил особенное очарование, как поняли родители по возвращении домой, увидев сына, повсюду таскающего с собой «Чудеса природы». Их реакция была неоднозначной. Троюродный брат дедушки миссис Тьюринг, Джордж Джонстоун Стоуни (1826—1911) был известным ирландским физиком, которого она однажды видела в Дублине, будучи еще ребенком. Прежде всего он был известен введением термина «электрон», который он придумал в 1894 году еще до того, как была установлена валентность электрического заряда. Миссис Тьюринг очень гордилась тем, что в ее семье значится член Королевского общества, поскольку на нее всегда особое впечатление производили титулы и звания. Она также могла бы показать Алану изображение Пастера на французских почтовых марках как пример великого научного благодеятеля для всего человечества. Возможно, она вспомнила того врача миссионера в Кашмире. Но между тем был также тот очевидный факт, хотя она и облекала свои идеи в соответствующую благовоспитанную форму, она все еще представляла семейство Стоуни, которые заключали браки между представителями прикладной науки и расширяющейся империи. Однако отец Алана, возможно, высказал свое веское мнение, что доход ученого не мог составлять выше 500 фунтов в год, даже состоящего на государственной службе.

Но он по-своему способствовал научным интересам Алану. Так, во время обучения в школе в мае 1914 года Алан писал:

> ... Вы (папа) рассказывали мне о топографической съемке из поезда, из книг я узнал, как они рассчитывают высоту деревьев, ширину рек и протяженность долин и т.д., также я выяснил, как они находят высоту горных вершин, не поднимаясь на них.

Алан также читал, как нарисовать карту местности, и добавил это достижение к списку остальных интересов: «родословная, шахматы, географические карты и т.д. (в целом мои любимые развлечения)». Летом 1924 года семья ненадолго остановилась в Оксфорде по желанию тоскующего по родине мистера Тьюринга. И затем в сентябре они провели отпуск в одном из пансионов Северного Уэльса. Родители остались там провести еще некоторое время, а Алан вернулся в одиночестве в Хазельхерст («Я оставил неплохие чаевые швейцару и таксисту... Я не оставил чаевые парню из Франта, но ведь я и не должен был. Или все же стоило?»), где он составил карты горных вершин национального парка Сноудония. («Можете сравнить ее с картой военно-геодезического управления и прислать ее обратно?»).

Всевозможные карты были его давним пристрастием: ему также нравилось изучать родословные, в особенности запутанное фамильное древо рода Тьюрингов, переходы титула баронета с одной ветви на другую и многочисленные связи с другими семействами викторианской эпохи, и эти упражнения ума развили в нем оригинальное мышление. Шахматы для него представляли возможность пообщаться:

В ближайшее время в школе не планировалось проведение шахматного турнира, поскольку мистер Дарлингтон не замечал особого интереса учеников к шахматам, но пообещал организовать турнир, если я найду достаточное количество участников и составлю список всех, кто играл в этом семестре. Мне удалось заинтересовать многих учеников, так что турнир все-таки состоится.

Он также считал, что уроки математики были «намного интереснее». Но все остальные интересы бледнели на фоне его увлечения химией. Алану всегда нравилось изучать рецепты, странные варева и чернила собственного изобретения, а также пробовал обжигать глину во время пребывания у четы Мейер. Таким образом, он уже понимал суть химических реакций. А во время летних каникул в Оксфорде его родители впервые позволили ему играть с набором химикатов.

Родители Алана не были особо сведущи в вопросах химии, но уже в ноябре он нашел более надежный источник знаний: «Мне очень повезло: я нашел здесь энциклопедию в библиотеке первого класса». И на Рождество 1924 года он получил в подарок набор реагентов, тиглей и пробирок, которые мог использовать в подвале Кер Сэмми, их виллы на

Рю-дю-Казино. Однажды Алан прихватил с пляжа целую кипу водорослей, чтобы извлечь небольшое количество йода. Этот эксперимент изумил Джона, для которого Динар больше представлялся английской колонией эмигрантов шумных 1920-х годов, где большую часть времени проводил, играя в теннис и гольф, а также на танцах в Казино.

Теперь Алан знал, что является его основной страстью. Жажда простых и обычных вещей, которая могла появиться позже, была для него не просто увлечением вроде «обратно к природе», а скорее освобождением от реалий современного мира. Для него это и было сутью самой жизни, своим миром, а все остальное лишь отвлекало его от истинной цели.

У его родителей были несколько другие приоритеты. Мистер Тьюринг никогда не задавался, он мог настоять на том, чтобы пройтись пешком, чтобы не брать такси. Это был человек «островного мышления». Но ничто не изменило тот факт, что для родителей химия была просто развлечением, которым Алану разрешали заниматься на каникулах, а первостепенным делом было его поступление в частную школу в возрасте тринадцати лет. Осенью 1925 года Алан сдал общий вступительный экзамен в Марлборо, и, к удивлению всех, сдал его успешно. (Хотя ему не разрешили сдать экзамен на стипендию.) Здесь Джон сыграл решающую роль в судьбе своего странного брата. «Ради Бога, не посылайте его сюда, — писал в письме Джон, — это разрушит всю его жизнь».

Алан представлял собой проблему. Разумеется, он должен был приспособиться к жизни в частной школе. Но что частная школа могла предоставить мальчику, которого в основном занимали лишь эксперименты с грязными банками в подвале с углем? Здесь была логическая несообразность. Мнение миссис Тьюринг было таковым:

Хотя его любили и понимали в более узком и более семейном кругу подготовительной школы, я предвидела возможные трудности с преподавателями в частной школе и поэтому приложила все усилия, чтобы найти достойное для него место, ведь если ему все-таки не удалось влиться в школьную жизнь, он мог бы стать еще одним чудаком с высокими умственными способностями.

Ее поиски не продлились долго. У нее была подруга миссис Джервис, жена учителя школы Шерборн, частной школы в графстве Дорсет. Весной 1926 года Алан повторно сдал экзамен и был принят в Шерборн.

Перед поступлением Алана в школу миссис Тьюринг навестила жену директора. Она поведала миссис Науэлл Смит, «что можно ожидать от него», и та «сравнила ее описание с более благоприятным мнением других родителей о своих сыновьях». Вероятно, именно она предложила, чтобы Алан остановился в школе-пансионе «Уэскотт Хаус», которым руководил Джеффри О'Хэнлон.

Летний семестр должен был начаться в понедельник 3 мая 1926 года, по случайности, первый учебный день совпал с началом Всеобщей забастовки. На пароме в Сен-Мало Алан узнал, что ходить будут только молочные поезда. Поэтому Тьюрингу пришлось преодолеть расстояние около 100 км от Саутгемптона до Шерборна на велосипеде:

Так что я решил поехать на велосипеде, оставил свой багаж у работника причала и начал свой путь около 11 утра нашел карту Саутгемптона, которая заканчивалась приблизительно в трех милях до Шерборна. Весь в ужасе от волнения нашел главный почтовый офис отправил телеграмму О'Хэнлону. Затем купил велосипед, потратил 6 пенсов. Отправился в путь в 12 часов перекусил, 11 километров до Линдхерста, купил яблоки 2 пенса затем до Бирли 8 километров педаль пришла в негодность за починку отдал 6 пенсов дальше ехал до Рингвуда 6 километров.

Улицы Саутгемптона были полны людей, участвующих в забастовке. Насладился поездкой по Нью-Форесту, а затем по торфянику до Рингвуда, затем снова по ровной местности до Уимборна.

Алан провел ночь в лучшей гостинице в небольшом городке Блэндфорд-Форум — решение, которое впоследствии не одобрит отец. (Алану буквально пришлось отдавать перед отцом отчет за каждый потраченный пенс, в конце письма он писал «Посылаю письмом 1-0-1 × фунтовыми банкнотами и однопенсовую марку») Но владельцы потребовали номинальную сумму, и уже утром Алан отправился дальше:

Только в окрестностях Блэндворда было много приятных спусков, затем сплошь холмистая местность и только в конце был долгий спуск по склону.

От Западного Холма он мог видеть конечный пункт маршрута: небольшой городок Шерборн, построенный во время правления короля Георга, и саму школу неподалеку от аббатства.

Никто не ожидал такого подвига от мальчика его социального класса. История его поездки тут же попала на страницы местной газеты. Пока Уинстон Черчилль призывал к «безоговорочной капитуляции» «вражеских» шахтеров, Алан наилучшим образом воспользовался сложившейся ситуацией. Он насладился двумя днями полной свободы вне рамок заложенной системы. Но время свободы длилось недолго.

Преподаватель Эндрюс был несомненно «удивлен», что Алан уже так много знал. С первых дней в школе он запомнился, как «удивительно бесхитростный и неиспорченный» мальчик. И староста «Уэскотт Хаус» Артур Харрис, впечатлившись готовностью Алана преодолеть огромное расстояние на велосипеде, чтобы попасть в школу, сделал его своим «фагом», то есть по сути своим слугой. Тем не менее, ни научное образование, ни в некотором роде личная инициатива не являлись приоритетами Шерборнской школы.

По традиции директор выступал перед учениками с проповедью, в которой разъяснял, какое значение должна приобретать школа в глазах учащихся. Учеба в Шерборнской школе, объяснял он в своих речах, не была всецело посвящена «привносить ясность ума», хотя «в течение длительного периода времени… это было основной задачей школы». В действительности, говорил директор, существовала «постоянная возможная опасность забыть об изначальных целях школы». Ведь в Англии частная школа сознательно превратилась в нечто вроде «маленького государства». Этот процесс произошел в условиях беспощадной реальности и обошелся без запудривания мозгов, спекулируя такими понятиями как свобода слова, равное правосудие и парламентарная демократия, и сделал упор на понятиях старшинства и власти. Как директор выразил в своей речи:

В аудитории, столовой или общежитии, на спортивной площадке и на построении в ваших отношениях с нами, преподавателями, и в отношении между собой по старшинству, вы знакомитесь с такими понятиями, как авторитет и повиновение, сотрудничество и верность, а также учитесь ставить дом и школу выше своих желаний...

Основным предметом вышеупомянутого порядка «старшинства» являлся баланс привилегированного положения и повиновения, который представлял собой более достойную сторону Британской Империи. Впрочем, при таких поставленных школой приоритетах, «привнесение ясности ума» в лучшем случае рассматривалось, как что-то неуместное и бесполезное. Викторианские реформы возымели успех, и частные школы стали проводить конкурсные экзамены. У тех, кто был стипендиатом, была возможность быть принятым в круг интеллигенции в этом «маленьком государстве», которое не осуждалось, пока не вмешивались в школьные дела особой значимости. Тем не менее Алан, который не принадлежал этому кругу учеников, вскоре отметил, насколько «до нелепости» в школе низкие требования по части образования. И фактически именно на спортивном поле, во время командных игр вроде регби или крикета, большинство учеников Шерборна на протяжении многих лет находили свое призвание и закаляли характер. Даже социальные изменения послевоенного времени не повлияли на абсолютно интровертированный, обладающий самосознанием уклад школьной жизни в условиях постоянного внимания общества и контроля над каждым отдельным учащимся. Это и были истинные приоритеты школы.

И лишь в одном отношении была сделана формальная уступка по отношению к викторианской реформе. В 1873 году школа пригласила преподавателя естественно-научных дисциплин, но прежде всего это было сделано ради возможности подготовки к медицинской деятельности. Не ради «мастерской мира», которую клеймили, как слишком прагматичную по духу, чтобы занимать мысли и время джентльмена. Семейство Стоуни, возможно, и могли построить мосты Империи, но руководила ими выше стоящая каста людей. Так и наука не воспользовалась возможностью проводить исследования независимо от их полезности, чтобы отыскать истину.

Такой была маленькая, окаменелая Великобритания, где хозяева и их слуги знали свое место, а шахтеры, по их мнению, были изменниками сложившейся идеологии. И пока мальчики принимали на себя роли слуг, занимаясь погрузкой цистерн с молоком в поезда, пока забастовка не была прекращена главами их страны, в их среду проник легкомысленный Алан Тьюринг. Его ум не занимали мысли по поводу проблем претендующих на звание землевладельца, строителей империи или управляющих, — все они принадлежали системе, которой до него не было дела.

Само слово «система» постоянно звучало рефреном, и пресловутая система функционировала практически независимо от отдельных личностей. «Уэскотт Хаус», в котором проживал Алан, впервые принял своих первых пансионеров лишь в 1920 году и все же уже существовал с таким укладом, что прислуживание новичков старшим ученикам и избиения в туалете расценивались, как естественные законы природы. Это происходило даже при том, что директор Джеффри О'Хэнлон имел свое собственное мнение по любому вопросу. Оставшийся холостяком в свои сорок лет и прозванный (скорее всего, некоторыми снобами) Учителем, он расширил изначальное здание дома на свои собственные средства, полученные с продажи ланкаширского хлопка. Сам он не приветствовал идею вылепить из мальчиков заурядных личностей, и не мог разделить любовь других заведующих пансионом к футболу. В последствии его пансион приобрел сомнительную репутацию своей «пассивностью». Он поощрял занятия музыкой и живописью, испытывал неприязнь в случаях травли учеников старшими и прекратил традицию исполнения новичками песни вскоре после поступления в школу Алана. Руководство такого директора приближало, насколько это было возможно, к либеральному правлению в «маленьком государстве». И все же система была превыше во всем кроме одной детали. Можно было подстроиться, сопротивляться или игнорировать ее — и Алан выбрал последнее.

«Он кажется очень замкнутым и склонен оставаться
в уединении, — писал О'Хэнлон. — Такое поведение возникает, скорее всего, не из-за подавленного состояния, а из-за
застенчивости». В школе у Алана не было друзей, и по крайней мере один раз другие мальчишки запирали его в подвале
общей гостиной. Там продолжал свои химические опыты,
которые были встречены ненавистью остальных, которые
видели в этом задатки зубрилы, к тому же в ходе экспериментов выделялись неприятные запахи. «Нельзя сказать,
что его внешний вид неопрятен, — характеризовал его
О'Хэнлон в конце 1926 года, — наоборот, он сам понимает,
когда ему нужно исправиться. Склонен поступать по-своему
и не вызывает симпатию у сверстников: он кажется неуны-
вающим, но я не всегда могу быть уверен, что его веселье не
напускное». «Его поведение зачастую вызывает насмешки
других, но я не нахожу его несчастным. Несомненно, его нельзя назвать «нормальным» мальчиком в полном смысле
этого слова, вследствие чего он ощущает себя менее счаст-
ливым», — отметил он в школьном отчете уже в конце весеннего семестра 1927 года. Директор в своем отчете был
более однозначен:

> Ему придется постараться, чтобы найти свое призвание;
> между тем он мог бы добиться большего, если бы попытал-
> ся направить все свои усилия, чтобы влиться в школьный
> коллектив — у него должен быть командный дух.

Миссис Тьюринг замечала то, чего больше всего опаса-
лась — что Алану так и не удастся влиться в жизнь частной
школы. К тому же он не был популярен среди остальных учеников, и среди преподавателей тоже. И в этом он потерпел
неудачу. С начала первого семестра его отправили в проме-
жуточный класс, который назывался «Шелл», вместе
с мальчиками на год старше, испытывающими похожие трудности в учебе. Позднее его перевели в другой класс, для учеников со средними результатами. Алан едва заметил перемену. Лица преподавателей сменялись одно за другим: в общей
сумме семнадцать за четыре семестра. И ни один из них так

и не понял одного мечтательного мальчика среди остальных двадцати двух учеников класса. Его бывший одноклассник так описывал тот период учебы:

> он был ходячей мишенью по крайней мере для одного преподавателя. Алан умудрялся испачкать свой воротничок чернилами, и тогда преподаватель поднимал его на смех перед всеми: «И снова Тьюринг измазался чернилами!». Досадный пустяк, можно было подумать, но этот пример никак не выходит у меня из головы, как порой жизнь чувствительного и безобидного мальчика... может превратиться в сущий ад за стенами частной школы.

Школьные отчеты составлялись дважды за семестр, и можно себе представить, как нераскрытые конверты, полные обвинений, утром ложатся на стол перед мистером Тьюрингом, «подкрепившимся раскуриванием трубки-другой и чтением «Таймс». Алан в таком случае попытался бы сказать нечто вроде: «Папа читает табель успеваемости, словно ведет застольную беседу» или «Папе стоило бы хоть раз взглянуть на успеваемость остальных мальчиков». Но отца не интересовала успеваемость остальных, и он видел лишь то, что его с трудом накопленные деньги растрачиваются попусту.

Его не волновало необычное поведение сына или, по крайней мере, он относился к нему с крайней долей терпимости. В действительности и Джон, и Алан во многом походили на своего отца, они любили говорить напрямую и реализовывать свои идеи решительно, порой приходя в чистое безумие. В семье именно мама была голосом общественного мнения, но ее вкусы и суждения в глазах остальных были по-простецки провинциальны. Именно она, а не муж, и даже не Джон, сочла необходимым изменить Алана. Тем не менее, терпимость мистера Тьюринга не распространялась на такое важное дело, как получение образования. Тогда его финансовое положение казалось особенно шатким. В конце концов, он устал находиться в изгнании и приобрел небольшой дом на окраинах Гилфорда, в самом центре графства Суррей, но, помимо оплаты подоходного налога, ему теперь было необходимо устроить карьеру старшего сына. Он отговорил своего сына идти по его стопам и вступать на службу в Индии, предугадав, что закон индийского правительства 1919 года в итоге приведет к антианглийским волнениям в стране.

Однако Алан не видел смысла в получении образования, о котором так пеклись его родители. Даже занятия французским языком, некогда его любимые, больше не приносили ему радости. Преподаватель французского языка писал: «Меня разочаровывает отсутствие в нем интереса к предмету, кроме тех случаев, когда его что-то забавляет». У него была удивительная способность, которая приводила в недоумение остальных, отсиживаться на занятиях в течение всего семестра, а затем оказываться одним из первых по результатам экзамена. Тем не менее, занятия по греческому языку, к изучению которого ему впервые пришлось приступить в Шерборне, он полностью проигнорировал. На протяжении трех семестров он получал самые низкие результаты на экзаменах, после чего его мнение услышали и ему неохотно позволили бросить курс греческого языка.

Учителя математики и естественно-научных дисциплин в характеристике ученика были более благожелательны, и все же им тоже было на что жаловаться. Летом 1927 года Алан показал своему учителю математики Рандольфу одну свою работу. Это было представление тригонометрической функции (котангенса) в виде десятичного ряда с использованием чисел Бернулли. Алан вывел ее самостоятельно, без использования элементарного дифференциального исчисления (он еще не был с ним знаком). Рандольф был поражен, и тут же сообщил классному наставнику о гениальности ученика. Но эта новость была воспринята с явным неодобрением. Алана едва не перевели в класс ниже, и сам Рандольф неблагосклонно отозвался о его достижении:

> Плохо, что он проводит много времени, по всей видимости, самостоятельно изучая высшую математику и пренебрегая работой в классе. В любой дисциплине всего важнее усвоить основы. Его работа никуда не годится.

Директор в свою очередь сделал предупреждение:

Надеюсь, он не совершит ошибку. Если он останется в школе, то должен поставить перед собой цель — стать образованным. Если же он должен быть только ученым, то напрасно тратит здесь свое время.

Эта угроза упала камнем на кофейный столик мистеру Тьюрингу, поставив под сомнение все, за что боролись и о чем молились мистер и миссис Тьюринг. Но Алан нашел лазейку в школьной системе, которую Науэлл Смит назвал «необходимость поддерживать известность и славное имя английской частной школы». Вторую часть семестра он провел в санатории, переболев там свинкой. Но когда он вернулся в школу, чтобы как обычно сдать экзамены, он стал победителем в рамках конкурсной программы. Директор отметил:

Своей победой он полностью обязан математике и естественно-научным дисциплинам. Тем не менее он показал улучшения и по ряду гуманитарных предметов. Если он будет продолжать в том же духе, он станет блестящим учеником.

Настало время для инициации Англиканской церкви, и Алан принял первое причастие 7 ноября 1927 года. Как и парад Корпуса военной подготовки, конфирмация была одной из тех обязанностей, которая должна была исполняться только по доброй воле. Но он действительно имел веру в Бога, или, по крайней мере, в некую высшую силу, когда он встал на колени перед епископом Солсбери и отказался от мира, плоти и дьявола. Тем не менее Науэлл Смит не преминул воспользоваться случаем, чтобы заметить:

Я надеюсь, что он отнесется к конфирмации со всей серьезностью. В таком случае он перестанет пренебрегать очевидными обязанностями, чтобы потворствовать своим собственным интересам, какими бы хорошими они ни были.

Эти обязанности: переводить глупые фразы на латынь, полировать пуговицы парадного мундира и остальные, — не были столь очевидными для Алана. У него было собственное представление по-настоящему значимых вещей. Слова директора больше говорили о внутреннем послушании, о котором писал Александр Во:

> Как обычно случается с большинством мальчиков, конфирмация на Гордона никак не повлияла. Он не был атеистом; он принял христианство почти так же, как вступил в Консервативную партию. Все лучшие люди были верующими, поэтому ему казалось это верным решением. Но в то же время принятие веры никак не изменила его поведение. Если у него и была вера во что-то, то скорее в школьную футбольную команду...

Выпад Александра Во в сторону школьного уклада Шерборна, в общем, состоял в том, что школа приучала мальчиков, говоря метафорически, использовать обе половинки мозга независимо друг от друга. «Мышление» или скорее официальное мышление происходило в одном полушарии мозга, а индивидуальное — в другом. Это не было лицемерием: это было необходимо для того, чтобы не перепутать в голове два абсолютно разных мира. К такому разделению мыслей можно было привыкнуть, но опасность этого подхода таилась на границе двух полушарий. Позже, как выразился Во, настоящее преступление было раскрыто.

В 1927 году в школе произошли некоторые изменения в ее неофициальных обычаях. Например, когда мальчики читали «The Loom of Youth» («Станок молодости»). Разумеется, многие ученики читали этот запрещенный роман. Они были скорее удивлены показанной в ней терпимостью, или, по крайней мере, предполагаемой терпимостью к сексуальным связям. Во время встреч спортивных команд с игроками из другой частной школы они поражались свободе мыслей, которая дозволялась в других школах. Теперь мальчики из Шерборна отстаивали более пуританскую и менее циничную ортодоксальность, чем Александр Во в 1914 году. Науэлл Смит больше не обращался к независимым ученикам, чтобы искоренить в них то, что называл «грязью». Но он никак не мог воспрепятствовать химическим изменениям в организме подрастающих мальчиков, и даже холодные ванны не остановят их от «непристойных разговоров».

Алан Тьюринг был тем самым мальчиком с независимым характером, который в отличие от директора сыграл ему не на пользу. В случаях с другими учениками «скандал» был лишь поводом для насмешек и быстро забывался, и в школе все вновь становилось по-прежнему. Но в его случае этот инцидент затронул всю его жизнь. Ведь несмотря на то что он разумеется к тому времени уже знал все о пестиках и тычинках, сердцем он был где-то далеко. Тайна рождения тщательно скрывалась, но все знали о существовании этой тайны. В то же время Алан узнал в Шерборне другую тайну, которая вне его стен даже не существовала. И это был его личный секрет. Ведь его влекло всеми чувствами и желанием не только к «самым обычным природным веществам», но и к своему собственному полу.

Он был серьезным человеком и уж точно не из тех, кого Александр Во называл «обычными мальчиками». Он не укладывался в рамки всего традиционного и привычного и страдал из-за этого. Ему было необходимо найти причину для всего; и у каждого явления должен быть один смысл и только один. Но школа никак не помогала ему найти ответы, лишь помогла ему лучше понять свою сущность. Чтобы стать независимым, ему необходимо было проложить себе путь в обход общепринятых и неофициальных правил.

И если у Науэлла Смита и были какие-то оговорки и замечания по поводу системы частной школы, то у классного руководителя Алана за осенний семестр 1927 года, А. Х. Трелони Росса, их не было. Некогда бывший ученик Шерборна и выпускник Оксфордского университета он вернулся в школу в 1911 году уже в качестве преподавателя. За тридцать лет работы в Шерборне он ничему не научился и ничего не забыл. Ярый противник «слабости духа», он не разделял мнение директора по поводу рабского отношения в школе. Даже в стиле письма он разительно отличался от Науэлла Смита. Приведем отрывок из его «Письма о Доме» 1928 года:

Я хочу свести счеты с заведующим гостиной (рост 150 см). Он говорил всем о том, что я — женоненавистник. Этот слух несколько лет назад начала распространять одна дама, которой я показался недостаточно сентиментальным. На самом деле я считаю, что у каждого женоненавистника есть какое-то психическое отклонение, так же как и у феминисток, которых также великое множество...

Основную часть времени Алан посвящал своим интересам. Однажды Росс заметил его, выполняющего алгебраические вычисления во время одного из занятий, посвященных религии, и отметил этот случай в характеристике за полсеместра:

Я могу смотреть сквозь пальцы на его сочинения, хотя ничего ужаснее в жизни своей не видывал, я пытаюсь терпеть его непоколебимую небрежность и непристойное прилежание; но вынести потрясающую глупость его высказываний во время вполне здравой дискуссии по Новому Завету я, все же, не могу.

Безусловно он не должен быть в этом классе. Он безнадежно отстает от остальных учеников.

В декабре 1927 года Алан получил худшие результаты по английскому и латыни. К табелю об успеваемости учитель приложил запачканный чернилами лист, который ясно указывал на недостаточное прилежание в изучении деяний Гая Мария и Суллы. И все же Росс смягчил свою жалобу замечанием, что «лично мне он нравится». О'Хэнлон в характеристике указал «спасительное чувство юмора». Дома его опыты никого не интересовали и лишь вызывали недовольство оставленным беспорядком, но у него всегда находились забавные истории о науке или шутки по поводу его неуклюжести. Такое простодушие и скромность было невозможно не полюбить. Конечно, с его стороны было глупо не пытаться облегчить себе жизнь. Ленив и даже высокомерен в своей уверенности, что он знает, что будет лучше для него. Но он не был шумным, поскольку он был сбит с толку, когда дело касалось того, что не имело ничего общего с его интересами. По возвращении домой он не жаловался на Шерборн, поскольку, казалось, рассматривал обучение в частной школе как неизбежный этап жизни, который он должен пройти.

Как человек он нравился многим, но не как ученик. На Рождество 1927 года директор написал:

> Он принадлежит к числу тех учеников, которые создают проблемы для любой школы и всего общества. Между тем я считаю, что именно у нас у него есть надежда развить свои способности и в то же время приспособиться к жизни в реальном мире.

Вскоре Науэлл Смит покинул свое место, возможно, ничуть не жалея, оставив позади противоречия школьной системы, а также проблемного ученика с независимым характером Алана Тьюринга.

Новый 1928 год ознаменовался изменениями, которые произошли в Шерборнской школе. Преемником Науэлла Смита стал К. Л. Ф. Боухи, который ранее был учителем в Марлборо. Так получилось, что отъезд директора совпал со смертью Кери, спортивного учителя, на замену которого встал брюзжащий Росс.

Эти изменения коснулись и Алана. Заведующий пансионом попросил Блэми, серьезного и такого же одинокого мальчика, всего на год старше Алана, сделать совместный проект. Блэми должен был оказать определенное влияние на мальчика: приучить к аккуратности, «помочь влиться в коллектив, а также показать, что жизнь полна других занятных вещей, кроме математики». Первая задача оказалась для мальчика невыполнимой, в отношении второй он столкнулся с определенной сложностью, ведь Алан «обладал удивительной способностью сосредотачивать все свое внимание на одном деле, он был полностью поглощен решением очередной глубокомысленной задачи». Блэми считал своим долгом в такой момент «прервать его размышления и напомнить, что пора идти в часовню, на спортивное поле или на занятия» в зависимости от обстоятельства, действуя из лучших побуждений помочь образовательной системе работать, как отлаженный механизм. О'Хэнлон в характеристике указал:

> Можно сказать точно, что он невыносим, и он теперь должен понимать, что я не допущу подобного случая, когда я нахожу его с бог весть каким колдовским варевом на подоконнике с двумя оплывшими свечками. Тем не менее, он очень бодро перенес свои беды и приложил больше усилий, например, в спортивных дисциплинах. Этот мальчик не безнадежен.

Единственным сожалением Алана относительно его «колдовского варева» было то, что О'Хэнлон «так и не увидел, какими яркими красками сияют испарения нагретой сальной свечи». Алан все так же увлекался химией, и ничто не могло помешать ему провести очередной эксперимент. Отзывы учителей математики и естественно-научных дисциплин пестрили замечаниями о «постоянных огрехах и неаккуратности в работах... ужасной неопрятности в письменных и экспериментальных работах», что доказывало отсутствие у него способности работать сообща, несмотря на его потенциал. «Его манера представлять свою работу просто отвратительна, — отмечал О'Хэнлон, — и не приносит должного удовольствия от ее результатов. Он не понимает, что имеется в виду, когда я говорю о его невоспитанности, плохом почерке или нечитаемости цифр».

Росс отправил его в другой класс, но весной 1928 года его результаты оставались одними из худших среди остальных. «В настоящее время в его голове царит полный хаос и поэтому ему так сложно порой выразить себя. Ему стоит больше читать», — отметил учитель, возможно, лучше чувствующий натуру мальчика, чем Росс.

Перспектива отказа в выдаче Алану свидетельства об окончании школы казалась весьма правдоподобной. О'Хэнлон и учителя естественно-научных дисциплин хотели дать ему шанс, остальные выступали против. Решение должен был принять новый директор школы, который ничего не знал об Алане. В планы Боухи входило изменение существующих порядков и священных традиций школы. У старших учеников вызвала отвращение его всеобщая лекция о «непристойных разговорах». (Они решили, что он судит о Шерборне по стандартам Мальборо). Весь учебный состав пришел в ужас, когда он перед всей школой дал распоряжение не проводить заупокойную службу по Керри в школьной часовне. Эта оплошность решила его судьбу. В официальной истории школы было отмечено:

> Его застенчивость могла быть воспринята как равнодушие к школьным делам... ему приходилось справляться со своим слабым здоровьем, подорванным еще во время его военной службы, и ему с большим трудом давались публичные выступления или частные визиты, которые неизбежно требует положение директора.

По причине или в результате этого он, как бы выразился Бревстер, был «отравлен» алкоголем. Школа привыкла к борьбе за влияние между Россом и Боухи, борьбе старого и нового, которая и определила будущее Алана. Боухи из принципиальных соображений посчитал мнение Росса ошибочным, и тем самым позволил Алану сдать выпускной экзамен.

На время летнего семестра 1928 года для подготовки к выпускному экзамену Алана снова перевели в другой класс, руководителем которого значился преподобный В. Дж. Бенсли. Он не видел смысла изменять свои привычки, и снова занял последнее место по успеваемости в классе. Тогда Бенсли опрометчиво пошутил, что готов пожертвовать миллиард фунтов на благотворительность, если Алан сдаст латынь. Более проницательный О'Хэнлон однажды предсказал судьбу:

> У него ума не меньше, чем у любого другого ученика. И его хватит, чтобы сдать даже такие «бесполезные» дисциплины, как латынь, французский язык и литература.

О'Хэнлон был знаком с некоторыми работами Алана. По его мнению, они были «на удивление лаконичными и разборчивыми». Алану удалось набрать проходные баллы по английскому языку, французскому языку, элементарной математике, высшей математике, физике, химии, и латыни. Бенсли так и не выполнил своего обещания, власть имущие имеют исключительное право менять правила игры.

Экзамены остались позади, и Алан нашел свое место в системе в качестве «гения математики». Однако Шерборн не предоставлял возможности перейти в шестой класс с математическим уклоном, как в некоторых других школах, в особенности — в Уинчестере. Вместо него существовал класс с естественно-научным профилем, где математике — любимому предмету Алана — уделялось мало внимания. И при этом Алан не сразу перешел в шестой класс, в осеннем семестре 1928 года он продолжал учиться в пятом с разрешением посещать занятия по математике для шестого класса. Занятия вел молодой учитель Эперсон, лишь год назад закончивший Оксфордский университет. Вежливый молодой человек с прекрасным образованием сразу же снискал уважение учеников. Настал момент, когда система могла, наконец, спасти себя, отступить от буквы закона. И Эперсон сделал то, чего так добивался Алан — оставил его в покое:

> Я могу сказать только то, что мое решение предоставить ему свободу в учебном процессе и оказывать поддержку при необходимости позволило его математическому гению развиваться самостоятельно...

Он понял, что Алан всегда предпочитал свои собственные методы решения задач примерам, указанным в учебниках, и, действительно, за все время обучения в школе Алан все делал по-своему, лишь иногда уступая школьной системе. Пока учебный совет решал, допускать ли его к экзамену, он занимался изучением теории относительности Эйнштейна на примере его известной работы.[33] Книга затрагивала только знания курса элементарной математики, но при этом способствовал тем идеям, которые выходили за рамки учебной программы. И если «Чудеса природы» открыли для Алана постдарвиновский мир науки, Эйнштейн увлек его революционными открытиями в физике XX века. Алан делал заметки в своей маленькой красной записной книжке, которую затем передал своей матери.

«Здесь Эйнштейн ставит под сомнение, — писал он, — работают ли аксиомы Евклида по отношению к твердым телам. (...) Поэтому он собирался проверить выполнимость законов Ньютона». Из этой записи можно сделать вывод, что Тьюринг не только ознакомился с работой Эйнштейна, но и разобрался в ней до такой степени, что он смог экстраполировать из текста сомнения Эйнштейна относительно выполнимости Законов Ньютона, которые не были высказаны в статье в явном виде. Алан все ставил под сомнение, ничто не было для него очевидным. Его брат Джон, до этого смотревший на Алана свысока, теперь утверждал:

> Можно было с уверенностью сказать, если вы высказываете некоторое самоочевидное суждение, например, что земля круглая, Алан тут же мог привести целый ряд неопровержимых доказательств, что она скорее плоская, эллиптической формы или даже имеет точные очертания сиамского кота, которого пятнадцать минут кипятили при температуре в тысячу градусов по Цельсию.

Эти декартовские сомнения стали неотъемлемой частью жизни в школе и дома. Навязчивая манера Алана подвергать все критике воспринималась по большей части с юмором. Тем не менее, всему интеллектуальному миру потребовалось долгое время задаться вопросом, действительно ли такие «очевидные» Законы Ньютона верны. Только к концу девятнадцатого века наука признала, что они не работают с известными законами электричества и магнетизма. И только Эйнштейн решительно высказал мысль, что общепринятые основы механики были в своем корне *неверными*, и позже создал Специальную Теорию Относительности в 1905 году. Она оказалась несовместимой с законами тяготения Ньютона, и, чтобы избавиться от этого несоответствия, Эйнштейн пошел еще дальше, подвергнув сомнению даже аксиоматику Евклида, что привело к созданию Общей Теории Относительности в 1915 году.

Смысл достижения мысли Эйнштейна заключался вовсе не в его экспериментах. Для Алана она показала необходимость подвергать любое утверждение сомнению, воспринимать любую идею серьезно и следовать ей до логического конца. «Теперь у него есть свои аксиомы, — писал Алан, — и теперь он может снова следовать своей логике, отбросив старые представления о времени, пространстве и т. д.».

Алан также заметил, что Эйнштейн избегал философских размышлений о том, «какими в действительности являются время и пространство» и вместо этого сосредоточивал свое внимание на том, что могло быть осуществлено на практике. Эйнштейн придавал большое значение измерению пространства и времени, как части практического подхода к физике, в котором понятие расстояния, к примеру, имело значение только относительно определенного режима измерений. Алан по этому поводу выразил свои мысли:

> Бессмысленно ставить вопрос о постоянстве расстояния между двумя т(очками), если вы принимаете это расстояние за единицу, и вы тем самым привязаны к этому определению. (...) Эти методы измерения по сути условны. Вы можете изменить законы под используемый вами метод измерения.

Отказываясь подчиняться правилам других, он предпочел сам проделать работу по доказательству теории, которая была изложена Эйнштейном, «поскольку только тогда я смогу убедиться сам и поверить, что в ней нет ничего «магического»». Он изучил книгу от корки до корки и мастерски вывел закон*, который в Общей Теории Относительности отменяет аксиоматику Ньютона, что тело, не подвергающееся никакой внешней силе, двигается по прямой с постоянной скоростью:

> Теперь ему необходимо было открыть общий закон движения тел. Разумеется, этот закон должен подчинять-

---

* Закон геодезического движения в Общей теории относительности.

ся общему принципу относительности. К сожалению, он не приводит его, поэтому это сделаю я. Он гласит: «Расстояние между двумя событиями в истории частицы должно быть максимальным или минимальным при измерении относительно ее мировой линии».

Чтобы доказать его, он приводит принцип эквивалентности, который гласит: «Любое естественное гравитационное поле эквивалентно искусственно созданному». Предположим тогда, что мы заменяем естественное гравитационное поле искусственным. Поскольку теперь оно является искусственным, у этой т(очки) возникает система Галилея, поэтому частица будет двигаться равномерно, то есть по прямой мировой линии. В евклидовом пространстве у прямых линий существует максимальное или минимальное расстояние между т(очками). Поэтому мировая линия удовлетворяет приведенные выше условия одной системы, а, значит, и всех остальных.

Как отметил Алан, Эйнштейн не написал об этом законе движения в его известной работе. Возможно, Алан просто додумался до этого сам. С другой стороны, также вероятно, что он нашел эти сведения из другой работы, опубликованной в 1928 году и с которой он был уже знаком к 1929 году — «Природа физического мира» Сэра Артура Эддингтона, профессора астрономии Кембриджского университета. Эддингтон занимался физикой звезд и развитием математической теории относительности. Этот значительный труд, однако, был одной из его известных работ, в которой он собирался отобразить значительные изменения в научной картине мира, известной с 1900 года. В этой в некотором роде импрессионистической работе был изложен закон движения, хотя без приведенных обоснований, что и побудило Алана изложить свои мысли на этот счет. Несомненно, в той или иной форме Алан не только изучил работу, но и объединил несколько идей для себя.

Алан приступил к изучению этой работы по собственной инициативе, и Эперсон даже не догадывался о том, чем интересуется его ученик. Он мыслил независимо от его окружения, которое не могло предложить ему ничего, кроме вечного недовольства и бесконечных выговоров. Ему пришлось обратиться к своей матери за поддержкой. И тогда случилось нечто невероятное, что позволило ему выйти на связь с окружающим миром.

В параллельном классе, классе Росса, учился мальчик, которого звали Морком. Тогда еще Алан знал лишь его фамилию, и лишь некоторое время спустя тот назвал свое имя — Кристофер. Впервые Алан заметил Кристофера Моркома в далеком 1927 году и поразился в большей части потому, что Кристофер был невероятно низким мальчиком для своего возраста. (Этот светловолосый и худощавый мальчик был на год старше Алана и учился на класс выше). Знакомство состоялось также потому, что Алан «снова хотел взглянуть на его лицо, поскольку он был очарован». Позднее, в 1927 году, Кристофер на время покинул школу и вернулся, как заметил Алан, с еще более тонкими чертами лица. Он разделял страсть Алана к науке, но был совсем другим человеком. Система, которая для Алана была непреодолимым препятствием, расценивалась Кристофером, как способ легкого достижения успеха, источником стипендиальных средств, всевозможных наград и похвалы. В этом семестре он снова позже вернулся в школу, но на этот раз его ждал Алан.

Его бесконечное чувство одиночества наконец дало о себе знать. Но было не так-то легко подружиться с мальчиком старше и из другого дома. И при этом Алан не умел вести непринужденную беседу. И решение этого вопроса он вновь нашел в математике. «Во время того семестра мы с Крисом начали обсуждать интересующие нас вопросы и обсуждать наши любимые методы их решения». Для их возраста казалось невозможным разделять общие интересы и не проникнуться чувствами к собеседнику. Это была первая любовь, которую сам Алан рассматривал, как одну из многих привязанностей к представителям своего пола. Чувство, которое его переполняло, было похоже на своего рода полную капитуляцию («был готов целовать землю, по которой он ходил»), он видел перед собой свет бриллианта, на фоне окружающего его серого мира («По сравнению с ним, все остальные казались такими заурядными»). В то же время самым важным было то, что Кристофер Морком оказался чуть ли не единственным человеком, который отнесся серьезно к его научным идеям. И постепенно, как это порой бывает, он стал воспринимать и самого Алана всерьез. («В моих самых ярких воспоминаниях о Крисе, он всегда говорил мне что-то доброе».) Таким образом, Алан нашел все те человеческие качества, в которых он нуждался, и теперь ничто не могло помешать их общению.

Теперь перед началом уроков Эперсона и после них он мог проводить время за обсуждением с Крисом теории относительности или показывать ему свои не менее интересные работы. Так, приблизительно в это время он вычислил значение π с точностью до тридцати шести десятичных знаков. Вероятно Алан выполнил это вычисление, чтобы получить функцию арктангенса, и какое разочарование ожидало его, когда он заметил ошибку в определении последнего десятичного знака. Через некоторое время Алан нашел новую возможность встречаться с Кристофером. Случайно обнаружив, что в определенное время по средам днем Крис направляется в библиотеку, а не в свой «дом». (Росс не допускал совместной работы мальчиков без надзора учителей из-за создаваемого чувства сексуального напряжения.) «Я наслаждался обществом Криса в библиотеке настолько», — писал Алан, — что с тех пор все свое свободное время проводил в библиотеке, забросив свои исследования».

К несчастью, вскоре Кристофер простудился и до конца зимы не посещал занятия, поэтому Алан смог провести с ним только последние пять недель весеннего семестра.

«Работы Криса всегда превосходили мои, потому что он основательно подходил к любому делу. Несомненно он был очень умен, но при этом никогда не пренебрегал деталями и, например, редко допускал ошибки при арифметических вычислениях. Он обладал редким качеством находить способ решить поставленный вопрос наилучшим путем. В качестве примера его невероятных способностей приведу тот случай, когда он с погрешностью в полсекунды определил, когда прошла минута. Порой он мог разглядеть Венеру на небе в дневной час. Разумеется, у него от рождения было прекрасное зрение, но мне все же кажется, что это тоже некий дар. Его таланты распространялись на все сферы жизни будь то игра в «пятерки» или бильярд.

Никто не мог удержаться от восхищения такими способностями, и, конечно, я сам хотел бы ими обладать. Во время выступлений Крис принимал такой восхитительно горделивый вид, и я полагаю, что именно он вызвал во мне состязательный дух, которым он мог бы однажды быть очарован и который стал бы предметом его восхищения. Это чувство гордости распространялась и на его вещи. Он умел описать достоинства его авторучки «Research» так, что у меня тут же появлялось страстное желание заполучить такую же, а затем однажды признался, что пытался вызвать у меня чувство зависти».

Немного противоречиво Алан продолжал:

Крис всегда мне казался очень скромным человеком. Он, например, никогда бы не смог сказать мистеру Эндрюсу, что его идеи далеки от истины, хотя возможность указать на его ошибки возникала снова и снова. В частности, ему не нравилось обижать человека, он больше извинялся (перед учителями в особенности) в тех случаях, когда любой другой мальчик не стал бы раскаиваться.

Любой другой мальчик, если верить школьным слухам, отнесся бы к преподавателю с презрением — в особенности к «Вонючке», учителю химии и естественных наук. Это было очевидным бунтом против системы. Но Кристофер был выше всего этого:

В Крисе самым необычным, на мой взгляд, было то, что у него были четкие границы дозволенного. Однажды он рассказывал о своем эссе, которое он написал на экзамене, и как он подвел свою мысль к рассуждению на тему «что хорошо и что плохо». «У меня есть четкое представление, о том, что хорошо, а что плохо», — сказал он тогда. Так или иначе я никогда не сомневался в верности принятых им решений и поступков, и думаю, в этом было нечто большее, чем просто слепое обожание.

Возьмем, к примеру, случаи непристойного поведения. Мысль о том, что Крис когда-нибудь будет иметь нечто с чем-то подобным, казалась мне просто смехотворной. Разумеется, я ничего не знаю о его жизни в «доме», но, думается мне, ему скорее было легче предотвратить инцидент, нежели чем возмущаться после. Это, конечно, говорит о той черте его характера, которая всегда восхищала меня. Я помню случай, когда нарочно сделал ему замечание, которое не осталось бы незамеченным в общей гостинной, чтобы просто посмотреть на его реакцию. И он заставил меня пожалеть о сказанном, не унизив своего достоинства.

Не смотря на все эти удивительные достоинства, Кристофер Морком был простым смертным. Однажды он уже чуть не попал в беду, когда бросал камни в трубы проезжающих поездов с железнодорожного моста и случайно попал в железнодорожника. Еще одно его деяние заключалось в его попытке направить наполненные газом шары через целое поле в Шерборнскую школу для девочек. Также за ним числились случаи несерьезного поведения в лаборатории. Один ученик, крутой нравом спортсмен по имени Мермаген, присоединился к ним, чтобы провести практические эксперименты в небольшом флигеле рядом с классом, в котором проходило занятие мистера Джервиса. В классной комнате повсюду были развешены лампочки вытянутой формы, раскрашенные колбы, которые он использовал для работ с электрическим сопротивлением. Его любимым выражением было: «Возьми-ка другую лампочку-сардельку, мальчик!». И это навело троих ребят на мысль придумать пародию на их занятие, для которой Кристофер подобрал музыку».

Алан получил 1033 балла по математике, в то время как Кристофер набрал 1436.

Семья Моркомов были отнюдь не бедной семьей, в которой все занимались наукой или искусством, получая доход от инженерной компании в Мидлендсе. Неподалеку от города Бромсгроув в графстве Вустершир они отстроили жилой дом, сохранившийся еще со времен правления Якова I, превратив его в большой загородный дом, «Клок Хаус», где вся семья жила и воспитывала детей со своим собственным видением.

Дедушка Кристофера был предпринимателем в компании по производству стационарных паровых двигателей, и Бирмингемская компания Белисса и Моркома, которой его отец, полковник Реджинальд Морком, недавно стал председателем, теперь тоже занималась паровыми турбинами и воздушными компрессорами. Мать Кристофера была дочерью сэра Джозефа Свона, который вырос в обычной семье, а в 1879 году, независимо от Эдисона, изобрел электрический свет. Полковник Морком сохранил свой активный интерес к научным исследованиям, а миссис Морком разделяла его энергию в своих собственных делах. Неподалеку от их загородного дома она управляла собственной козьей фермой, также она выкупила и отремонтировала дома в соседней деревне Катсхилл. Каждый день она уходила из дома решать дела связанные со своими проектами или благоустройством графства. Образование она получила в лондонской Школе изящных искусств Феликса Слейда и в 1928 году вернулась в столицу, где в центре сняла квартиру и студию. И начала ваять изысканные и монументальные скульптуры. Для ее творческой натуры ничего не стоило по возвращению в школу продолжать называть себя мисс Свон, чтобы потом, пригласив своих друзей в «Клок Хаус», после, порой доходящих до абсурда притворств, объявить себя наконец миссис Морком.

Вскоре после химии появилось увлечение астрономией, с которой Кристофер познакомил Алана ранее в том же году. На семнадцатилетие Алан получил от матери книгу Эддингтона «Внутреннее строение звезд», а также приобрел $11/2$-дюймовый телескоп. У Кристофера уже имелся четырехдюймовый телескоп («Он мог часами рассказывать о своем чудесном телескопе, если считал, что собеседнику будет интересно о нем узнать»), а на восемнадцатилетие получил атлас звездного неба. Помимо астрономии Алан также обстоятельно изучал «Природу физического мира». Так, в своем письме от 20 ноября 1929 года он приводит основную мысль одной главы из книги:

В квантовой теории Шредингера для каждого рассматриваемого электрона применяются три квантовых числа. Он считал, что эта теория должна дать объяснение поведению электрона.

Эта мысль возникла из описания Эддингтоном еще одного изменения основных физических понятий, намного более таинственных, чем теория относительности. Квантовая теория отмела идеи девятнадцатого столетия о представлении частиц в виде шаров и субэфирных волнах и заменила их на представление некоторой сущности, обладающей свойствами и частицы, и волны: бугорчатую, но похожую на облако.

У Эддингтона было множество идей, поскольку 1920-е годы ознаменовались стремительным развитием в области физики рядом открытий, совершенных на рубеже веков. В 1929 году квантовой теории Шредингера исполнилось лишь три года. Мальчики также изучали труды еще одного физика-теоретика и астронома из Кембриджского университета — сэра Джеймса Джинса, который сделал важный вклад в развитие нескольких областей физики. К этому времени было установлено, что некоторые туманности за пределами Млечного пути представляли собой облака из газа и звезд, и некоторые туманности представляли собой целые галактики. Представление о вселенной существенно изменилось. Алан обсуждал эти идеи вместе с Кристофером, и в ходе дискуссий они «обычно не приходили к единому мнению», как отмечал Алан. Алан сохранил «некоторые записанные карандашом идеи Криса и мои пометки чернилами поверх его мыслей. Таким образом мы вели тайную переписку на уроках французского».

Отец Алана был исключительно рад, если не поражен, происходившим изменениям в успеваемости сына. И хотя его интерес к математике ограничивался подсчетом подоходного налога, он испытывал чувство гордости за успехи Алана, как и Джон, который восхищался, как его брату удалось влиться в систему и начать существовать в симбиозе с ней. В отличие от своей жены, мистер Тьюринг никогда не утверждал, что имеет хоть малейшее представление о том, чем занимается его сын. Это послужило идеей для каламбурного рифмованного двустишия, которое Алан зачитал из письма своего отца на научном докладе:

> Не знаю, что ты под всем этим имел в виду
> Но что ты сказал, ты и имел в виду!

Казалось, Алан был весьма доволен этим проявлением невежества со стороны доверчивого отца. Миссис Тьюринг, напротив, придерживалась политики осуждения в общении с сыном. Часто от нее можно было услышать фразу: «Я же тебе говорила». Кроме того, она постоянно напоминала, что ее выбор школы был единственно верным. Конечно, она с определенным вниманием относилась к Алану, и ее не так заботило воспитание в нем добродетели, поскольку ей нравилось думать, что она разделяет его любовь к науке.

У Алана теперь была возможность попытаться получить грант на обучение в университете, который означал бы не только академический успех ученика, но и получение денежных средств, чтобы обеспечить достойную студенческую жизнь. Вместе с тем обычная стипендия, которая присуждалась конкурсантам, не набравшим достаточное количество баллов, означала намного меньшие блага. От Кристофера, которому уже исполнилось восемнадцать лет, все ожидали получение гранта, что он пойдет по стопам своего старшего брата. Честолюбие побудило Алана попытаться получить стипендию в свои семнадцать лет. В области математики и естественных наук Тринити-Колледж поддерживал свою высокую репутацию среди остальных колледжей университета, который сам по себе после Геттингема в Германии был научным центром всего мира.

Одной из основных задач частных школ являлась подготовка учащихся к чрезвычайно трудным испытаниям на получение стипендии в классических университетах страны, и Шерборнская школа выделила Алану субсидию на 30 фунтов в год. Но это еще не гарантировало успеха. Экзамены на получение стипендии отличались заданиями на сообразительность и творческий подход, к которым нельзя было подготовиться. Вопросы позволяли учащимся почувствовать вкус взрослой жизни. Но не только это подстегивало интерес Алана. Вскоре Кристофер должен был покинуть Шерборн, и оставалось непонятным, когда состоится его отъезд:

предположительно, на пасхальные праздники 1930 года. Потерпеть неудачу на вступительном экзамене означало бы потерять Кристофера на целый год. Вероятно именно из-за этой неуверенности в будущем у Алана появилось мрачное предчувствие в ноябре: в голове постоянно крутилась навязчивая мысль о том, что нечто должно помешать Кристоферу поступить в Кембридж.

Подготовка к вступительным экзаменам в Кембриджский университет позволяла мальчикам провести целую неделю вместе, и никакие школьные правила не могли бы им помешать: «Я с нетерпением ожидал возможность провести неделю с Крисом, как и возможность увидеть Кембридж своими собственными глазами». В пятницу шестого декабря школьный друг Кристофера, Виктор Брукс, собирался совершить поездку в Кембридж из Лондона на машине и пригласил мальчиков поехать с ним. Они прибыли в Лондон поездом, и там должны были встретиться с миссис Морком. Пригласив ребят в свою студию, она позволила им позабавиться, откалывая кусочки мрамора от бюста, над которым она в тот момент работала, а затем устроила для них обед в своей квартире. Кристофер привык подтрунивать над Аланом, его излюбленной темой для шуток были «ядовитые вещества. Так, он говорил, что ванадиум, содержащийся в столовых приборах из сплава стали и ванадиума, является «смертельно-опасным веществом»».

В Кембридже всю неделю они могли жить, как два молодых джентльмена, в своих собственных комнатах и без комендантского часа. В Тринити-Колледже устраивали званый обед, все гости щеголяли в своих вечерних нарядах, пока на них сверху смотрел Ньютон со своего портрета. Такое мероприятие стало хорошей возможностью познакомиться с поступающими из других школ и сравнить себя с ними. Алан успел завести лишь одно новое знакомство с Морис Прайс, с которым он легко завязал общение на общие интересные темы из области физики и математики. Прайс уже второй раз пытался поступить в колледж. Год назад он однажды сел под портретом Ньютона и пообещал себе сделать все возможное для поступления. И хотя Кристофер был пресыщен разговорами об этом, но именно это чувство разделяли все мальчики: в жизни грядут большие изменения.

«Это был, — как писал Алан, — очень вкусный обед, после чего ребята отправились играть в бридж с другими выпускниками Шерборнской школы в Тринити-Холл. Мы должны были... вернуться обратно в свой корпус к десяти часам, и когда оставалось лишь четыре минуты» Крис решил сыграть еще одну партию. Я не мог позволить нам опоздать из-за его игры, и мы вернулись вовремя. На следующий день, в субботу, мы снова играли в карты, на этот раз в «Рамми». После десяти часов мы продолжили играть. Я очень ясно помню, как лицо Криса расплылось в широкой улыбке, когда мы решили, что мы еще не готовы идти обратно в свои комнаты. Так мы продолжали играть до четверти первого часа. Несколькими днями позже мы попытались проникнуть в Обсерваторию. Один друг-астроном Кристофера пригласил нас посетить Обсерваторию в любое удобное для нас время. Но наше понимание любого удобного времени не совпало с мнением друга.

Результаты экзаменов были опубликованы в «The Times» 18 декабря, когда подошел к концу учебный семестр. Это был настоящий крах. Кристофер успешно прошел испытания и получил стипендию в Тринити, а Алан — нет. Вскоре он получил ответ на свое письмо с поздравлением, написанное в исключительно дружеском тоне:

20 декабря 1929 года
Дорогой Тьюринг,

Большое спасибо за твое письмо. Я был так же несчастен узнать о твоей неудаче, как и был рад узнать о своем поступлении. Слова мистера Гоу говорят о том, что ты мог бы получить именную стипендию, если бы подал заявку на нее...

...Последние ночи были очень ясными, я такого неба еще никогда не наблюдал. Впервые я так отчетливо видел Юпитер и смог различить около пяти или шести его колец и даже какую-то деталь на одном из его больших средних колец. Вчера вечером я видел, как первый спутник показался на фоне затмения. Его появление было достаточно внезапным (всего лишь на несколько секунд), он был немного дальше Юпитера и мне показался очень красивым. Также мне удалось увидеть очень четко туманность Андромеды, но тоже недолго. Видел сияние Сириуса, Поллукса и Бетельгейзе, а также яркую полосу туманности Ориона. В настоящий момент собираю спектограф. Обещаю написать снова позже. Счастливого Рождества и все такое...

Всегда твой К. К. М.

В Гилдфорде у Алана не было таких возможностей, чтобы создать свой собственный спектограф, вместо этого он взял сферический стеклянный абажур от старой лампы, залил в него гипс, сверху обклеил бумагой и начал отмечать на нем созвездия неподвижных звезд. Как обычно, он настоял на том, чтобы отмечать звезды, только исходя из своих собственных наблюдений ночного неба, хотя было бы проще и точнее это сделать по атласу звездного неба. Он приучил себя просыпаться в четыре часа утра, чтобы отметить те звезды, которые не были видны вечером в декабре. Из-за его ранних пробуждений просыпалась мать, ей казалось, что в дом пробрался грабитель. Как только он завершил свой проект, Алан поспешил написать о нем Кристоферу, заодно спросив у него совета, будет ли благоразумным решением попробовать поступить в другой колледж в следующем году. Если Алан вновь хотел таким образом проверить чувства своего друга, он был весьма доволен ответом Кристофера:

5 января 1930 года
Дорогой Тьюринг,

... я не могу тебе ничего посоветовать насчет другого колледжа, поскольку это никак меня не касается, и мне кажется, я не вправе что-нибудь писать по этому поводу. Колледж, в котором учится Джон, несомненно хорош, но я лично хотел бы, чтобы ты поступил все-таки в Тринити, тогда я смог бы часто тебя видеть.

Мне бы очень хотелось увидеть твою карту звездного неба, когда ты закончишь ее составлять, но я боюсь, что принести ее в школу или куда-нибудь еще — задача не вполне осуществимая. Мне всегда хотелось сделать глобус звездного неба, но так и не взялся за дело, а теперь у меня есть атлас звездного неба с изображением космических объектов до шестой звездной величины. (...) Недавно я пытался разглядеть туманности. Следующей ночью мы смогли найти некоторые, одна была обнаружена в созвездии Дракона седьмой звездной величины, десять дюймов. Также мы пытались разглядеть комету восьмой звездной величины в созвездии Дельфина. ... интересно, сможешь ли ты найти ее, но все же сомневаюсь, потому что в твой телескоп невозможно разглядеть такие мелкие объекты. Я попытался вычислить ее орбиту, но потерпел неудачу: одиннадцать нерешенных уравнений с десятью неизвестными мне оказались не под силу.

Продолжал заниматься изготовлением пластилина. Руперт приготовил дурнопахнущее мыло и жирные кислоты из... рапсового масла.

Обратным адресом на этом письме была указана квартира его матери в Лондоне, где ему предстояло «проведать дантиста... а также попробовать избежать очередного танцевального вечера, устраиваемого дома». На следующий день он снова написал уже из загородного дома:

...я сразу же нашел комету в ее указанном положении. Открывшаяся мне картина оказалась очень четкой и более интересной, чем я мог себе представить... надо сказать, что это почти седьмая звездная величина. Ее... можно увидеть и в твоем телескопе. Лучше всего будет выучить наизусть звезды четвертой и пятой величины и медленно двигаться по указанному курсу, не выпуская из вида все знакомые звезды. (...) Где-то через полчаса мне снова нужно будет проверить, насколько ее ясно видно (небо только что затянулось облаками) и попытаться обнаружить ее путь среди звезд, а также посмотреть, как она выглядит, если использовать более сильный окуляр (x 250). Группа звезд четвертой и пятой величины в созвездии Дельфина появляются в видоискателе по парам.

Твой К. К. Морком.

Алан уже успел разглядеть кометы, но удалось ему это совершенно случайно.

10 января 1930 года

Дорогой Морком,

Горячо благодарю за карту с описанием места нахождения кометы. Кажется, в воскресенье мне все-таки удалось ее увидеть. Я рассматривал созвездие Дельфина, полагая, что это созвездие Малый Конь, и вдруг увидел нечто похожее на это (маленький черновой рисунок), нечто туманное и около трех дюймов длиной. Боюсь, мне не удалось более тщательно изучить этот объект. Дальше я стал искать комету где-то в пределах созвездия Лисичка, полагая, что это Дельфин. В The Times писали, что в тот день в созвездии Дельфина проходила комета.

...Погода действительно невыносимая для астрономии. И в среду, и сегодня небо оставалось довольно ясным до заката, а затем вдруг вереница плотных облаков заволокла ту часть неба, где располагается созвездие Орел. В среду небо прояснилось, как только я установил расположение кометы. (...)

Твой А. М. Тьюринг

Алан проследил за курсом движения кометы, отметив ее ускорение от созвездия Малый Конь к созвездию Дельфин на зимнем небосклоне. Ему все-таки удалось взять с собой в школу самодельный шар с картой звездного неба, чтобы показать его Кристоферу. Блэми уехал на Рождество, и Алан должен был приступить к занятиям в новой аудитории, в которой собирался повесить свой шар. На нем было отмечено всего несколько созвездий, но даже это поразило остальных учеников.

Через три недели после начала нового учебного семестра, 6 февраля, несколько музыкантов и певцов выступили на школьном вечере, исполнив сентиментальные прощальные песни. Алан и Кристофер присутствовали на этом вечере, и Алан смотрел на своего друга и убеждал себя: «Ты же не в последний раз видишь Моркома». Той ночью он проснулся в темноте. Вдали слышался бой часов аббатства, было четверть третьего. Он встал с кровати и выглянул из окна общежития на звездное небо. У него была привычка укладываться спать вместе со своим телескопом, чтобы лучше рассмотреть другие миры. Луна сияла позади «дома» Росса и Алану — она показалась знаком «прощания с Моркомом».

В то же самое время Кристоферу внезапно стало плохо. На машине скорой помощи его отвезли в Лондон, где ему сделали две операции, но это не помогло. Спустя шесть дней нестерпимой боли в полдень четверга 13 февраля 1930 года Криса не стало.

Глава 2

Природа духа

О теле электрическом я пою;
Легионы любимых меня обнимают, и я обнимаю их;
Они не отпустят меня, пока не уйду я с ними, им не отвечу,
Пока не очищу их, не заполню их полнотою души.

Иль те, кто сквернит свое тело, не скрывают себя?
Иль те, кто поносит живых, лучше тех, кто поносит мертвых?
Иль тело значит меньше души?
И если душа не тело, то что же душа?

Никто не говорил Алану, что Кристофер еще в детстве заразился туберкулезом, когда пил коровье молоко, и с тех пор жизнь мальчика постоянно находилась под угрозой. Семейство Моркомов поехало в Йоркшир в 1927 году, чтобы наблюдать полное затмение солнца 29 июня, и по возвращении в поезде Кристоферу стало ужасно плохо. Тогда ему сделали первую операцию, после которой Алан заметил изменившиеся черты лица своего друга, когда тот осенью вернулся на учебу.

«Бедный старина Тьюринг не мог оправиться от потрясения, — писал его школьный друг из Шерборна Мэтью Блэми на следующий день. — Должно быть, они были хорошими друзьями». Все было немного иначе. Со своей стороны Кристофер стал проявлять больше дружеской симпатии, нежели просто вежливости. Со стороны Алана казалось, что он приобрел друга только для того чтобы еще сильнее ощутить чувство пустоты в сердце. Никто в Шерборне не мог понять его боль утраты. Но в тот четверг, когда Крис скончался, «Бен» Дэвис, помощник заведующего пансионом, все-таки отправил Алану записку, в которой советовал готовиться к худшему. Алан немедленно написал своей матери и попросил прислать цветы на похороны, которые должны были пройти ранним утром в субботу. Миссис Тьюринг немедля написала ответ, в котором посоветовала Алану самому написать миссис Морком. В субботу он написал письмо.

> 15 февраля 1930 года
>
> Дорогая миссис Морком,
>
> Я хотел бы выразить мое сожаление о Вашей утрате. Весь прошлый год мы работали вместе с Крисом, и я уверен, что не смог бы в ком-то другом найти друга настолько выдающегося, и в то же время настолько очаровательного и не исполненного тщеславием. Я расценивал свой интерес к собственным работам и к таким областям науки, как астрономия (с которой меня познакомил именно он), как нечто особенное, что я мог разделить вместе с ним, и мне кажется, что он в какой-то мере думал нечто похожее обо мне. И хотя этот интерес во мне потух, я знаю, что должен приложить столько же сил в своей работе, как если бы он был жив, ведь именно этого он ожидал от меня. Как никто другой я знаю, как велика Ваша утрата.
>
> Искренне Ваш, Алан Тьюринг

Я буду чрезвычайно признателен, если Вы сможете прислать мне небольшой фотоснимок Криса, как напоминание о его стремлениях сделать из меня более внимательного и старательного ученика. Я боюсь забыть его лицо и то, как он мог улыбаться лишь одним уголком рта. К счастью, я сохранил все его письма.

Когда настало время похорон, Алан проснулся на рассвете:

> Так радостно было видеть яркое сияние звезд утром в субботу, словно они отдали свою дань уважения Крису. Мистер О'Хэнлон сообщил мне о времени проведения службы, чтобы я мог в это время быть хотя бы мысленно вместе с ним.

На следующий день, в воскресенье, Алан снова написал матери, на этот раз в более сдержанной форме:

16 февраля 1930 года

Дорогая мама,

Я написал миссис Морком, как ты мне советовала, и это принесло мне громадное облегчение...

...мне кажется, что однажды я снова увижусь с Моркомом, и у нас снова будет много совместных трудов и работы, как и было раньше. Теперь, когда я остался один, я не могу подвести его, я должен приложить столько же сил и энергии, как если бы он только остался жив. Если у меня все получится, я стану таким, каким бы он хотел бы меня видеть. Помню, как однажды Г О'Х сказал мне: «Ты не должен уставать от хорошо сделанной работы, ведь ты будешь пожинать плоды своего труда, если не потеряешь мужества». А также слова Беннета, который был очень добр ко мне все эти дни: «Испытания могут длиться всю ночь, но на утро приходит радость».

В последнее время Разер Плимут стал относиться ко мне, как к брату. Мне жаль, что он скоро уедет. Мне никогда не хотелось подружиться с кем-то еще, кроме Моркома. По сравнению с ним все мне казались такими безынтересными, поэтому, боюсь, я не смог по достоинству оценить старания нашего «уважаемого» Блэми и его помощь мне, например...

Получив письмо от сына миссис Тьюринг поспешила написать миссис Морком:

17 февраля 1930 года

Дорогая миссис Морком,

Наши мальчики были такими хорошими друзьями, что я не могу не сообщить Вам, как я соболезную Вам всем моим материнским сердцем. Вам должно быть сейчас невероятно одиноко и так тяжело не видеть тех успехов, которых мог добиться Кристофер с его исключительным умом и прелестным характером. Алан рассказывал мне, как никто не мог устоять перед очарованием Моркома, и он сам был так предан ему, что я сама прониклась к нему симпатией и восхищением: во время экзаменационной недели он только и говорил об успехах Кристофера. Он чувствовал себя очень опустошенным, когда написал мне с просьбой послать цветы от его имени, и в случае, если он не найдет в себе силы написать Вам самому, я знаю, что ему бы хотелось, чтобы я передала Вам его глубокие соболезнования.

Искренне Ваша, Этель С. Тьюринг

Миссис Морком немедля пригласила Алана погостить в их загородном доме на время пасхальных каникул. Ее сестра Молли Сван выслала Алану фотографию Кристофера. К сожалению, у Моркомов осталось не так много снимков сына, и эта фотография, сделанная машиной-автоматом, была лишь его бледным подобием. Алан написал в ответ:

20 февраля 1930 года
Дорогая миссис Морком,
Большое спасибо за Ваше письмо. Я буду чрезвычайно рад приехать в Ваш дом. Премного Вам благодарен. Занятия заканчиваются первого апреля, но до одиннадцатого числа я буду в Корнуолле вместе с заведующим пансионом мистером О'Хэнлоном, так что я смогу навестить Вас с этого числа и вплоть до начала мая в любое удобное для Вас время. Я наслышан о Вашем доме, кажется, я знаю о нем все: о Руперте, телескопе, козах, лаборатории и обо всем остальном.

Пожалуйста, поблагодарите миссис Сван за чудесную фотографию. Я ее храню на своем столе, она ободряет и вдохновляет меня продолжать работать.

В остальном Алану приходилось сдерживать свои эмоции. Ему не позволялось носить траур по умершему другу, и вскоре он должен был снова выполнять свои обязанности: присутствовать на параде и ходить в часовню, как и все остальные. Семья Моркомов была удивлена, встретив такую преданность памяти их сына. Дома Кристофер был всегда сдержан в разговорах о его школьных друзьях, и зачастую называл их имена, словно никогда раньше не упоминал о них.

«Один мальчик по имени Тьюринг» упоминался им в рассказах о проведенных опытах и не более, а неожиданная встреча родителей с Аланом в декабре была довольно короткой, чтобы что-то судить о завязавшихся отношениях между мальчиками. Они знали Алана только по его письмам. В начале марта они изменили свои планы и решили провести некоторое время в Испании, эта поездка была запланирована еще до смерти Кристофера. Таким образом, они выразили свою признательность Алану, пригласив его шестого марта совершить совместную поездку в Испанию вместо их загородного дома. На следующий день Алан написал матери:

> ... Мне все же жаль, что я не смогу приехать в «Клок Хаус», ведь мне так хотелось там побывать и увидеть все, о чем мне рассказывал Морком, своими глазами, но при этом я не могу отказаться от такой исключительной возможности увидеть Гибралтар.

Семья Моркомов нанесла прощальный визит в Шерборн двадцать первого марта, и Алану позволили навестить их вечером в «доме» Росса. Учебный семестр заканчивался только через неделю, и Алану предстояло отправиться в приморский городок Рок в графстве Корнуолл в компании О'Хэнлона, доходы которого позволяли ему совершать подобные поездки с группой учеников. Вместе с ними отправились Бен Дэвис и еще три ученика из Уэскотт Хаус — Хогг, Беннет и Карс. Позже Алан написал Блэми о том, что «очень хорошо провёл там время — кормили вкусно, а после изнурительной работы ставили пинту пива».

Пока он был в отъезде, миссис Тьюринг нанесла визит миссис Морком в ее квартире в Лондоне. Миссис Морком отметила этот разговор в своем дневнике (запись от шестого апреля):

> Сегодня меня навестила миссис Тьюринг, с которой раньше мы не были знакомы. Почти все время мы говорили о Крисе. Она рассказала мне, какое влияние он оказал на Алана и как он до сих пор считает, что работает

вместе со своим другом и помогает ему. Мы никак не могли наговориться, и только ближе к одиннадцати часам миссис Тьюринг сказала, что ей пора возвращаться в Гилдфорд. До этого она слушала концерт Баха в концертном зале Куинс-холл.

Спустя десять дней, проведенных в Корнуолле, Алан ненадолго остановился в Гилдфорде, где миссис Тьюринг торопливо пыталась привести в порядок внешний вид сына (достать все использованные носовые платки из подкладки его пальто), и одиннадцатого апреля он уже был в Тильбюри, где встретил Моркомов на теплоходе Кайзар-и-Хинд. Кроме полковника, миссис Морком и их сына Руперта, вместе с ними в поездку отправились директор «Ллойдс банк» и мистер Эван Уильямс, председатель валлийской горнодобывающей компании «Пауэл Дафрин». Миссис Морком сделала запись в своем дневнике в день встречи:

> ...Отправились в путь около полудня. Стояла чудесная погода, яркое солнце до 3.30, после начался туман, и мы замедлили ход. Перед чаем мы бросили якорь и до полуночи оставались неподалеку от устья Темзы. Со стороны окружавших нас кораблей слышались сигналы сирены и бой колоколов, оповещающие об опасности тумана... Руперт и Алан очень взволнованы ситуацией, которая действительно представлялась повод для тревоги.

Мальчики жили в одной каюте, но, несмотря на все старания Руперта вывести Алана на разговор о работах Эддингтона или Джинса, Алан не мог преодолеть свою застенчивость. Каждую ночь, перед тем как лечь спать, Алан долгое время разглядывал фотографию. На первое утро же их совместного путешествия он заговорил с миссис Морком о Кристофере, впервые выплеснув накопившиеся за долгое время эмоции и потаенные чувства. На следующий день, после партии в теннис на палубе с Рупертом, Алан снова пустился в воспоминания о Кристофере, рассказывая миссис Морком, как он был очарован Крисом еще до знакомства, о своем предчувствии беды и о странном положении луны в тот роковой день («Всему есть разумное объяснение, но все сложилось самым удивительным способом!»). В понедельник, когда они обогнули мыс Сент-Винсент, Алан показал ей последние письма от Кристофера.

Руперт уже был впечатлен оригинальностью мышления Алана, но он не мог представить его среди остальных математиков и ученых Тринити, с которыми ему довелось общаться. Будущее Алана оставалось туманным. Следует ли ему изучать естественно-научные дисциплины или математику в Кембриджском университете? Был ли он уверен в своих силах получить стипендию? Отчасти в качестве последнего средства он обсудил с Эваном Уильямсом возможность развития научной карьеры в промышленности. Уильямс рассказал о проблемах угольной промышленности, например, о необходимости анализа каменноугольной пыли на токсичность. Но Алан с подозрением отнесся к такой инициативе и в беседе с Рупертом заметил, что это может быть очередная уловка успокоить шахтеров целым ворохом научных свидетельств.

Поездка оказалась роскошной, путешественники останавливались в лучших отелях и ни в чем себе не отказывали, но у Алана оставалась одна мечта — навестить «Клок Хаус». Миссис Морком уловила это желание в его словах и попросила его «помочь» просмотреть работы Кристофера и привести их в порядок. Таким образом в среду Алан отправился в ее квартиру в Лондоне, а затем после посещения Британского музея, отправился вместе с ней на поезде до Бромсгроува. За два дня он успел осмотреть лабораторию, незаконченный телескоп, коз и все остальное, о чем ему успел поведать Кристофер.

Семья Моркомов учредила новую награду в Шерборне, которая давалась за исследования и работы учащихся в области научных открытий. Долгое время Алан усердно работал над своим экспериментом с йодом, и теперь он мог написать научную работу и подать ее на общий конкурс. Именно покинувший его Кристофер до сих пор вселял в Алана соревновательный дух и желание продолжать заниматься наукой. Алан поделился своими мыслями в письме матери:

18 мая 1930 года

...Я только что написал Меллору, автору учебника по химии, с просьбой помочь найти справку или какую-нибудь информацию об эксперименте, который я проводил летом прошлого года. Руперт обещал разузнать о нем в Цюрихе, но для этого ему нужен источник. Как же меня раздражает, что раньше я не делал пометки.

Алан также стал интересоваться рисованием по законам перспективы:

Мои попытки что-либо нарисовать на этой неделе не выдерживают никакой критики... на самом деле, я совсем не думаю о достижениях мисс Джиллет. Помнится, она действительно однажды как-то смутно пыталась мне объяснить, как параллельные прямые в рисунке сходятся в одну точку, но при этом она постоянно говорит «вертикальные линии должны оставаться вертикальными». Интересно, как же у нее тогда получается рисовать вещи, лежащие внизу. Я недалеко продвинулся в своем мастерстве, пока рисовал колокольчики и подобные объекты, но теперь меня занимает поиск перспективы.

Тогда миссис Тьюринг отправила очередное письмо миссис Морком:

21 мая 1930 года

... Алан начал рисовать, а я так давно мечтала об этом: мне кажется, что это отчасти ваша заслуга. Он так предан вам, и я считаю, что ему нужно было лишь найти предлог, чтобы вновь позвонить и поговорить с вами, когда он сорвался обратно в город на следующий день после прощания! Вы были так добры к нему, и во многом открыли для него целый новый мир... Каждый раз, когда мы оставались одни, он хотел говорить только о Крисе, о вас, о полковнике Моркоме и Руперте.

Этим летом Алан не терял надежды улучшить свой результат на выпускном экзамене. Его имя значилось в списках кандидатов на обучение в Пембрук-Колледже Кембриджского университета, который предоставлял несколько стипендий на обучение за высокие результаты на выпускных экзаменах. Тем не менее, где-то внутри себя Алан также желал провалить экзамен, чтобы у него оставалась надежда поступить в Тринити-Колледж. И он действительно потерпел неудачу, поскольку задания по математике разительно отличались от прошлогодних, и Алан оказался недостаточно подготовленным к экзамену, а его результат остался прежним. Но Эперсон все же заметил:

...Я считаю, что он все же преуспел в том, что его письменные работы стали лучше, а ответы кажутся более убедительными, он излагает свои мысли уже не так отрывочно и беспорядочно, как в прошлом году.

Мистеру Эндрюсу представили работу Алана, которая выдвигалась на научный конкурс, основанный Моркомами. Позже он заметил:

Впервые я осознал, каким одаренным учеником был Алан, когда мне представили его работу о химической реакции между йодноватой кислотой и диоксидом серы. Раньше я использовал этот эксперимент только в качестве наглядного и красивого примера химической реакции, но он не остановился на этом и взглянул на него с точки зрения математика, чем невероятно меня поразил...

Йодаты помогли Алану выиграть этот конкурс. «Миссис Морком чрезвычайно мила, и все члены семьи необычайно интересные люди, — говорил Алан в письме Блэми. — Они учредили новый конкурс в честь памяти о Крисе, и в этом году я вполне заслуженно выиграл его». Он также писал:

С недавних пор я начал изучать немецкий язык. Возможно, мне придется поехать в Германию в течение следующего года, но это не совсем то, чего бы мне хотелось. Боюсь, я бы предпочел остаться в Шерборне и ничего не делать. Хуже всего то, что подавляющее большинство из группы III вызывают у меня скорее отвращение. Единственным человеком, заслуживающим уважение, с февраля являлся мистер Мермеган, а он даже не занимается всерьез ни физикой, ни химией.

Его учитель немецкого языка писал: «Кажется, у него нет никаких способностей к изучению иностранных языков».

Однажды тем летом в воскресенье мальчики из «Уэскотт Хаус» вернулись после дневной прогулки и пошли искать Алана, перед которым теперь многие ученики благоговели после его победы на научном конкурсе. Ранее Алан установил маятник в лестничном пролете, чтобы проверить, что плоскость, в которой он движется, неизменна относительно времени дня и движения Земли. Идею для такого простого эксперимента с маятником Фуко он, вероятно, подсмотрел в Музее наук в Лондоне. Но в Шерборне его опыт поразил всех, как когда-то поразил своим долгим путешествием в школу на велосипеде в 1926 году. Питеру Хоггу он поведал, что его опыт имеет дело с теорией относительности. И так в действительности и было: в своей работе Эйнштейн ставил вопрос, каким образом маятник оставался неподвижным относительно далеких звезд? Что такое абсолютный стандарт вращения, и как он должен соответствовать расположению космических объектов?

Но мысли Алана в то время занимали не только эти вопросы, он продолжал думать о Кристофере. Еще в апреле миссис Морком попросила Алана написать свои воспоминания о ее сыне для сборника. Алану такая задача казалась непосильной:

Мои воспоминания о Крисе, которые вы попросили меня записать, кажутся больше рассказом о нашей дружбе, поэтому я решил оставить его для вас лично и постараться написать что-нибудь только о Кристофере, чтобы вы могли напечатать это вместе с воспоминаниями остальных.

В конце концов, Алан трижды попытался беспристрастно описать свои отношения с Кристофером, но ему так и не удалось скрыть свои чувства. Первые страницы текста он выслал уже 18 июня, а вместе с ними пояснение:

Когда я думаю о Крисе, я неизменно вспоминаю все те добрые слова, которые он мне говорил. Разумеется, я буквально поклонялся ему, и я даже ни разу не пытался скрыть своего восхищения, к моему сожалению.

Миссис Морком попросила его написать больше о своем сыне, и Алан обещал ей попробовать снова во время каникул.

20 июня 1930 года

...полагаю, что я догадываюсь о том, что вы хотите, чтобы я написал в воспоминаниях. У меня будет достаточно времени в Ирландии, чтобы обдумать все это. Я не мог сделать этого раньше, поскольку учебный семестр уже закончился, и лагерь — не самое подходящее место для таких размышлений. Многое из того, что я исключил из текста, относится к типичным проявлениям характера Кристофера, но когда я снова перечитал эти куски, я вдруг понял, что для всех остальных, кто недостаточно знал наши с Крисом отношения, они не будут так важны. Я попытался преодолеть свои чувства, чтобы выразить самую суть того, что Крис для меня значил. Разумеется, вы-то знаете...

Алан приехал в «Клок Хаус» 4 августа, в понедельник. Миссис Морком отметила в дневнике его приезд: «... Только что приехали вместе с ним. В его распоряжении я оставила свою комнату, но он предпочитает спать в спальном мешке, точно как Кристофер прошлой осенью...». На следующий день к ним присоединилась миссис Тьюринг. Полковник Морком позволил Алану проводить в лаборатории эксперимент, который мальчики задумали еще при жизни Кристофера. Вместе они посетили театральное представление, а на другой день могилу Кристофера. Воскресным вечером миссис Морком отметила в своем дневнике:

...Вместе с миссис Тьюринг и Аланом мы отправились в город на «ланчестере». Вскоре они отбыли в семь часов вечера для предстоящего путешествия в Ирландию. До семи часов мы долго разговаривали... Этим утром Алан зашел ко мне и сказал, как ему нравится здесь. Как он мне объяснил, он чувствует, что здесь получает благословение Кристофера.

К концу летнего семестра О'Хэнлон отметил успехи Алана: «Семестр был хорошим. Несмотря на несколько очевидных, но незначительных недостатков, он весьма оригинален». Алан научился справляться с системой. Он никогда не восставал против нее, а скорее держался в стороне, и теперь он лишь пришел к согласию с ней. Тем не менее он теперь принимал «тривиальные обязанности», рассматривая их скорее как условность, а не дополнительное задание, которое ему казалось безынтересным. В осеннем семестре 1930 года его ровесник Питер Хогг становится смотрителем жилого корпуса, а Алан принимает обязанности «старшего ученика» следить за дисциплиной более младших учеников Шерборна. В письме к миссис Тьюринг О'Хэнлон объяснил свой выбор так: «В том, что он будет предан своему делу, я абсолютно уверен: он обладает не только выдающимся умом, но и прекрасным чувством юмора. Эти качества и помогут ему с новыми обязанностями...». Алан действительно внес свою лепту в установление школьной дисциплины. Одним из новоприбывших учеников значился Дэвид Харрис, брат Артура Харриса, который сам выполнял обязанности смотрителя жилищного корпуса четыре года назад. Однажды Алан заметил, как он снова не повесил спортивную форму на крючок, и заметил: «Боюсь, мне придется наказать тебя». В глазах остальных учеников Дэвид казался героем, как первый ученик из новичков, который понес наказание. Харрис держался за конфорку, когда Алан начал наносить удары. Однако он поскользнулся на кафеле уборной и попал по спине своего ослушника, а затем по его ноге. Этот случай лишил его уважения в глазах остальных. Алан Тьюринг имел репутацию доброжелательного, но «слабохарактерного» старшего ученика, над которым могли издеваться младшие товарищи, например погасив его свечу в корпусе или подсыпав бикарбонат натрия в его ночной горшок. (В то время в жилищном корпусе не было отдельных уборных). Его прозвали Старым Турогом в честь хлебопекарни Турог, и частенько над ним потешались. Свидетелем подобного инцидента на этот раз в столовой стал другой старший ученик по имени Кнуп, который видел в Алане «ум там, где нужна была сила»:

В то время наказание исполняли старшие ученики. В «Уэскотт Хаус» по каждой стороне коридора располагались комнаты для двух-четырех учеников. Тем вечером мы услышали шаги по коридору, затем послышался стук в дверь и невнятное бормотание, дальше послышались шаги нескольких мальчиков по коридору по направлению к шкафчикам или уборной, затем последовал свист палки, звук бьющейся посуды, первый удар, за ним последовал второй, к тому моменту мы с товарищами уже покатывались со смеху. А произошло тогда вот что: Тьюринг, отпихиваясь своей палкой, двумя последовательными ударами сбил чайный сервиз старших учеников, и, судя по шуму, мы все могли ясно представить себе, в чем было дело. Третий и последний удар пришелся не по посуде, поскольку ее осколки уже лежали на полу.

Куда досаднее было то, что один из учеников забрал и испортил его дневник, который он хранил в своем шкафчике. Однако у всякого терпения есть свой предел:

Тьюринг... был по сути очень милым мальчиком, но довольно небрежным в своем внешнем виде. Он был на год-другой старше меня, и все же мы были хорошими приятелями.

Однажды я видел, как он брился в уборной с расстегнутыми рукавами рубашки, весь его вид вызывал во мне отвращение. Тогда я заметил весьма дружественным тоном: «Тьюринг, у тебя весьма отвратительный вид». Казалось, он меня понял превратно, и я со всей бестактностью снова сделал ему замечание. Он обиделся и сказал мне оставаться на месте, пока он не вернется. Я был немного удивлен, но (зная, что уборные в корпусе были привычным местом для наказаний) я представлял себе, что можно было ожидать. Он своевременно вернулся вместе с палкой для наказаний, попросил меня наклониться и сделал четыре удара. после этого он отложил палку и с невозмутимым видом продолжил бриться. После этого случая мы не проронили ни слова, но вскоре я понял, что это была моя вина, мы остались хорошими друзьями и больше никогда не вспоминали об этом.

Но кроме важных дел, связанных с «Дисциплиной, самообладанием, чувством долга и ответственностью», Алану нужно было думать о Кембриджском университете:

2 ноября 1930 года

Дорогая миссис Морком,

Я ожидал ответа из Пембрук-Колледжа, прежде чем написать вам. Несколько дней назад я случайно узнал, что они не смогут мне дать стипендию на обучение. Сказать по правде, я этого боялся, мои экзаменационные баллы довольно равномерно распределились по трем предметам... С большой надеждой я ожидаю экзамена в декабре. Мне нравятся работы, которые нам присылают, они намного лучше, чем те, которые мы сдавали для получения сертификата о полном среднем образовании. Но я уже не с таким нетерпением ожидаю экзаменов, как в прошлом году. Если бы только со мной снова был Крис и мы могли вместе провести эту неделю.

Недавно я получил две книги в качестве награды за конкурс имени «Кристофера Моркома». Я изрядно позабавился вчера вечером, пытаясь повторить веревочные фигуры из книги «Математические эссе и развлечения» (...) В этом семестре меня назначили старшим учеником к моему большому удивлению, ведь я даже не был смотрителем в прошлом семестре, когда они стали назначать на эту должность по два мальчика, что в общем-то можно понять.

Недавно я вступил в общество, которое называется «Дафферс». Каждое воскресенье (по собственному желанию) мы приходим на чай к какому-нибудь учителю и зачитываем свои работы на определенную учебную тему. Эти работы всегда очень интересны. Я согласился в следующий раз выступить со своей работой на тему «Другие миры». Она пока что написана лишь наполовину. Но уже выходит очень смешно. Не знаю, почему Крис не вступил в это общество.

Мама ездила в Обераммергау. Думаю, ей там очень понравилось, хотя у меня еще не было возможности узнать о ее поездке...

С любовью, Алан Тьюринг

Для матери назначение Алана старшим учеником имело большое значение. Но намного более значительным событием стала его новая дружба.

В Шерборне учился мальчик на три года младше Алана, Виктор Беуттелл, который также придерживался политики не бунта, а отстраненности от общей системы. Как и Алана, его терзало неизвестное никому горе: его мать умирала от бычьего туберкулеза. Алан однажды увидел ее, когда она навещала Виктора, который сам в то время страдал от двусторонней пневмонии, чтобы осведомиться о здоровье сына. Эта сцена вызвала у Алана сочувственный отклик. Алан также узнал то, что знали лишь немногие, а именно то, что однажды другой старший ученик так сильно побил Виктора, что теперь у него было повреждение позвоночника. Узнав об этом, Алан начал восставать против системы побоев в качестве наказания учеников. Поначалу они держались вместе из-за общего чувства сострадания, но вскоре их отношения переросли в дружбу. И хотя негласные правила школы запрещали младшим мальчикам проводить время вместе со старшими, с особого разрешения О'Хэнлона, у которого велась целая картотека по поведению учеников и который внимательно за ними следил, им было позволено проводить время вместе.

Большую часть времени они проводили, разгадывая коды и шифры. Одним из источников для этой идеи послужила, вероятнее всего, книга «Математические эссе и развлечения», которую Алан выбрал в качестве награды за конкурс в честь Кристофера Моркома и которая действительно вручалась целому поколению школьных призеров с момента ее появления в печати в 1892 году. Последняя глава книги повествовала о простых формах криптографии. Система шифра, которая больше остальных заинтересовала Алана, была отнюдь не математической. Он сделал дыроколом отверстия в полоске бумаги, а Виктору дал книгу. Бедному Виктору пришлось просмотреть всю книгу от корки до корки, чтобы наконец найти страницу, где в отверстиях на бумажной полоске появились буквы, составляющие фразу «ЕСТЬ ЛИ ПОЯС У ОРИОНА». К тому времени Алан уже привил Виктору свою страсть к астрономии и рассказал о многих других созвездиях. Также Алан научил его составлять «магические квадраты» (идея была позаимствована из «Математических эссе и развлечений») и играть в шахматы.

Случилось так, что семья Виктора также была связана с компанией электрического освещения под общей торговой маркой «Суон», поскольку его отец, Альфред Беуттелл, нажил небольшое состояние, запатентовав свое изобретение электрической лампочки с ленточным отражателем «Линолит» в 1901 году. Его изобретение изготовлялось под торговой маркой «Эдисон энд Суон», в то время как мистер Беуттелл, к тому времени вышедший из бизнеса его отца по торговле коврами, в дальнейшем участвовал в компании в качестве инженера-электрика. Он наслаждался роскошной жизнью вплоть до начала Первой мировой войны, участвуя в автомобильных гонках, занимаясь парусным спортом и успешно делая ставки в Монте-Карло.

Человек высокого роста и патриархального склада ума Альфред Беуттелл держал под контролем двух своих сыновей. Виктор был старшим. Характером Виктор пошел в свою мать, которая в 1926 году издала необычную книгу о пацифизме и спиритуализме. Он унаследовал от нее почти магическое очарование ясных глаз и привлекательную внешность от отца. В 1920-х Альфред Беуттелл возобновил свои исследования в области электрического освещения и в 1927 году получил патент на свое новое изобретение — «Система освещения отражающихся лучей». Она была разработана для равномерного освещения вывесок и плакатов.

Идея заключалась в том, чтобы поместить плакат под стеклянную коробку, передняя сторона которой изогнута таким образом, что отражает и равномерно рассеивает лучи света от источника сверху по всему изображению. (Без такой системы отражения нижняя часть плаката казалась более темной, чем верхняя). Основная задача состояла в том, чтобы найти необходимую форму искривления стеклянной коробки. Виктор рассказал об этой проблеме Алану, который неожиданно решил вопрос с углом искривления. Хотя Алан и не смог объяснить свое решение, оно сошлось с вычислениями Альфреда Беуттелла. Но Алан не остановился на достигнутом и обнаружил проблему, связанную с толщиной стекла, из-за которого могло возникнуть вторичное отражение света от стеклянной поверхности. Чтобы устранить ее, необходимо было изменить угол искривления «Системы освещения отражающихся лучей», которая вскоре начала применяться для фасадных рекламных вывесок. Первый контракт был заключен с крупнейшей в Великобритании компанией «Дж. Лайонс энд компании» по доставке продуктов.

Как и в случае работы с йодатами и сульфитами, Алана всегда интересовало в первую очередь те математические исследования, которые могли принести пользу на практике. Алану всегда нравились практические демонстрации действия научных изобретений, хотя ему не всегда они удавались.

В то же время в нем происходили некоторые изменения в отношении к «спортивной» религии Шерборнской школы, которая воспитывала в учениках презрение к телу. Алану хотелось развить в себе не только физическую силу, но и силу воли, однако и в том и в другом случае он сталкивался с трудностями, а именно с отсутствием координации и непринужденности самовыражения. Но к тому времени он уже узнал, исходя из личного опыта, что ему хорошо удается бегать. Виктор поддерживал его во всех начинаниях, и вскоре начал совершать пробежки вместе с Аланом, но его физическая подготовка была никудышной. Не пробежав и трех километров, он обычно кричал: «Это бесполезно, Тьюринг, мне нужно возвращаться», — после чего Алан продолжал бежать и вскоре обгонял друга на обратном пути.

Занятия бегом устраивали Алана во всех отношениях, поскольку не было необходимости в дополнительном спортивном снаряжении и общении с другими. Он не отличался ни выдающейся скоростью профессионального спринтера, ни особым изяществом движений, поскольку страдал плоскостопием, но вместе с тем он развил в себе необычайную выносливость и силу воли. Для Шерборна его успехи не значили ничего, кроме возможности назначить его (к удивлению Питера Хогга) форвардом в школьной команде. Но, как с неприкрытой долей восхищения заметил Кнуп и что было важно для самого Алана, он не был первым человеком умственного труда, который видел необходимость в развитии своей физической подготовки и получал чувство удовлетворения от работы над своей выносливостью в различных видах спорта, будь то бег, ходьба, велоспорт, альпинизм. Это была своего рода тоска по всему природному, что ему было так дорого в детстве.

В декабре он снова приехал на станцию Ватерлоо, чтобы отправиться в Кембридж. На этот раз он не стал навещать миссис Морком в ее студии. Вместо нее Алана встретили его мать и брат (уже служащий конторы солиситора в деловом квартале в центре Лондона), которым он высказал свое желание сходить в кино на фильм Говарда Хьюза о Королевских военно-воздушных силах «Ангелы ада». В Кембридже ему снова не удалось получить стипендию на обучение в Тринити-Колледже. Тем не менее его самоуверенность не осталась незамеченной, поскольку он был избран среди остальных кандидатов на получение стипендии во втором в его приоритетном списке колледжей — Кингз-Колледже. Алан стоял восьмым в списке стипендиантов на восемьдесят фунтов годовых.

Все поздравляли его с успехом. Но сам Алан не хотел останавливаться на достигнутом, ему было необходимо сделать нечто большее то, что не удалось сделать Кристоферу при жизни. Для человека с математическим складом ума и способностью решать задачи как с абстрактными понятиями и знаками, так и с предметами материального мира, стипендия в Кингз-Колледже была чем-то вроде чтения нот с листа или ремонта автомобиля — то, что казалось практичным и удовлетворяло основные требования, но не больше. Многие получили стипендии более высокого уровня и в более раннем возрасте. Весьма примечательными в этом отношении стали не слова преподавателей о его «гениальности», а рифмованное двустишие, которое Питер Хогг спел однажды на ужине:

А вот и наш великий Математик,
С Эйнштейном изучать готов он свет других галактик.

В течение двух следующих учебных семестров Алан бездействовал — так было принято. В условиях экономики 1931 года не существовало возможностей для временной подработки. К тому моменту он уже определился с выбором основного предмета для изучения в Кембриджском университете и предпочел математику остальным наукам. В феврале 1931 года он приобрел «Курс чистой математики» профессора Кембриджского университета Годфри Гарольда Харди, классический учебник, с которого начинали все выдающиеся математики. Затем он уже в третий раз сдал экзамены на свидетельство о полном среднем образовании, на этот раз отметив математику основной дисциплиной, и на этот раз получил превосходные результаты. Кроме того он снова подал заявку на конкурс имени Кристофера Моркома и снова выиграл его.

Во время пасхальных праздников, 25 марта, он отправился в путешествие автостопом в компании Питера Хогга, который был орнитологом-любителем, и мальчика постарше Джорджа Маклюра. По пути из Гилдфорда в Норфолк им пришлось провести ночь в общежитии для рабочих, что не смутило равнодушного к роскоши и комфорту Алана (хотя и возмутило его мать). В другой раз Алан изумил своих товарищей, отказавшись от того, чтобы его подвезли, и сказав, что прогулка в одиночестве пойдет ему на пользу. Более того, в течение пяти дней он жил вместе с кадетским корпусом в бараках Найтсбриджа, оттачивая свою строевую подготовку и тактику. Этот случай поразил Джона, который вдруг обнаружил, с каким непривычным воодушевлением его младший брат теперь облачается в военную форму. Возможно, истинным интересом Алана была столь редкая возможность общения с мужчинами, которые не являлись частью изолированного мира верхнего среднего класса.

Дэвид Харрис стал «фагом» Алана и вскоре обнаружил, что его покровитель всегда действовал из лучших побуждений, но был при этом страшно рассеянным. Одним из нововведений Боухи стало разрешение старшим ученикам приглашать товарищей из другого «дома» на чай в воскресный день, и порой Харрису приходилось готовить гренки с тушеными бобами для них, когда у его покровителя не было на это времени. Тогда Алан достиг высшей точки привилегированного положения в школьном обществе. Он продолжил заниматься рисованием, разделив свой интерес с Виктором и обнаружив в себе настоящие задатки художника. Вместе с другом он обсуждал значение перспективы и геометрии линий в рисунке. В июле Алан даже отправил свой рисунок карандашом, изображающий Вестминстерское аббатство, на конкурс художественной школы, а после подарил Питеру Хоггу. (Надо заметить, что акварельная работа Виктора заняла почетное место на конкурсе). Кроме всего прочего, старший ученик А. М. Тьюринг, сержант кадетских корпусов, член общества «Дафферс» собрал целую вереницу наград и субсидию студента кембриджского университета в размере пятидесяти фунтов годовых от Шерборнской школы. Более того, он был награжден золотой медалью имени короля Эдварда VI за достижения в области математики. На Дне поминовения ему выразили лишь скромную благодарность за успехи, в то время как в школьном журнале отметили все его заслуги и награды. В списке стипендиатов значились: Дж. К. Лоус, который все это время оказывал неоценимую помощь директору школы, человек невероятного духа, всегда приветливый и радостный, олицутворяющий собой настоящего шерборнца. Следующая стипендия в области математики присуждается А. М. Тьюрингу, одному из самых выдающихся учеников в своей сфере, которые были приняты за последнее время.

О'Хэнлон отметил присуждение стипендии Алану, как «невероятно успешное завершение» «одного из самых интересных примеров академической карьеры ученика со своими взлетами и падениями», и выразил ему благодарность за «чрезвычайно преданное служение школе».

Лишь немногие из новоприбывших студентов смогли переступить порог Кингз-Колледжа без трепета, вызванного великолепием убранств его помещений. Вместе с тем поступление в Кембриджский университет еще не означало переход в полностью новый мир, поскольку университет во многом походил на большую версию частной школы без присущей ей жестокости в воспитании, но вместе с тем со многими унаследованными установками и положениями. Любому, кто знал о тех неуловимых связях между «домом» и школой, не составило бы труда разобраться с системой отношений между университетом и колледжем. Объявление комендантского часа в одиннадцать часов вечера, обязательное ношение ночной рубашки после заката, запрет на посещения представителями другого пола без положенного сопровождения, — со всеми этими правилами студенты ознакомились еще в школе. Но сейчас свобода заключалась в том, что теперь они могли выпивать, курить, и проводить свободное время по собственному усмотрению.

Устройство Кембриджского университета в чем-то напоминало пережиток феодальной системы. Большинство новоприбывших студентов оканчивали частные школы, и тому самому меньшинству выходцев из нижнего слоя среднего класса, которые закончили классические средние школы и все же получили стипендии на обучение в университете, приходилось привыкать к особым отношениям и различию между «джентльменами» и «подданными».

Как и в случае с частными школами, существовал ряд старинных университетов страны, в задачи которых входило не надлежащее классическое образование студентов, а укрепление их положения в обществе, и для студентов, не обладающих академическим складом ума, были введены курсы географии и управления недвижимостью. Но еще в двадцатых годах студенческим забавам с нарушением устава университета, стягиванию штанов и погромам комнат отличившихся студентов был положен конец. Тридцатые годы пришли вместе с охватившей общество депрессией, настало серьезное время для изменений. Но всеобщие настроения не могли проникнуть в единственный оплот свободы — личную комнату студента. В Кембриджском университете все двери комнат были двойными. Существовало негласное правило закрывать наружную дверь, показывая этим, что хозяин комнаты занят. Наконец Алан мог уединиться со своей работой, мыслями или печалью — ведь он так и не оправился от горя — когда ему было угодно. Он мог устраивать любой беспорядок в своей комнате, пока это не выходило за рамки приличия в глазах слуг колледжа. Миссис Тьюринг могла бы прийти в ужас и отругать сына, если бы только могла видеть его достаточно рискованный метод разогревания еды на открытой конфорке в комнате. Но визиты родителей были редкими, а после первого года обучения Алан видел родителей только во время коротких визитов в Гилдфорде. Так, он все же обрел столь желаемую независимость и покой.

Тем не менее в университете проводились лекции лучших профессионалов в своей области, и в Кембриджском университете по традиции весь курс математики состоял из лекций, которые в сущности повторяли материал классических учебников. Одним из лекторов выступал Г. Г. Харди, выдающийся математик своего времени. До 1931 года он занимал пост профессора математики в Оксфордском университете, после чего перешел в Кембриджский университет, где был назначен главой кафедры Садлериана.

Теперь Алан находился в самом центре научной жизни, где Харди и Эддингтон были не просто именами на учебнике, как это было в школе. Все студенты курса математики «Tripos» разделялись на две группы в зависимости от выбранного учебного плана. Студенты первой группы по завершению обучения получали степень бакалавра по программе двух этапов: первый этап обучения заканчивался через год обучения, а второй еще через два. Вторая группа студентов проходили ту же программу обучения, после которой им предлагалось сдать дополнительные курсы (от пяти до шести различных предметов) по повышению профессиональной квалификации. Такая система была очень запутанной и обременительной, поэтому вскоре она была изменена, и программа обучения для второй группы была упразднена, вместо нее студенты получали возможность выбрать третий этап обучения. Студент Алан Тьюринг воспользовался этой возможностью и пропустил первый этап обучения, который казался больше пережитком времени, приступив ко второму этапу и оставив третий год для подготовки к экзаменам третьего этапа обучения.

Ожидалось, что стипендиаты выберут вторую группу, и Алан в полном смысле слова был среди них, одним из тех, кто был готов вступить в иной мир, в котором социальное положение, деньги и политика не имели значения. В этом мире Гаусс и Ньютон, отпрыски фермеров, могли достичь невероятных высот. Дэвид Гильберт, выдающийся математик начала века выразил это в следующих словах: «Математика не интересуется расовой принадлежностью человека... для нее вся мировая культура представляет собой единую страну», — и стоит заметить, что он не имел в виду банальность, поскольку говорил от лица немецкой делегации на заседании международного конгресса в 1928 году. Немцы были исключены в 1924 году, и в 1928 году многие отказались появиться на конгрессе.

Алан с радостью принял такой характер науки, ее очевидную независимость от всего человеческого, и эту мысль Г. Г. Харди выразил в следующих словах:

число 317 простое не потому, что мы думаем так, и не потому, что наш разум устроен так, а не иначе, а потому, что это так, потому, что математическая реальность устроена так.

Для Харди самой красивой математикой представлялась та, которая не имеет практического применения во внешнем мире — чистая математика. Харди утверждал, что если полезные знания определяется как знания, которые могут влиять на материальное благополучие человечества в ближайшем будущем (если не прямо сейчас), так, что чисто интеллектуальное удовлетворение несущественно, то большая часть высшей математики бесполезна.

С другой стороны, в Кембриджском университете с равной долей уделялось внимание и «прикладной» математике. И все же это не означало применение математики в сфере промышленности, экономики или технических навыков, поскольку в заложенных традициях английских университетов изначально не существовало цели совместить высокий академический статус с практическими знаниями. Напротив, учебная программа была направлена на область взаимодействия между математикой и физикой, а именно фундаментальными и теоретическими знаниями. В свое время Ньютон развил и систему исчисления, и теорию гравитации, и в 1920-е годы ознаменовали похожее благоприятное время для развития науки после того, как стало известно, что квантовая теория тесно связана с новыми открытиями в области чистой математики. В связи с этим работы Эддингтона, физика-теоретика П. А. М. Дирака и других вознесли заслуги Кембриджского университета, который стал вторым по значимости учебным заведением после Геттингенского университета, где по сути было положено начало новой теории квантовой механики.

Алан не потерял своего интереса к миру физики. Но здесь и сейчас больше всего остального он нуждался в силе интеллектуального мира, в том, что было единственно правильным. В то время как учебная программа в Кембриджском университете уделяла внимание и «чистой», и «прикладной» математике и поддерживала его связь с наукой, именно «чистая» математика стала для него тем самым другом, с которым он мог противостоять горестям окружающего мира.

У него не было друзей друзей, а в первый год учебы он все еще мысленно был в Шерборне. Большинство стипендиатов Кингз-Колледжа вошли в закрытое тайное общество, и Алан был чуть ли не единственным, кого не интересовала такая возможность. Ему было девятнадцать лет, и он слыл застенчивым молодым человеком, образование которого в большей степени состояло из запоминания наизусть глупых стихотворений и составления официальных писем, а никак не с самовыражением. Его первым другом, который впоследствии познакомил его с остальными товарищами, стал Дэвид Чамперноун, выпускник Уинчестерского колледжа. У мальчиков было похожее чувство юмора и равнодушное отношение к традициям и условностям в обществе. Дэвид Чамперноун походил на Алана и своей нерешительностью во время выступлений. Их дружба всегда была больше похожа на школьное товарищество, но Алану важнее всего было найти того человека, который не смутился нетрадиционности его взглядов. Алан смог поделиться с ним своей историей о Кристофере и показал новому другу свой дневник, который долгое время скрывал его истинные чувства от всех остальных.

Мальчики планировали вместе ходить на консультации с преподавателями. Сначала в них нуждался Алан, которому приходилось прикладывать больше усилий, чтобы нагнать остальных в учебе, поскольку Дэвид получил прекрасное образование в своей школе, а работы Алана так и остались никому непонятными. Более того, его новый друг отличился тем, что, будучи еще студентом, смог опубликовать свою научную работу, чем Алан в свою очередь похвастаться не мог. В колледже только два преподавателя по математике проводили консультации — А. Е. Ингем, серьезный человек со странным чувством юмора, настоящее воплощение суровости математической науки, и Филип Холл, только недавно получивший звание члена совета Колледжа всех душ и слывший своим застенчивым, но дружественным характером. Филипу Холлу нравилось общаться с Аланом, и в беседах он понял, что имеет дело со студентом, полным идей и способным часами обсуждать их в своем уникальном стиле. В январе 1932 года Алан в удивительно пренебрежительном тоне писал:

> На днях один из лекторов в университете был, пожалуй, доволен моим доказательством теоремы, которая была ранее доказана неким Серпинским при использовании более сложного метода. Мое доказательство оказалось более практичным, поэтому Серпинского[*] можно скидывать со счетов.

Но в университете Алан занимался не только наукой, поскольку вскоре вступил в гребной клуб колледжа. Такое хобби выглядело довольно необычно для студентов, занимающихся наукой, и в университетах не приветствовали спортивный интерес, как в частных школах. Студенту приходилось выбирать: быть одним из «спортсменов» или «эстетов». Алан предпочел остаться где-то между ними. Между тем, он разрывался между интеллектуальными и физическими потребностями, ведь он снова был влюблен, на этот раз в Кеннета Харрисона, получившего в один год с Аланом стипендию на обучение по программе естественных наук. Большую часть времени Алан рассказывал своему новому другу о Кристофере, и вскоре стало ясно, что белокурый и голубоглазый Кеннет стал чем-то вроде реинкарнации его первой любви. Единственное различие заключалось в том, что теперь Алан мог открыто говорить о своих чувствах, чего никогда не позволял себе по отношению к Кристоферу. И пускай его новый виток чувств не нашел ответа в сердце нового друга, Кеннета восхитило то, с какой откровенностью Алан делился с ним своими переживаниями, и мальчики продолжили общаться на научные темы.

К концу января 1932 года миссис Морком отправила Алану все его письма Кристоферу, которые он передал ей в 1931 году. Перед этим она сделала их копии: в буквальном смысле слова — письма были воспроизведены в виде факсимиле. Приближалась вторая годовщина со дня смерти Кристофера. Миссис Морком выслала Алану почтовую открытку с приглашением на ужин 19 февраля в Кембридже, и он в свою очередь договорился по поводу ее визита. Алан нашел время, чтобы провести экскурсию для миссис Морком: она успела отметить, что комнаты были «очень неопрятны». Затем они отправились осмотреть комнаты, в которых Алан вместе с Кристофером останавливались во время своей совместной поездки на экзамены, и часовню Тринити-Колледжа, где миссис Морком могла ясно представить себе сына во время службы.

Первую неделю апреля Алан вновь провел в «Клок Хаус», куда миссис Морком любезно пригласила его вместе с отцом. Алан вновь предпочел провести ночь в спальном мешке Кристофера. Вместе они ездили в Катсхилл любоваться витражным стеклом в честь Святого Кристофера, установленного в местной приходской церкви, где Алан заметил, что не видел ничего прекраснее. Вместо лика непреклонного Святого Кристофера, как он по традиции изображался переходящим реку вброд, на прихожан церкви смотрело лицо Кристофера, словно лик тайного мученика. В воскресенье они снова отправились в церковь на службу, а позже устроили вечер прослушивания грампластинок. Мистер Тьюринг проводил время за чтением и игрой в бильярд с мистером Моркомом, а Алан играл в викторины и шарады вместе с миссис Морком. В один из дней, проведенных в «Клок Хаус», Алан вместе с отцом отправились на долгую прогулку по окрестностям, и следующий день они провели в Стратфорд-он-Эйвон. В последний вечер своего пребывания Алан попросил миссис Морком зайти к нему в комнату и попрощаться, пока он лежал в кровати Кристофера.

В «Клок Хаус» еще были живы воспоминания о Кристофере Моркоме и повсюду ощущалось его присутствие. Но как же такое могло быть? Неужели клетки мозга Алана ощущать присутствие бесплотного «духа» подобно радиоприёмнику, принимающему сигналы другого мира, который незаметен человеческому глазу? Вероятнее всего, именно во время этого пребывания в гостях у миссис Морком, он написал ей следующее объяснение своему ощущению:

ПРИРОДА ДУХА

Раньше в науке существовало мнение, что если человечеству станет все известно о Вселенной в конкретный момент, мы сможем предсказать, что с ней станет в будущем. Эта идея во многом возникла благодаря значительному успеху предсказаний астрономов. Тем не менее, современная наука пришла к выводу, что, когда мы имеем дело с атомами и электронами, нам остается неизвестным их истинное состояние. Таким образом, идея о возможности понять истинное состояние Вселенной становится невозможной. В таком случае теория, по которой утверждается, что затмения и т. п. предопределены, как и были предопределены. Все наши действия также становится невозможными. Человек обладает волей, из-за которой становится возможным определить характер взаимодействий между частицами в небольшом отделе мозга или даже по всему мозгу. Все остальное тело реагирует на их сигналы и отвечает действием. Таким образом, возникает вопрос, на который необходимо найти ответ: что же отвечает за работу остальных частиц во Вселенной? Вероятно, согласно подобному закону происходит косвенное влияние духа на наш мир, но поскольку не существует усилительного устройства, эти влияния носят чисто случайный характер. Очевидная неопределенность физики является лишь комбинацией случайностей.

Как ранее в своих работах показал Мак-Таггарт, материя не имеет смысла вне связи с ее духом (здесь надо сказать, что под материей я не подразумеваю то, что может принимать твердое, жидкое или даже газообразное состояние или быть рассмотрено законами физики, например, свет или гравитация, то есть то, что формирует вселенную). Лично я полагаю, что дух навеки связан с материей, но, разумеется, не всегда в одном и том же теле. Я действительно уверовал в то, что дух человека может выйти из тела и вновь стать частью вселенной, но теперь я считаю, что связь между материей и духом настолько сильна, что у такого утверждения возникает внутреннее противоречие. Однако я не отвергаю возможность существования таких вселенных.

Тогда, принимая во внимание существование связи между материей и духом, что тело по причине того, что является живым организмом, может «притянуть» и удерживать «дух», и пока тело продолжает жить и находится в состоянии бодрствования, материя и дух остаются крепко связанными. Когда тело находится в состоянии сна, мне сложно предположить, что происходит. Но когда тело умирает, этот «механизм» удержания духа прекращает свою работу, и дух рано или поздно находит новое тело, возможно, даже в сам момент смерти.

Что касается вопроса, почему нам тогда дано тело, почему мы не можем жить, как свободные духи, и таким же образом взаимодействовать друг с другом, полагаю, что мы могли бы существовать подобным образом, но в таком случае не смогли бы ничего делать. Тело служит духу чем-то вроде инструментария.

Вероятно, Алан почерпнул эти идеи из работ Эддингтона, когда еще учился в школе. Тогда он сказал миссис Морком, что ей понравится «Природа физического мира», ведь Эддингтон смог примирить науку с религией. Он нашел разрешение старой проблемы детерминизма и доброй воли, разума и материи, в новой теории квантовой механики.

Та идея, о которой в начале своего письма упоминает Алан, была знакома каждому, кто изучал основы прикладной математики. В любом вопросе, изучаемым в университете или школе, всегда существовала достаточная информация о некоторой физической системе, чтобы определить все его будущее. На деле предсказания не могли быть выполнены кроме как в некоторых самых простых случаях, но по сути не существовало никакой разграничивающей линии между ними и сложными системами. Верно также было и то, что некоторые науки, например, термодинамика и химия оперировали лишь усредненными величинами, а в их теориях информация могла как появиться, так и исчезнуть. Когда кусочек сахара растворяется в чае, если говорить в рамках средних величин, не остается никаких следов того, что он изначально принимал кубическую форму. Но в принципе, при достаточно детальном рассмотрении, это можно легко определить по движению атомов. Эта идея нашла свое выражение в работе французского математика маркиза де Лапласа еще в 1795 году:

Интеллект, располагающий точными и подробными сведениями о местонахождении всех вещей, из которых состоит мир, и действии всех природных сил и способный подвергнуть анализу столь огромное количество данных, смог бы запечатлеть в одной и той же формуле движение самых больших тел во Вселенной и мельчайших атомов: для него не оставалось бы неясностей, и будущее, как и прошлое, показалось бы ему настоящим.

С этой точки зрения, независимо от того, какая наука описывает окружающий нас мир (химия, биология, психология или любая другая), существует единое описание микромира на физическом уровне, в рамках которого каждое событие определяется прошедшим временем. По мнению де Лапласа, не существует возможности для какого-то ни было неопределенного события. Они могут казаться неопределенными, но такое происходит лишь по причине невозможности представить на практике необходимые системы мер и прогнозы.

Трудность заключалась в том, что существовал один уровень описания мира, который люди использовали чаще остальных, а именно языковой уровень, в рамках которого существовали категории решения и выбора, справедливости и ответственности. И основная проблема заключается в отсутствии какой-то бы ни было связи между этими двумя уровнями восприятия. Физическое представление «необходимости» не имеет ничего общего с психологической, ведь никто не представляет себя марионеткой, движимой только за счёт действия законов физики. Как заметил Эддингтон:

> Моя интуиция работает быстрее, чем что-либо, относящееся к миру материальных объектов. Поэтому к настоящему моменту нигде в мире не существует ни следа наиболее важного фактора, влияющего на мое решение поднять правую руку или левую. Это зависит от ничем не стесненного акта воли, еще не изъявленной или предвещаемой. Моя интуиция заключается в том, что будущее способно показать решающие факторы, не скрытые от прошлого.

Тем не менее, он не желал сдерживать «науку и религию в водонепроницаемых отсеках», как он однажды выразился. Ведь не существовало ни единой возможности, по которой тело могло не подчиниться законам вещества. Существовала необходимость найти связь между уровнями восприятия — некоторое единство, некоторая целостность видения. Эддингтон был не христианином, а квакером и приверженцем идеи свободного сознания и способности чувствовать «духовную» или «мистическую» истину. Он пытался связать эти идеи с научным представлением законов физики. Тогда как, задавался он вопросом, «все эти атомы могли соединиться в один механизм, обладающий мышлением?». Со своей пытливостью юного ума Алан задавался тем же вопросом. Ведь он все еще верил в то, что Кристофер все еще помогает ему, возможно, при помощи «интуиции, работающей быстрее, чем что-либо, относящееся к миру материальных объектов». Но если не существовало никакого не имеющего материальную природу разума, значит, нечему было выжить и не было ни единой возможности для выжившего духа действовать в рамках его разума.

Новая теория квантовой физики нашла эту взаимосвязь, поскольку она постулировала, что данное явление не может быть найти объяснения. Если направить источник электронов на пластину с двумя отверстиями, электроны разделятся и будут проходить через оба отверстия, при этом остается невозможным предсказать дальнейший путь движения каждого отдельно взятого электрона. В 1905 году Эйнштейн сделал существенный вклад в развитие ранней квантовой теории, описав связанный с ней фотоэлектрический эффект, но никогда не оставался полностью уверенным в истинности положений квантового индетерминизма.

Эддингтон же, напротив, был более чем убежден и не стеснялся в выражениях, доказывая широкой публике, что детерминизма в науке больше не существует. Теория Шредингера вместе с ее волнами вероятности и принцип неопределенности Гейзенберга (который был выведен независимо от исследований Шредингера, но во многом повторял идеи Шредингера) привели Эддингтона к идее, что разум может влиять на материю, не нарушая при этом законы физики. Возможно, он может выбрать результат других неопределенных событий.

Но все было не так просто. Представив себе разум, который таким образом может контролировать материю человеческого мозга, Эддингтон все же признал невозможность полагать, что управляя волновой функцией лишь одного атома, можно воссоздать ситуацию принятия решения разумом. «Кажется, мы должны отнести к способностям ума не только управление каждым отдельным атомом, но и систематическое влияние на огромные скопления атомов, чтобы самим повлиять на поведение атомов». Тем не менее, новая теория квантовой механики не могла найти способ решения этой проблемы. Доводы Эддингтона лишь наводили на мысль, но не были точными, к тому же он был известен своей склонностью упиваться неопределенностью новых теорий. Со временем понятия физики становились все более и более туманными, пока он не сравнил описание электрона с точки зрения теории квантовой механики со стихотворением Льюиса Кэрролла «Бармаглот», которое вошло в повесть-сказку «Алиса в Зазеркалье»:

Что-то неизвестное действует неизвестным нам образом — вот на что похожа наша теория. Кажется, что она ничего не объясняет. По сути она похожа на то, что мне приходилось читать ранее:

>   Хливкие шорьки
>   Пырялись по наве.

Эддингтон пытался сказать, что теория в некотором смысле все же работала, поскольку была доказана результатами серии экспериментов. Алан осмыслил эту идею еще в 1929 году, но до сих пор казалось невозможным определить природу волн и частиц, поскольку их представление в форме бильярдных шаров, которое бытовало в девятнадцатом веке, уже безнадежно устарело. Физика стала чем-то вроде символического представления мира и не более, как утверждал Эддингтон, приближаясь к философскому идеализму (в плане научной мысли), в котором мир отождествляется с содержанием сознания познающего субъекта.

На почве этих идей возникло утверждение Алана, что «Человек обладает волей, из-за которой становится возможным определить характер взаимодействий между частицами в небольшом отделе мозга или даже по всему мозгу». Идеи Эддингтона устранили разрыв между представлением человеческого тела, как «механизма», о котором Алан узнал еще из книги «Чудеса природы», и как «духа», в которое ему так хотелось верить. Другим источником для размышлений стали работы английского философа-идеалиста Мак-Таггарта, из которых он подчерпнул идею о реинкарнации человеческой души. Тем не менее он не смог разъяснить точку зрения Эддингтона, проигнорировав те трудности, которые сам Эддингтон отметил в описании природы «человеческой воли». Вместо этого, поддавшись очарованию идеи о том, что тело осуществляет волевые действия, он направил свои мысли в другое русло и был больше заинтересован в изучении характера связи между разумом и телом при жизни и после смерти человека.

Фактически эти идеи ознаменовали будущее Алана. В июне Алан оказался во втором классе первого этапа учебной программы «Tripos». «Теперь у меня не хватает храбрости даже взглянуть в глаза остальных. Я не пытаюсь найти себе оправдание, я обязан попасть в первый класс после «майских», чтобы доказать всем, на что я способен», — заявлял о своих намерениях Алан в письме миссис Морком. Но действительно более значимым было то, что в качестве награды за последний выигранный в Шерборне конкурс он выбрал книгу с серьезным исследованием новой теории квантовой механики. Такой выбор означал далеко идущие цели студента, учитывая то, что исследование было издано в 1932 году. «Mathematische Grundlagen der Quantenmechanik» или «Математические основы квантовой механики» — так назывался труд молодого венгерского математика Джона фон Неймана.

Свой двадцатый день рождения Алан отпраздновал 23 июня, и близился двадцать первый день рождения Кристофера 13 июля. Миссис Морком выслала в подарок Алану авторучку «Research», точно такую же, какой Кристофер когда-то давно хвалился перед Аланом. Ответ он выслал из Кембриджа, где провел свои летние каникулы:

14 июля 1932 года
Моя дорогая миссис Морком,

(...) Я помнил о дне рождения Криса и хотел сам вам написать, но не смог, потому что не мог подобрать слова, которые бы выразили все мои чувства. Полагаю, вчерашний день мог бы стать одним из самых счастливых дней вашей жизни.

Как любезно было с вашей стороны прислать мне авторучку «Research». Не представляю, что еще (подобное этому подарку) могло бы стать таким ярким напоминанием о Крисе, о всех его научных достижениях и о том, как ловко он управлялся этой ручкой.

Но, несмотря на свои двадцать лет и желание сравниться с ведущими европейскими математиками, в душе он все еще оставался мальчиком вдали от дома, вдали от родного Шерборна. И эти летние каникулы он провел так же, как и раньше:

Мы с отцом недавно побывали в Германии и провели там две недели. Большую часть времени мы провели, гуляя по Шварцвальду, хотя, надо признаться, папа не был готов преодолевать больше десяти миль за один день. Мое знание языка оказалось не вполне достаточным для понимания местных жителей. И за это необходимо благодарить книгу математического исследователя на немецком, которую я смог осилить пока только наполовину. Так или иначе, вскоре я вернулся домой...

С любовью, Алан Тьюринг

Позже Алан снова отправился в поход с Джоном в Ирландию и поразил всю семью своим неожиданным прибытием в Корк на подводной лодке. А затем с начала сентября уже во второй и последний раз провел две недели вместе с О'Хэнлоном в Сарке. Там Алан проявил себя как «очень активный товарищ по поездке, который не упустит возможности покупаться в полночь на общем пляже», писал О'Хэнлон, на этот раз сделав послабление и пригласив в поездку двух девушек. Даже в Сарке Алан не расставался со своими плодовыми мушками, поскольку теперь он занялся изучением генетики. Дома в Гилдфорде *Drosophilae* однажды разлетелись по всему дому и вскоре заполонили его, к неудовольствию миссис Тьюринг, которая целые недели не могла от них избавиться. О'Хэнлон не разделял идею «нации в миниатюре» и в своем письме миссис Тьюринг описал Алана, как «приземленного и приятного» молодого человека.

И все же поглотившая в себя все вокруг система допускала некоторые послабления в плане свободы. Еще со школьных времен у Алана остались дружеские отношения с Виктором. Юному другу Алана пришлось покинуть школу в том же году, поскольку его отец понес колоссальные убытки во время Великой Депрессии. Виктор провалил экзамены на получение сертификата о полном среднем образовании (поведав Алану, что во всем виновато его увлечение шахматами и шифрами, на которое он тратил все свое свободное время), но вскоре успешно сдал, поступив на курсы по подготовке к экзаменам в Лондоне, и начал, как выразился Алан, «свою унылую жизнь в качестве дипломированного бухгалтера». На Рождество 1932 года Алан остался у Беутеллов и две недели проработал в офисе у Альфреда Беутелла, который располагался неподалеку от станции Виктория. Но его пребывание было омрачено скоропостижной смертью матери Виктора 5 ноября. И это событие объединило мальчиков еще больше, поскольку теперь каждый из них переживал раннюю утрату любимого человека, и в конце концов он неохотно решил обсудить волновавшие его вопросы о вере и спасении душ вместе со своим другом. Виктор был очень религиозным человеком и верил не только в христианские учения, но и в возможность экстрасенсорного восприятия и реинкарнации. Алан ему казался тем самым человеком, который действительно хочет поверить в такие вещи, но в силу научного склада ума стал непреклонным агностиком, и поэтому постоянно чувствовал внутреннее напряжение. Себя же Виктор видел в роли «крестоносца», который должен был удерживать Алана на единственно верном пути. По этому поводу у мальчиков возникали постоянные споры, но в большей мере из-за того, что Алану были неприятны сомнения семнадцатилетнего юноши в его взглядах. Они обсуждали, как действительно могли накормить пятитысячную толпу... Что было правдой, а что ложью? Друзья говорили о загробной жизни и жизни до рождения. Порой Виктор заявлял Алану нечто вроде «Подумай только, никто не мог научить тебя хоть сколько-нибудь математике — возможно, свои знания ты почерпнул из своей прошлой жизни». Но, как Виктор и полагал, Алан не мог просто принять за чистую монету то, чему «нет подтверждения в виде математической формулы».

Тем временем отец Виктора с головой ушел в работу и свои научные исследования, чтобы пережить свою тяжелую утрату. Работа Алана в его офисе заключалась в выполнении вычислений, необходимых для его должности консультанта по освещению нового главного офиса фирмы «Фримасонс» на Грейт-Куин-стрит. Альфред Беутелл был пионером в области научного измерения освещения, а также разработки светового кода, выведенного из «основных принципов» в рамках «сведения физиологии зрения человека к научному и математическому описанию». Он производил вычисления для установления величины световой энергии в условиях установленных осветительных приборов на уровне пола и отражающих свойств стен. Алану не позволялось заходить в здание фирмы, и поэтому ему приходилось использовать свое воображение, чтобы проверить количественные данные, предоставленные ему мистером Беутеллом.

В конце концов Алан подружился с мистером Беутеллом. Альфред любил рассказывать Алану о своей молодости, проведенной за карточными столиками в Монте-Карло, и удивительных выигрышах, на которые он мог безбедно жить месяцами. Он показал Алану свою схему ставок, и по возвращению в Кембридж Алан принялся ее изучать. А уже 2 февраля 1933 года мистер Беутелл получил письмо с результатами исследования юноши, которые показали, что его схема была ненадежной, а, значит, все победы Альфреда основывались лишь на чистом везении, а не в умении высчитывать свои шансы. Кроме того Алан выслал ему формулу, которую он вывел для вычисления осветительной способности ламп, расположенных в центре полусферической комнаты. Нельзя было сказать, что такое исследование могло принести непосредственную пользу для мистера Беутелла, но работа была выполнена с предельной точностью.

Такой поступок потребовал некоторого мужества, поскольку мистер Беутелл был влиятельным человеком с золотым сердцем, упрятанным где-то глубоко внутри, и в то же время с глубокими убеждениями во многих вопросах. Эклектик в вопросах христианства, склоняющийся к теософии, он верил в существование незримого мира и однажды поведал Алану, что идею создания электрической лампочки Linolite он получил откуда-то свыше. Алан не мог поверить в подобное. Но у него также были свои мысли относительно человеческого разума, которые он сформулировал, основываясь на научных идеях начала 1900-х годов. Согласно новым исследованиям, человеческий мозг работал по принципам электрических сигналов с разницей, что на него влияние оказывали разные настроения. И в этой идеи был скрыт огромный потенциал для научных исследований, которые мистер Беутелл охотно обсуждал с Аланом.

Виктор вместе со своим старым другом навестил Шерборнскую школу по случаю приема, и уже после рождественских праздников Алан написал Блэми следующее:

> Я все еще не определился, чем я буду заниматься, когда вырасту. Мне бы хотелось стать преподавателем в Кингз-Колледже. Но боюсь, что это лишь мое стремление, а не профессия. То есть, я хочу сказать, маловероятно, что я когда-нибудь стану преподавать.

> Рад слышать, что твой прием в честь совершеннолетия прошел удачно. Но лично я, когда придет мое время, лучше отправлюсь в какое-нибудь местечко в Англии подальше от дома, чтобы остаться наедине со своим дурным настроением. Другими словами, мне бы совсем не хотелось становиться старше (Ведь самое счастливое время я провел в школе и т. д.).

Алан был неразрывно связан с Шерборном, и его исключительная преданность прошлому не позволяла совершить ошибку и забыть все, что было связано с школьными годами. И хотя в действительности все официальные речи о воспитании, превосходстве и будущем Империи никак не повлияли на Алана, он вобрал в себя многие взгляды, привитые особой культурой английских частных школ. Отсюда появилось его безразличие к культуре потребления, а также стремление сочетать традиционные вещи с причудливо оригинальными. В какой-то мере отсюда возник и его анти-интеллектуализм. Ведь Алан Тьюринг не воспринимал себя, как представителя интеллектуальной элиты. И если даже частная школа основывалась на принципах лишения и подавления, ее выпускники приобретали исключительное знание о самоценности их суждений. В своем стремлении добиться чего-то стоящего в жизни, Алан представил в чистой форме смысл миссии по нравственному воспитанию, которую директор школы так старательно внушал ученикам в своих проповедях.

Вместе с тем он не мог оставаться одной ногой в девятнадцатом веке, ведь Кембриджский университет открывал для него все преимущества нового века. Бывали случаи, когда в 1932 году после очередного торжества в колледже Алан в подпитии забрел в комнату Дэвида Чамперноуна, где ему тут же сказали «взять себя в руки». «Я должен взять себя в руки, я должен взять себя в руки», — насмешливо повторял Алан, так что «Чемпион» решил, что этот случай стал поворотным моментом в жизни его друга. Но как бы там ни было, именно в 1933 году Алан столкнулся лицом к лицу с проблемами современного мира и начал их решать.

Кингз-Колледж обладал особыми привилегиями в рамках общей системы университетов и отличался своим благосостоянием благодаря финансовым средствам, приумноженным экономистом Джоном Мейнардом Кейнсом. Вместе с тем колледж ценил свою *этическую* независимость, которая проявилась во всей силе еще в начале 1900-х годов. Кейнс писал:

…Мы полностью отказались от возложенной на нас персональной ответственности соблюдать общие правила. Мы требовали права рассматривать каждый случай по отдельности, основываясь на благоразумности и опыте, чтобы благополучно решить его исход. Такое решение было важно для нашей веры, за которую мы яростно и настойчиво держались, и остальной мир видел в этом опасность. Мы полностью отказались от общепринятых пра-

вил нравственности и расхожих мнений. Другими словами мы были имморалистами в строгом смысле этого
слова. Последствия разоблачения, разумеется, должны
были расцениваться по достоинству. Но мы не признава-
ли никаких нравственных обязательств, нам не требовалось никакого официального одобрения, мы не стремились соответствовать или повиноваться системе...

Английскому романисту Э. М. Форстеру удалось в более
осторожных выражениях, но вместе с тем содержательно
описать настойчивое требование поставить индивидуальные
отношения выше любого вида установленной практики.
В 1927 году профессор истории Кингз-Колледжа и первый
защитник «Лиги Наций» Лоус Дикинсон писал в своей ав-
тобиографии:

> Мне не доводилось видеть ничего более прекрасного,
> чем Кембридж в это время года. Вместе с тем, Кембридж
> представлял из себя прекрасную тихую заводь. В то вре-
> мя основное течение представляли Джикс*, Черчилль,
> коммунисты, фашисты, политики и это ужасное нечто под
> названием «Империя», которой все, кажется, готовы бы-
> ли принести в жертву всю свою жизнь, всю красоту, все,
> что действительно важно, и потому возникал вопрос —
> а имеет ли это вообще какую-нибудь значимость? Ведь
> все это лишь двигатель власти.

Они обсуждали идею *совершенной* власти, суть заключалась именно в этом. Даже такой экономический деятель,
как Кейнс, вовлеченный в государственные дела, не мог избежать этих разговоров, поскольку верил, если решить мелкие проблемы, люди начнут задумываться о более серьезных.
Подобная позиция была далека от культа чувства долга, из-
за которого в структуре власти достоинством считалось оп-
равдывать ожидания других. И в этом Кингз-Колледж разительно отличался от Шерборнской школы.

Отчасти дело было и в отношении Кингз-Колледжа к студенческой жизни, в которой игры, приемы и сплетни играли

значительную роль, поскольку предполагалось, что несмотря на всю свою ученость люди должны продолжать находить удовольствие в простых вещах. И хотя Кингз-Колледж постепенно терял связь с Итоном, среди профессорского состава находились те, кто прикладывали определенные усилия, направленные на поощрение студентов, закончивших обычную школу, и помогали им чувствовать себя, как дома. В таком маленьком колледже, где каждый год обучались лишь шестьдесят молодых людей, огромное значение придавалось к свободному общению профессоров и студентов. В этом отношении ни один колледж е мог сравниться с Кингз-Колледжем, и Алан Тьюринг постепенно осознавал то, что по счастливой случайности он попал в поистине уникальную среду, в которой он мог себя проявить, как и в любой другой. Это подтверждало и то, что он знал раньше, а именно, что ему необходимо наконец задуматься о себе. Но по ряду причин его положение нельзя было назвать прекрасным, и Алан все еще переживал удар судьбы. В Тринити-Колледже он бы испытывал еще более глубокое чувство одиночества. «Тринити-Колледж также унаследовал независимость в этическом плане, но там не поощрялись случаи близких отношений, как в Кингз-Колледже».

В 1933 году идеи, которые давно волновали в Кингз-Колледже, вышли на поверхность. И Алан разделял эту сферу инакомыслия:

26 мая 1933 года

Дорогая мама,

Спасибо за носки и все остальное... Подумываю отправиться в Россию на некоторое время во время каникул, но никак не могу решиться.

Недавно я вступил в организацию под названием «Антивоенный совет». Ее члены разделяют довольно коммунистические взгляды. По сути ее цели заключаются в проведении забастовок рабочих на химических предприятиях и военных заводах, пока правительство намерено вступать в войну. Также организация создает финансо-

вый резерв для оплаты гарантированных обязательств
рабочих, которые участвуют в забастовке.

...Недавно здесь показывали очень хорошую пьесу
Бернарда Шоу «Назад к Мафусаилу».

Твой Алан.

Вскоре антивоенные советы стали появляться по всей
стране, объединив сторонников пацифизма, коммунистов
и интернационалистов против «национальной» войны. Некоторые забастовки фактически препятствовали выступле-
нию правительства Великобритании на польской стороне
против Советского Союза в 1920 году. Но Алан видел основную цель такой организации не в политических интересах
страны, а в смелости поставить под сомнение авторитетные
источники. Начиная с 1917 года, Великобритания погрязла
в пропаганде о том, что большевистская Россия представляла собой королевство дьявола, но уже в 1933 году все увиде-
ли падение западной торговой системы и системы предпринимательства. Раньше не возникало подобной затруднитель-
ной ситуации, когда безработными становились более двух
миллионов человек, и никто не знал, какие меры следует
предпринимать в таком случае. В то же время Советская Россия после второй революции 1929 года нашла решение государственного планирования и контроля, и в интеллектуальных кругах возник большой интерес к тому, как эта система
работала. Нечто вроде испытательной площадки. Вероятно,
Алану нравилось сердить мать беспечно брошенной фразой
«довольно коммунистические», ведь суть заключалась не
в названии, а в том, что его поколение собиралось думать
в первую очередь о себе и стремилось расширить прежнее
представление о мире и не бояться чьих-либо слов.

Надо сказать, Алану не удалось съездить в Россию. Но
если бы даже поездка состоялась, он бы не пришел в восторг от Советской власти. Также ему не удалось стать одним
из политических активистов Кембриджского университета
1930-х годов. Его не интересовала идея «совершенной власти». В «Манифесте Коммунистической партии» говорилось,
что конечная цель состоит в том, чтобы на место старого об-

щества пришла «ассоциация, в которой свободное развитие каждого является условием свободного развития всех». Но в 1930-х годах быть коммунистом означало разделение взглядов с Советским режимом, а это было совсем другое дело. Выпускники английских частных школ с воспитанным презрением к коммерческой деятельности были готовы отказаться от капитализма и начать верить в государственный контроль. Во многом сторонники коммунистической партии были лишь зеркальным отражением консерваторов. Тем не менее, Алана Тьюринга не интересовали никакого рода объединения, ведь только недавно ему удалось сбежать из одной тоталитарной системы и вступать в новую он не желал.

Марксистская идея претендовала на научность и отвечал современной потребности в объяснении хода истории, оправданного с научной точки зрения. Как Королева говорила Алисе: «Разве это чепуха? *Слыхала я* такую чепуху, рядом с которой эта разумна, как толковый словарь!». Но Алана не интересовали проблемы истории. И попытки сторонников марксизма объяснить точные науки с точки зрения «господствующего способа производства» были далеки от его идей и его опыта. Советский Союз оценивал теорию относительности и квантовую механику по политическим критериям, в то время как английский теоретик Ланцелот Хогбен поддерживал экономическое объяснение развития математики. В понимании Алана, миру не хватало истины и красоты, которые всегда вдохновляли математиков и ученых. Приверженцы коммунистической идеи в Кембридже, казалось, брали на себя роль фундаменталистов с их идеей «спасения», которую Алан встретил с явным скептицизмом, поскольку ранее уже отверг христианскую веру. Вместе со своим новым другом Кеннетом Харрисоном он часто высмеивал позиции коммунистов.

В вопросах экономики Алан высоко ценил мнение Артура Пигу, профессора кафедры политической экономики Кингз-Колледжа, который еще до Кейнса сыграл значительную роль в урегулировании положения, вызванного в результате царившего в девятнадцатом веке либерального капитализма. Пигу утверждал, что более равномерное распределение доходов способствует росту материального благосостояния, а также являлся одним из первых сторонников идеи государства всеобщего благосостояния. В широком смысле схожие в своих взглядах, Пигу и Кейнс призывали обратить внимание на необходимость увеличения расходов в 1930-х годах. Алан также купил подписку на журнал «Нью стейтсмен», выражавший прогрессивное мнение среднего класса, а также идеи свободы личности и необходимости более тщательно продуманной организации социальной системы. В статьях обсуждались преимущества научного планирования (то, что Олдос Хаксли в своем антиутопическом романе «О дивный новый мир» 1932 года рассматривал, как устаревшую ортодоксальность интеллектуалов), и вскоре Алан присоединился к общим обсуждениям прогрессивных предприятий, таких как «the Leeds Housing Scheme». При этом он не мог представить себя на месте проектировщика или устроителя.

По существу его представление об обществе было ближе к идеям сторонников демократического индивидуализма Дж. С. Милля и не имело ничего общего с социалистическими взглядами. Сохранить свое индивидуальное «я» целым, независимым от других, бескомпромиссным, незапятнанным лицемерием, — такими он видел свои целеустремления на пути к совершенству. В его идеальном представлении мысли человека не должны занимать экономические или политические интересы, что скорее отвечало традиционным ценностям Кингз-Колледжа, чем настроениям общества 1930-х годов.

Как и многие современники (среди них, в частности, Э. М. Форстер), особое удовольствие доставило Алану знакомство с романом Сэмюэла Батлера «Едгин». В этом своем первом сатирическом произведении автор викторианской эпохи ставил под сомнение принципы морали, играя с ними в манере «Алисы в Зазеркалье»: сравнивая запреты на сексуальную жизнь с поеданием мяса, англиканскую церковь — со сделками фальшивомонетчиков, и подменяя понятие «греха» — «болезнью». Алан также восхищался работами Бернарда Шоу, который стал достойным преемником сатиры Батлера и умел так же легко играть серьезными понятиями. В глазах искушенных знатоков литературы 1930-х годов Батлер и Шоу уже стали устаревшей классикой. И все же один выпускник шерборнской школы ощущал в их произведениях сладостное чувство свободы. В своих пьесах Шоу обсуждал явление, которое Ибсен назвал «революцией Духа», и своей задачей ставил показать на сцене настоящих людей, живущих не по «общеустановленным нормам морали», а своим внутренним убеждениям. В связи с этим Шоу задавался весьма нелегким вопросом: в каком обществе могут существовать такие «настоящие люди», — вопросом, который постоянно занимал мысли юного Алана Тьюринга. В частности, пьеса «Назад к Мафусаилу», которую сам Алан назвал «очень хорошей» в мае 1933 года, представляла собой попытку действовать в рамках, как выразился сам Шоу, «политики sub specie aeternitatis». В научно-фантастическом ключе в ней нашли выражение фабианские идеи, а также презрительное отношение к неприглядным реалиям политической сцены с участием Асквита и Ллойда Джорджа, что соответствовало идеалистическому восприятию мира Алана.

Но некоторая тема не освещалась в пьесах Бернарда Шоу и за редкими исключениями — в «Нью-стейтсмен». В 1933 году на страницах журнала вышла рецензия на постановку «Зеленого лавра» театрального критика, по мнению которого, она рассказывала историю о жизни «мальчика... усыновленного состоятельными дегенератами, преследующими безнравственные цели», а также «заслуживала внимания любого зрителя, кому история об одном извращенце кажется увлекательнее истории о человеке с больной печенью». В этом отношении Кингз-Колледж был местом поистине уникальным. Здесь представлялось возможным ставить под сомнение аксиому, которую Шоу оставил без внимания, а Батлер решил и вовсе ее избегать.

Подобная возможность появилась вследствие четкого разграничения на официальный мир и неофициальный. Внешний мир накладывал необходимость вести двойную жизнь, поскольку последствия разоблачения в Кингз-Колледже были такими же, как и везде. Неофициальный мир представлял собой нечто, вроде гетто для тех, кто осознавал свою нетрадиционную сексуальную ориентацию со всеми преимуществами и недостатками жизни в нем. Разумеется, подобная свобода выражения чувств и мыслей, которые кому-то могли показаться еретическими, шла Алану на пользу. К примеру, ему помогло то обстоятельство, что Кеннет Харрисон унаследовал от своего отца, также выпускника Кингз-Колледжа, либеральную позицию понимания гомосексуальных чувств других людей. И все же Алану казалась чуждой атмосфера напыщенности и лоска, царившая в Кингз-Колледже, где так ценились искусства и в частности театральное дело, в котором он не принимал участия. Его могли легко испугать некоторые театральные проявления в выражении гомосексуальности окружающих. И если в Шерборне его сексуальная ориентация ассоциировалась с чем-то «грязным» и «скандальным», теперь ему пришлось смириться с новым ярлыком: одного из «пэнси», которые одним своим существованием оскорбляли всеобщее чувство мужского превосходства. Но Алан не мог себя отождествлять с ними, как и не мог влиться в круг «эстетов», которые не оставляли без внимания застенчивого юного математика. Как и во многом другом Алан стал узником своей собственной самодостаточности. Кингз-Колледж мог укрывать его от забот внешнего мира, пока он занимался самопознанием.

Подобное положение Алан занимал и по отношению к религии: в то время как в Кингз-Колледже агностицизм считался de rigeur, он не захотел слепо следовать общей моде, чтобы наконец получить право поднимать темы, которые до сих пор оставались под запретом. В силу своей застенчивости ему не удалось обзавестись необходимыми связями в интеллектуальных кругах. В отличие от большинства его близких знакомых, его не приняли ни в «Клуб десяти», ни в «Общество Мэссинджера» — общества студентов Кингз-Колледжа, в первом из которых участники читали по ролям пьесы, а во втором вели долгие беседы под покровами ночи, обсуждая статьи на темы культуры и моральной философии за чашками горячего какао. В обществе товарищей по колледжу Алан был слишком неловок, даже неуклюж, чтобы принимать участие в подобных встречах. Ему не удалось попасть и в престижное дискуссионное общество «Апостолов», прославившееся необычайной одаренностью его членов, в основном студентов Кингз-Колледжа и Тринити-Колледжа. Во многих отношениях Алан был слишком посредственным и заурядным студентом Кингз-Колледжа.

В этом он походил на одного из своих новых товарищей — Джеймса Аткинса, который также получил стипендию и учился на курсе математики вместе с Аланом. Вскоре знакомство переросло в дружбу, в которой не было места увлеченным обсуждениям научных тем или разговорам о Кристофере, но именно Джеймс получил приглашение от Алана поехать вместе в Озерный край на несколько дней.

Они запланировали поездку на период с 21 по 30 июня, так что Алан действительно провел 23 июня, день своего «совершеннолетия», вдали от дома, как и планировал. Тот день ребята провели в пути, добираясь по главной улице от студенческой гостиницы в деревне Мардейл до Паттердэйла. Погода стояла необычайно жаркая и солнечная, и в какой-то момент Алану пришла в голову идея полностью раздеться и позагорать. Возможно, сама обстановка позволила ему сделать следующий шаг, когда несколькими днями позже они остановились отдохнуть на склоне холма. Тот случай скорее имел большое значение для Джеймса, который постоянно ощущал давление сверстников во время учебы в частной школе и теперь пытался наверстать упущенные годы, познавая себя духовно и физически. До конца их путешествия подобное больше не повторялось, и пока Джеймс обдумывал случившееся. Но уже спустя две недели он вдруг почувствовал пробудившиеся чувства привязанности и страсти и с нетерпением ожидал возвращения Алана в Кембридж 12 июля, чтобы вместе провести летние каникулы. Летом студенты могли отдохнуть от математики и принять участие в концертах в рамках Международного конгресса общества музыковедческих исследований, поскольку в музыке Джеймс находил тот абсолют истины, который Алан видел в чистой математике.

Джеймс не подозревал, что в тот же самый день Алан отправился в «Клок Хаус» почтить память Кристофера. В том же году на Пасху он уже приезжал к Моркомам, чтобы принять причастие в своей церкви, и позже написал:

20 апреля 1933 года

Моя дорогая миссис Морком,

Я так рад, что смог провести у вас в «Клок Хаус» светлый праздник Пасхи. Мне особенно нравится в этот день вспоминать о Кристофере. Он напоминает всем нам о том, что в некотором роде Кристофер сейчас жив. Возможно, для некоторых приятнее думать о возможности встречи с ним в необозримом будущем, когда он снова будет рядом с нами, но меня же утешает мысль, что он все еще жив и разлука наша временна.

Так получилось, что время его следующей поездки к Моркомам совпало с торжеством в честь открытия мемориального витража, которое состоялось 13 июля, в двадцать второй день рождения Кристофера. По такому случаю в местной школе были отменены занятия, и все дети пришли возложить цветы у церкви. В память о мальчике друг семьи прочитал проповедь «О доброте», а затем все исполнили любимый гимн Кристофера:

> Милостивый Боже, Дух Святой,
> Ученьем Твоим озаренные мы просим
> В день Троицы из всех даров
> Лишь святую небесную Любовь.

Под установленным у дома шатром фокусник развлекал детей, пока они наслаждались булочками и лимонадом, Руперт показывал эксперимент Кристофера с йодатами и сульфитами, а его дядя объяснял ребятам суть опыта. После этого они принялись выдувать мыльные пузыри и запускать воздушные шарики в небо.

Спустя две или три недели после этого исполненного горечью праздника Алан вернулся в Кембридж, где ожидавший его Джеймс поделился с ним своим желанием продолжить сексуальные отношения с Аланом, который так неосторожно пробудил в нем чувства. Казалось, что Алан больше не решится проявить инициативу со своей стороны, однажды пробудившуюся в нем под жарким летним солнцем, а Джеймс никогда не сможет понять сложность ситуации. Возможно, причина заключалась в еще не угаснувшей памяти о Кристофере, о чем Алан никогда не делился с Джеймсом. Поездка вновь освежила воспоминания о чистой, романтической любви, которую он не видел в отношениях с Джеймсом. Вместо этого между ними возникла дружеская симпатия, влечение без притворства и обещания любви, и это положение устраивало обоих. По крайней мере теперь Алан знал, что он не одинок.

И все же порой он выглядел весьма раздраженным. На торжественном вечере в честь основателей колледжа в декабре 1933 года произошел случай, когда один студент, с которым Джеймс учился вместе в частной школе, подошел к Алану и сказал оскорбительным тоном: «Не смотри на меня так, разве я похож на гомосексуалиста». Тогда раздосадованный такой репликой в свой адрес Алан сказал Джеймсу: «Когда будешь ложиться в постель, знай, меня там больше не будет». Но этот момент можно считать исключительным в их отношениях, которые длились, постепенно сходя на нет, все семь лет.

Никто не догадывался о подобном положении дел, только в общих чертах, но как показал случай на банкете, Алан вовсе не скрывал свою сексуальную ориентацию. Был еще один студент, к которому Алан испытывал сильные чувства (о чем он поделился с Джеймсом). Осенью 1933 года Алан нашел нового друга, с которым он мог проводить время, обсуждая вопросы секса. Его звали Фред Клейтон, и он был человеком совершенно другого характера. В то время как Алан и Джеймс вели себя сдержанно, стараясь не афишировать свои отношения, в случае с Фредом все обстояло несколько иначе. Его отец был директором школы, расположенной в деревне неподалеку от Ливерпуля, а потому он не получил должного образования в частной школе. Довольно невысокого роста, юный студент курса классической филологии он, должно быть, познакомился с Аланом в клубе гребцов, но их знакомство стало стремительно перерастать в дружбу, как только Фред узнал о сексуальных предпочтениях Алана — от него самого или от других студентов.

Фред как никто другой нуждался во взаимном обмене взглядами и чувственным опытом, поскольку тема секса всегда озадачивала его в отличие от более сведущих в этом вопросе бывших товарищей по школе. Поэтому он поспешил воспользоваться привилегией Кингз-Колледжа открыто обсуждать любой волновавший студента вопрос, и таким образом узнал от одного из членов совета колледжа, что он кажется «вполне себе обычным молодым человеком с бисексуальным поведением». Но все было не так просто, особенно в случае с Фредом.

Алан поделился со своим новым другом своим негодованием по поводу обрезания в детстве, а также ранними воспоминаниями об играх с сыном садовника (предположительно, речь шла о времени, проведенном в доме Уордов), которые, как ему казалось, во многом определили его сексуальные предпочтения. Справедливо или же нет, но Алан стал для Фреда и других студентов наглядным примером того, как именно в частной школе мальчики переживают свой первый сексуальный опыт. Хотя более важным было то обстоятельство, что школьные дни все еще оказывали большое влияние на его сексуальную жизнь. Фред был знаком с работами Хэвлок Эллис и Фрейда, а также сделал собственные открытия в античной литературе, чем и поделился со своим другом-математиком, интересы которого не касались греческого языка или латыни.

Неудивительно, что подобные темы приводили молодых людей в замешательство в условиях 1930-х годов, когда даже в Кингз-Колледже предпочитали говорить об этом лишь полушепотом. Такое положение дел никак нельзя было считать результатом принятого ранее в Великобритании закона, который ввел запрет на любое проявление гомосексуального поведения, в силу его неэффективности. Запретность темы сравнивалась с уклонением от догматов христианской церкви, как об этом писал Дж. Ст. Милль:

У нас давно уже главное зло легальных преследований и состоит именно в том, что эти преследования на самом деле суть не что иное, как исполнение приговоров самого общества. В нетерпимости нашего общества и заключается главное зло, — зло столь сильное, что мы чаще встречаем в других странах выражение мнений, которые там влекут за собой судебное преследование, чем в Англии выражение таких мнений, которые хотя и не влекут за собой легальные кары, но осуждаются обществом.

На рубеже веков современный психоанализ оказал огромное влияние на восприятие мира, и уже в 1920-х годах многие авангардисты ярко и оригинально использовали фрейдистские идеи в своем экспериментальном творчестве. Но на практике психоанализ служил лишь универсальным инструментарием для обсуждения отклонений гомосексуального поведения, и даже здесь официальный мир постоянно учинял препятствия, стараясь предать забвению эту тему, так же как и академический мир, сыгравший определенную роль наряду с судебными преследованиями и цензурой. Что касается мнения среднего класса, оно было выражено в одном из выпусков «Санди экспресс» 1928 года, в котором роман «The Well of Loneliness» получил следующую рецензию: «Я бы скорее дал в руки здоровому мальчику или девочке бутылочку синильной кислоты, чем эту книгу». Подобный запрет на освещение темы был общим правилом для всех, и даже получившим блестящее образование гомосексуалистам оставалось искать поддержку, разгадывая смутные и неясные знаки в мире античности, на руинах судебного дела Уайльда и среди редких исключений к общему правилу, представленных в работах Хэвлока Эллиса и Эдварда Карпентера.

В подобной уникальной среде Кембриджского университета гомосексуальный опыт мог стать несомненным преимуществом с точки зрения удовлетворения своих физических потребностей. И лишение подобной возможности касалось не права личности, а самого духа, ведь в таком случае возникало чувство самоотречения. Понятия гетеросексуальной любви, страсти и супружества также связывались с определенными проблемами и страданиями, но все известные миру романы и песни были написаны с целью выразить чувства, которые они в себе несли. Подобные же истории гомосексуальных отношений обычно предавались забвению или сводились к чему-то курьёзному, преступному, патологическому, и отвратительному. Достаточно сложно было оградить себя от подобных коннотаций, когда они включались в само значение слов, единственных слов, которыми оперировал язык. Возможность сохранить цельность и монолитность своей личности и не расщепиться на внешнюю оболочку соответствия нормам и скрытую от лишних взглядов внутреннюю правду представлялась настоящим чудом. А способность при этом продолжить развиваться, как личность, укрепляя внутренние связи и общаясь с остальными, и вовсе казалась невероятной.

И Алан оказался в том самом единственном месте, в котором его личность могла продолжить свое развитие. В конце концов, именно здесь Форстер нашел первых читателей рукописи его романа «Морис», выразившим многие мысли и чувства «человека недостойного поведения Уайльда». Определенную сложность для автора представлял выбор, как завершить свое произведение. Финал истории должен был со всей прямотой и искренностью донести чувства героя и в то же время остаться правдоподобным в реалиях современного мира. И это существенное противоречие не могло разрешиться побегом его героя в «зеленые леса» благополучной развязки.

Другое противоречие заключалось в том, что его произведение оставалось неизвестным на протяжении пятидесяти лет. Во всяком случае именно здесь эти противоречия многим были понятны и ясны. И хотя в силу своей необщительности Алан намеренно отдалился от общества Кингз-Колледжа, пока он находился в этой среде, он был надежно укрыт от суровости внешнего мира.

Увлечение Алана пьесой «Назад к Мафусаилу» могло также объясняться тем, что в ней Шоу выразил свою теорию «жизненной силы», которая поднимала схожие вопросы с манифестом о «природе духа». Один из героев пьесы сказал следующее: «Если эти нудные ископаемые — религия и наука не оживут в наших руках, не оживут и не станут захваты-

вающе интересными, нам лучше оставить свои занятия
и вскапывать свой сад до того самого дня, когда нам придется
копать себе могилу». Эта фраза как нельзя лучше выразила
основную проблему, занимавшую ум Алана в 1933 году, но
вместе с тем он не был готов принять простое решение, которое предлагал сам автор пьесы. Бернард Шоу мог без всяких
сожалений переписывать науку, если она не соответствовала
его идеям; и если его теория «жизненной силы» противоречила принципам детерминизма, он был готов отказаться от
него. Тогда Шоу сосредоточил все свое внимание на теории
эволюции Дарвина, которая ему представлялась причиной
любых изменений в обществе, включая в себя социальные
и психологические, и в итоге отверг ее, как «веру»:

> Но когда возникло новое движение в науке, связанное
> с именем великого натуралиста Чарлза Дарвина, оно бы-
> ло не только реакцией против варварской псевдоеван-
> гельской телеологии, нетерпимой противницы всякого
> прогресса в науке; его сопровождали, как оказывалось,
> чрезвычайно интересные открытия в физике, химии,
> а также тот мертвый эволюционный метод, который его
> изобретатели назвали естественным отбором. Тем не ме-
> нее в этической сфере это дало единственно возможный
> результат — произошло изгнание совести из человечес-
> кой деятельности или, как пылко выражался Сэмюэл Бат-
> лер, «разума из вселенной».

По мнению Шоу, наука должна представлять собой некую «жизненную силу», о которой оракул из третьего тысячелетия мог бы сказать: «Наши физики изучают ее, наши
математики определяют ее параметры с помощью алгебраических уравнений».

С точки зрения Алана, наука в первую очередь должна
нести в себе истину, а затем уже служить обществу. И даже
в работах физика и математика Джона Неймана он не мог
найти ни одной причины, чтобы поверить в теорию «жизненной силы». Заказанную копию «Математических основ
квантовой механики» он получил уже в октябре 1932 года,

но вероятнее всего отложил чтение вплоть до лета, когда ему доставили другие работы по квантовой механике, а именно — Шрёдингера и Гейзенберга. В связи с этим в письме от 16 октября 1933 года он писал:

> Книга, которую мне вручили в качества приза в Шерборне, оказалась весьма интересной и вовсе не трудной, хотя многие из тех, кто занимается прикладной математикой, находят эту работу достаточно серьёзным исследованием в области квантовой механики.

Взгляды фон Неймана разительно отличались от тех, что разделял Эддингтон. В его формулировке состояние физической системы поддавалось описанию в рамках принципа детерминизма; именно наблюдение позволило открыть её абсолютную недетерминированность. И если существовала возможность наблюдать извне на сам процесс наблюдения, его можно было назвать детерминистическим. Определение места неопределённости казалось невозможным, поскольку оно не было локализовано в определенном месте. Фон Нейману удалось показать, что подобная странная логика наблюдений, выходящая за рамки мира привычных вещей, по своей природе обладала последовательностью и подтверждалась рядом научных экспериментов. Алан скептически отнесся к такой интерпретации квантовой механики, но в то же время усомнился в идее разума, способного управлять волновыми функциями в человеческом мозге.

Но причина, по которой Алан нашел эту работу «весьма интересной», заключалась не только в близкой ему философской тематике. В первую очередь, его привлек научный подход фон Неймана, основанный по мере возможности на одной лишь логике, поскольку для Алана Тьюринга наука представляла собой полностью самостоятельное исследование вопроса, а не только набор некоторых фактов об устройстве мира. Наука могла ставить под сомнение существующие законы и аксиомы. Именно поэтому он сам руководился методом, который базировался на принципах чистой математики, вначале рассматривая любую возникшую идею, какой бы абсурдной она ни казалась, и только затем задумываясь, можно ли найти ей применение в материальном мире. Этот подход становился частой причиной для споров с Кеннетом Харрисоном, который обладал более традиционным научным взглядом на эксперименты, теории и их подтверждение.

Сторонникам принципа прикладной математики эта работа могла показаться «достаточно серьёзным исследованием в области квантовой механики», поскольку для ее понимания требовалось знание последних открытий в области чистой математики. В некотором роде работа представляла собой слияние двух на первый взгляд абсолютно разных теорий Шрёдингера и Гейзенберга: выразив основные идеи двух теорий в абстрактной математической форме фон Нейман доказал их эквивалентность. В своем исследовании ученый руководствовался именно логикой, а не результатами проведенных экспериментов. Такой прекрасный пример того, как исследование в области чистой математики принесло неожиданные результаты в физике, несомненно стало источником вдохновения для Алана.

Еще до начала войны Гильберт представил научному миру работу, обобщающую всю евклидову геометрию, которая рассматривала пространство с бесконечным множеством измерений. Такое «пространство» не имело ничего общего с пространством в привычном представлении. Его можно сравнить с воображаемым графом, на котором можно отметить любые звуки, учитывая, что звуки флейты, скрипки или фортепиано включают в себя основной тон, первую гармонику, вторую гармонику и так далее, — то есть каждый звук представляет собой особый набор бесконечно малых его составляющих. В приведенной аналогии точка в подобном «гильбертовом пространстве» соответствует звуку, к ней добавляются еще две точки (как при добавлении звуков), при этом точка может увеличиться в несколько раз (как при усилении звука).

Фон Нейман заметил, что именно «гильбертово пространство» как ничто другое подходило для более точного описания «состояния» системы в квантовой механике, например, электрона в атоме водорода. Одной из характерных особенностей таких «состояний» представлялась возможность их добавления, как в примере со звуками, другая особенность заключалась в бесконечном множестве возможных «состояний», как в случае с бесконечным множеством гармонических рядов. Таким образом, понятие гильбертова пространства было использовано для определения строгой теории квантовой механики.

Такое неожиданное применение «гильбертова пространства» только подтвердили взгляды Алана на принципы чистой математики. Следующее подтверждение он обнаружил в 1933 году, когда был открыт позитрон. Ранее Дирак предсказывал это открытие, основываясь на теории абстрактной математики, для которой было необходимо объединение аксиом квантовой механики с аксиомами теории специальной относительности. Так, в спорах об отношениях математики и науки Алан Тьюринг обнаружил потребность решить один трудный и важный для него вопрос.

Как отдельная научная дисциплина математика была признана лишь в конце девятнадцатого века. До тех пор математика представляла область отношений между числами и количеством веществ, представленных в материальном мире, хотя ошибочность такого суждения стало известно с появлением такого понятия как «отрицательные числа». Однако в девятнадцатом веке во многих отраслях науки начали появляться тенденции по применению абстрактного подхода, и математические символы постепенно стали терять непосредственную связь с физическими объектами.

В школьной алгебре — в сущности, алгебре восемнадцатого века — буквы обычно использовались для обозначения численных величин. Правила сложения и умножения применялись с тем допущением, что они действительно несли в себе числовое значение, но на самом деле оно было необязательным, а порой и неуместным.

Суть такого абстрактного подхода заключалась в освобождении алгебры, а значит, и всей математики, из общепринятой сферы вычислений и систем мер. В современной математике символы могут использоваться применительно к любым правилам, а их значение, если оно задано, может выходить за рамки численных величин. Квантовая механика послужила прекрасным примером того, как освобождение от условностей и развитие такой научной дисциплины, как математика в работе, представляющей собственный интерес, может принести значительные результаты в физике. Этот пример также указал на необходимость создать теорию не чисел и величин, а «состояний», как в случае с понятием «гильбертова пространства». По той же причине квантовые физики принялись разрабатывать новую теорию в области чистой математики, а именно абстрактную теорию групп. Сама идея создания абстрактной теории групп возникла при попытке математиков записать «операции» в символьном виде, рассматривая полученный результат, как чистую абстракцию. В результате такого абстрактного подхода ученым удалось свести алгебраические операции к общим законам, объединить их и провести новые аналогии. Такой шаг в науке можно было расценивать, как конструктивный и созидательный, поскольку, изменив правила таких абстрактных систем, наука открыла для себя новые разделы алгебры с непредвиденными областями применения.

С другой стороны, тенденция к применению абстрактного метода создала что-то вроде кризиса в области чистой математики. Если она теперь представлялась лишь игрой в символы, в которой игроки следуют произвольным правилам, что же стало с чувством абсолютной истины? В марте 1933 года Алан приобрел «Введение в математическую философию» Бертрана Рассела, в которой ученый попытался ответить на главный вопрос.

Сначала кризис возник в исследованиях в области геометрии. В восемнадцатом веке могло казаться, что геометрия — область науки, представляющая собой свод истин об устройстве мира, и аксиомы Евклида выразили их самую суть. Но уже в девятнадцатом веке появились исследования геометрических систем, которые не вписывались в геометрию Евклида. Также сомнению подверглось убеждение, что геометрия Вселенной является евклидовой. И в рамках отделения математики от естественных наук появилась необходимость задать вопрос, представляет ли евклидова геометрия в абстрактном представлении полное и законченное целое.

Оставалось неясным, действительно ли евклидовы аксиомы описывали полную теорию геометрии. Могло ли случиться так, что некоторые дополнительные предположения были хитрым образом представлены в виде доказательств из-за интуитивных и не выраженных явно идей о точках и прямых. С точки зрения современной науки, появилась необходимость абстрагировать логические связи между точками и прямыми, чтобы выразить их в рамках чисто символических правил, забыть об их «значении» с точки зрения физического пространства и тем самым показать, что в результате эта игра абстракциями была целесообразна сама по себе. Как однажды находясь под влиянием абстрактной точки зрения Виннера на геометрические объекты, Гильберт глубокомысленно заметил своим спутникам: «Следует добиться того, чтобы с равным успехом можно было говорить вместо точек, прямых и плоскостей о столах, стульях и пивных кружках».

В 1899 году Гильберту удалось обнаружить систему аксиом, из которой бы могли быть выведены все теоремы евклидовой геометрии. Тем не менее, доказательство существования такой системы аксиом требовало допущения, что теория «вещественных чисел» была удовлетворительной. Еще в древние времена греческие математики использовали «вещественные числа» для измерения бесконечно делимой длины отрезка. Но, с точки зрения Гильберта, этого было недостаточно.

К счастью, вещественные числа можно было описывать существенно различными способами. Уже к началу девятнадцатого века было хорошо известно, что «вещественные числа» можно представить в виде бесконечной десятичной дроби, например, число π можно записать в виде 3.14159265358979.... Более точное представление получила идея, что «вещественное число» может быть представлено настолько точно, насколько требуется, в виде десятичного числа — бесконечной последовательности целых чисел. И только в 1872 году немецкий математик Дедекинд смог изобрести конструктивный подход к определению «вещественного числа», при котором их строят, исходя из рациональных, которые считают заданными. Таким образом, исследование Дедекинда объединило понятия числа и длины, а также перенаправило вопросы Гильберта из области геометрии в область целых чисел или «арифметики», в ее строгом математическом смысле. Как выразился сам Гильберт, вся его работа заключалась в том, чтобы «свести все исследования к оставленной без ответа проблеме: противоречивы ли аксиомы арифметики».

На этом этапе разные ученые-математики стали применять различные подходы. Среди них существовала точка зрения, что изучение аксиом арифметики является само по себе абсурдным занятием, ведь в математике нет ничего более примитивного, чем целые числа. С другой стороны, можно было, конечно, поставить вопрос, существует ли некоторое выражение сути фундаментальных свойств целых чисел, из которой могут быть выведены остальные. В своих исследованиях Дедекинд рассматривал и этот вопрос и в 1888 году доказал, что вся арифметика берет свое начало из трех основных идей: 1 есть число; если n есть число, то и n+1 тоже есть число; принцип индукции позволяет сформулировать подобные утверждения для всех чисел. При желании эти идеи могут быть представлены, как абстрактные аксиомы в духе «столов, стульев и пивных кружек», на которых может быть построена вся теория чисел, не ставя вопрос, какое значение несут символы «1» или «+». Год спустя, в 1889 году, итальянский математик Джузеппе Пеано представил эти аксиомы в более привычной для современной математики форме.

В 1900 году Гильберт приветствовал новый век, поставив перед миром математических наук семнадцать нерешенных проблем. Вторая из них заключалась в доказательстве последовательности «аксиом Пеано», от которого, как он показал, зависела строгость математических дисциплин. Ключевым словом было «последовательность». Так, в арифметике ранее были известны теоремы, доказательство которых требовало выполнения тысячи математических операций, к примеру, теорема Гаусса, которая объясняет, что каждое целое число может быть представлено в виде суммы четырёх квадратов. Тогда как можно быть уверенным наверняка, что не существует подобной длинной последовательности выводов, которая бы привела к противоположному результату? В чем же найти то основание для веры в подобные математические суждения о всех числах, если они не поддаются проверке? И как абстрактные правила игры Пеано, по которым символы «1» и «+» не несут в себе исходного смысла, могут гарантировать свободу математики от противоречий? Эйнштейн сомневался относительно законов движения. Гильберт сомневался даже в утверждении, что дважды два равняется четырём — или по крайней мере сказал, что на то должна быть причина.

Первая попытка ответить на этот вопрос была предпринята в работе Готлоба Фреге «Основы арифметики: логически-математическое исследование о понятии числа», опубликованной в 1884 году. В ней ученый выразил свой логистический взгляд на математику, по которому законы арифметики выводились при помощи логический связей между объектами окружающего мира, а ее последовательность подтверждалась миром реальных вещей. С точки зрения Фреге, «1» обозначало нечто конкретное, а именно предмет окружающего мира: «один стол», «один стул», «одна пивная кружка». Таким образом, утверждение «2 + 2 = 4» должно было соответствовать тому факту, что, если добавить два предмета к уже имеющимся двум предметам, в результате и в совокупности мы получим четыре предмета. Цель работы Фреге заключалась в том, чтобы рассмотреть отвлечённо такие понятия, как «любой», «предмет», «другой» и так далее, и затем на их основе построить теорию, по которой законы арифметики могли быть выведены из наиболее простых идей существования.

Однако, в этой работе Фреге опередил Бертран Рассел, который занимался изучением похожей теории. В своей теории типов ему удалось конкретизировать идеи Фреге, сформулировав понятие «класса» как логическое понятие. Суть его теории состояла в том, что некоторое множество, содержащее в себе один лишь предмет, могло быть определено тем свойством, что при извлечении этого предмета из множества, предмет будет тем же самым. Такая идея позволяла описывать исключительность с точки зрения единообразия или равенства. Но тогда и равенство могло определяться с точки зрения удовлетворения того же самого ряда утверждений. Таким образом, понятие числа и аксиомы арифметики, как оказалось, могли быть выведены из самых простых идей об объектах, утверждениях и пропозициях.

К сожалению, на деле все обстояло не так просто. Рассел стремился определить множество с одним элементом при помощи идеи равенства, не используя при этом понятие вычисления. Тогда он смог бы определить число «один», как «множество всех множеств с одним элементом». Но уже в 1901 году Рассел заметил логические противоречия, возникающие при попытке использовать понятие «множества всех множеств».

Сложность заключалась в возможном возникновении ссылающихся на самих себя, внутренне противоречивых утверждений, например: «Это утверждение ложно». Подобная проблема возникла в теории множеств, которую разработал немецкий математик Георг Кантор. Рассел заметил, что аналогичный парадоксу Кантора возникает и в его теории типов. Тогда он выделил два вида «классов»: множества, которые *не содержат* сами себя в качестве подмножества, и множества, которые *содержат* сами себя в качестве подмножества. С точки зрения Рассела, «в обычном понимании класс не является членом самого себя; человечество, например, не является человеком». Но множество абстрактных понятий или множество всех множеств могут иметь подобное свойство. Получившемуся парадоксу Рассел попытался дать следующее объяснение:

Предположим, что существует множество всех собственных множеств, которые не содержат себя в качестве подмножества. Представим одно из таких множеств: является ли оно подмножеством самого себя? В случае, если оно является подмножеством самого себя, значит, оно относится к тем множествам, которые не содержат себя в качестве подмножества, то есть оно не является подмножеством себя. В случае, если оно не является подмножеством самого себя, значит, оно относится к тем множествам, которые не содержат себя в качестве подмножества, то есть оно является подмножеством себя. Таким образом, в каждом из двух предположений — что оно является и не является подмножеством самого себя — возникает противоречие относительно другого предположения. В этом и состоит суть парадокса.

Такой парадокс не поддавался решению при попытках понять его истинный смысл. Философы могли обсуждать парадокс сколько им было угодно, но все их обсуждения не относились к делу, которым занимались Фреге и Рассел. Вся эта теория была создана с целью вывести арифметические законы из наиболее простых логических допущений при помощи автоматического, не допускающего двойного толкования, деперсонализированного метода. Независимо от истинного смысла парадокса Рассела, он представлял собой лишь последовательность символов, которые, согласно установленным правилам игры, неумолимо ведут к внутреннему противоречию всей последовательности. В этом и заключалось главное бедствие. В любой чисто логической системе не существовало возможности для какого бы то ни было несоответствия. Если бы в результате логических рассуждений было выведено утверждение «$2 + 2 = 5$», за ним последовал бы вывод, что «$4 = 5$» и «$0 = 1$», а значит любое число было бы равно нулю и любое утверждение было бы тождественно «$0 = 0$» и таким образом являлось бы истинным. Поэтому в условиях подобной игры математика должна была представлять собой нечто, полностью лишенное внутренних противоречий, иначе она теряла свой смысл.

Десять лет ушло на попытки Рассела и Альфреда Норта Уайтхеда устранить этот дефект. Существенная трудность заключалась в том, что внутренним противоречием обладала и попытка назвать любой набор объектов «множеством». Понятие требовало более точного определения. И хотя парадокс Рассела был не единственной проблемой, возникшей в теории типов, только ему была посвящена значительная часть совместной работы учёных «Principia Mathematica», в которой Рассел и Уайтхед стремились показать, что вся математика сводится к логике с помощью набора аксиом и нескольких основных понятий, то есть обосновать логицизм. Для этого была введена иерархия различных видов множеств, которые были названы «типами». Формальные объекты этой иерархии разделяются на типы: объекты, множества объектов, множества множеств, множества множеств множеств и так далее. В рамках разработанной теории типов теперь было невозможно сформулировать понятие «множества всех множеств». Между тем, такой подход значительно усложнил теорию, сделав её на порядок более сложной, чем система счисления, принципы которой она и должна была подтвердить. Оставалось неясным, являлась ли теория типов единственным полем для разработки идей о множествах и числах, пока к 1930 году не были разработаны альтернативные системы, автором одной из которых являлся фон Нейман.

На первый взгляд безобидное требование доказательства полноты и последовательности математики открыло для научного сообщество настоящий ящик Пандоры, полный проблем. В одном смысле, математические суждения казались верными, как ничто другое; в другом, они представлялись не больше чем символами на бумаге, которые при попытках объяснить их смысл приводили к непостижимым разумом парадоксам.

Как и в саду Зазеркалья путь к самой сути математики вел в чащу замысловатой специальной терминологии. Подобное отсутствие какой бы то ни было связи между математическими символами и миром физических объектов очаровывало пытливый ум Алана. В конце предисловия к своей работе «Введение в математическую философию» Б. Рассел написал: «Здесь, однако, с точки зрения дальнейших исследований, как и везде, метод более важен, чем результаты, а метод не может быть объяснен в достаточной мере в рамках этой книги. Остается надеяться, что некоторые читатели заинтересуются настолько, чтобы продолжить изучение метода, которым математическая логика помогает прояснить традиционные проблемы философии». Таким образом, можно считать, что книга выполнила свое истинное предназначение с точки зрения автора, поскольку Алан всерьёз заинтересовался проблемой теории типов, а в более широком смысле столкнулся с вопросом, который волновал прокуратора Иудеи Понтия Пилата: *«Что есть истина?»*.

Кеннет Харрисон был также знаком с некоторыми идеями Рассела, и они с Аланом могли провести несколько часов, обсуждая их. Однако, к неудовольствию Алана, его товарищ не мог не задаваться вопросом: «Но какая же польза от всего этого?». На что Алан, возможно, с радостным тоном в голосе отвечал, что, разумеется, никакой пользы в этом нет. И скорее всего, вскоре он нашел более увлечённых собеседников, поскольку осенью 1933 года он был приглашен на еженедельное вечернее заседание Клуба Моральных Наук, чтобы прочитать свою работу. Честь быть приглашенным на подобное заседание редко выпадала на долю кого-то из студентов, и уж тем более тех, кто не учился на факультете Моральных Наук, как раньше называли факультет философии и сопутствующих дисциплин в Кембридже. Подобная перспектива выступить перед лучшими специалистами в области философии могла вызвать некоторое беспокойство у Алана, тем не менее в письме к матери он сообщил об этом со своим привычным невозмутимым тоном:

26 ноября 1933 года

... мне предстоит представить свою работу на заседании Клуба Моральных Наук в эту пятницу. Работа некоторым образом связана с философией математики. Надеюсь, они узнают для себя много нового по этой теме.

В протоколе заседания Клуба Моральных Наук от 1 декабря 1933 года, в пятницу было отмечено:

Шестое заседание осеннего триместра было проведено в комнатах мистера Тьюринга в Кингз-Колледже. А.М. Тьюринг представил членам клуба свою работу под названием «Математика и логика». В ней он выдвинул свое предположение, что чисто логистическое представление математики не соответствует ее требованиям; и что математические суждения обладают множеством интерпретаций, и логистическое высказывание является лишь одной из них. После следовало обсуждение.

Р. Б. Брейтуэйт (подпись).

Ричард Брейтуэйт, выпускник философского факультета, являлся одним из молодых членов совета Кингз-Колледжа, и скорее всего именно по его рекомендации Алан получил приглашение на заседание клуба. Вне всяких сомнений к концу 1933 года Алан Тьюринг с головой погрузился в работу, пытаясь одновременно решить два вопроса чрезвычайной сложности. И в области квантовой физики, и в области чистой математики, задача состояла в том, чтобы установить связь между миром абстрактного представления и физическим миром, между символом и объектом.

Долгое время немецкие математики находились в самом центре мира научных исследований, как в области математики, так и в сферах остальных научных дисциплинах. Но уже к концу 1933 года от центра научного мира остались лишь руины, когда атмосфера в Геттингенском университете радикально изменилась. Здесь следует отметить, что Геттингенская математическая школа — это, в первую очередь, школа Гильберта. Его научные интересы охватывали практически всю математику: теорию чисел, алгебру, функциональный анализ, геометрию, логику. В каждой из этих областей он получил выдающиеся результаты. И именно школа Гильберта понесла при нацизме наибольшие потери. Джон фон Нейман был вынужден уехать в Америку, и после никогда оттуда не возвращался, другие математики прибыли в Кембридж. «Несколько выдающихся немецких ученых еврейского происхождения должны прибыть в Кембридж в этом году», — писал Алан в письме от 16 октября. — «По крайней мере двое из них точно будут числиться на факультете математики, а именно — Борн и Курант». Отсюда можно предположить, что он посещал курс лекций по квантовой механике, которые профессора Борн читал в том же семестре, или лекции по дифференциальным уравнениям, которые читал Курант в следующем семестре. Вскоре Борн переехал в Эдинбург, Шрёдингер обосновался в Оксфорде, но для большинства ученых Америка все же представлялась более доброжелательной и открытой для научных эмигрантов страной, нежели чем Великобритания. Новый Институт перспективных исследований, тесно сотрудничающий с Принстонским университетом во многих совместных проектах, взял на работу ряд учёных, бежавших из Европы от угрозы нацизма. О переезде Альберта Эйнштейна в Принстон французский физик Поль Ланжевен однажды сказал: «Это равносильно тому, что Папа Римский переехал из Ватикана в Новый Свет. Папа Римский мира физики переехал, и теперь Соединенные Штаты станут центром изучения естественных наук».

Но внимание нацистского бюрократического аппарата привлекло не только еврейское происхождение некоторых ученых, но и сами научные идеи, даже в области философии математики:

Но гораздо большим удивлением для англичан стал сам факт того, что государство или политическая партия могли интересоваться абстрактными идеями.

Между тем для читателей «Нью стейтсмен» враждебные чувства Гитлера, выраженные в Версальском мирном договоре, только подтвердили то, о чем всегда говорили Кейнс и Дикинсон. Сложность состояла в том, что учтивость по отношению к Германии теперь могла расцениваться как уступка её бесчеловечному режиму. Однако, консерваторы рассматривали новую Германию с точки зрения соотношения сил государств, и в этой перспективе она представляла новую потенциальную угрозу Великобритании, но вместе с тем и сильный «оплот», заслоняющий страну перед мощью Советского Союза. Неоднозначность сложившейся ситуации привела к возрождению Кембриджского Антивоенного движения в ноябре 1933 года. В связи с этим Алан писал:

12 ноября 1933 года

Многое произошло на этой неделе. В кинотеатре Тиволи должен был состояться показ фильма «Our Fighting

Navy», который по сути представляет собой явную пропаганду милитаризма. В ответ на это Антивоенное движение организовало протест. Организация оказалась не так уж хороша, и в итоге нам удалось собрать лишь 400 подписей, из которых 60 или чуть больше были собраны среди студентов Кингз-Колледжа. В конечном счете фильм все же изъяли из проката, но скорее из-за шумихи, которую милитаристы подняли у здания кинотеатра, когда они узнали о нашем протесте и почему-то вбили себе в головы, что мы собираемся закрыть кинотеатр.

Следующий его комментарий: «Вчера здесь состоялась вполне успешная антивоенная демонстрация», — скорее всего, относился к церемонии торжественного возложения венков в День перемирия, которая в этом году в большей степени носила характер политического заявления. Но не все разделяли мнение сторонников пацифизма. Так, один из друзей Алана, Джеймс Аткинс стал называть себя пацифистом, в то время как сам Алан не вошел в их ряды. Тем не менее, предположение о том, что Первая мировая война была устроена на скорую руку в личных интересах производителей вооружения, стало крепнуть в умах многих людей. Возможно, Алан разделял всеобщее ощущение, что прославление военной техники может приблизить начало второй мировой войны, и этого нельзя допускать.

На данном этапе большое влияние на Алана вновь оказал Эддингтон, который сам был квакером и сторонником интернационализма. И на этот раз уже не своими рассуждениями о «пустословии» квантовой механики, а курсом лекций по методологии науки, который Алан посещал в осеннем семестре 1933 года. В своих лекциях Эддингтон затронул тему тенденции распределения научных измерений при нанесении на граф, который в техническом смысле называли «нормальной» кривой. Шла ли речь о размахе крыльев плодовых мушек рода Drosophilae или о размере выигрышей Альфреда Беутелла в казино Монте-Карло, показания будут стремиться к центральному значению и определенным образом исчезать по обеим сторонам от него. В теории вероятности и статистике объяснение этого феномена стало проблемой фундаментальной важности. Эддингтон выдвинул свои предположения, но они не убедили юного Алана, от природы обладающего изрядной долей скептицизма, и тогда он решил предоставить собственное научное объяснение, основанное на точном результате, которое бы полностью отвечало строгим стандартам чистой математики.

К концу февраля 1934 года ему это удалось. Его работа не претендовала на звание научного открытия, тем не менее она принесла первые результаты в сфере математических исследований. И весьма предсказуемо для работы Алана в ней была найдена та связь чистой математики с физическим миром. Однако, когда он решил показать результаты своей работы, ему сообщили, что результат уже был получен в 1922 году неким Линдебергом и носил название Центральной предельной теоремы. Привыкшему работать независимо, Алану даже в голову не пришло сначала узнать, существуют ли уже результаты подобной работы. Вместе с тем, учитывая независимых характер его исследования и полноту приведенного объяснения, ему посоветовали выдвинуть работу в качестве магистерской диссертации.

Весной Алан вместе с компанией студентов из Кембриджа отправился кататься на лыжах в австрийских Альпах в период с 16 марта по 3 апреля. Поездка была спланирована, чтобы укрепить связь с Франкфуртским университетом, который предоставил участникам свою лыжную хижину неподалеку от австрийской коммуны Лех, расположенной на границе с Германией. Дух сотрудничества между университетами был подпорчен тем обстоятельством, что немецкий лыжный тренер оказался горячим поклонником нацизма. По возвращении в Кембридж Алан писал:

29 апреля 1934 года

... Мы получили весьма забавное письмо от Миши, немецкого руководителя нашей лыжной команды... Он пишет: «... но в своих мыслях я на вашей стороне, где-то посередине»...

Высылаю вместе с письмом своё исследование, которое я провел в прошлом году для Czüber из Вены, поскольку не нашел никого, кто мог бы заинтересоваться им здесь, в Кембридже. Однако, мне представляется возможным, что он уже умер, поскольку его учебники публиковались еще в 1881 году.

Но ничто не могло отвратить приближения выпускных экзаменов, которые в Кембридже традиционно носили название Трайпос. Экзамены по второй части учебной программы были проведены в дни с 28 по 30 мая, и за ними незамедлительно последовала сдача работ второй группы, которая проходила с 4 по 6 июня. В перерыве между экзаменами Алану пришлось спешно вернуться в Гилдфорд, чтобы навестить отца. Разменявший уже шестой десяток, мистер Тьюринг перенес операцию на простате, после чего он уже не мог насладиться всеми радостями своего отменного здоровья, которым некогда так гордился.

Несмотря на это, Алан блестяще сдал экзамены и получил звание «спорщика второго разряда» наряду с восьмью другими студентами. Для Алана экзамены не несли особого значения, и поэтому он с пренебрежением отнесся к ажиотажу своей матери, которая незамедлительно начала оповещать всех знакомых телеграммами, и даже попытался убедить её не приезжать 19 июня на торжественную церемонию в день получения диплома. И всё же в реальном мире полученное звание означало многие привилегии, а также стипендию научного сообщества Кингз-Колледжа в размере 200 фунтов годовых, что позволило ему остаться в Кембридже и попытаться вступить в научное общество университета. Такие серьезные амбиции требовали той уверенности, которой ему недоставало в 1932 году, но теперь он был готов. Несколько других выпускников его курса также решили остаться в Кембридже, и среди них были его друзья — Фред Клейтон и Кеннет Харрисон. К тому времени Дэвид Чамперноун начал заниматься экономикой и еще не получил свой диплом. Джеймса смутил абстрактный характер второй части учебной программы, в связи с чем результаты он получил невысокие. И пока он находился в раздумьях, с чего ему стоит начать свою карьеру, в течение нескольких месяцев он давал частные уроки, не забывая время от времени навещать Алана.

Тем временем промышленность развивалась, а вместе с ней и остальной мир за пределами университета, и под конец студенческих лет Алана начала одолевать депрессия. Тогда он решил ослабить свою окрепшую за эти годы привязанность к Кембриджу и вскоре стал производить впечатление не такого угнетенного и подавленного человека, как раньше, представив миру нового себя — человека острого ума с хорошим чувством юмора. И всё же он так и не смог найти себя в обществе «эстетов» или «атлетов». Он продолжил заниматься греблей, и завязал дружеские отношения с другими членами лодочного клуба, однажды осушив целую пинту пива залпом. Вечера он проводил, играя в бридж со своими старыми приятелями, хотя они никогда не позволяли ему вести счет, зная о его математических талантах. Любому, кто пожелал заглянуть в его комнату, открывался вид на разбросанные повсюду книги, записи и оставшиеся без ответа письма о носках и трусах от миссис Тьюринг. На стенах висели различные памятные вещи, например, фотография Кристофера, и только некоторые могли заметить вырезки из журнала с изображениями мужчин, выражавших определенную сексуальную притягательность. Алану также нравилось проводить время в лавках и на уличных рынках в поисках интересных вещей. Так, во время поездки в Лондон он однажды приобрел скрипку на Фаррингтон-Роуд и взял несколько уроков игры на ней. Но даже это не могло сделать из него настоящего «эстета», хотя в нем все же были некоторые «эстетские» черты поведения, которые становились заметны, когда он принимал напыщенный вид, присущий настоящему английскому характеру. Все это озадачивало миссис Тьюринг, в особенности просьба сына подарить ему на Рождество плюшевого медведя, объясняя свое желание тем, что в детстве у него никогда такой игрушки не было. В семье Тьюрингов существовала традиция в праздник обмениваться подарками более практичными и полезными для развития своих способностей. Но у него было свое мнение и по этому вопросу, и вскоре плюшевый мишка по имени Порги поселился в его комнате.

Окончание курса не принесло значительных изменений в жизнь Алана, за исключением того, что он бросил греблю. После дня вручения дипломов он решил отправиться в путешествие по Германии на велосипеде и пригласил своего знакомого Дениса Уильямса, студента первого курса факультета Моральных наук, составить ему компанию. Их знакомство состоялось в Клубе моральных наук, а после они виделись в лодочном клубе Кингз-Колледжа и во время горнолыжной поездки в Австрию. На поезде они добрались до Кёльна, и уже оттуда, пересев на велосипеды, начали свое путешествие по стране, преодолевая не менее тридцати миль каждый день. Одной из целей поездки было посещение Геттингенского университета, где Алан мог встретиться с компетентным специалистом, по-видимому, в связи со своим исследованием Центральной предельной теоремы.

Несмотря на царивший в Берлине определенный режим власти, Германия оставалась лучшей страной для учебной поездки, привлекая студентов невысокими ценами за проезд и молодежными гостиницами. Едва ли молодые люди могли не заметить развешанные повсюду флаги с изображением свастики, но англичанам они казались скорее нелепостью, нежели чем дурным предзнаменованием. Однажды они остановились в шахтёрском городке и видели, как горняки напевали песню по дороге на работу — зрелище прямо противоположное претенциозности нацистских демонстраций. В молодежной гостинице Денис имел возможность пообщаться с немецким путешественником и в знак дружеского расположения попрощался нацистским приветствием «Heil Hitler!», как обычно делали многие другие иностранные студенты из уважения местному обычаю. (Здесь следует заметить, что также были известны и случаи нападений на студентов, которые отказывались произносить нацистское приветствие). В тот самый момент в комнату зашел Алан и случайно стал свидетелем этой сцены. Чуть позже в разговоре с Денисом он заметил: «Тебе не стоило ему это говорить, он социалист». Должно быть, он уже поговорил с тем немцем ранее, и Дениса поразил тот факт, что Алан мог так просто вывести незнакомца на столь откровенное признание своих политических взглядов, идущих вразрез с установленным в стране режимом. Не то чтобы Алан вел себя как сторонник антифашистского движения, он не мог смириться и выполнить что-либо, если в корне был с этим не согласен. Другим событием для Дениса во время поездки стало знакомство с двумя мальчиками-англичанами из среднего класса. Денис заметил, что было бы вежливо пригласить их к себе на стаканчик. «Положение обязывает», — ответил Алан, и от этих слов Денис почувствовал себя малодушным и лицемерным человеком.

Случилось так, что ребята оказались в Ганновере на следующий день или через день после расправы Гитлера над штурмовиками СА, произошедшей 30 июня 1930 года и получившей название «ночи длинных ножей». Знание немецкого языка у Алана, хотя и почерпнутое из учебников по математике, превосходило языковые способности Дениса. И он перевел другую статью из газеты о том, как накануне начальнику штаба СА Эрнсту Рёму в камеру принесли свежую газету со статьей о его разоблачении и казни сторонников, и пистолет с одним патроном, надеясь, что, прочитав статью, Рём застрелится, но тот отказался и был убит. Алан и Денис были удивлены скорее тем вниманием, которое английская пресса уделила его гибели. Однако последствия этой расправы с некоторыми политиками Веймарской республики, которые были давними оппонентами нацистов, имели особое значение для власти Гитлера и его намерений превратить Германию в «гигантский конный завод». С точки зрения признательных консерваторов, эти события ознаменовали конец «загнивающей» Германии. Позже, когда Гитлер уже полностью утратил свою популярность, их мнение кардинально изменилось, и нацистский режим обрел эпитеты «развращенный» и «загнивающий». Но за всей этой историей нетрудно было углядеть определенный лейтмотив, мастерски организованный самим Гитлером: идея о предательстве гомосексуалиста.

У некоторых студентов Кембриджского университета один только вид новой Германии с ее грубостью и жестокостью мог вызвать желание примкнуть к общественному движению антифашистов. Но поступки такого рода не были характерны для Алана Тьюринга. Всегда с симпатией относившийся к делу антифашистов, он оставался человеком вне политики. Путь к свободе он видел в другом, в преданности своему делу. Пускай другие делают то, на что они способны; Алан желал достичь чего-то правильного, чего-то истинного. Ведь спасенная от угрозы нацизма цивилизация должна продолжить свое развитие.

Летом и осенью 1934 года он продолжал работать над своей диссертацией о центральной предельной теореме теории вероятности. Последний срок, установленный для предоставления работ, истекал 6 декабря, но Алан вручил её комиссии на месяц раньше и был уже всецело готов к своему следующему шагу. Проблему для исследования Алану предложил Эддингтон, сыгравший значительную роль в его ранней научной деятельности. Другую идею для диссертации ему подал Гильберт, хотя и не напрямую. Пока члены комиссии знакомились с его работой, Алан приступил к курсу «Основы математики» третьей части учебного плана, который читал профессор Макс Ньюман.

Наряду с Джоном Генри Уайтхедом этот английский математик в свои сорок лет был признан выдающимся исследователем в области топологии. Этот раздел математики, изучающий в самом общем виде явление непрерывности, в отличие от геометрии не рассматривает метрические свойства объектов (например, расстояние между парой точек). В 1930-х годах топология объединяла и обобщала большую часть чистой математики. В Кембриджском университете Ньюман считался передовым деятелем, поскольку в учебной программе все еще главенствовала классическая геометрия.

В основу топологии легла теория множеств, таким образом Ньюман принял участие и в разработке теории множеств. Также он принял участие в Международном математическом конгрессе в Болонье в 1928 году, на котором Гильберт представлял Германию, исключенную ранее в 1924 году. На этом съезде Гильберт снова заявил о необходимости изучения оснований математики. И именно в рамках научного подхода Гильберта, нежели чем с позиции продолжения курса логистики Рассела, Ньюман читал свои лекции студентам. Несомненно, подход Рассела начал постепенно терять интерес, как только сам Рассел покинул Кембриджский университет в 1916 году, когда впервые был осужден и лишен своего звания профессора в Тринити-Колледже. Что касается его современников, то Людвиг Витгенштейн к тому времени изменил область своих интересов, Гарри Нортон сошел с ума, а Фрэнк Рэмси ушел из жизни в 1930 году. Судьба распорядилась таким образом, что Ньюман остался единственным человеком в Кембриджском университете, обладающим обширными познаниями в области математической логики, хотя, следует отметить, что были и другие не менее выдающиеся специалисты в этой области, и среди них — Брейтвейт и Харди, чей интерес составляли различные методы и подходы в изучении математических наук.

В сущности программа Гильберта представляла собой более подробный вариант работы, над которой он начал трудиться в 1890-е годы. В ней не предпринималось попыток ответить на вопрос, занимавший Фреге и Рассела, а именно — чем на самом деле является математика. В этом отношении она носила менее философский характер и казалась менее претенциозной. С другой стороны, она имела большие перспективы в том отношении, что в ней автор ставил более глубокие и трудноразрешимые вопросы о природе таких систем, которые представил Рассел. Фактически Гильберт сформулировал проблему, требовавшую ответа на вопрос: в чем, в принципе, заключались пределы возможностей аксиоматической системы, подобной представленной в «Принципах математики». Существует ли способ выяснить, что могло быть доказано, а что нет в рамках подобной теории? Подход Гильберта назвали формалистским, поскольку он пытался интерпретировать математику через формализацию, которая, в принципе, превращает ее из системы знаний в игру со знаками и формулами, в которую играют по фиксированным правилам, сравнимую с шахматами. Допус-

тимые шаги доказательства рассматривались как допусти-
мые ходы в шахматной игре, фигурам соответствовал огра-
ниченный — или неограниченный — набор знаков в математике; произвольной позиции фигур на доске — сочетание
знаков в формуле. Одна формула или несколько формул
рассматривались Гильбертом как аксиомы. Их аналог в шахматной игре — установленная правилами шахматная позиция в начале игры. По этой аналогии «игра шахматными
фигурами» означала «производимые вычисления», а определенные формулы шахматной игры (например, если имеется два коня и король — поставить мат возможно лишь если
защищающийся допустит грубую ошибку) соответствовали
определенным правилам вывода, согласно с которыми новые формулы могли быть получены из заданных формул.

На конгрессе 1928 года Гильберт представил более конкретную формулировку своих вопросов. Во-первых, можно
ли назвать математику *полной* в том смысле, что для каждого осмысленного утверждения (например, «всякое нату-
ральное число есть сумма четырех квадратов целых чисел»)
существует свое доказательство или же опровержение. Во-
вторых, можно ли назвать математику *непротиворечивой*
или *последовательной* в том смысле, что утверждение
«2 + 2 = 5» ни при каких условиях не могло быть получено
в результате ряда операций, соответствующих правилам вывода. И, в-третьих, является ли математика *разрешимой*?
Под этим имелось в виду, существовал ли определенный метод, который мог бы в принципе быть применен к любому
утверждению и который гарантировано сможет ответить на
вопрос, является ли утверждение верным.

В 1928 году ни одна из этих проблем не была решена.
Однако Гильберт был уверен, ответ на каждый из его вопросов в результате окажется положительным. Ранее в своем
докладе на Международном конгрессе в Париже он заявил:
«Мы все убеждены в том, что любая математическая задача
поддается решению. Это убеждение в разрешимости каждой
математической проблемы является для нас большим под-
спорьем в работе, когда мы приступаем к решению математической проблемы, ибо мы слышим внутри себя постоян-

ный призыв: вот проблема, ищи решение. Ты можешь найти его с помощью чистого мышления, ибо в математике не существует ignorabimus», — и когда в соответствии с уставом университета Гильберт ушел в отставку в 1930 году, он заявил следующее:

Пытаясь привести пример неразрешимой проблемы, философ Конт однажды сказал, что науке никогда не удастся распознать секрет химического состава небесных тел. Спустя несколько лет эта проблема была решена... Истинная причина, из-за которой, по моему мнению, Конт не смог найти неразрешимую проблему, заключается в том, что в действительности такой вещи, как неразрешимая проблема, вообще не существует.

Такой взгляд на науку, казалось, был позитивнее, чем сами позитивисты. Однако, на том самом съезде юный чешский математик Курт Гёдель представил результаты своей работы, наделавшей немало шума.

Гёделю удалось доказать теорему о неполноте арифметики, которая гласила: не каждая определенная математическая проблема доступна строгому решению. Своё исследование он начинал с аксиом Пеано для арифметики целых чисел, а позже расширил его, применив простую теорию типов таким образом, чтобы система представляла множества целых чисел, множества множеств целых чисел и так далее. И всё же его доказательство оставалось применимым к любой формальной математической системе, которая включала в себя теорию чисел, а тонкости аксиоматики не играли решающей роли.

Затем ему удалось доказать, что все операции, производимые в ходе доказательства, то есть правила логической дедукции, применяемые в «шахматной партии», сами по себе являются арифметическими. Из этого следует, что используемые при доказательстве операции вычисления и сравнения с целью выявить, корректно ли одна формула заменена другой, точно так же верность текущего хода в шахматной партии может быть просчитана при помощи вычисления и сравнения возможных позиций шахматных фигур. Фактически Гёделю удалось доказать, что формулы его системы могут быть закодированы в виде целых чисел. Таким образом, целые числа могли представлять собой утверждения о них самих. В этом и заключалась основная идея его работы.

Затем он продолжил своё исследование и показал, как сами доказательства могут быть закодированы в виде целых чисел. Таким образом он получил целую теорию арифметики, закодированную в самой арифметике. Здесь он использовал идею, что, если математика рассматривается лишь как игра знаков, значит в ней могут быть также задействованы и числовые знаки, то есть цифры. Гёделю удалось доказать, что свойство «доказуемости» ровно настолько же арифметическое, как и свойства квадрата или прямоугольника.

В результате такого кодирования стала возможной запись арифметических высказываний, ссылающихся на самих себя, как в случае, когда человек говорит «Я говорю неправду». Более того, Гёделю удалось построить одно особое суждение, которое обладало таким свойством и в сущности заключалось в фразе «Это высказывание нельзя доказать». Из этого следовало, что данное суждение не имело доказательства своей верности, поскольку в таком случае возникло бы противоречие. Однако по той же причине назвать его неверным тоже не представлялось возможности. Подобное высказывание не могло быть доказано или опровергнуто методом логической дедукции из аксиом, таким образом Гёдель доказал неполноту арифметики, которую Гильберт обозначил в одном из своих вопросов.

Тем не менее удивительным свойством особого высказывания Гёделя оставалось то, что в силу своей «недоказуемости», в некотором смысле оно было верным. Но чтобы назвать его верным, требовался наблюдатель, который мог бы взглянуть на систему со стороны. Работая в пределах системы аксиоматики, подобное представлялось бы невозможным.

Следующая особенность заключалась в том, что доказательство требовало назвать арифметику последовательной. И если бы арифметика в действительности оказалась бы непоследовательной, каждое высказывание автоматически стало бы «доказуемым». Таким образом Гёдель сузил область исследования поставленных вопросов, доказав, что формальная система арифметики может быть либо непоследовательной, либо неполной. Также он показал, что последовательность арифметики не может быть доказана в пределах собственной системы аксиоматики. Для подобного доказательства было необходимо установить, что существует некоторое суждение (например, $2 + 2 = 5$), верность которого не могла быть доказана. Однако, Гёдель смог показать, что подобное суждение обладает тем же свойством, каким обладает фраза «Это высказывание нельзя доказать». Именно так ученому удалось расправиться с первыми двумя вопросами, поставленных перед наукой Гильбертом. Арифметика не имела доказательства своей последовательности, более того, она не могла быть одновременно последовательной и полной. Это поразительное заявление ознаменовало новый этап в исследованиях, поскольку Гильберт до этого момента надеялся, что его программа сможет свести все факты воедино. И большим огорчением оно стало для тех, кто стремился увидеть в математике нечто абсолютно совершенное и неопровержимое. Однако, вместе с этим открытием возник ряд новых вопросов.

Последние лекции курса, который читал Ньюман, были посвящены доказательству теоремы Гёделя, и таким образом Алан достиг границы известных науке знаний. И все же третий вопрос Гильберта оставался еще открытым, хотя теперь он рассматривался с точки зрения своей «доказуемости», а не «верности», как ранее. Полученные Гёделем результаты не исключали возможность существования некоторого метода определения, какие суждения являются доказуемыми, а какие — нет. Возможно, некоторые утверждения Гёделя следовало исключить. Но существовал ли определенный метод или, как выразился Ньюман, «механический процесс», который мог бы быть применен к математическому утверждению и в результате которого возник бы ответ, доказуемо ли данное утверждение?

С одной стороны, такое требование казалось почти невыполнимым и затрагивало самую суть всего, что было известно о математике с позиции креативного мышления. Так, в 1928 году Харди отнесся к этой идее с особым негодованием, заявив:

Разумеется, не существует такой теоремы, и это довольно удачное для нас обстоятельство, поскольку если бы она существовала, для решения всех математических проблем нам бы потребовался механический набор правил, и наша математическая деятельность на этом бы и завершилась.

Тем временем в науке оставалось множество теорем и суждений, которые веками не находили своего доказательства или опровержения. Такой оставалась известная под названием Великая или Последняя теорема Ферма, предполагающая невозможность разложить куб на два куба, биквадрат — на два биквадрата и, в общем случае, любую степень, большую двух, в сумму таких же степеней. Другим примером явилась гипотеза Гольдбаха, формулировка которой заключалась в том, что каждое четное число больше 2 можно представить как сумму двух простых чисел. Трудно было поверить, что не находившие многие годы своего решения теоремы могли в действительности найти его попросту исходя из некоего набора установленных правил. Более того, сложные проблемы, которые были решены, такие как теорема Гаусса о четырех квадратах, редко находили доказательство подобным путем применения «механического набора правил», и скорее задействовали творческое воображение, создавая новые абстрактные алгебраические идеи. Как заметил Харди, «только неискушенный непрофессионал может себе представить, что открытия в математике происходят по одному повороту рычага какой-то сверхъестественной машины».

С другой стороны, с развитием математики стало возникать все больше и больше проблем, так или иначе связанных с «механическим» методом. Харди мог полагать, что, разумеется, он не мог охватить всю математику, но после исследований Гёделя ничто уже не казалось самим собой разумеющимся. Вопрос требовал более глубокое его изучение.

Оказавшаяся столь содержательной фраза Ньюмана о «механическом процессе» никак не выходила у Алана из головы. Тем временем, весна 1935 года ознаменовала два других решительных шага вперед. Избрание в члены Совета Кингз-Колледжа было назначено на 16 марта. К тому времени одним из членом коллегии выборщиков стал Филип Холл, который усомнился в заслугах Алана, заявив, что повторное открытие Центральной предельной теоремы не могло показать весь скрытый потенциал молодого ученого. Однако, поддержка не заставила себя ждать. Кейнс, Пигу и ректор Джон Шеппард уже успели по достоинству оценить его достижения. Итак, Алан был первым выпускником своего курса, кто получил это звание среди остальных сорока шести членов Совета колледжа. В Шерборнской школе по этому поводу был объявлен короткий учебный день, и ученики быстро сочинили в честь Алана клерихью:

> Должно быть,
> Шарм Тьюринга
> Помог ему стать
> Профессором в молодых годах.

На тот момент Алану было лишь двадцать два года. Членство в Совете означало получение трехсот фунтов годовых в течение трех лет, причем срок этот обычно растягивался до шести лет, и никаких определенных обязанностей. Также это звание обеспечило Алану, который предпочел остаться в Кембридже, проживание в общежитии и питание, а также место за профессорским столом. В первый же вечер своего пребывания с новым званием в профессорской он обыграл ректора в рамми и получил от него несколько шиллингов. И все же время за ужином он предпочитал проводить как раньше — в компании своих старых приятелей: Дэвида Чамперноуна, Фреда Клейтона и Кеннета Харрисона. В общем, членство никак не изменило его привычек и привычный ход жизни, но вместе с тем подарило три года свободы и независимости, когда он мог выбрать себе занятие по вкусу, той свободы, которую ему сулил постоянный ежегодный доход. Между тем, к своему новому званию он также добавил должность куратора группы студентов в находящемся по соседству Тринити-Холле. И когда они заходили к нему в комнату в надежде найти там нечто экстравагантное, коим отличались многие выпускники Кингз-Колледжа, иногда их любопытство вознаграждалось и у камина появлялся плюшевый мишка Порги, которого Алан усаживал перед раскрытой книгой, подпертой линейкой, приговаривая: «Порги этим утром особенно прилежен».

Избрание в члены Совета совпало с тем, что сам Алан назвал своим «открытием мелкого масштаба», хотя это была его первая работа, принятая на публикацию. Она представляла собой вполне точный результат исследования теории групп, и уже 4 апреля Алан сообщил о нем Филипу Холлу (чья научная деятельность также касалась этой области), при этом заметив, что «подумывает заняться более серьезным исследованием в этой области». Вскоре работа была представлена Лондонскому математическому обществу и опубликована позднее в том же месяце.

Суть работы заключалась в небольших усовершенствованиях статьи фон Неймана, в которой он развил теорию «почти периодических функций», описав их с точки зрения их отношений к «группам». Случилось так, что позже в том же месяце у фон Неймана состоялась поездка в Кембридж. В его планы входило провести целое лето вдали от Принстона, и тем самым у него возникла возможность прочитать курс лекций в Кембриджском университете на тему «почти периодических функций». Несомненно Алан познакомился с ним в том же семестре после посещения курса лекций.

Но, несмотря на общий научный интерес, они были очень разными людьми. Когда Алан Тьюринг только родился, Яношу Нейману, старшему из трех сыновей в состоятельной еврейской семье венгерского адвоката, уже исполнилось восемь лет. У него не было возможности ходить в подготовительную школу, и к 1922 году, когда Алан еще только пускал бумажные кораблики в Хазельхерсте, восемнадцатилетний фон Нейман опубликовал свою первую работу. Янош из Будапешта вскоре стал Иоганном из Гёттингена и одним из учеников Гильберта, и некоторое время спустя после переселения в 1930-х годах в США на преподавательскую должность в Принстонском университете, его имя на английский манер изменилось на Джон, а английский стал его четвертым языком. Статья на тему «почти периодических функций» значилась пятьдесят второй в довольно внушительном общем списке исследований, начинающимся работами об аксиомах теории множеств и квантовой механике и заканчивающимся изучением топологических групп, которые представляли собой обоснование квантовой теории с точки зрения чистой математики, не считая многочисленных тем различных других исследований.

Но даже несмотря на то, что Джон фон Нейман был признан одной из величайших личностей в математике двадцатого века, он был известен не только своей интеллектуальной деятельностью. Большой любитель раздавать остальным указания, он отличался изощренным, колоритным чувством юмора, проявлял неподдельный интерес к машиностроению, а также обладал обширными познаниями в истории, не говоря уже о заработке в десять тысяч долларов вдобавок к основному личному доходу. Во многом он производил впечатление совершенно непохожее на то, которым обладал двадцатидвухлетний молодой математик в поношенном пиджаке спортивного кроя с проницательным умом, но слишком застенчивый, отчего порой в его голосе слышались дрожащие нотки, к тому же испытывающий определенные проблемы с одним языком, что уж тут говорить о четырех. Но для математических наук все эти вещи не имели особого значения, и, возможно, именно под впечатлением от встречи с выдающимся ученым Алан написал в письме домой от 24 мая: «... я подал заявку на поездку в Принстонский университет в следующем году».

Другой причиной тому мог послужить то обстоятельство, что его друг Морис Прайс, с которым он познакомился еще на вступительных экзаменах в 1929 году, а после долгое время поддерживал с ним связь. В сентябре планировал уехать в Принстонский университет, получив грант на обучение. В любом случае, становилось предельно очевидным, что Принстонский университет приобрел славу нового Геттингена для научного сообщества, и вскоре над Атлантикой установился нескончаемый поток выдающихся математиков и физиков. Массовая миграция ученых возникла вследствие смещения интеллектуального потенциала из Европы, и в частности Германии, в Америку. И теперь любой ученый, который хотел чего-то добиться в своих исследованиях, как Алан, не мог игнорировать сложившуюся ситуацию.

Алан продолжил работать над теорией групп на протяжении всего 1935 года. Также его не покидала мысль о работе в области квантовой механики, и поэтому он обратился к профессору физико-математических наук Ральфу Говарду Фаулеру, чтобы тот мог ему помочь в выборе подходящей проблемы для исследований. Фаулер в свою очередь предложил попытаться описать диэлектрическую постоянную воды, которая являлась его излюбленной темой для исследований. Однако, Алан не преуспел в этой области. В результате его работа над этой проблемой, а вместе с ней и над целой областью математической физики, которая привлекала внимание многих амбициозных молодых ученых 1930-х годов, была прекращена. Его внимание привлекло нечто другое, совершенно новая проблема, находящаяся в самом сердце математики, но что более важно — проблема, которая нашла отклик и в его сердце. Решение этой проблемы не требовало знаний, приобретенных по учебной программе Трайпоса, и затрагивало только всеобщие знания о природе вещей. Но такая, на первый взгляд, крайне заурядная проблема привела его к идее, впечатлившей многих.

Алан приобрел привычку каждый день устраивать забеги на большие расстояния вдоль реки и дальше, порой достигая городка Или, расположенного в двадцати километрах от Кембриджа. Но именно в деревне Гранчестер, как он признался позднее, когда он остановился прилечь на поле, к нему неожиданно пришло решение третьего вопроса Гильберта. Должно быть, это открытие произошло где-то в начале лета 1935 года. «При помощи некоторого механического процесса», — однажды заявил Ньюман. И после этой фразы Алан начал размышлять о машинах.

«Ведь, разумеется, человеческое тело представляет собой машину. Очень сложную машину с намного и намного более сложным устройством, чем любая другая, созданная человеком, но все-таки машина». Такое парадоксальное предположение однажды было высказано Бревстером в его книге. С одной стороны, тело является живым существом, точно не машиной. Но с другой стороны, если сместиться на более детальный уровень описания и рассмотреть его с точки зрения «маленьких живых кирпичиков», его по праву можно было назвать машиной.

Проблема Гильберта о разрешимости не затрагивала детерминизма физики, или химии, или биологических клеток. Вопрос касался более абстрактных вещей. Он представлял собой свойство заблаговременного решения без возможности возникновения чего-то нового. Операции должны были в таком случае представлять собой операции с символами, но не с объектами, обладающими массой или особым химическим составом.

Перед Аланом стояла задача абстрагировать это свойство и применить его в сфере математических преобразований символов. Люди лишь говорили, в частности Харди, о неких «механических правилах» для математиков, о вращении ручки какой-то «сверхъестественной машины», но никто так и не принялся за моделирование такой машины. И именно это он и намеревался сделать. И хотя на самом деле его сложно было назвать тем самым «неискушенным непрофессионалом», о котором говорил Харди, он принялся решать проблему в своей особой безыскусной манере, непоколебимой перед необъятностью и сложностью математики. Свою работу он начал с чистого листа и первым делом попытался представить себе в общих чертах машину, которая бы могла решить проблему Гильберта, а именно предоставить ответ, имеет ли доказательство или опровержение любое представленное ей математическое суждение.

Разумеется, уже существовали машины, которые производили операции с символами. Такой машиной была пишущая машинка. Еще в детстве Алан мечтал изобрести пишущую машинку. У миссис Тьюринг имелась печатная машинка, и он в первую очередь задал себе вопрос: что имеется в виду, когда пишущую машинку называют «механическим» устройством? Это означало лишь то, что ее ответ на каждое конкретное действие оператора, был строго определенным. Можно было заранее с предельной точностью сказать, как машина будет вести себя в случае любого непредвиденного обстоятельства. Но даже о скромном устройстве пишущей машинки можно было сказать больше. Ответ механизма должен зависеть от его текущего состояния или того, что сам Алан назвал текущей *конфигурацией* машины. Так, например, пишущая машинка обладает конфигурацией «нижнего регистра» и конфигурацией «верхнего регистра». Эту идею Алану удалось облечь в более общую и абстрактную форму. Его интересовали такие машины, которые в любой момент времени могли находиться в одной из конечного числа возможных «конфигураций». Таким образом, как и в случае с клавиатурой пишущей машинки, при условии существования конечного числа операций, производимых машиной, появлялась возможность дать полную оценку ее образу действий, которая не может быть изменена.

Тем не менее, пишущая машинка обладала еще одним свойством. Ее каретка могла передвигаться, эти перемещения соотносились с листом бумаги, и печать символов происходила независимо от его положения на странице. Алан включил и эту идею тоже в свое представление машины более общего вида. Она должна была обладать «заложенными» конфигурациями и возможностью перемещать свою позицию на линии печати. Действие машины не зависело от своей позиции.

Не принимая во внимание остальные ненужные детали вроде полей, контроля за линией печати и другие, эти основные идеи давали достаточное представление об устройстве пишущей машинки. Ограниченное количество возможных конфигураций и позиций, и то, каким образом клавиша знака соотносилась с печатным символом, клавиша переключения регистра — смену положения от «нижнего» к «верхнему» регистру, а также клавиша пробела и функция возврата каретки на одну позицию назад. Все эти функции являлись наиболее важными для устройства машинки. Если бы любой инженер получил подобное описание функций устройства, в результате у него получилась бы типичная пишущая машинка, не учитывая ее цвет, вес, форму и другие признаки.

Но пишущая машинка обладала слишком ограниченным набором функций, чтобы служить моделью. Несомненно, она оперировала символами, но могла лишь записывать их, а также требовала присутствия машиниста, отвечающего за выбор символов и изменения конфигураций и позиций устройства, по одному за раз. Так какой же, задавался вопросом Алан Тьюринг, была бы машина наиболее общего вида, которая могла оперировать символами? Чтобы быть машиной, она должна обладать свойством пишущей машинки, иметь заданное количество конфигураций и четко определенное действие, закрепленное за каждой из них. И при этом она должна была иметь возможность выполнять намного больше. Таким образом, он представил в своем воображении машины, которые по сути представляли собой более мощные пишущие машинки.

Для простоты описания он представил машины, имеющие лишь одну рабочую строку. Это было лишь технической особенностью устройства, которая позволяла не учитывать наличие полей и контроля линии письма. Между тем оставалось важным, чтобы количество поступаемой бумаги было неограниченным в обе стороны. В представлении Алана каретка его супер-пишущей машинки могла перемещаться на неограниченное количество позиций вправо и влево. Для большей определенности он представил бумагу в виде ленты, разделенной на ячейки таким образом, чтобы в каждую ячейку мог записан один символ. Так машины Тьюринга обладали конечным количеством действий, при этом сохраняя возможность работать на неограниченном пространстве.

Следующей необходимой функцией для машины была возможность считывать информацию или, по словам самого Алана, «сканировать» ячейку ленты, на которой остановилось считывающее устройство. Также она должна была обладать функцией не только записи символов, но и уметь их стирать. При этом она могла переместиться только на одну ячейку за раз. В таком случае какие действия оставались для машиниста пишущей машинки? Алан действительно отметил в своей работе возможность того, что он сам называл «машинами выбора», в которых внешний оператор должен принимать решения в определенных моментах работы устройства. Вместе с тем целью его работы было создание именно автоматических машин, для работы которых не потребуется вмешательство человека. С самого начала он хотел всесторонне изучить то, что Харди называл «сверхъестественной машиной», — механический процесс, который смог бы решить третью проблему Гильберта путем считывания предоставленного математического суждения, и в конечном результате записывая решение: имеет ли оно доказательство или нет. Существенной идеей для подобного устройства оставалась возможность производить решение без вмешательства человеческого суждения, воображения или интеллекта.

Любая «автоматическая машина» должна была работать сама по себе, производя считывание и запись информации, перемещаясь вперед и назад, в соответствии с тем, как она была задумана. На каждом этапе ее работы действия должны быть строго определены текущей конфигурацией и считанным символом. Для большей точности конструкция машины должна была уметь определять свое действие в случае каждой комбинации конфигурации и считанного символа:

записать новый (заданный) символ в пустую ячейку, или оставить уже записанный символ в неизменном виде, или стереть символ и оставить ячейку пустой;

остаться в прежней конфигурации или сменить ее на другую (заданную) конфигурацию;

переместиться на ячейку влево, или вправо, или остаться в текущей позиции.

Если всю эту информацию, определяющую действия машины, записать, получится «таблица переходов», имеющая конечное количество действий. Такая таблица может полностью описать работу машины, и независимо от того, была ли машина сконструирована или нет, такая таблица могла представить всю необходимую информацию о ее работе. С абстрактной точки зрения, именно таблица и являлась самой машиной.

С изменениями, вносимыми в таблицу, изменялось бы и поведение самой машины. Бесконечное множество таблиц соответствовало бы бесконечному множеству возможных машин. Алану удалось воплотить неясную идею «определенного метода» или «механического процесса» в чем-то более точном — «таблице переходов». Теперь ему оставалось ответить на один очень конкретный вопрос: может ли одна из таких машин, одна из таких таблиц произвести решение вопроса, который поставил Гильберт?

Рассмотрим пример подобной машины. Приведенная ниже «таблица переходов» полностью описывает машину Тьюринга с функцией счетной машины. Начиная с позиции сканирующего устройства слева от двух групп единиц, разделенных одной пустой ячейкой, машина просуммирует две группы и остановится. Таким образом, это действие изменит заданное состояние ленты.

В этом случае машина должна заполнить пустую ячейку и стереть последнюю единицу. Следовательно, в машине должны быть заложены четыре конфигурации. В первой конфигурации головка считывающего устройства движется по ленте, пока не обнаружить первую группу единиц. Когда она начнет считывать первую группу, машина меняет свою конфигурацию на вторую. Пустая ячейка служит сигналом изменения конфигурации на третью, в которой считывающее устройство движется по второй группе, пока не обнаружит другую пустую ячейку, что послужит сигналом развернуться и войти в четвертую и последнюю конфигурацию, чтобы стереть последнюю единицу и остановиться на текущей позиции.

Полная таблица, описывающая это действие, будет выглядеть следующим образом:

Просканированный символ

	нет символа	1
Конфиг. 1	шаг вправо; конфиг. 1	шаг вправо; конфиг. 2
Конфиг. 2	записать «1» шаг вправо; конфиг. 3	шаг вправо; конфиг. 2
Конфиг. 3	шаг влево; конфиг. 4	шаг вправо; конфиг. 3
Конфиг. 4	остановиться; конфиг. 4	стереть; остановиться; конфиг. 4

Но даже такая простая машина, описанная в примере выше, могла выполнять не только суммирование. Такая машина могла производить действие *распознавания*, например, «найти первый символ справа». Машина с более сложной программой могла производить умножение, повторяя действие копирования одной группы единиц, при этом стирая по одной единице из другой группы, и распознавая, когда необходимо прекратить производить данные действия. Такая машина также производить действие *принятия решений*, например, она могла решить, является ли число простым или составным, делится ли оно на другое заданное число без остатка. Совершенно очевидно, что этот принцип мог быть использован самыми различными способами, чтобы представить вычисления в механистическом виде. Оставался неясным только один вопрос: могла ли подобная машина решить третью проблему Гильберта?

Проблема казалась слишком сложной, чтобы попытаться решить ее, записав таблицу определенных действий для ее решения. И все же существовал один метод, который позволял довольно изворотливо подойти к решению вопроса. Тогда Алан стал думать о «вычислимых числах». Основная идея заключалась в том, что любое «действительное число» могло быть вычислено одной из его машин. К примеру, можно было создать машину, чтобы вычислить разложение на десятичные дроби числа π. Для этого потребовалось лишь записать ряд действий по сложению, умножению, копированию, и так далее. В случае бесконечного десятичного ряда, машина продолжала бы непрерывно работать и потребовалось бы неограниченное количество ячеек на ее ленте. Однако устройство могло высчитывать каждый десятичный разряд за определенное количество времени, при этом используя определенную длину рабочей ленты. А вся информация о процессе могла быть записана в таблицу переходов с определенным количеством записанных конфигураций.

Таким образом, он нашел способ представить такое число, как π, с бесконечным десятичным разложением в виде таблицы с конечным числом действий. То же самое можно было проделать и с квадратным корнем из трех, или с натуральным логарифмом семи, или с любым другим числом, вычисляемым по некоторому правилу. Подобные числа он назвал «вычислимыми числами».

Точнее говоря, сама машина не обладала бы никакими знаниями о десятичных числах или десятичных разрядах. Она могла лишь производить последовательность цифр. Последовательность, которая могла быть произведена одной из его машин, Алан назвал «вычислимой последовательностью». Тогда вычислимая бесконечная последовательность, перед которой стояла десятичная запятая, могла определить «вычислимое число» между 0 и 1. Это означало, что любое вычислимое число между 0 и 1 могло быть определено в виде таблицы с конечным числом действий. Для Алана оставалось важным, чтобы вычислимые числа всегда были представлены в виде бесконечной последовательности цифр, даже если все цифры после определенного момента были нулями.

Теперь все эти таблицы с конечным числом действий можно было расположить в некотором роде по алфавитному порядку, начиная с самой простой и заканчивая наиболее большой и сложной. Их можно было представить в виде списка или посчитать; и это означало, что все вычислимые числа также можно было представить в виде списка. Разумеется, выполнить на практике подобное было достаточно сложно, но идея была довольно ясной: квадратный корень из трех в таком случае будет значиться 678-м в списке, а логарифм числа π — 9369-м. Такая мысль казалась потрясающей, поскольку в такой список могло войти любое число, полученное в результате выполнения арифметических действий, например, вычисления корня уравнения, или используя математические функции, например, синусы и логарифмы, — любое число, которое могло возникнуть в сфере вычислительной математики. И в тот самый момент, когда он пришел к этой мысли, он узнал ответ на третий вопрос Гильберта. Возможно, именно это он неожиданно понял, остановившись отдохнуть на лугу в Гранчестере. И полученному ответу он был обязан прекрасному математическому устройству, которое все это время ожидало своего часа.

Всего полвека назад, кантор пришел к мысли, что можно поместить все дроби — все рациональные числа — в единый список. Наивно было полагать, что дробей существовало больше, чем целых чисел. Но Кантор смог доказать, что в узком смысле это предположение было неверным, поскольку все они могли быть подсчитаны и помещены в список с алфавитным порядком. Не принимая во внимание дроби с сокращающимся множителем, список всех рациональных чисел между 0 и 1 начинался бы следующим образом:

1/2 1/3 1/4 2/3 1/5 1/6 2/5 3/4 1/7 3/5 1/8 2/7 4/5 1/9 3/7 1/10...

Но Кантор не остановился на достигнутом и изобрел особый математический трюк, который получил название «диагональный метод Кантора» и мог быть использован в качестве доказательства существования иррациональных чисел. Для этого рациональные числа представлялись в виде бесконечных разложений десятичной дроби, и соответственно список всех подобных чисел между 0 и 1 начинался бы следующим образом:

5000000000000000000....
3333333333333333333....
2500000000000000000....
6666666666666666666....
2000000000000000000....
1666666666666666666....
4000000000000000000....
7500000000000000000....
1428571428571428571....
6000000000000000000....
1250000000000000000....
2857142857142857142....
8000000000000000000....
1111111111111111111....
4285714285714285714....
1000000000000000000....
· ......
· ......

Суть математической уловки Кантора состояла в том, чтобы рассмотреть диагональное число, начинающееся

.5306060020040180....

а затем изменить каждую его цифру, например прибавив к каждой по единице, за исключением изменения 9 на 0. В таком случае бесконечный десятичный ряд будет начинаться следующим образом:

.6417171131151291....

Это число не могло быть рациональным, поскольку оно отличалось от первого в списке рационального числа в первом десятичном разряде, от 964-го рационального числа в 964-м десятичном разряде, и так далее. Таким образом, число не могло входить в список. А поскольку список содержал все рациональные числа, диагональное число не могло быть рациональным.

Такое наблюдение о существовании иррациональных числах не было новым — об этом было известно еще Пифагору. Суть диагонального метода заключалась в другом. С его помощью Кантор хотел показать, что ни один список не мог включать все «действительные числа», то есть, все числа с бесконечным десятичным рядом, поскольку любой предложенный список определял другое число с бесконечным десятичным рядом, которое бы не учитывалось. Метод Кантора доказал, что в более узком смысле существует больше действительных чисел, чем целых чисел. В результате появилась особая теория бесконечных рядов.

Однако важным для задачи Алана Тьюринга явилось то, что этот метод показал, как рациональное число могло в результате привести к иррациональному числу. Следовательно, точно таким же образом вычислимые числа могли привести к невычислимым числам при помощи диагонального метода Кантора. И как только он пришел к этой мысли, Алан понял, что ответ на вопрос Гильберта на самом деле был отрицательным. Не существовало никакого определенного метода для решения всех математических проблем. Поскольку само существование невычислимого числа могло служить примером одной из неразрешаемых проблем.

Но чтобы представить ясный результат работы, оставалось еще многое сделать. С одной стороны, в его доводах было нечто парадоксальное. Сама уловка Кантора казалась тем самым «определенным методом». Диагональное число имело достаточно четкое и ясное описание, так почему его нельзя было вычислить? И как могло нечто, полученное в результате механистических действий, быть невычислимым? И что бы пошло не так при попытке вычислить его?

Предположим, некто попытался создать «машину Кантора», чтобы произвести подобное диагональное невычислимое число. В общих чертах работа устройства начиналась бы с пустой ленты и записи единицы в пустой ячейке. Затем оно бы произвело первую таблицу, выполнило ее, остановившись на первой записанной цифре и прибавив к ней единицу. После этого считывающее устройство снова начало работу с числом 2, произвело вторую таблицу и выполнило ее до второй записанной цифры, записало результат, добавив единицу. Эти действия выполнялись бы непрерывно и, когда устройство считало бы число 1000, машина произвела бы тысячную таблицу, выполнила ее до тысячной цифры в последовательности, прибавила единицу и записала результат.

Одна часть этого процесса, разумеется, могла быть выполнена при помощи одной из его машин, поскольку процесс «поиска отметки» в заданной таблице и распознавания, какие действия должна выполнить соответствующая машина, сами по себе являлись «механистическим процессом». Машина могла произвести подобные действия. Трудность состояла в том, что таблицы изначально были задуманы в двухмерной форме, но это было лишь технической задачей представить их в том виде, который мог быть помещен на рабочую ленту. На самом деле они могли быть представлены в виде целых чисел почти тем же образом, как Гедель представил формулы и доказательства в виде целых чисел. Алан назвал их «дескриптивными» (описательными) числами, таким образом для каждой таблицы существовало свое дескриптивное число. По сути, это было лишь технической особенностью, средством для записи таблиц на рабочую ленту и их систематизации в «алфавитном порядке». Но за этим скрывалась та же самая блестящая идея, которую уже использовал Гедель, которая состояла в том, что между «числами» и производимыми с ними операциями не было никакого существенного различия. С точки зрения современной математики, все они представляли собой лишь символы.

Из этого следовало, что одна машина могла воспроизводить действия, выполняемые *любой* другой машиной. Такое устройство Алан назвал *универсальной* машиной. Она должна была считывать дескриптивные числа, зашифровывать их в таблицы, а затем производить действия этих таблиц. Универсальная машина могла выполнять любые действия, которые производила любая другая таблица, если для этой машины было указано дескриптивное число на рабочей ленте. Такая машина могла выполнять любые действия, и этого было достаточно, чтобы на время крепко задуматься. Более того, такая машина имела совершенно определенный вид, и Алан разработал соответствующую таблицу для универсальной машины.

Механизация Канторова процесса не представляла особой сложности. Трудность состояла в другом необходимом условии, а именно — в создании таблиц в их «алфавитном порядке» для вычислимых чисел. Предположим, что таблицы зашифрованы в виде дескриптивных чисел. На деле они не могли использовать все целые числа. В действительности разработанная Аланом система зашифровывала бы даже самые простые таблицы в виде громаднейших чисел. Но это не имело бы никакого значения. Существенным образом это оставалось вопросом механистического характера, чтобы по очереди обрабатывать целые числа и пропускать те, что не соответствовали указанной таблице. Действительно серьезная проблема представлялась не такой очевидной. Вопрос был следующим: в случае с предоставленной (скажем) 4589-ой и должным образом описанной таблицей, как можно было с уверенностью сказать, что в ходе ее выполнения получится

4589-ая по счету цифра? Или то, что она произведет вообще какие-нибудь цифры? Ведь устройство могло двигаться вперед и назад в непрерывно повторяющемся цикле операций, не производя ни единой новой цифры. В таком случае машина Кантора застрянет на одном действии и никогда не сможет завершить свою работу.

Ответ оставался неизвестным. Не существовало ни единого способа проверить заранее, что таблица сможет произвести бесконечную последовательность цифр. Мог существовать способ для одной определенной таблицы, но не для всех. Ни один механистический процесс и ни одна машина не могли работать над всеми таблицами переходов. Лучшим советом в такой ситуации оставалось: возьми таблицу и попробуйте ее выполнить. Но при таком подходе требовалось неограниченный запас времени, чтобы выяснить, произведет ли таблица бесконечную последовательность цифр. Ни одно правило не могло быть применено к любой таблице с той гарантией, что она предоставит ответ за конечный промежуток времени, что и требовалось для записи диагонального числа. Поэтому процесс Кантора не мог быть механизирован, а невычислимое диагональное число соответственно не могло быть вычислено. Таким образом, идея избавилась от своего внутреннего противоречия.

Дескриптивные числа, которые производили числа с бесконечным десятичным рядом, Алан назвал «удовлетворительными числами». Так он показал, что не существует особого способа определить «неудовлетворительное число». Ему удалось точно установить пример того, в существовании чего Гильберт сомневался — *неразрешимой проблемы*.

Были и другие способы продемонстрировать, что ни один «механистический процесс» не мог исключить неудовлетворительные числа. Самым эффектным сам Алан считал тот способ, который ставил вопрос с самоссылкой. Поскольку, если такая машина для проверки и существовала, способная определить нахождение неудовлетворительных чисел, она могла быть применена по отношению к самой себе. Но в таком случае, как он доказал, это привело бы к внутреннему противоречию. Поэтому такой машины быть не может.

Так или иначе ему удалось обнаружить неразрешимую проблему и теперь требовалось решить лишь технические вопросы, чтобы доказать, что решение вопроса Гильберта соответствовало той форме, в которой он был изложен. Можно было сказать, что программа Гильберта получила смертельный удар в лице юного Алана Тьюринга. Ему удалось доказать, что математика никогда не будет исчерпана никаким конечным множеством операций. Он коснулся проблемы в самом ее сердце и решил ее при помощи одного простого, но не лишенного особого изящества наблюдения.

Однако это была не просто математическая уловка или его логическая изобретательность. В ходе решения проблемы он сумел создать нечто новое — саму идею своих машин. И следовательно, оставался один вопрос: действительно ли включало его описание такой машины то, что могло считаться «определенным методом»? Достаточно ли было такого набора действий: считывания и записи информации, перемещения и остановки считывающего устройства? Было крайне важно, чтобы это в действительности было так, поскольку в обратном случае всегда будет таиться подозрение, что некоторое расширение функций устройства позволило бы ему решить больший ряд проблем. Чтобы ответить на эти вопросы, Алану пришлось продемонстрировать способность его машин вычислять любое математическое число. Он также показал, что его машина могла обладать программой производства каждого доказуемого утверждения в рамках представления Гильберта о математике. Также он предоставил работу с всесторонним изучением вопроса, которая по праву считалась одной из наиболее захватывающих математических исследований, в котором он смог объяснить определение на примере того, какой процесс происходит в сознании человека, когда производит вычисление, записывая его на бумаге:

Вычисление обычно выполняется путем записи определенных символов на бумаге. Предположим, что лист бумаги поделен на квадраты, в точности как в тетради в клетку. В элементарной арифметике порой используется двумерность бумаги. Но этого можно избежать; также я считаю, что многие согласятся с отсутствием в том необходимости для производимых вычислений. Поэтому смею предположить, что вычисление может быть выполнено на одномерном листе бумаги, то есть на ленте, разделенной на квадраты. Также предположу, что количество возможных напечатанных символов конечно. Если мы допустим, что число символов может быть бесконечным, тогда появилась бы возможность существования символов, различных в произвольно небольшой степени.

«Бесконечное число символов» не соответствовало ничему в реальности. Есть немало оснований возразить тому, что существует бесконечное число символов, поскольку такая арабская цифра, как 17 или 999999999999999 обычно рассматривается в качестве одного символа. Подобным образом в любом европейском языке слова рассматриваются как отдельные символы (хотя китайский язык, например, стремится обладать счетным бесконечным множеством символов).

Но ему удалось избавиться от этого возражения при помощи своего наблюдения, что различия, с нашей точки зрения, между простыми и составными символами заключаются в том, что составные символы, если они слишком длинные, не могут быть оценены при одном взгляде на них. Это жизненный факт. Мы не можем с первого взгляда определить являются ли 9999999999999999 и 9999999999999999 одним числом.

Таким образом, он считал себя вправе ограничить функции машины заданным набором действий. Дальше он выразил наиболее важную идею для своего исследования:

Действия компьютера в любой момент времени строго определены символами, которые он считывает, также как и его «состояние» в текущий момент. Мы можем предположить, сто существует некоторый предел В для числа символов или ячеек, которые компьютер может считывать за одну единицу времени. Чтобы считать следующие символы, ему придется сделать шаг к следующей ячейке. Также предположим, что число подобных состояний, которые должны быть приняты во внимание, также конечно. Причины тому по своей природе схожи с теми, что возникают при ограничении количества символов. Если мы допустим бесконечное число состояний, некоторые из них будут «в некоторой степени похожими» и вследствие этого могут быть перепутаны. Следует еще раз подчеркнуть, что подобное ограничение не оказывает серьезного влияния на производимое вычисление, поскольку использования более сложных состояний можно попросту избежать, записав больше символов на рабочую ленту.

Слово «компьютер» здесь использовалось в своем значении, относящемся к 1936 году: лицо, выполняющее вычисления. В другом месте своей работы он обратился к идее, что «человеческая память неизбежно является ограниченным ресурсом», но эту мысль он выразил в ходе своего размышления о природе человеческого разума. Его предположение, на котором основывались его доводы, о том, что состояния были исчислимы, было довольно смелым предположением. Особенно примечательно это было тем, что в квантовой механике физические состояния могли быть «в некоторой степени похожими». Далее он продолжил рассуждать о природе вычислений:

Представим, что производимые компьютером операции разложены на «простые операции», настолько элементарные, что невозможно представить дальнейшего их разложения на еще более простые операции. Каждая такая операция несет в себе некоторое изменение в физической системе, которую представляют собой компьютер и его лента. Нам известно состояние системы при условии, что мы знаем последовательность символов на рабочей ленте, которую считывает компьютер (возможно, в особом установленном порядке), а также состояние компьютера. Мы можем предположить, что в ходе простой операции не может быть изменено больше одного символа. Любые другие изменения могут быть разложены на более простые изменения подобного вида. Ситуация относительно ячеек с изменяемыми таким образом символами точно такая же, как и в случае со считанными ячейками. Таким образом, мы можем без ограничения общности предположить, что ячейки с измененными символами равнозначны считанным ячейкам.

Помимо подобных изменений символов простые операции должны включать в себя изменения распределения считанных ячеек. Новые считываемые ячейки должны в тот же момент распознаваться компьютером. Думаю, что разумно будет предположить, что такими могут быть лишь те ячейки, расстояние которых от наиболее близко расположенной к только что мгновенно считанной ячейке не превышает определенное установленное число ячеек. Также предположим, что каждая из новых считанных ячеек находится в пределах L —ячеек последней считанной ячейки.

В связи с «немедленным распознаванием», можно полагать, что существуют другие виды ячеек, которые так же немедленно распознаются компьютером. В частности, отмеченные специальными символами ячейки могут считаться немедленно распознаваемыми компьютером. Теперь, если такие ячейки отмечены одинарными символами, их может быть только конечно количество, и мы не должны разрушать нашу теорию, добавляя отмеченные ячейки к тем, что были считаны. С другой стороны, если они отмечены последовательностью символов, мы не можем рассматривать процесс распознавания в качестве простой операции. Этот ключевой момент следует рассмотреть подробнее на примере. Как известно, в большинстве математических работ уравнения и теоремы нумеруются. Обычно нумерация не выходит за пределы (скажем) 1000. Таким образом, становится возможным распознать теорему, лишь взглянув на ее порядковый номер. Но в случае особенно большой работы мы можем столкнуться с теоремой под номером 157767733443477. В таком случае, далее в тексте работы мы можем встретить следующую фразу: «... отсюда (применяя теорему 157767734443477) мы имеем...». И чтобы понять, какая теорема имеется в виду, нам придется сравнить каждую цифру этих двух чисел, возможно даже вычеркивая цифры карандашом, чтобы случайно не посчитать их дважды. И если несмотря на это по-прежнему можно предположить, что существуют другие «немедленно распознаваемые» ячейки, это не опровергает мое утверждение при условии, что ячейки могут быть обнаружены в ходе некоторого процесса, производимый машиной моего типа...

Таким образом, простые операции должны включать:

(a)   Изменения символа одной из считанных ячеек

(b)   Изменения одной из считанных ячеек на другую ячейку в пределах L-ячеек одной из ранее считанных ячеек.

Может случиться так, что некоторые из этих ячеек повлекут за собой изменение состояния. Таким образом, наиболее простая единичная операция должна быть принята из следующих:

(A)   Возможное изменение (a) символа вместе с возможным изменением состояния;

(B)   Возможное изменение (b) считанных ячеек вместе с возможным изменением состояния.

Произведенная в таком случае операция определена, как было предположено (выше), состоянием компьютера и считанными символами. В частности, они определяют состояние компьютера после выполнения операции.

«Теперь мы можем сконструировать машину, — писал далее Алан, — чтобы выполнить работу этого компьютера». Смысл его рассуждений был очевиден: каждое состояние вычислителя представлялось в виде конфигурации соответствующей машины.

Поскольку эти состояния казались слабым местом в его рассуждениях, он привел альтернативное подтверждение своей идеи, что его машины могли произвести любой «определенный метод», который в них не нуждался:

Мы (все еще) предполагаем, что вычисление производится на рабочей ленте; но при этом не станем вводить «состояние», рассматривая его физический и более определенный аналог. Вычислитель всегда может прервать свою работу, уйти и забыть о ней, а позже вернуться и снова приняться за нее. В таком случае он должен оставить примечания или инструкции (записанные в привычной форме), поясняющие, как следует продолжить начатую работу. Такое примечание и является аналогом состояния. Предположим, что вычислитель работает несистематически и не производит больше одного шага за один эпизод своей работы. Тогда примечания должны разъяснять, какой шаг он должен выполнить, после чего он должен оставить примечание для следующего шага. Таким образом, состояние прогресса производимого вычисления на любом этапе будет полностью оп...делен примечанием и символами на рабочей ленте...

Эти доказательства разительно отличались друг от друга. На самом деле, они были взаимодополняющими. В первом случае рассматривалось разнообразие мыслей одного человека — число состояний его разума. Во втором же человек рассматривался как бездумный исполнитель предписанных указаний. В обоих случаях мысль Алана касалась противоречия свободы воли и детерминизма, только в одном с точки зрения внутренней воли, а в другом — внешних ограничений. Эти подходы к решению проблемы не имели дальнейшего разъяснения в статье, но послужили хорошей почвой для дальнейших исследований.

Невероятным импульсом для исследования Алана послужила проблема разрешимости, или *Entscheidungs problem*, поставленной перед учеными-математиками Гильбертом. Вместе с тем ему удалось не только ответить на вопрос, но и сделать при этом нечто большее. Отсюда кажется совершенно естсественным, что свою статью, описывающую основные идеи и ход его рассуждений, он назвал «О вычислимых числах *применительно к* Entscheidungsproblem». Тем не менее именно лекции Ньюмана помогли выявить нужное направление, в котором возникла возможность решить поставленный вопрос. Так, Алан смог разрешить один из ключевых вопросов в математике, с шумом ворвавшись в научный мир будучи еще никому неизвестным молодым ученым. Его решение проблемы касалось не только абстрактной математики или некоторой игры символов, оно также включало в себя рассуждения о природе отношений человека и физического мира. Это нельзя было назвать наукой с точки зрения проводимых наблюдений и предсказаний. Все, что он сделал — создал новую модель, новую основу. Его методы были сродни той игре воображения, которую использовали Эйнштейн и фон Нейман, ставя под сомнение существующие аксиомы вместо того, чтобы оценивать результаты. Его модель даже не была по-настоящему новой, поскольку раньше уже существовали многие подобные идеи, даже на страницах детской книги «Чудеса природы», представляющие мозг в виде машины, телефонного узла или офисной системы. Ему оставалось лишь объединить такое простое механистичное представление человеческого разума с ясной логикой чистой математики. Его машины, которые в дальнейшем будут называться *машинами Тьюринга,* стали той самой связью между абстрактными символами и физическим миром. А его образное мышление оказалось, в особенности для Кембриджского университета, пугающим своим индустриальным настроем.

Очевидно, что идея машин Тьюринга была как-то связана с его более ранним изучением теории детерминизма Лапласа. Хотя отношение было достаточно косвенным. С одной стороны, можно было утверждать, что «дух», о котором он ранее рассуждал, не являлся «разумом», решающим задачи интеллектуального характера. С другой стороны, описание машин Тьюринга не имело никакого отношения к физике. Тем не менее, он приложил все усилия, чтобы изложить тезис о «конечном множестве умственных состояний», подразумевающий материальное основание разума, вместо того, чтобы придерживаться лишь доказательства «предписанных указаний». И казалось, что к 1936 году он действительно перестал верить в идеи, которые еще в 1933 году называл в письме миссис Морком «утешительными» — идеи выживания духа и духовной связи. Вскоре он предстал в роли убедительного сторонника материалистических взглядов и признал себя атеистом. Так, Кристофер Морком был похоронен дважды, и Вычислимые Числа ознаменовали окончательное прощание Алана с другом детства.

Однако за внешним изменением скрывалась особая последовательность действий и постоянство. Раньше его заботило то, как совместить идеи воли и духа с научным описанием вопроса именно потому, что он достаточно остро ощущал влияние материалистических взглядов и вместе с тем чудесную силу человеческого разума. Головоломка осталась прежней, но теперь он подошел к ее решению с иной стороны. Вместо того, чтобы пытаться победить детерминизм, он попытался объяснить проявления свободы. Даже у нее должна была быть причина. В какой-то момент Кристофер отвлек его внимание от представления природы, полной чудес, и теперь он ввернулся к своему прежнему мироощущению.

Его постоянство также выражалось и в его непрекращающихся попытках найти определенное, простое и практичное решение парадокса детерминизма и свободы воли, не только в устном философском ключе. Раньше в своих стремлениях он поддержал идею Эддингтона об атомах в человеческом мозге. Он оставался глубоко заинтересованным в области квантовой механики и ее интерпретаций, но он больше не желал заниматься проблемами «пустословия». Теперь он нашел свое собственное дело, представив новый образ мысли об окружающем мире. По сути квантовая физика могла охватывать все существующее, но на практике, чтобы выразить какое-нибудь суждение о мире, требовалось сразу несколько разных уровней описания. Дарвинистский «детерминизм» естественного отбора зависел от случайной «мутации» отдельных генов. Детерминизм химии выражался в системе взглядов, по которому движение отдельных молекул было «случайным». Центральная предельная теорема явилась примером, каким образом при помощи точно установленной системы из полного хаоса мог возникнуть определенный порядок вещей. Наука, как отметил Эддингтон, признала множество различных случаев детерминизма, а вместе с тем множество различных проявлений свободы. В машине Тьюринга Алану удалось создать свой случай детерминизма в виде автоматической машины, производящей операции в рамках логической системы мышления, которую он считал подходящей для изучения человеческого разума.

Вся работа была выполнена им самостоятельно, ни разу он не обратился с обсуждением строения его машин к Ньюману. Лишь однажды он коротко обсудил теорему Геделя с Ричардом Брейтуэйтом во время ужина за профессорским столом. В другой раз он задал вопрос о методе Кантора молодому члену Совета Кингз-Колледжа Алистеру Уотсону (как оказалось, стороннику коммунистов), который только недавно сменил свою область интересов с математики на философию. Он поведал о своих мыслях Дэвиду Чамперноуну, и тот ухватил суть идеи создания универсальной машины, но с издевкой заметил, что такая машина уместится только в здание Алберт-Холла. Это замечание было довольно справедливым и было принято во внимание, поскольку если у Алана и имелись мысли представить свою идею, предложив практическое ей применение, то в самой статье их уже не было. Чуть южнее от Алберт-Холла располагался Музей наук, где хранились останки «Разностной машины» Чарльза Бэббиджа, похожей универсальной машины, спроектированной многими годами ранее. Вполне вероятно, что Алан имел возможность увидеть ее, но даже в таком случае, она не имела очевидного влияния на его идеи и особенности машинного языка. Его «машина» не имела ни одного очевидного аналога в чем-либо современном 1936 году, если только в общих чертах вобрала в себя некоторые черты изобретений, появившихся с развитием электротехнической промышленности: телетайпы, телевизионная разверстка изображения, автоматическая телефонная связь. Это было полностью его собственное изобретение.

Довольно объемистая статья, полная новых идей, с проделанной большой технической работой и ощущением, что множество мыслей не умещались в рамки печатного слова. Работа «Вычислимые числа», должно быть, полностью вырвала Алана из привычной жизни на целый год, начиная с весны 1935 года. Где-то в середине апреля следующего года, вернувшись из поездки в Гилфорд на пасхальные каникулы, он передал машинописный текст работы лично в руки Ньюману.

Оставалось множество вопросов без ответа относительно открытий, совершенных Геделем и Аланом, и того, что имели в виду под свои описанием разума. В конечном решении программы Гильберта оставалось много неопределенностей, хотя оно определенно подавило надежду слишком наивного рационализма иметь возможность решить любую проблему путем вычисления. Для некоторых, включая самого Геделя, неудача попытки доказать последовательность и полноту математики служило новым примером превосходства разума над механизмом. С другой стороны, машина Тьюринга открыло возможности для новой области детерминистической науки. Она служила моделью, в которой наиболее сложные процессы строились из элементарных составляющих — состояний и позиций, считывания информации и ее записи. Вместе с тем она предполагала под собой чудесную математическую игру ума, в которой любой «определенный метод» представлялся в стандартной форме.

Алан доказал, что не существует никакой сверхъестественной машины, которая смогла бы решить все математические проблемы, но в ходе своего доказательства он открыл нечто столь же удивительное: идею универсальной машины, которая могла воспроизвести работу *любой* другой машины. Также ему удалось доказать, что любое действие, выполняемое человеком за машиной, могло быть произведено самой машиной без вмешательства человека. Таким образом, существовала единая машина, которая путем считывания помещенного на ленту описания работы других машин, могла производить тот же результат, что и умственная деятельность человека. Одна машина могла заменить операциониста! Электрический разум существует!

Между тем смерть Георга Пятого ознаменовала собой переход от протеста против старого порядка к страху перед тем, что могло ожидать впереди. Германия уже победила новое Просвещение и поставила железное клеймо на идеалистах. В марте 1936 года был снова оккупирован Райнленд, и это означало только одно: будущее теперь зависело от политики усиления военной мощи и подготовки к войне. Кто тогда мог увидеть во всем этом связь с судьбой кембриджского математика? И все же связь была, поскольку однажды Гитлер потеряет Райнленд, и именно тогда универсальная машина сможет найти в мире свое практическое применение. Эта идея появилась в результате личной потери Алана Тьюринга. Но между идеей и ее воплощением произойдет в результате жертвы миллионов людей. Но этим жертвам не придет конец даже после свержения власти Гитлера; для мировой Entscheidungs problem также не было найдено решения.

Глава 3

НОВЫЕ ЛЮДИ

Я слышу, меня обвиняют, что я подрываю основы,
На самом же деле не против основ я и не за основы
(Что общего в самом деле с ними есть у меня? или
что с разрушением их?),
Я хочу лишь одно учредить в Маннагатте и в горо-
де каждом Соединенных Штатов,
Внутри страны и на море,
На полях и в лесах, и над каждым килем большим
или малым, бороздящим воду,
Без учреждений и правил, ругательств или дока-
зательств,
Основу нежной любви товарищей.

Почти в тот же день, когда Алан поделился с Ньюманом своим открытием, другой ученый закончил свою работу о доказательстве неразрешимости *Entscheidungs-problem* Гильберта. Им оказался выдающийся американский логик и профессор математики Принстонского университета Алонзо Чёрч, 15 апреля 1936 года завершивший свою работу по разработке теории лямбда-исчислений. Несмотря на то что основная идея работы Чёрча, доказывающая существование «неразрешимых проблем», была опубликована годом ранее, именно в тот момент ему удалось облечь свою мысль в форму ответа на вопрос Гильберта.

Таким образом, новая идея одновременно посетила два человеческих разума. Поначалу в Кембридже не было известно об этом исследовании, о чем можно судить из письма Алана матери от 4 мая:

Я встретил мистера Ньюмана спустя четыре дня после нашей последней встречи. Сейчас он занят своими исследованиями в других областях и поэтому не сможет уделить должного внимания моей теории на этой неделе. Тем не менее он изучил мои заметки относительно C.R. и после некоторых изменений все-таки одобрил. Позже один французский специалист проверил работу и выслал на публикацию. Однако, я так и не получил подтверждение, и нахожу этот факт весьма досадным. Не думаю, что полный текст работы будет готов за две недели или около того. Скорее всего, ее объем будет превышать пятьдесят страниц. Довольно трудно решить, какие тезисы лучше изложить в статье сейчас, а какие — оставить до следующего удобного случая.

Когда Ньюман все же прочитал статью Тьюринга где-то в середине мая, едва он мог поверить, что столь простая и ясная идея «машины Тьюринга» сможет решить проблему Гильберта, над которой многие ученые трудились в течение пяти лет с того момента, как Гёделю удалось решить некоторые вопросы Гильберта. Тогда он допустил мысль об ошибочности теории машин Тьюринга, поскольку более сложная машина могла бы решить «неразрешимую задачу». Но в конце концов он убедился, что ни одна машина с конечным набором действий не может выолнить больше операций, чем предложенное Тьюрингом устройство.

Спустя некоторое время статья Чёрча все же достигла берегов Европы. Его работа ставила под сомнение возможность публикации статьи Алана, поскольку научные журналы не позволяли печатать одинаковые исследования. Но теория Чёрча отличалась от работы Алана и в некотором смысле была слабее. Он разработал теорию «лямбда-исчислений» и вместе с логиком Стивеном Клини обнаружил, что такая формальную систему можно использовать для перевода всех арифметических формул в единую стандартную форму. Таким образом, доказательство теорем будут представляться в виде преобразований одной строчки символов лямбда-исчисления в другую, при этом согласуясь с определенным набором довольно простых правил. Затем Чёрч представил доказательство, что проблема возможности преобразования одной строки в другую нерешаема в том смысле, что ни одна формула лямбда-исчислений не могла решить подобный вопрос. Обнаружив пример неразрешимой проблемы, Чёрч смог доказать, что изложенный Гильбертом вопрос, стало быть, также неразрешим. Однако далеко не очевидно было то, что «формула лямбда-исчислений» соответствовала понятию «определенного метода». В то время как Чёрч мог предоставить только словесное подтверждение тому, что любой «эффективный» метод вычисления мог быть представлен в виде формулы лямбда-исчисления, устройство Тьюринга казалось понятным и давало ответ на вопросы, оставленные без внимания в теории Чёрча.

Так или иначе, Алану удалось представить свою работу для публикации Лондонскому математическому сообществу лишь 28 мая 1936 года, в связи с чем Ньюман написал письмо Чёрчу:

31 мая 1936 года

Уважаемый Профессор Чёрч,

Тот отдельный оттиск вашей статьи, что вы любезно прислали мне на днях, в которой вы исследуете предмет «вычислимых чисел» (calculable numbers) и тем самым доказываете неразрешимость проблемы *Entscheidungs* Гильберта, представляет весьма мучительный интерес для одного молодого человека, А. М. Тьюринга, который как раз собирался представить для публикации свою работу, с той же целью использующую подобное определение «вычислимых чисел» (computable numbers). Суть его метода состоит в описании устройства, способного произвести вычисление любой вычислимой последовательности, и потому его объяснение качественно отличается от представленного вами, что не умаляет его заслуги. В связи с этим мне кажется важным, чтобы он приехал для совместной работы с вами в следующем году, если существует такая возможность. Вместе с письмом по воле автора высылаю машинописный текст его статьи для ваших замечаний.

В случае если результаты представленной работы окажутся достоверными и заслуживающими похвалы, я был бы вам признателен, если бы вы смогли помочь Тьюрингу попасть в Принстон в следующем году, написав сопроводительное письмо проректору Клэр-Колледжа Кембриджского университета к заявлению на звание стипендиата фонда Проктера. Полагаю, даже при неудачном исходе дела он мог бы приехать к вам, как член совета Кингз-Колледжа, но в таком случае могут возникнуть некоторые сложности. Есть ли возможность получить в Принстоне дополнительный грант?... Мне стоит также отметить, что Тьюринг выполнил свою работу полностью самостоятельно: он проводил исследование без чьей-либо помощи или критики. Поэтому очень важно, чтобы он как можно скорее установил контакт с ведущими специалистами этой области исследований, поскольку я считаю, что он не должен продолжать работать в одиночестве, иначе он станет еще одним закоренелым затворником.

В Англии не нашлось ни одного человека, который смог бы отрецензировать работу Тьюринга для публикации в журнале Лондонского математического общества, и фактически Чёрч был единственным человеком, способным помочь юному исследователю. Ньюман также решил отправить письмо секретарю Лондонского математического общества, Ф. П. Уайту, чтобы прояснить сложившуюся ситуацию:

31 мая 1936 года
Дорогой Уайт,
Полагаю, вы уже слышали об истории, связанной с работой Тьюринга «О вычислимых числах». Когда статья была уже готова к публикации, появился первый оттиск работы Алонзо Чёрча из Принстона, которому было бы в высшей степени интересно познакомиться с результатами Тьюринга.
Я надеюсь, что несмотря на все обстоятельства работа будет опубликована. Методы в рассматриваемых работах разительно отличаются друг от друга, а результаты исследований настолько важны, что представляют интерес для обеих сторон. Основным результатом работ Тьюринга и Чёрча явилось доказательство, что проблема *Entscheidungs*, над которой последователи Гильберта трудились

многие годы, т. е. проблема нахождения механистического метода решить, является ли указанная строка символов изложением теоремы, доказуемой в рамках аксиоматической системы Гильберта, в общей форме нерешаема.

Тем временем 29 мая Алан отправил очередное письмо матери:

> Я только что получил свою готовую и отправленную на публикацию основную статью. Предполагаю, что она появится в октябрьском или ноябрьском выпуске журнала. Относительно *Comptes Rendus* возникла сложная ситуация. Как оказалось, тот человек, которому я написал с просьбой передать работу, уехал в Китай. Более того, то письмо затерялось где-то на почте, поскольку второе письмо его дочь все же получила.
>
> Тем временем в Америке появилась статья Алонзо Чёрча, в которой он решил ту же задачу, но другим путем. Тем не менее мы с мистером Ньюманом решили, что предложенный мною метод совершенно не похож на его решение, и это обстоятельство может гарантировать публикацию моей работы. Алонзо Чёрч живет и работает в Принстоне, так что я с уверенностью могу сказать, что отправлюсь туда при первой возможности.

Алан подал зявку на получение стипендии фонда Проктера. Принстон предлагал три возможности: от Кембриджского университета, от Оксфордского университета и от Коллеж де Франс. На стипендию от Кембриджского университета он рассчитывать не мог, поскольку в том году ее уже получил математик и астроном Р. А. Литтлтон. Однако он счел, что средств из стипендии Кингз-Колледжа ему будет достаточно.

Между тем, для публикации работы требовалось предоставить доказательство, что его определение «вычислимого» (computable) числа, т. е. того, что может быть вычислено одной из машин Тьюринга, было тождественно тому, что Чёрч назвал «практически вычислимым», имея в виду возможность описать его формулой лямбда-исчисления. Поэтому он внимательно изучил статью Чёрча, а также его исследования, которые он провел в совместной работе со Стивеном Клини в период с 1933 по 1935 год, и схематически изобразил требуемое доказательство в приложениях к своей работе, которая была готова 28 августа. Аналогичность идей была достаточно очевидна, поскольку Чёрч использовал определение (формулы «нормального вида»), которое соотносилось с определением «удовлетворительных» машин в теории Тьюринга, а затем применил диагональный метод Кантора, чтобы создать неразрешимую проблему.

Если бы он работал более последовательно, он бы не приступил к решению проблемы Гильберта, не изучив перед этим всю доступную научную литературу по этому вопросу, включая и саму работу Чёрча. В таком случае, возможно, он бы не попал в такую неловкую ситуацию, но вместе с тем, возможно, он бы не пришел к совершенно новой идее создания логической машины, которая не только решила одну из проблем Гильберта, но и поставила перед наукой ряд новых вопросов. В его "полностью самостоятельном" исследовании были свои недостатки и преимущества. И в случае с центральной предельной теоремы, и в его работе с *Entscheidungs problem*, в математике он повторял судьбу Роберта Скотта, приходя к результату только вторым. И хотя он не был одним из тех, кто рассматривает математику или науку как соревновательную игру, безусловно он испытал горькое разочарование. Такое положение означало месяцы и месяцы отложенной работы, а также затмевало оригинальность его собственного подхода к решению задачи. Но самое главное, он снова остался в тени своих коллег.

Что касается центральной предельной теоремы, тем летом его диссертация для программы предоставления стипендии была подана на конкурс математических работ Кембриджского университета, который носил название Премия Смита. Все это вызвало необычайный ажиотаж в Гилфорде, где миссис Тьюринг вместе с Джоном провели безумные полчаса на коленях, в спешке упаковывая посылку с работой, над которой Алан продолжал работать до последнего момента. К тому времени Джон уже женился в августе 1934 года, и Алан теперь стал дядей. Но ни его брат, ни его родители не имели и малейшего представления о том, какие важные философские проблемы легли в основу его работы и всей его жизни. Миссис Тьюринг с присущим ей интересом к духовному миру, возможно, лучше всех остальных понимала волновавший Алана вопрос свободной воли, но даже она была не в силах увидеть эту связь. Алан никогда не распространялся о своих внутренних терзаниях, и лишь иногда окружавшие его люди могли заметить некоторые неявные намеки.

В Кембриджском университете, как и в Кингз-Колледже, с благосклонностью отнеслись к повторному открытию Аланом теоремы, и он получил вознаграждение в размере тридцати одного фунта. В последнее время он стал увлекаться парусными судами, проводя все выходные на воде, и теперь подумывал потратить свой выигрыш на покупку лодки. Но позже он все-таки передумал, решив, что эти деньги ему пригодятся во время учебы в Америке.

В начале лета Виктор Беутелл приехал в Кембридж в гости к Алану. Это был не просто ответ на оказанное когда-то Беутеллами гостеприимство, другая причина приезда Виктора состояла в том, что он наконец стал работать в семейном бизнесе и приступил к свой работе по разработке систем K-лучей. Во многом ему помогло обсуждение с Аланом геометрии системы, когда они были еще школьниками, но теперь он нуждался в совете друга относительно новой задачи, которая заключалась в том, чтобы создать такую двустороннюю систему освещения, чтобы иллюстрация равномерно подсвечивалась одним источником света. Такое требование было выдвинуто компанией пивоваренных заводов. Тем не менее, Алан ответил, что он слишком занят своим собственным исследованием, и вместо этого они отправились смотреть майские лодочные гонки.

Однажды, их беседа об искусстве и скульптуре привела к тому, что Алан внезапно удивил Виктора своим замечанием, что мужские формы ему кажутся более привлекательными чем женские. Виктор взял на себя роль крестоносца и попытался убедить Алана в том, что Иисус указал верный путь в случае с Марией Магдалиной. На это замечание у Алана не нашлось ответа. Он лишь мог постараться выразить свое ощущение нахождения в мире Зазеркалья, в котором перед его взором все общепринятые идеи принимали искаженный вид. Возможно, в том разговоре он впервые коснулся темы своей сексуальности за пределами своего круга знакомых в Кембриджском университете.

Виктору, которому на тот момент еще не исполнилось двадцати одного года, было сложно решить, как реагировать на это. Теперь его пребывание у Алана носило доверительный характер, хотя во всех ситуациях Алан оставался «настоящим джентльменом». Но Виктор не отверг дружбу, вместо этого они продолжили рассматривать тему со всех возможных сторон, как когда-то обсуждали религиозные вопросы. Они рассуждали о том, какие наследственные факторы или факторы среды могли оказать влияние на формирование таких взглядов. Но несмотря на все их попытки понять природу сексуальной ориентации, ясным оставалось лишь одно — часть Алана действительно была иной, и часть его действительности представала под иным углом зрения. Для него, потерявшего веру в Бога, ничто не казалось столь привлекательным как внутренняя последовательность, связность явлений. Как и в области математики эта последовательность не могла быть доказана какими-то указанными правилами, не существовало еще *deus ex machina*[5], который бы мог решить, что правильно, а что нет. К тому моменту аксиомы его жизни выстраивались, обретая более четкую форму, хотя до сих пор оставалось неясным, каким образом их можно воплотить в жизни. Как и раньше, его привлекали самые простые вещи, какие только можно встретить в природе. И в то же время сам он был вполне себе обычным английским математиком с атеистическими взглядами и гомосексуальной ориентацией. В таком положении жизнь не казалась простой.

Перед своей поездкой Алан также навестил «Клок Хаус», впервые за три года. К тому времени здоровье миссис Морком ухудшилось, и она пребывала в состоянии почти инвалида. Но несмотря на все невзгоды ей удалось сохранить прежнюю живость ума. Во время его пребывания миссис Морком оставила некоторые записи:

9 сентября (Среда) ...Алан Тьюринг почтил нас своим визитом (...) Он приехал к нам попрощаться перед своей поездкой в Америку на девять месяцев (Принстон), чтобы провести там исследовательскую работу под руководством двух знаменитых ученых, изучающих предмет его исследований: Гёдель (Варшава), Алонзо Чёрч и Клини. У нас состоялась беседа до ужина и после него, чтобы ввести нас в курс всех последних событий. (...) Вместе с Эдвином он играл в бильярд.

10 сентября: ...В компании Вероники Алан отправился на фермы и в Дингсайд. (...) В и Алан пили со мною чай. С Аланом у нас состоялся долгий разговор о его работе и о том, может ли его тема исследований (какая-то трудная для понимания область логики) зайти в «тупик» и т. д.

11 сентября: Алан отправился один в церковь, чтобы посмотреть на витраж Кристофера и маленький сад, который он еще не видел, поскольку работа над садом завершилась только за день до его приезда... Алан научил меня играть в го, игра чем-то напоминает пеггити.

12 сентября: ...Руперт и Алан пили чай у меня в комнате, а позже я удивила всех тем, что спустилась на ужин. Сегодня нас собралось десять человек — замечательная компания. Слушали концерты на грампластинках... Мужчины отправились играть в бильярд.

13 сентября: ...Алан решал с Р(еджинальдом) некоторые проблемы. (...) Алан и Р(уперт) вместе с двумя девочками отправились купаться на пруд Кэдбери (...) Руп(ерт) и Алан пили у меня чай (...) Алан попытался объяснить мне, над чем он сейчас работает (...) они уехали, чтобы успеть на станцию к отправлению поезда в 7:45.

Руперт перестал понимать Алана, как только он дошел до определения удовлетворительных и неудовлетворительных чисел. Миссис Морком было сложно понять, какое отношение эта «трудная для понимания область логики» имела к ее сыну, каким образом Алану удалось сделать то, что ее сын не успел при жизни.

Миссис Тьюринг отправилась в Саутгемптон вместе с Аланом проводить его в путь, и 23 сентября он взошел на борт трансатлантического лайнера «Беренгария» компании «Кунард Лайн». Перед отплытием на рынке на Фаррингтон-роуд Алан приобрел сектант, чтобы не скучать во время путешествия. Он также прихватил с собой все присущие представителю английского выше-среднего класса предубеждения относительно Америки и ее граждан, и пять дней, проведенных на борту корабля, не смогли изменить его взгляды. Где-то на координатах 41°20′N, 62°W, он принялся жаловаться:

Меня порой поражает, как американцы могут быть самыми невыносимыми и равнодушными созданиями, каких только можно встретить. Один из них только что говорил со мной, с явной гордостью рассказывая о всех худших сторонах жизни в Америке. Впрочем, возможно, они не все такие.

Высотные здания Манхеттена стали различимы на горизонте на следующее утро 29 сентября, и Алан прибыл в Новый Свет:

Фактически мы прибыли в Нью-Йорк еще в 11 часов утра во вторник, но пока мы проходили через все инстанции иммиграционных служб, уже наступило 5:30 вечера, и только тогда мы сошли с корабля. Прохождение иммиграционных служб включало в себя двухчасовое ожидание в очереди с орущими детьми. После этого, когда я успешно прошел все службы, мне предстояло пройти обряд инициации Соединенных Штатов, который заключался в том, чтобы тебя надул водитель такси. Озвученная им плата показалась мне до нелепости высокой, и только вспомнив, что заплатил за отправку багажа за сумму, превышающую раза в два расценки в Англии, решил наконец согласиться.

Алан унаследовал от своего отца убеждение, что поездки в такси — верх расточительства. Но Америка с ее бесконечным разнообразием не во всем была такой, как представлял ее Алан, и Принстон, куда он прибыл поздно вечером на поезде, не имел почти ничего общего с «кучей сброда», путешествующего самым дешевым классом. Если Кембридж воплощал в себе шик научного общества, то Принстон скорее говорил о его материальном состоянии. Пожалуй из всех элитных американских университетов Принстонский меньше всего пострадал от последствий экономической депрессии. Его жители могли даже и не подозревать, что Америка претерпевает не лучшие времена. На самом деле он даже не казался американским городом. Своей архитектурой, выполненной в Колледжиальном готическом стиле, ограничением на обучение только лиц мужского пола, а также проводимыми занятиями по гребле на озере Карнеги Принстонский университет, казалось, хотел превзойти своей отрешенностью от всего остального мира, а заодно Кембриджский и Оксфордский университеты. Это был Изумрудный Город страны Оз. И словно изолированности от привычной Америки было недостаточно, Колледж Градуейт, недосягаемый для обычных студентов, возвышался над остальными зданиями университета с живописным видом на раскинувшиеся внизу леса и поля. Башня Колледжа Градуейт в точности повторяла архитектуру Модлин-Колледжа Оксфордского университета, и вскоре стала известна, как «башня из слоновой кости» в честь Проктора, известнейшего благодетеля Принстонского университета, который производил мыло «Айвори».

Математический факультет Принстонского университета получил щедрое пожертвование в размере пяти миллионов долларов в фонд Института перспективных исследований в 1932 году. Вплоть до 1940 года Институт не имел своего собственного здания, и почти все специалисты в области математики и физики обитали в Файн-Холле, где располагался математический факультет. И хотя теоретически между ними существовали технические различия, на деле никто не знал и не заботился о том, кто из Принстонского университета, а кто — из Института перспективных исследований. Объединенный факультет в свою очередь привлек одних из величайших исследователей в области математики, в особенности тех, кто бежал из Германии. Щедро проспонсированные программы на получение стипендии также привлекли одних из лучших выпускников университетов мирового уровня, хотя в большей мере — из английских. Как оказалось, на факультете не было никого из Кингз-Колледжа, не считая друга Алана, Мориса Прайса, из Тринити-Колледжа, который остался в Принстоне на второй год. Здесь, среди лучших представителей бежавшей из Европы интеллигенции, находилась возможность для Алана Тьюринга завершить работу над своим основным результатом. Его письмо от 6 октября, отправленное родным, источало лишь уверенность в себе:

> Математический факультет полностью отвечает всем возможным ожиданиям. Здесь можно встретить многих знаменитых математиков. Дж. ф. Нейман, Вейль, Курант, Эйнштейн, Лефшец, а также многие другие, менее значимые. К сожалению, в этом году здесь не так много специалистов в области логики по сравнению с предыдущим годом. Разумеется, Чёрч остался, но вот Гёдель, Клини, Россер и Бернайс, которые были здесь в прошлом году, уехали из Принстона. Не думаю, что отсутствие кого-то из них расстраивает меня в той же мере, как отсутствие Гёделя. Клини и Россер, насколько я знаю, являются лишь последователями Чёрча и не могут мне предложить мне нечто большее, чем сам Чёрч. В своих работах Бернайс показался мне, что называется, vieux jeu, но возможно, если бы у меня появилась возможность лично с ним познакомиться, мое мнение могло бы измениться.

Харди прибыл из Кембриджского университета только на один учебный семестр.

Поначалу он мне показался весьма неприветливым и даже робким. Я столкнулся с ним в комнате Мориса Прайса в день своего прибытия, и он не проронил ни слова. Постепенно его отношение ко мне становится более дружелюбным.

Сам Харди в свое время занимал место Алана Тьюринга, поскольку являлся еще одним английским атеистом с гомосексуальной ориентацией, который оказался одним из величайших умов в области математики своего времени. Впрочем, ему повезло больше чем Алану в том отношении, что его основной научный интерес, теория чисел, лежал в пределах классической системы чистой математики. Перед ним не стояла задача создать свою собственную тему исследования. К тому же в работе он был более последователен и профессионален, чем Алан когда-либо. Однако их объединяло желание бежать от системы, и оба ученых видели единственное возможное для них пристанище только в кейнсианском Кембридже, хотя ни один из них так и не смог вписаться в его высшее общество. Оба предпочитали сопротивляться системе пассивным путем, хотя Харди в этом отношении проявлял большую активность и даже занимал президентский пост в Ассоциации научных работников, руководствуясь своими принципами. Более того, в его комнате можно было заметить висящий на стене портрет Ленина. С возрастом его взгляды только укоренились. Бертран Рассел однажды остроумно провел различие между католическими и протестантскими скептиками согласной той религии, которую они отрицали, и по этой схеме Алан на этом этапе своей жизни был скорее атеистом Англиканской церкви.

Алан посещал его продвинутый курс лекций и семинары в Кембридже, и поэтому испытал немалое разочарование, когда Харди не обратил на него никакого внимания. Несмотря на все «дружелюбие», эти отношения не могли преодолеть разницу поколений и множество слоев истинно английской скрытности и сдержанности. И если такая ситуация возникала в его отношениях с Харди, который во многом походил на него, то в отношении других коллег старшего возраста дела обстояли и того хуже. И хотя он постепенно представал перед научным миром как серьезный специалист, ему все еще не до конца удалось избавиться от поведения и взглядов ничем не примечательного студента.

Сам по себе список перечисленных Аланом имен в письме мало что значило, за исключением того обстоятельства, что теперь у него появилась возможность посещать их лекции и семинары. Порой с Эйнштейном можно было столкнуться в коридорах здания, но он оставался весьма необщительным и словно отрешенным от мира сего. Соломон Лефшец был одним из первопроходцев в области топологии, одной из самых приоритетных для математического факультета Принстонского университета, а также одной из отправных точек для всей современной математики, но личное отношение к нему Алана можно было бы описать лишь одним случаем. Когда Лефшец усомнился, сможет ли тот понять курс лекций Л. П. Эйзенхарта по теме «Риманова геометрия», этот вопрос Алан принял как личное оскорбление. Курант, Вейль и фон Нейман занимались почти всеми основными темами в области чистой и прикладной математики, в чем-то возрождая геттингенскую традицию Гёделя на западном побережье. Но из всех них лишь фон Нейман смог установить контакт с Аланом через их общий интерес к теории групп.

Что касается специалистов в области логики, Гёдель вернулся в Чехословакию, а Клини и Россер, которые несомненно внесли более существенный вклад в область логики, чем предполагалось в письме Алана, заняли должности в других местах, так что у Алана не было возможности встретиться ни с одним из них. Пауль Бернайс, швейцарский специалист в области логики и близкий коллега Гильберта, также в свое время бежавший из Геттингена, вернулся в Цюрих. Таким образом, мнение, которое могло сложиться у миссис Морком исходя из письма, было ошибочным. Положение дел позволяло Алану работать только с Чёрчем, разве что не считая других выпускников, изучающих логику на более низком уровне. Сам Чёрч был уже в почтенном возрасте и не любил предаваться долгим рассуждениям. Одним словом, Принстон не смог избавить Алана от позиции «полностью самостоятельного» исследователя. Алан отметил в письме:

> Я встречал Чёрча два или три раза и могу сказать, что мы с ним довольно хорошо поладили. Кажется, он очень доволен моей статьей и полагает, что она поможет ему осуществить задуманную программу работ. Я пока не знаю, что от меня потребуется в рамках этой его программы, поскольку я сейчас разрабатываю (sic) некоторое устройство, относящееся к несколько другой области, по всей вероятности, через месяц или два я начну писать статью на эту тему. После этого я смогу написать целую книгу.

Но какими бы волнующими эти планы ни казались, ни один из них не был воплощен; ни одна статья или книга не подходили под изложенное им описание.

Алан добросовестно посещал все лекции Чёрча, каждый раз подходя к изучению вопросов с особой основательностью и усердием. В частности, он сделал замечания по теории типов Чёрча, что свидетельствовало о его продолжительном интересе к этой области математической логики. Занятия посещали порядка десяти других студентов, среди них самым юным был один американец, Венейбл Мартин, и Алан вскоре с ним подружился и помог ему разобраться с основными понятиями курса. Позже Алан отметил:

> Среди аспирантов здесь много тех, кто работает в области математики, и все они никогда не прочь поболтать. В этом отношении здесь все по-другому.

В Кембриджском университете разговоры по теме своей специальности за профессорским столом или где-то еще считались попросту проявлением дурного тона. Но эту особенность Принстонский не перенял у английских университетов вместе с их архитектурой. И английские студенты не мало удивлялись, когда при знакомстве американец приветствовал их фразой: «Привет, рад познакомиться, какие курсы ты посещаешь?» Англичане никогда не хвалились результатами своих работ, предпочитая больше показывать свое дилетантство по разным вопросам. Подобная притворная небрежность изумляла самых ярых приверженцев трудовой этики. Но Алану, который был ранее исключен из высших кругов Кембриджского университета за отсутствие у него некоторой изысканности в таких вопросах, такой более прямой и обстоятельный подход к делу казался более привлекательным. В этом отношении Америка подходила ему, но не в остальных ее аспектах. В письме своей матери от 14 октября он писал:

> Однажды вечером Чёрч пригласил меня на званый ужин. Но несмотря на то, что все присутствующие на нем имели какое-то отношение к науке, содержание беседы

показалось мне довольно удручающим. Насколько я помню, казалось, что все они обсуждали лишь, кто откуда приехал. Подобные описания поездок и мест наводят на меня тоску.

Он находил особое удовольствие, играясь идеями, и в том же письме он оставил небольшой намек на некоторые свои идеи, которые могли бы лечь в основу пьесы Бернарда Шоу:

> Вы часто спрашивали меня о том, какие возможные применения могут быть найдены для исследований в различных областях математики. Недавно я обнаружил одно из возможных применений той вещи, над которой я в данным момент работаю. Это устройство сможет ответить на вопрос «Что из себя представляет наиболее общий вид кода или шифра из всех возможных?», и в то же время (естественным образом) позволяет мне создать множество специфических и интересных шифров. Один из них совершенно невозможно взломать без ключа и так же легко позволяет закодировать сообщение. Полагаю, я мог бы продать их правительству Его Величества за довольно внушительную сумму, но я сомневаюсь относительно нравственности такого дела. Что вы об этом думаете?

Шифрование могло бы стать одним из прекрасных примеров воплощения применимого к символам «определенного метода», действия, которое могло бы выполняться одной из машин Тьюринга. В самом понимании шифрования лежала необходимость, чтобы кодирующее устройство работало как машина в согласии с любым правилом, заранее установленным с получателем сообщения.

Что касается «наиболее общего вида кода или шифра из всех возможных», если подумать, любая машина Тьюринга включала в себя процесс кодирования информации, указанной на рабочей ленте, в записанную на ней информацию по завершении выполнения операций. Тем не менее, для практического использования появлялась необходимость в машине обратного действия, которая смогла бы восстановить изначальные данные на ленте. Что бы ни представлял из себя результат работы, она должна была основываться именно на этих принципах. Но относительно «специфических и интересных шифров» он не смог развить свои идеи.

Также он больше не касался обозначенного в письме спорного вопроса о «нравственности»: что ему было делать в этой ситуации? Миссис Тьюринг, разумеется, как и все из рода Стоуни, придерживалась мнения, что наука существовала ради цели ее практических применений, и она не была одной из тех, кто может усомниться в моральном авторитете правительства Его Величества. Но интеллектуальная традиция, к которой относил себя Алан, существенно отличалась от взглядов его матери. Дело было не только в отчужденности Кембриджского университета от остального мира, но в большей мере в существенном срезе взглядов современной математики, который имел в виду Г. Х. Харди, когда писал следующее:

«Настоящая» математика «настоящих» математиков, математика Ферма, Эйлера, Гаусса, Абеля и Римана, почти полностью «бесполезна» (это верно как в отношении «прикладной», так и в отношении «чистой» математики). Жизнь любого настоящего профессионального математика невозможно оправдать на основании одной лишь «полезности» его трудов. (...) Великие современные достижения в области прикладной математики были и в теории относительности, и в квантовой механике, и эти разделы науки, по крайней мере сейчас, почти столь же «бесполезны», как и теория чисел. На добро или на зло работают скучные элементарные разделы прикладной математики, равно как и скучные элементарные разделы чистой математики.

Чтобы разъяснить свою реакцию на растущий разрыв между математикой и прикладными науками, Харди раскритиковал поверхностность представителя левого крыла Ланселота Хогбена в его интерпретации математики с точки зрения социальной и экономической полезности, которая основывалась на «скучных и элементарных» сторонах вопросах. Однако Харди в большей степени имел в виду себя, когда утверждал, что «полезная» математика в любом случае больше работала во зло, поскольку в большинстве случаев находила свое применение в военном деле. Он заявлял, что полная бесполезность его собственной работы в области теории чисел на самом деле является его добродетелью, а не поводом для извинений:

> Никому ещё не удалось обнаружить ни одну военную, или имеющую отношение к войне, задачу, которой служила бы теория чисел или теория относительности, и маловероятно, что кому-нибудь удастся обнаружить нечто подобное, на сколько бы лет мы ни заглядывали в будущее.

Его собственные почти пацифистские убеждения укрепились еще до того, как разразилась Первая мировая война, и все остальные, кого позже взволновали антивоенные движения 1930-х годов, хорошо понимали необходимость избегать применения науки в военном деле. И если Алан действительно смог обнаружить нечто, что могло бы иметь отношение к войне, в своих рассуждениях о символах, перед ним вставала, пускай еще только в своей перспективе, математическая дилемма. Таким образом, в его пренебрежительном замечании на самом деле скрывался серьезный вопрос.

Тем временем английские студенты пытались скрасить свое пребывание в Колледже Градуейт развлечениями на свой вкус:

> Один из стипендиатов Британского содружества наций, Фрэнсис Прайс (не путать с Морисом Прайсом...) недавно устроил хоккейный матч между командами Колледжа Градуейт и Вассара, женского колледжа (амер.) / университета (англ.), расположенного в ста тридцати милях отсюда. Из всей собранной им команды половина игроков никогда раньше и не держали в руках клюшку. После пары тренировочных матчей мы отправились в воскре-

сенье на машинах в Вассар. Когда мы туда прибыли, шел небольшой дождь, и к нашему ужасу, нам сообщили, что на поле играть невозможно при таких погодных условиях. И все же нам удалось их убедить провести некоторое подобие хоккейного матча в спортивном зале, где мы одержали над ними победу со счетом 11:3. Теперь Фрэнсис пытается организовать ответный матч, который на этот раз точно пройдет на спортивном поле.

Вопреки словам Алана команда не состояла сплошь из любителей, поскольку Шон Уайли, изучавший в Принстонском университете топологию, и Фрэнсис Прайс, изучавший физику, оба — выпускники Нью-Колледжа Оксфордского университета — были игроками национального уровня. И хотя Алан и рядом с ними не стоял по уровню своей игры (заметим, теперь он оставался в стороне, «наблюдая за ростом маргариток»), ему нравилось принимать участие в играх. Вскоре они стали проводить матчи между собой три раза в неделю и иногда выступали против команд местных женских колледжей.

Одна только картина того, как высокомерные и изнеженные англичане играют в чисто женскую игру, вызывала удивление на лицах американских студентов Принстонского университета, но вместе с тем во влиятельных кругах университета царила неловкая атмосфера англофилии, поскольку особенный наиболее ханжеские и вычурные стороны английской системы вызывали неподдельный восторг и восхищение. Так, летом 1936 года часовня Принстонского университета была переполнена во время поминальной службы по почившему Георгу V. Были и другие странности. Один профессор из Колледжа Градуейт так любил разглагольствовать о своем восхищении перед членами королевской семьи, что любой образованный английский слушатель мог посчитать такие речи пошлостью, граничащей с грубостью. Что касается преемника Георга V, новости о средиземноморском круизе Эдварда VIII в компании миссис Симпсон стали настоящей сенсацией в Принстоне. В письме своей матери от 22 ноября Алан писал по этому поводу следующее:

Я высылаю вам с письмом несколько вырезок из газет о миссис Симпсон в качестве наглядного примера того, какие волнения мы переживаем относительно этого вопроса. Я даже не предполагаю, что тебе раньше доводилось слышать о ней, но здесь уже несколько дней она на всех первых полосах газет.

Действительно, британские газеты решили хранить свое молчание, пока 1 декабря Альфред Блант, епископ Бредфорда, не выступил с речью на собрании своей епархии. В своей речи Блант заявил, что король нуждается в благодати: «Мы надеемся, что он знает, в чём нуждается. Некоторым из нас нужны более весомые доказательства его осведомлённости.» Только тогда премьер-министр Стэнли Болдуин наконец раскрыл свои карты. В письме от 3 декабря Алан писал:

Меня приводит в настоящий ужас то, как люди пытаются вмешаться в решение короля жениться. Возможно, королю и не следует жениться на миссис Симпсон, но это только его личное дело. Я бы не стал в подобном положении терпеть вмешательства епископов в мою личную жизнь, и не понимаю, почему это должен терпеть король.

Но брак царствующего монарха никогда не был делом личным, скорее — делом всего государства. Этот случай с испытанным чувством «настоящего ужаса» от попытки правительства вмешаться в частную жизнь стало пророческим в судьбе Алана. Но для людей его класса, весь ужас состоял скорее в том, что сам король мог предать монархию и свою страну, и этот логический парадокс был куда более досадным, чем любой из тех, с которыми столкнулись Рассел и Гёдель.

Когда 11 декабря королевская парочка все же упорхнула из родного гнезда проводить беспечную жизнь изгнанников и началось правление Георга VI, Алан в тот же день написал:

Полагаю, что вся эта ситуация с отречением короля повергла всех вас в шок. Из этого я прихожу к выводу, что в Англии еще приблизительно десять дней назад практически ничего не было известно о его отношениях с миссис Симпсон. У меня сложилось двоякое мнение относительно всего произошедшего. Поначалу я полностью был на стороне такого разрешения вопроса, чтобы король смог сохранить престол и жениться на миссис Симпсон, и если бы дело было только в этом, мое мнение осталось бы таковым. Однако, до меня стали доходить слухи, которые изменили мое мнение. Как оказалось, король весьма беспечно относился к документам государственной важности и однажды оставил их на столе, тем самым позволив миссис Симпсон и ее друзьям ознакомиться с их содержанием. Произошла весьма удручающая утечка информации. Я также слышал об одном или двух случаях подобного рода, но больше всего меня обеспокоила именно эта ситуация. И все же я уважаю герцога Виндзорского за его отношение к делу.

Проникнутый уважением Алан даже приобрел грампластинку с записанной на ней речью отречения. Позже, 1 января он писал:

Мне очень жаль, что Эдвард VIII был вынужден отречься от престола. Я уверен, что правительство долгое время хотело избавиться от него, и свадьба с миссис Симпсон стала хорошей для этого возможностью. Было ли мудро с их стороны избавляться от него — совсем другой вопрос. Я уважаю Эдварда за проявленное им мужество. Что касается архиепископа Кентерберийского, я нахожу его поведение недостойным. Он дожидался удобного момента, когда Эдвард уже не будет представлять опасности, а затем разразился вполне необоснованными оскорблениями в его адрес. Он бы не посмел заявлять подобное, пока Эдвард оставался королем. Более того, он не имел ничего против того, чтобы миссис Симпсон состояла у короля в любовницах, но выступал против их брака, я не могу согласиться с таким мнением. Я не понимаю, как вы можете обвинять Эдварда за то, что он якобы растерял время его министров и остатки своего ума в критический момент. Ведь именно Болдуин начал обсуждение вопроса.

В речи архиепископа, транслировавшейся по радио 13 декабря, было сделано заявление, что король сложил свои полномочия ради простого «желания обрести личное счастье». Но погоня за счастьем никогда не становилась приоритетом правителей Великобритании. Взгляды Алана по вопросам брака и нравственности во многом можно было бы назвать модернистскими. В беседе со своим ровесником Кристофером Стедом с теологического факультета Кингз-Колледжа Алан однажды сказал, что человек должен следовать своим естественным порывам чувств, а что касается епископов, столь уважаемых миссис Тьюринг, для него они воплощали собой *ancien régime*. В разговоре с Венейблом Мартином, его новым американским другом, с которым он посещал курс лекций Чёрча, он заявил, что правительство обошлось с королем «очень подло».

В связи со своим исследованием 22 ноября Алан написал Филиппу Холлу:

> За время своего пребывания здесь мне не удалось сделать потрясающих открытий, но, возможно, я опубликую две или три небольших статьи. Одна из них будет содержать в себе доказательство неравенства Гильберта, если, конечно, мое решение окажется новым; другая работа касается теории групп, ее я завершил около года назад, и Баер считает ее достойной публикации. Когда я завершу работу над этими статьями, я снова примусь работать в области мат(ематической) логики.
>
> Я заметил, что го здесь не такая популярная игра, но мне удалось сыграть в две или три партии.
>
> Принстонский университет меня почти во всем устраивает. Кроме их манеры вести разговор только одна — нет, две! — особенность(и) жизни в Америке я нахожу весьма удручающими: невозможность принять ванну в прямом смысле этого слова, а также их мнение по поводу температуры помещения.

Под словами «их манеры вести разговор», Алан имел в виду жалобы следующего рода:

В общении с американцами я замечаю некоторые особенности, которые мне режут слух. Каждый раз, когда ты благодаришь их за что-нибудь, они отвечают «Не стоит благодарности». Поначалу мне это нравилось, но теперь, когда я слышу эту фразу, она мне напоминает мяч, отскочивший от стены, и начинаю испытывать чувство тревоги. Другая их непонятная привычка — произносить тот звук, который авторы указывают как «ага». Обычно они произносят это, когда у них не находится достойного ответа или же замечания, но отчего-то считают, что молчание будет неуместным или даже грубым.

Статья «О вычислимости чисел» была отправлена к нему в Принстон сразу после того, как он туда прибыл, так что публикация статьи была неизбежна. Тем временем Алонзо Чёрч предложил Алану провести один из семинаров, чтобы познакомить всех основных специалистов в области математики Принстонского университета с идеями своей работы. В письме домой от 3 ноября Алан по этому поводу писал:

Чёрч только что посоветовал мне провести лекцию для Математического Клуба на тему «Вычислимых чисел». Надеюсь, у меня действительно появится возможность представить свою работу, поскольку это мне поможет обратить внимание на нее. И все же я не рассчитываю провести лекцию в скорейшем времени.

В действительности ему пришлось ждать всего месяц, но лекция обернулась для него большим разочарованием:

Моя лекция в Математическом Клубе состоялась 2 декабря, но посетили ее совсем немногие. По-видимому, чтобы тебя удостоили вниманием, нужна определенная репутация. На следующей неделе после моей лекции состоялось выступление Дж. Д. Биркгофа. Он человек известный и аудитория была переполнена. Но его лекция совсем не отвечала ожиданиям слушателей. На деле вышло, что все присутствующие там еще долго над ней смеялись.

Другое разочарование постигло его, когда его статья «О вычислимых числах», наконец опубликованная в журнале, получила довольно слабый отклик. Чёрч написал о ней отзыв для «Журнала символьной логики», и благодаря ему понятие «машина Тьюринга» впервые появилось в печати. Но лишь два человека попросили отдельные оттиски статьи: Ричард Брейтуэйт из Кингз-Колледжа и Генрих Шольц, почти единственный специалист в области математической логики, оставшийся в Германии, который в ответ на полученную статью написал о проведенном им семинаре в Мюнстере на данную тему и почти умолял выслать следующую работу в двух экземплярах, объясняя свою просьбу тем, что в настоящем положении ему приходится довольно сложно оставаться в курсе последних научных достижений. Алан писал в письме домой от 22 февраля:

> Я получил два письма с просьбами выслать отдельные оттиски статьи. (...) кажется, они весьма заинтересованы моей работой. Полагаю, что все-таки она сможет произвести некоторое впечатление. Я был разочарован тем, как она была принята здесь. Я надеялся, что Вейль, который несколько лет назад работал над общей с моей работой темой, по крайней мере напишет пару замечаний по моей статье.

Возможно, он также надеялся, что Джон фон Нейман сможет написать пару замечаний. Казалось, некий по-настоящему могущественный Волшебник учиняет неприятности на пути ни о чем не подозревающей Дороти в лице Алана. Как и Вейль, фон Нейман был заинтересован в программе Гильберта и когда-то надеялся однажды выполнить ее всю, хотя его активному интересу в области математической логики пришел конец вместе с появлением теоремы Гёделя. Однажды он заявил, что после 1931 года он не читал ни одной другой работы на тему в области математической логики, но это было от силы полуправдой, поскольку он читал поразительное количество работ, приступая к чтению с раннего утра, задолго до того, как просыпались остальные, охватывая научную литературу всех разделов математики. И все же в письмах Алана своей матери или Филиппу Холлу на тот момент времени не было ни единого упоминания о нем.

В случае основного читателя журнала Лондонского математического общества *Proceedings* существовало сразу несколько причин, почему работа Алана не могла заинтересовать его в полной мере. Математическая логика оставалась отчасти периферийной темой для исследований, в которой сами математики обычно видели или попытку доработать то, что и так всем известно, или попытку создать новые проблемы на пустом месте. Начало работы казалось увлекательным, но после (типичным для Тьюринга образом) текст заводил читателя в непролазные дебри рядов непонятных готических символов, объясняющих устройство таблиц его универсальной машины. И в последнюю очередь этим могли заинтересоваться специалисты прикладной математики, которые обычно прибегают к практическому вычислению в таких областях, как астрофизика и гидроаэромеханика, где уравнения не приводят к решениям в явном виде. Также статья «О вычислимых числах» не шла на уступку в отношении конструирования, даже для ограниченного ряда логических задач, которые указывались в работе как область применения машин. К примеру, в работе Алан принял за условие, что машины должны печатать «вычислимые числа» на дополнительных ячейках ленты, а также использовать промежуточные ячейки в качестве рабочего поля. Но работа устройства значительно могла быть упрощена, если бы он допускал увеличение рабочего пространства на ленте. Таким образом, его работа не представляла особого интереса для ученых, не входящих в узкий круг специалистов в области математической логики, за возможным исключением в отношении специалистов в области чистой математики, которых могло заинтересовать проводимо в статье различие между вычислимыми числами и действительными числами.

И все же был один человек, один из тех немногих, чей профессиональный интерес лежит в области математической логики, который прочитал статью с значительным личным интересом к представленной в ней теме исследования.

Это был Эмиль Пост, американский математик с польскими корнями, занимающий преподавательскую должность в Городском колледже Нью-Йорка. Еще с начала 1920-х годов он предвосхитил некоторые из идей Гёделя и Тьюринга в своих неопубликованных работах. В октябре 1936 года он представил на рассмотрение в находившийся в то время под редакцией Чёрча «Журнал символьной логики» свою статью, в которой предложил свой способ уточнить то, что имелось в виду под словами «решение общей проблемы». В работе автор ссылался на статью Чёрча, которая расправилась с проблемой Гильберта о разрешимости, но вместе с тем ставила условие, что любой определенный метод может быть выражен в виде формулы в рамках его лямбда-исчисления. Пост в свою очередь предложил, что определенным методом может стать тот, который может быть записан в виде таблицы инструкций для не обладающего разумом «оператора», работающего на бесконечном полотне «коробок», при этом его возможности должны заключаться лишь в умении считывать указанные инструкции, а также

(a)   Отмечать коробку, в которой он находится (предположительно пустую),

(b)   Стирать отметку с коробки, в которой он находится (предположительно уже отмеченную),

(c)   Передвигаться к следующей коробке справа,

(d)   Передвигаться к следующей коробке слева,

(e)   Определять отмечена ли коробка, в которой он находится, или же нет.

Поразительным казалось то, что «оператор» Поста должен был выполнять тот же набор действий, что и машины Тьюринга. Некоторое соответствие также просматривалось в плане приведенных в работах терминов. Образность устройства Поста, пожалуй, более очевидно базировалась на устройстве сборочного конвейера. В целом, статья Поста представлялась менее амбициозной, чем работа «О вычислимых числах», поскольку он так и не пришел к идее «универсального оператора» и не рассматривал самостоятельно проблему разрешимости Гильберта. Также его работа была лишена рассуждений о природе конфигураций такой машины. Вместе с тем, ему достаточно точно удалось предположить, что изложенная им формулировка поможет устранить оставленную Черчем брешь в теории. Таким образом, уже его работу на несколько месяцев опередила машина Тьюринга, и Чёрчу пришлось подтверждать, что его работа носила независимый характер. И даже если бы Алана Тьюринга никогда и не было, его идея была обречена появиться на свет в той или иной форме, поскольку она служила тем необходимым мостиком, установившим связь между миром логических идей и миром практических применений.

С другой стороны, эта идея связала мир логических идей с миром деятельности человека, что сам Тьюринг оценивал как задачу наиболее трудно решаемую. Одно дело — прийти к идее, и совсем другое суметь произвести с их помощью впечатление на весь мир. В каждом случае требовались абсолютно разные способы решения. Хотел ли Алан того или нет, но его умственная активность была заключена в рамки академической системы, которая как и любая другая организация предоставляла больше возможностей тем, кто умел пускать в ход свои связи и завязывать нужные знакомства. Но как отмечали его современники, в этом отношении он оставался всегда в стороне. Он предполагал, что истина каким-то магическим способом в конце концов восторжествует, и поэтому считал продвижение своего имени слишком низменным и обыденным занятием, чтобы даже беспокоиться об этом. Одним из его излюбленных словечек было «фальшивка», которое он употреблял по отношению к любому, кто добился некоторого положения или должности за счет того, что сам Алан считал необоснованным научным авторитетом. Это же слово он однажды употребил в адрес рецензента одной из его представленных на рассмотрение весной того же года работ по теории групп, который пришел к ошибочному пониманию его исследования.

Постепенно он стал осознавать необходимость направить большие усилия на самореализацию, к тому же он не мог не заметить, что его друг Морис Прайс как раз представлял собой прекрасный пример того, как в одном человеке интеллектуальные способности могут уживаться со способностью представлять результаты своих исследований в самом выгодном для него свете.

К тому времени они оба прошли долгий путь с той недели, которую провели вместе в Тринити-Колледже в далеком декабре 1929 года. Алану удалось стать первым студентом, избранным в члены совета (благодаря благосклонности Кингз-Колледжа при рассмотрении темы его диссертационной работы). Но Морис не отставал и был избран в члены совета Тринити-Колледжа, что казалось немного более впечатляющим достижением. К тому же именно в нем все видели восходящую звезду в области математических наук. Их интересы развивались, дополняя друг друга: Морис занялся квантовой электродинамикой, при этом поддерживая свой интерес к чистой математике. Но общим интересом для них оставались фундаментальные проблемы. Довольно часто они пересекались на лекциях в Кембриджском университете и порой обменивались записями за чаем, и вскоре выяснилось, что семья Прайсов также обосновалась в Гилфорде. Однажды Морис был приглашен в дом 8 на Эннисмор-Авеню, где во время знакомства миссис Тьюринг приняла его за школьника из малоимущей семьи. Алан в свою очередь был приглашен в лабораторию Мориса, самостоятельно оборудованную им в гараже Прайсов, и остался под большим впечатлением от увиденного.

В первый год своего пребывания в Принстоне Морис находился под руководством Паули, австрийского специалиста в области квантовой физики, но уже на следующий год его взял под свое крыло сам фон Нейман. Все знали Мориса, и он знал каждого. Его можно было заметить на всех роскошных званых вечерах, устраиваемых фон Нейманом, которые оставляли у присутствовавших впечатление, будто они побывали на «опере восемнадцатого столетия», хотя теперь они проводились не так часто, учитывая сложившиеся у фон Неймана затруднения в личной жизни. И если и был английский студент, сумевший завязать знакомство с фон Нейманом и найти его общительным человеком, обладающего неудержимой натурой молодого повесы с энциклопедическими знаниями во многих областях наук, то скорее это был именно Морис Прайс, а вовсе не Алан Тьюринг. К тому же только Морис Прайс обладал способностью вовлечь в разговор немногословного Харди, который имел репутацию затворника. Ему удавалось найти подход к каждому, и стоит заметить, что именно благодаря его поддержке Алан смог прижиться в Новом Свете.

Возможно, в Кингз-Колледже Алан и не сталкивался с некоторой бесцеремонностью некоторых аспектов академической жизни, но в Америке на них нельзя было не обратить свое внимание. Его взгляды не вписывались в идею «американской мечты», достижения результатов путем устранения конкурентов, точно так же как и не разделяли традиционное британское понимание жизни, то есть исполнение отведенной роли в общей системе.

Но Кингз-Колледж спасал его от жестокой действительности и в другом смысле. Там он мог посмеяться над любой неприятной ситуацией. Когда Виктор приехал к нему в мае 1936 года, по университету прошел слух, что некий выпускник Шерборна был замечен с «дамой» в своей комнате и был отчислен. С ухмылкой на лице Алан по этому поводу заметил, что о грехах подобного рода *он* точно не сожалеет. Алан не привык жаловаться и в любой неловкой ситуации показывал свое отменное чувство юмора. Но в проблеме, с которой он столкнулся на пути приобретения известности, не было ничего смешного.

Алан столкнулся с трудностью, которая ожидала каждого гомосексуалиста, только разобравшегося с внутренними психологическими противоречиями, возникшими при пробуждении в мире Зазеркалья. Но дело было не только в сознании отдельной личности, поскольку действительность не всегда отражала гетеросексуальность общества. Конец 1930-х годов не принес ничего нового, что могло бы помочь ему в сложившейся ситуации. За исключением тех, кто мог разглядеть нечто за стилизованной гетеросексуальностью образов Фреда Астера и Басби Беркли, в общем и целом, общество тех времен установило еще более жесткие рамки для понятий «мужественности» и «женственности». Но все это время существовала и другая Америка со своими паровыми банями и ночными барами, но Алану она могла показаться инопланетной реальностью. Он еще не был готов к социальной адаптации, как и не понимал, что его сексуальность могла кого-то интересовать за пределами Кембриджа.

Вполне обоснованно он мог чувствовать, что в его случае не существует возможности адаптироваться, и что вся дилемма между разумом и телом не имела своего решения. На тот момент его застенчивость помогала ему избежать любых столкновений с суровостью существования в обществе, и он продолжил свои попытки справиться с ней, постепенно сближаясь с людьми, разделявшими его научный интерес. Но и это нельзя было назвать большим достижением.

Некоторое время накануне Дня Благодарения Алан провел в Нью-Йорке, поскольку долг обязывал его принять приглашение от духовного лица, который оказался другом преподобного Андерхилла, любимого священника миссис Тьюринг. («Он один из американских англокатоликов. Мне он в общем понравился, но при этом он показался мне твердолобым. Кажется, он не принесет особой пользы правительству Рузвельта.») Все свое свободное время Алан провел, «слоняясь по Манхеттену, постепенно привыкая к плотному уличному движению и подземке (метрополитен)», а также посетил планетарий. Возможно, более соответствующими эмоциональному состоянию Алана стали рождественские праздники, когда Морис Прайс уговорил его отправиться кататься на лыжах в Нью-Хэмпшир на две недели:

Он поделился со мной своей идеей 16-го, и уже 18-го мы отправились в путь. В последний момент к нашей компании примкнул некто по имени Ванье. Пожалуй, это даже к лучшему, поскольку я всегда умудряюсь устроить ссору, если отправляюсь в поездку с одним попутчиком. Было очень мило со стороны Мориса пригласить меня. На протяжении всего моего пребывания здесь, он был очень добр ко мне. Первые несколько дней мы провели в небольшом домике, где оказались единственными постояльцами. Позднее мы отправились в другое место, где вместе с нами проживали еще несколько стипендиатов Британского содружества наций и студенты самых разных национальностей. Не знаю, почему именно мы решили переехать, но полагаю, что Морис хотел провести время в большой компании.

Возможно сам Алан хотел, чтобы Морис проводил больше времени с ним, поскольку его новый друг во многом напоминал повзрослевшего Кристофера Моркома. Их путь обратно проходил через Бостон, и где-то в его окраинах у них случилась поломка машины, а уже по возвращению Морис и Фрэнсис Прайс устроили вечер игры в «поиск сокровищ» в минувшее воскресенье. Они подготовили тринадцать подсказок разного рода, криптограммы, анаграммы и другие загадки, совершенно мне неизвестные. Все ребусы оказались очень изобретательными, но, к сожалению, я не так силен в подобных вещах.

Одна из загадок остроумно называлась «Роль коварного францисканца» и привела участников игры в ванную комнату, которую делили Фрэнсис Прайс и Шон Уайли, где они обнаружили следующую подсказку, записанную на туалетной бумаге. Сам Шон Уайли обладал удивительной способностью разгадывать анаграммы в два счета. Поиск сокровищ изумил более серьезных американцев своим «студенческим юмором», и игру посчитали «очередной английской причудой». В свою очередь Алан принимал участие в разгадывании шарад и чтении текстов по ролям. В обеденное время друзья обычно разыгрывали шахматные партии или играли в го. Когда растаял снег, они начали играть в теннис и продолжили устраивать хоккейные матчи. Однажды, когда друзья собирались играть на чужом поле, Фрэнсис Прайс оставил на доске объявлений запись *Virago Delenda Est*, и кто-то особо смелый вычеркнул первую букву «а». Так, на раскинувшихся у Принстонского университета полях, где в мае 1937 года они наблюдали, как пламя «Гинденбурга» озарило горизонт, молодые люди нового склада разыгрывали первые партии англо-американского военного союза.

Алану нравилось проводить время за подобными развлечениями, но его социальная жизнь оставалась для него загадкой. Как и для любого другого молодого человека с гомосексуальной ориентацией в те времена его жизнь становилась игрой в имитацию, но не в смысле собственного сознательного притворства, а скорее в том смысле, что остальные воспринимали его не тем, кем он являлся на самом деле. Его знакомые могли полагать, что хорошо его знают, и в некотором смысле так и было, но они не могли понять, с какими сложностями он, будучи индивидуалистом в своих взглядах, сталкивался в своем противостоянии окружающей действительностью. Алану пришлось осознать свою гомосексуальность в обществе, которое делало все возможное, чтобы искоренить ее; и менее насущной, хотя и в равной степени постоянной, перед ним вставала необходимость вписаться в академическую систему, которая не разделяла его взгляды по многим вопросам. В обоих случаях ставилась под угрозу его индивидуальность. Эти проблемы не могли быть решены одними только рассуждениями, поскольку они возникли из его физического представления в обществе. И действительно, решение не было найдено, и перед Аланом возникла лишь череда весьма запутанных и неловких ситуаций.

В начале февраля 1937 года Алан получил отдельные оттиски статьи «О вычислимых числах», которые он незамедлительно разослал своим друзьям. Один был отправлен Эперсону (который к тому моменту оставил преподавательскую должность в Шерборне и занял более подходящее его духу место священника Англиканской церкви), и еще один — Джеймсу Аткинсу, который принялся строить преподавательскую карьеру и работал учителем в школе Уолсолла. Джеймс также получил письмо от Алана, в котором тот рассказывал, в довольно отрешенной манере, что в последнее время чувствует себя подавленным, и заметил, что даже придумал свой собственный способ уйти из жизни при помощи яблока и электропроводки.

Возможно, его депрессия стала результатом его научного успеха: работа над статьей «О вычислимых числах» была для него чем-то вроде романа, который подошел к концу. У него появилась проблема профессионального «выгорания». Неужели его работа ни к чему не вела? Да, ему удалось создать нечто стоящее, но ради чего? Мудрецы из пьесы Бернарда Шоу могли довольствоваться лишь истиной как самоцелью, но Алану этого было недостаточно. В действительности он видел свои цели в другом. «Что касается вопроса, почему нам тогда дано тело, почему мы не можем жить, как свободные духи, и таким же образом взаимодействовать друг с другом, полагаю, что мы могли бы существовать подобным образом, но в таком случае не смогли бы ничего делать. Тело служит духу чем-то вроде инструментария.» Но что же способно было сделать его тело, не искажая при этом истину?

В период времени с января и вплоть до апреля 1937 года он был поглощен работой над статьей по лямбда-исчислению и еще над двумя по теории групп. В статье по теории математической логики Алан развивал некоторые идеи Клини. Первая статья по теории групп опиралась на исследование Рейнхольда Баера, немецкого специалиста по алгебре, состоявшего при Институте перспективных исследований, которое было завершено к 1935 году. Но другая статья по теории групп представляла собой новую точку отправления исследований Алана, идею для которой ему подсказал фон Нейман. В ней рассматривалась проблема, сформулированная бежавшим из Польши математиком еврейского происхождения Станиславом Уламом. Он поставил перед наукой вопрос: могут ли непрерывные группы быть аппроксимированы конечными группами, так же как сфера аппроксимируется полиэдром. С легкой руки фон Неймана проблема досталась Алану, который справился с задачей уже к апрелю и представил готовую статью на рассмотрение. Работа была выполнена довольно быстро, и хотя он доказал, что непрерывные группы не могут быть аппроксимированы подобным образом, результат работы был скорее отрицательным. К тому же, по его собственному признанию, он «не отнесся к поставленной задаче с такой же серьезностью, с какой занимался работами в области логики».

Тем временем перед ним возникла возможность остаться в Принстоне еще на один год. В связи с этим 22 февраля Алан написал письмо домой:

> Вчера я отправился к Эйзенхартам на традиционное воскресное чаепитие, и они принялись меня убеждать остаться еще на один год. Миссис Эйзенхарт по большому счету приводила моральные и социологические причины, почему мне стоит продлить свое пребывание здесь. Сам декан намекнул, что стипендия Проктора с большой вероятностью достанется мне, если я подам на нее прошение (она составляет две тысячи долларов годовых). На это я заметил, что Кингз-Колледж, возможно, заинтересован в моем возвращении, но все же дал смутное обещание известить их, если передумаю. Все, кого я здесь знаю, уедут в этом году, и меня вовсе не прельщает перспектива провести здесь все лето. Мне бы хотелось узнать, что вы думаете по этому поводу. Полагаю, скорее всего, я вернусь обратно в Англию.

Декан Эйзенхарт был человеком старых нравов и во время своих лекций порой извинялся перед студентами за свое использование современной теории абстрактных групп, но все же человеком крайне добрым. Вместе со своей женой он прикладывал все усилия, чтобы скрасить научную жизнь студентов, и приглашал их к себе на чай. Несмотря на мнение родителей Алана по этому вопросу, Филипп Холл выслал ему список вакансий на должность лектора Кембриджского университета, и такая возможность для Алана была бы более предпочтительной. В сущности для него должность лектора означала постоянное проживание в Кембридже, что сам Алан считал единственным возможным решением его проблем в жизни, а также признание его научных достижений. В ответном письме от 4 апреля Алан писал:

> Я собираюсь подать заявление на снискание должности, но при этом понимаю, как невероятно трудно мне будет ее получить.

Он также написал своей матери, которая в то время собиралась отправиться на паломничество в Палестину:

Мы с Морисом вместе решили подать заявления, хотя мне не кажется, что кто-нибудь из нас получит эту должность, но полагаю, что лучше начать заниматься этими вещами как можно раньше, чтобы быть на примете. Обычно я склонен избегать подобных вещей. Морис имеет гораздо лучшее представление о том, что нужно делать для собственного продвижения по карьерной лестнице. Он прикладывает невероятные усилия, чтобы завязать нужные знакомства с важными персонами.

Как он и предполагал, ему не удалось получить место в Кембриджском университете. Вскоре он получил письмо из Кингз-Колледжа от Ингама, который убеждал его остаться в Принстоне на второй год, и это повлияло на окончательное решение Алана. В письме от 19 мая он написал:

Только недавно я наконец принял решение остаться здесь еще на один год, при этом я должен уехать обратно в Англию на большую часть лета в согласии с условиями предыдущей программы. Мне хотелось бы поблагодарить вас за предложенную помощь, но я не буду нуждаться в ней, поскольку если все случится так, как предполагает декан, я получу стипендию Проктора и больше не буду нуждаться, в обратном случае я буду вынужден вернуться обратно в Кембридж. Еще один год на таких же условиях будет настоящим расточительством с моей стороны. (...)

Мой корабль отплывает 23 июня. Возможно, перед своим отправлением мне удастся немного попутешествовать по стране, поскольку в следующем месяце здесь не намечается ничего интересного, к тому же это не самое удачное время года для работы. Хотя, скорее всего, я никуда не поеду, ведь я не привык путешествовать только ради перемены места.

Мне очень жаль, что в следующем году здесь не будет Мориса. Он скрашивал время моего пребывания здесь.

Очень рад узнать, что королевская семья противостоит попыткам кабинета министров замять всю ситуацию с браком Эдварда VIII.

Поскольку ему предстояло еще один год провести в Принстоне, он решил последовать примеру Мориса и получить ученую степень доктора наук. Для его диссертации Черч предложил тему, которая возникла в курсе его лекций и рассматривала результаты теоремы Гёделя. В марте Алан писал, что он «разрабатывает новые идеи в области математической логики. Пока что работа кажется не настолько удачной, как вычислимые числа, но результаты обнадеживают». Эти идеи в дальнейшем окажут существенное влияние на характер исследовательской деятельности Алана.

Что касается стипендии фонда Проктера, ему с легкостью удалось ее получить. Для начала вице-канцлер Кембриджского университета должен был предложить кандидатуру своего студента на снискание стипендии, и вскоре ему были высланы рекомендательные письма. Одно из них было отправлено самим фон Нейманом, который писал:

1 июня 1937 года
Сэр,
Мистер А. М. Тьюринг недавно уведомил меня о подаче заявления на получение стипендии Проктера (sic) для специалистов Кембриджского университета, приглашенных в Принстонский университет на 1937—1938 академический год. Мне бы хотелось оказать ему поддержку и сообщить вам, что я хорошо знаю мистера Тьюринга по предыдущим годам нашего знакомства: впервые я встретил его во время последнего семестра 1935 года, когда я занимал должность приглашенного профессора в Кембриджском университете, и на протяжении 1936—1937 учебного года, который мистер Тьюринг провел уже здесь, в Принстоне, я имел удовольствие следить за ходом его исследовательской деятельности. Он добился существенных результатов в областях математики, представляющих для меня особый интерес,

а именно: теория почти периодический функций, а также теория непрерывных групп.

Я считаю его одним из наиболее достойных кандидатов на снискание стипендии Проктора и буду очень рад, если вы найдете возможным предоставить ее мистеру Тьюрингу.

С уважением, Джон фон Нейман.

Скорее всего, Джона фон Неймана попросили написать рекомендательное письмо, поскольку его имя имело большое значение для Принстонского университета. Но почему тогда он не упомянул в письме статью «О вычислимых числах», которая, разумеется, была более существенной работой, чем перечисленные им остальные? Неужели Алану не удалось осведомить его о существовании работы даже после того, как она была опубликована, а позднее и разослана другим ученым? Если бы Алан действительно был вхож в круги фон Неймана, первым делом ему стоило ознакомить его со статьей, чтобы привлечь заслуженное внимание к своей работе. Вполне вероятным результатом того, что остальные считали банальным отсутствием у него житейской хватки, могла стать ситуация, что он оказался попросту слишком робок, чтобы продвигать свою работу «важным персонам» в области математических наук.

Вопреки ожиданиям Алана и, возможно, к его небольшому сожалению, Морис Прайс все же получил должность лектора в Кембриджском университете, а вместе с ним и Рэй Литтлтон, который уже получил стипендию Проктера. К тому же Алану все же удалось отправиться в путешествие на некоторое время. Морис продал ему свой «форд» модели V8 1931 года выпуска, на котором летом 1936 года он проехал через весь континент, что входило в обязательную программу стипендии Британского содружества наций. Морис научил его водить машину, что оказалось задачей не из простых из-за врожденной неуклюжести Алана. Однажды во время уроков вождения он чуть не утопил машину, въехав в озеро Карнеги. Где-то 10 июня они вместе отправились в поездку в гости к Тьюрингам, на которой миссис Тьюринг долгое время настаивала в письмах сыну. Их пригласил двоюродный брат миссис Тьюринг, который в своё время покинул Ирландию. Джек Кроуфорд к тому времени уже приближался к своим семидесяти годам и после долгих лет службы пастором Уэйкфилда, штата Род-Айленд, ушел в отставку.

Поездка превзошла ожидания Алана, который изначально рассматривал ее как обязательство перед матерью, поскольку за время знакомство он проникся особой симпатией к Джеку Кроуфорду, в свое время проходившему обучение в Королевском научном колледже Дублина:

> Я с наслаждением провел время в гостях у дяди Джека. На мой взгляд, он человек бывалый, но при этом очень энергичный. У него есть небольшая лаборатория с телескопом, который он собрал собственными руками. Он рассказал мне все что сам знает о шлифовке зеркал... Думаю, они с тетей Сибил могут посоревноваться для получения диплома в области семейных отношений. Тетя Мэри кажется одним из тех людей, которых хочется положить в карман и унести с собой. Она с особым гостеприимством и радушием приняла нас, но при этом показалась мне довольно застенчивым человеком. Она просто обожает дядю Джека.

Это были обычные люди, которым в большей мере удалось помочь Алану почувствовать уют родного дома, чем кому-либо из научного мира Принстонского университета. Не долго раздумывая, Кроуфорды разместили своих гостей в комнате с одной двуспальной кроватью.

В один момент все занавесы разом упали. Морис был поражен — он не имел ни малейшего подозрения. Алан тотчас же извинился и удалился. Но затем он вспыхнул, но не от стыда, а от гнева и на одном дыхании рассказал свою историю: как родители надолго оставляли его одного, уезжая на службу в Индию, и как непросто ему приходилось во время обучения в закрытых школах-пансионах. Все это уже было высказано раньше в романе «The Loom of Youth»:

> Тогда Джеффри пришел в ярость, благодаря которой он стал непревзойденным спортсменом, и выпалил: «Не-

справедливо? Да, это слово как нельзя лучше подходит в этой ситуации, все это действительно несправедливо. Кто сделал меня таким, как если не сам Фернхерст? (...) И теперь тот самый Фернхерст, который сделал меня таким, разворачивается и говорит мне: "Ты не достоин учиться в этой школе!" — и мне придется уйти...»

Эта неловкая ситуация обнажила мучившую Алана жалость к самому себе, никогда ранее им не проявляемую, а также показала результат его собственного психоанализа, который, как он должен был понимать, был весьма поверхностным. Ему нужно было начать смотреть в свое будущее, не оборачиваясь назад, но что же его там ожидало? Морис принял его объяснение, и они больше не поднимали эту тему. И в день, когда Алану исполнилось двадцать пять лет, он поднялся на борт трансатлантического лайнера «Куинс Мэри» и уже 28 июня высадился в Саутгемптоне.

Вернувшись в Кембриджский университет на целых три месяца в мягкий климат родной Англии, Алан принялся за работу сразу над тремя проектами. Сначала ему нужно было внести некоторые изменения в статью «О вычислимых числах». Из Цюриха Бернайс прислал письмо, в котором довольно неприятным образом указал на несколько ошибок в его доказательстве, что проблема разрешимости Гильберта в своей точной формулировке не имеет решения, поэтому Алану пришлось писать примечание с исправлением для журнала Лондонского математического общества *Proceedings*. Он также оформил свое доказательство того, что его понятие «вычислимости» в точности соответствовало понятию Чёрча о «практической вычислимости». К тому моменту появилось и третье определение схожей идеи, известное под названием «рекурсивная функция». Такая функция позволяла определить математическую функцию в рамках более простых функций. Эта идея впервые появилась в работе Гёделя, и позже Клини развил ее в своем исследовании. Существование рекурсивной функции подразумевалось в доказательстве Гёделя неполноты арифметики. Когда Гэдель показал, что понятие доказательства с точки зрения шахматной игры является понятием таким же арифметическим, как нахождение наибольшего общего делителя, по существу он говорил о том, что эта работа может быть выполнена при помощи «определенного метода». Позже эта идея привела к понятию «рекурсивной функции». И как теперь оказалось, общая рекурсивная функция была точным эквивалентом вычислимой функции. Таким образом, лямбда-исчисление Чёрча и метод определения арифметических функций Гёделя оказались эквивалентны машине Тьюринга. Сам Гёдель позже признал устройство машины Тьюринга как наиболее удовлетворительное выражение «определенного метода». В то время совершенно удивительным и поразительным обстоятельством казалось то, что три независимых подхода к идее «определенного метода» сошлись на одном общем ее представлении.

Второй проект касался «новых идей в области логики» для его докторской диссертации. Основная идея работы состояла в том, чтобы понять, существует ли способ каким-либо образом ослабить силу результата теоремы Гёделя, согласно которому в арифметике всегда будут существовать верные, но недоказуемые утверждения. Этот вопрос не был новым, поскольку Россер, который теперь состоял при Корнеллском университете, опубликовал статью, в которой исследовал эту тему, в марте 1937 года. Тем не менее Алан планировал решить вопрос в более общем виде.

Его третий проект был наиболее амбициозным, поскольку он решил испытать свои силы и попытаться решить центральную проблему в теории чисел. Он уже проявлял интерес к этой теме, поскольку приобрел книгу Ингама с исследованиями в области теории чисел еще в далеком 1933 году. Однако, когда Ингам в 1937 году выслал ему несколько последних работ на эту тему, он решил самому попробовать решить проблему. Проект казался амбициозным главным образом потому, что над темой, которую он выбрал предметом своего исследования, безуспешно и многие годы бились одни из величайших умов в области чистой математики.

Хотя простые числа использовались повсеместно в математике, довольно легко можно было сформулировать всего в нескольких словах такие вопросы, которые привели бы любого ученого в замешательство. Один из таких вопросов был решен довольно скоро. Евклиду удалось доказать существование бесконечного множества простых чисел, и хотя в 1937 году число $2^{127} - 1 = 170141183460469231731687303715884105727$ было самым большим известным простым числом, так же было известно, что их ряд продолжался бесконечно. Другим свойством простых чисел, о котором было нетрудно догадаться, но которое было трудно доказать, стало особое распределение простых чисел: сначала почти каждое число является простым, но уже ближе к 100 простым будет только одно из четырех, ближе 1000 — одно из семи, а ближе к 10 000 000 000 — только одно из двадцати трех. Тому должна была быть какая-то причина.

Где-то в 1792 году пятнадцатилетний Гаусс заметил закономерность распределения простых чисел. Расстояние между простыми числами рядом с числом п было пропорционально количеству цифр в числе п. На протяжении всей своей жизни Гаусс, очевидно увлекавшийся вещами подобного рода, проводил свободные часы, определяя все простые числа до трех миллионов, каждый раз подтверждая свое наблюдение.

Вопрос оставался без внимания вплоть до 1859 года, когда Риман новую теоретическую систему взглядов, в которой можно было вновь рассмотреть эту проблему. Тогда он сделал открытие, что исчисление комплексных чисел могло связать фиксированные и дискретные простые числа с одной стороны и гладкие функции вроде логарифма — непрерывные и усредненные величины — с другой. Таким образом, он получил формулу распределения простых чисел, улучшенную версию логарифмической закономерности, которую заметил Гаусс. Но даже тогда формула не была совсем точной и не имела доказательства.

Формула Римана не принимала во внимание определенные условия, которые он тогда еще не мог оценить. И только в 1896 году было доказано, что его ошибочные условия недостаточны, чтобы повлиять на основной результат, который теперь носил название Теоремы о числе простых чисел. Теорема утверждала, что распределение простых чисел могло быть описано логарифмической функцией. Теперь это было не просто наблюдение, теорема доказывала, что подобное распределение происходило до бесконечности. Но на этом история не заканчивалась. Графики показывали, что простые числа поразительно точно отвечали логарифмической закономерности их распределения. Ошибочные условия оказались не просто недостаточными по сравнению с общей логарифмической схемой, они были мизерными. Но было ли такое наблюдение справедливо по отношению к всем простым числам бесконечного ряда, и если да, то чем это можно объяснить?

Работа Римана рассматривала этот вопрос в несколько иной форме. Он определил функцию комплексных чисел и назвал ее «дзета-функцией». Утверждение о том, что ошибочные условия оставались недостаточными, по существу было равнозначно утверждению, что дзета-функция Римана принимала значения нуля в точках, располагающихся на одной критической прямой. Это утверждение стало известно под названием гипотеза Римана. Сам Риман считал гипотезу с большой вероятностью верной, и его мнение разделяли многие другие ученые, но доказательство гипотезы так и не было найдено. В 1900 году Гильберт включил ее в свой список знаменитых проблем и порой называл ее «наиболее значимой в математике, безусловно самой значимой». Харди безуспешно бился над решением проблемы на протяжении тридцати лет.

Такова была суть центральной проблемы в теории чисел, но вместе с ней возникал целый ряд других вопросов, один из которых Алан выбрал для своего собственного исследования. Простое предположение о распределении простых чисел согласно логарифмической функции без внесенных Риманом улучшений в формулировку, казалось, переоценивает действительное количество целых чисел в некоторой степени. Здравый смысл, или «научная интуиция», основанная на миллионе примеров, подсказывала, что такая закономерность будет прослеживаться и дальше, с более и более крупными числами. Но уже в 1914 году Дж. И. Литлвуд, английский математик и коллега Харди, доказал обратное, объяснив это существованием некоторого предела, где простое предположение будет недооценивать кумулятивное множество простых чисел. Позже, в 1933 году кембриджский математик С. Скьюз показал, если гипотеза Римана верна, точка пересечения появится перед числом которое, как заметил Харди. Возможно, было самым большим числом, когда-либо использованным в математике для какой-либо конкретной цели. Здесь возникали вопросы: может ли такая огромная область быть уменьшена и можно ли найти такое число, которое бы стало исключением для гипотезы Римана? Эти вопросы и легли в основу исследования Алана.

Одним из знаменательных событий в его жизни стало знакомство с философом Людвигом Витгенштейном. Он мог видеть его и раньше на встречах Клуба Моральных Наук, и Витгенштейн (как и Бертран Рассел) получил экземпляр статьи «О вычислимых числах». Но именно летом 1937 года Алистер Уотсон, член совета Кингз-Колледжа, представил их друг другу, и позже они иногда встречались в ботаническом саду. Уотсон написал работу по основаниям математики для Клуба Моральных Наук, в которой использовал понятие машины Тьюринга. Витгенштейн, который изучал инженерное дело, всегда высоко ценил практичные устройства и мог по достоинству оценить то, как Алан представил такие неясные идеи в лаконичной форме. Как ни странно, крах программы Гильберта также означал конец тех взглядов, которые Витгенштейн выдвигал в своем эссе *Tractatus Logico-Philosophicus*, главной работе раннего периода своей философии, а именно, что любая ясно изложенная проблема может быть решена.

В том же Лондоне состоялась встреча с Джеймсом. На выходные они остановились в довольно убогой гостинице с полупансионом неподалеку от Рассел-сквер. Пару раз они сходили в кино, а также посмотрели пьесу Элмер Райс «Судный день», которая рассказывала о поджоге здания Рейхстага и последовавшем за ним фашистском перевороте. Алан наконец нашел утешение в компании человека, который не отвергал его «ухаживаний», хотя он прекрасно понимал, что Джеймс не вызывает у него глубоких чувств и даже не кажется ему физически привлекательным. Учитывая все это, их отношения не могли развиваться дальше. После проведенных с Аланом выходных у Джеймса практически не было другой такой возможности на протяжении долгих двенадцати лет. И хотя Алан проявлял куда больше любознательности в этом вопросе, его судьба сложилась похожим образом.

В Саутгемптоне Алан встретился со своим американским другом из Колледжа Градуейт, Уиллом Джонсом. Заранее они договорились отправиться в Америку вместе, и 22 сентября взошли на борт немецкого трансатлантического лайнера «Европа». Уилл Джонс провел все лето в Оксфордском университете, и именно он выбрал немецкое судно лишь потому, что его двигатели были самыми мощными на момент его создания, а значит, по скорости ему не было равных. Если бы Алан был антифашистом с принципиальными убеждениями, он бы не стал пользоваться услугами немецкой компании, но с другой стороны, если бы он был человеком традиционных взглядов, он бы не стал тратить время своего путешествия на изучение русского языка, наслаждаясь изумленными выражениями лиц немцев, когда он доставал свой учебник с изображенными на обложке серпом и молотом.

Еще находясь на борту, по прибытию Алан писал:

> Я очень рад, что Уилл Джонс составил мне компанию в пути сюда. На борту не оказалось ни одного интересного лица, так что мы с Уиллом коротали время за философскими беседами и потратили почти полдня, пытаясь вычислить скорость судна.

Вернувшись в Принстонский университет, Алан проводил с Уиллом много времени за разговорами. Будучи специалистом в области философии с живым интересом к науке, Уилл Джонс также как и Алан возвышался над традиционным пониманием искусства и науки. На тот момент он был занят своей диссертацией, рассматривающей понятие категорического императива Канта. Но Алан теперь был менее заинтересован в философских, в отличие от научных, рассуждениях о природе свободной воли. Возможно, причины его противоречия по этому вопросу скрывались в его порыве мысли в материалистическом направлении. «Люди мне кажутся окрашенными в розовый цвет элементарных чувственных образов», — однажды шутливо заметил он. Но если бы все было так легко. Вполне символичным образом авторучка, подаренная ему миссис Морком еще в 1932 году, была утеряна где-то на палубе лайнера.

Уилл Джонс в свою очередь попросил Алана в общих чертах объяснить ему теорию чисел и остался вполне доволен, как тот справился со своей задачей, показав, как из самых простых аксиом могут быть выведены все свойства, что совсем не было похоже на скучные школьные занятия по математике. Алан никогда не говорил с Уиллом о терзавших его эмоциональных проблемах, возможно, он получал моральную поддержку в более общем смысле, поскольку Уилл мог по достоинству оценить воплощенную в нем моральную философию Дж. Мура и Кейнса.

Алан познакомился с Уиллом еще в прошлом году через общих знакомых, и один из друзей тоже вернулся в Принстонский университет. Это был Малкольм Макфэйл, физик из Канады, который косвенным образом принял участие в новом исследовании Алана:

Скорее всего, именно осенью 1937 года Тьюринг с тревогой осознал возможность военного конфликта с Германией. В то время он предположительно усердно трудился над своей известной диссертационной работой и тем не менее нашел время заняться криптоанализом со свойственной ему страстью. (...) мы много раз обсуждали эту тему. Он предположил, что слова могут быть заменены числами, указанными в официальном словаре кодов, так что сообщения будут передаваться в виде чисел, представленных в двоичной системе исчисления. Но чтобы предотвратить ситуацию, если в руки врага попадет словарь кодов и у него появится возможность расшифровать сообщение, он предложил умножить число в соответствии со специальным сообщением на секретное число с ужасно большим рядом цифр и передать полученный результат. Длина ряда цифр должна была отвечать условию, что у ста немцев, работающих по восемь часов в день за настольными счетными машинами, смогут расшифровать секретный множитель только через сто лет поиска!

Тьюрингу действительно удалось разработать электрическое устройство, выполняющее операцию умножения, и собрал его основную часть, чтобы проверить, будет ли оно выполнять поставленную перед ним задачу. Для этих целей ему потребовались релейные переключатели, которые не было возможности приобрести, и он собрал их сам. Факультет физики Принстонского университета содержал небольшую, но хорошо оснащенную механическую мастерскую для проведения практических работ его аспирантов, и мой незначительный вклад в этот проект заключался в том, что я передал Алану свой ключ от мастерской, что, возможно, противоречило всем правилам устава университета, и показал ему, как пользоваться токарным станком, дрелью, прессом и другими инструментами, не лишаясь собственных пальцев. Таким образом, он смог собрать и запустить релейные переключатели, и к нашему общему изумлению и восторгу, устройство действительно работало.

С точки зрения математики этот проект не был передовым, поскольку выполнял только операцию умножения. Но даже без применения передовых теоретических знаний оно подразумевало применение «скучной и элементарной» математики, о котором вовсе не было известно в 1937 году.

Прежде всего, представление чисел в двоичной системе исчисления могло показаться новшеством любому, кто занимался практическими вычислениями. Алан уже использовал двоичные числа в статье «О вычислимости чисел». Там их использование не подразумевало никакого особого смысла, только позволило представить все вычислимые числа в виде бесконечных последовательностей, состоящих из одних нулей и единиц. В устройстве-умножителе, однако, преимущество использования двоичных чисел было очевиднее: в таком случае таблица умножения упрощалась до нижеприведенного вида:

×	0	1
0	0	0
1	0	1

При использовании такой упрощенной таблицы, работа умножителя сводилась к операциям переноса и добавления символов.

Другим любопытным аспектом этого проекта стала его связь с элементарной логикой. Арифметические операции с нулями и единицами могли рассматриваться в рамках логики высказываний. Таким образом, упрощенная таблица умножения, к примеру, могла рассматриваться как эквивалент логической функции «И». Примем p и q за логические высказывания, тогда нижеприведенная «таблица истинности» покажет, при каких условиях высказывание "p И q" будет верным:

И	ложно	верно
ложно	ложно	ложно
верно	ложно	верно

Вторая таблица была лишь интерпретацией первой. Все это должно было быть хорошо известно Алану, поскольку тема исчисления логических высказываний появлялась на первых страницах любой работы в области математической логики. Иногда она указывалась под названием «булева алгебра» в честь английского математика Джорджа Буля, который представил в виде формальной теории «законы мышления» в своем трактате, опубликованном в 1954 году. Вся двоичная арифметика могла быть выражена при помощи понятий булевой алгебры, используя логические операции «И», «ИЛИ» и «НЕ». Проблема, возникшая у Алана при конструировании умножителя, сводилась к использованию булевой алгебры, чтобы минимизировать количество необходимых для работы операций.

Устройство-множитель имело общую проблему в конструировании с машиной Тьюринга. Чтобы воплотить идею в виде работающего устройства, было необходимо найти определенный способ организации разных конфигураций машины. Эту задачу как раз и выполняли переключатели, поскольку основной смысл их работы заключался в том, что они могли находиться в одном из двух состояний: «включен» или «выключен», «0» или «1», «верно» или «ложно». Переключатели, которые он использовал в работе, работали на реле, и таким путем электричество впервые сыграло свою непосредственную роль в его желании связать логические идеи с работающим устройством. В работе использовалось обычное электромагнитное реле, которое было изобретено американским физиком Генри еще столетие тому назад. Принцип его работы был таким же как у электродвигателя: при подаче в обмотку реле электрического тока, порождающего магнитное поле, происходит перемещение ферромагнитного якоря реле. Но главная особенность электромагнитного реле состояла в том, что якорь реле могло замкнуть или разомкнуть механические электрические контакты, и последующее перемещение контактов коммутировало внешнюю электрическую цепь. Таким образом, электромагнитное реле выполняло задачу переключателя. Название «реле» укрепилось после использования в устройстве ранних телеграфных аппаратов, в которых переключатели позволяли усилить слабый сигнал.

В то время еще не было хорошо известно, что логические свойства комбинаций переключателей могли быть выражены в рамках белевой алгебры или двоичной арифметики, но любому логику не представляло труда понять эту идею. Задача Алана состояла в том, чтобы воплотить логическое устройство машины Тьюринга в виде сети релейных переключателей. Идея была такой: при введении числа в машину, предположительно путем настройки электрических токов к набору входных контактных зажимов, реле должны были разомкнуть и сомкнуть контакты, тем самым пропуская электрические токи к выходным контактным зажимам, в результате записывая зашифрованное число. На деле такое устройство не использовало рабочую ленту, но с точки зрения логики принцип работы был таким же. Машины Тьюринга все же нашли свое применение, поскольку основная часть его релейного множителя действительно работала.

Тайное проникновение Алана в мастерскую факультета физики весьма символичным образом отражало проблему, с которой он столкнулся: для того, чтобы воплотить свою идею, ему было необходимо преодолеть границу, проведенную между инженерным делом и математикой, практическим применением и миром логических идей.

Для использования в шифровании идея оказалась довольно неудачной, особенно если учитывать его громкие заявления, изложенные годом ранее в письме к матери. Неужели он не учитывал способность немцев найти самый большой общий множитель двух и большего количества чисел, чтобы найти «секретное число», использованное в качестве ключа к шифру? И даже учитывая возможность произвести все возможные дополнительные улучшения, чтобы закрыть эту лазейку, идея все равно будет иметь практический недостаток, сводящий на нет всю работу, который заключался в том, что всего лишь одна ошибка в ряде цифр могла привести к тому, что все сообщение будет невозможно расшифровать.

Возможно, причина непродуманности работы состояла в том, что это был лишь сторонний проект и он не имел возможности уделить ему достаточно пристальное внимание. Но как читатель журнала «Нью-стейтмен», который он выписывал из Англии, у него не было особых причин сомневаться в силах Германии. Каждую неделю появлялись все более пугающие статьи о немецкой политике внутри страны и за ее пределами. И даже если перспектива заняться работой, отвечающей военным целям, была в большей мере оправданием взяться за «скучный и элементарный» (при этом невероятно увлекательный для Алана) сторонний проект, чем проявлением гражданского чувства долга, он не был одинок в сложившейся ситуации, когда действия нацистской Германии разрешили сомнения относительно «нравственности».

Также в мыслях он вынашивал план создания еще одной машины, которая не имела никакого отношения к Германии, за исключением того, что ее идея проистекала из работы Римана. Задача такой машины заключалась в высчитывании дзета-функции Римана. По всей видимости, Алан усомнился в верности гипотезы Римана, хотя бы потому, что все затраченные на ее решение усилия многих математиков не принесли никакого результата. Ложность гипотезы в таком случае означала, что дзета-функция все же принимала значения нуля в некоторой точке, лежащей вне критической линии, а значит такая точка могла быть найдена путем вычисления необходимого количества значений дзета-функции.

Эта программа уже была начата другими исследователями. Разумеется, Риман сам определил местоположение нескольких начальных нулей и проверил, что все они лежат на одной критической линии. Уже в 1935—1936 годах математик из Оксфордского университета, Эдвард Титчмарш использовал машины с перфокартами, которые в то время применялись для астрономических предсказаний, чтобы показать (в точном смысле этого слова) расположение всех начальных 104 нулей на одной критической линии. Идея Алана состояла в том, чтобы проверить следующие несколько тысяч нулей в надежде найти хоть один, расположенный вне критической линии.

Проблема имела два существенных аспекта. Дзета-функция Римана была определена как сумма бесконечного числа условий, и хотя эту сумму можно было бы выразить другими различными способами, любая попытка установить их количество в некоторой степени приведет к аппроксимации. Таким образом, перед математиком стояла задача найти «правильную» аппроксимацию и доказать, что ее можно использовать: допустимая погрешность должна быть минимальной. В таком случае возникала необходимость выполнять не практические вычисления, а сложную техническую работу в рамках исчисления комплексных чисел. Титчмарш применил аппроксимацию, которую — сложно поверить — обнаружил среди работ Римана, пролежавших без дела в Геттингене целых семьдесят лет. Но для увеличения области вычисления до тысяч новых нулей требовалась новая аппроксимация, и Алан приступил к ее поиску.

Вторая проблема была совсем иной и заключалась в «скучного и элементарного» этапа работы выполнения практического вычисления с изменением чисел согласно формуле аппроксимации для тысячи различных записей. Как оказалось, полученная формула напоминала одну из тех, что возникала при попытке установить расположение планет, поскольку она принимала вид суммы тригонометрических функций с разными частотами колебаний. Именно по этой причине Титчмарш ухитрился проделать всю скучную рутинную работу сложения, умножения и заглядывания в таблицы косинусов при помощи метода использования перфокарт, которые использовались в планетной астрономии. Алан в свою очередь понял, что подобная проблема возникает в случае вычислений, выполняемых машиной для предсказания приливов. Приливы можно представить в виде общей суммы волн за разные отрезки времени: количество волн за день, за месяц, за год. В Ливерпуле находилась машина, производящая автоматическое их вычисление, исполняя в техническом виде математическую функцию, которая должна быть вычислена. Эта идея совсем не походила на устройство машины Тьюринга, поскольку выполняла операции на конечном и дискретном наборе символов. И Алану пришло в голову, что такую машину можно использовать для вычисления дзета-функции, тем самым избежав нудной работы выполнения операций сложения, умножения и использования таблиц косинусов.

Скорее всего, Алан поделился своей идеей с Титчмаршем, поскольку в своем письме от 1 декабря 1937 года он с одобрением отнесся к программе Алана и заметил: «Я видел такую машину предсказания приливов в Ливерпуле, но мне даже в голову не могло прийти, что ее можно использовать подобным образом».

Вместе с тем, в его жизни оставалось место и для развлечений. Ребята продолжали играть в хоккей, хотя без Фрэнсиса Прайса и Шона Уайли команда потеряла свою искру. Алан начал заниматься организацией матчей. Также он стал увлекаться сквошем. На День Благодарения он отправился на север навестить Джека и Мэри Кроуфордов во второй раз. («С каждым разом мне все лучше дается управление машиной.») Незадолго до Рождества Алан принял приглашение своего друга Венейбла Мартина провести несколько дней у него дома, в небольшом городке Южной Каролины.

Мы проделали весь путь за два дня, я погостил у них два или три дня, а затем снова отправился в путь, на этот раз в Вирджинию к миссис Вельбурн. Мне никогда раньше не доводилось бывать так далеко на юге — почти 34°. Все люди здесь кажутся все еще очень бедными, несмотря на то что с момента завершения Гражданской войны прошло так времени.

Миссис Вельбурн была известна как «загадочная женщина из Вирджинии», которая по традиции приглашала английских студентов из Колледжа Градуейт к себе на Рождество. «Ни с одним из них мне не удалось завязать интересной беседы», — признавался Алан, описывая Вельбурнов в письме. Вместе с Уиллом Джонсом Алан снова устроил поиск сокровищ, хотя в этом году она и не вызвала большого ажиотажа. Примечательно, что одну из подсказок Алан спрятал в своем сборнике пьес Бернарда Шоу. А уже в апреле Алан и Уилл совершили поездку с остановками в Сент-Джонс-Колледже, Аннаполисе и Вашингтоне.

Но главным делом этого года было завершение диссертационной работы на соискание ученой степени доктора наук, рассматривающей возможность преодоления силы теоремы Гёделя. Основная идея состояла в том, чтобы добавить дополнительные аксиомы в систему, которые помогли бы найти решение для «верных, но недоказуемых» утверждений. Но в этом отношении арифметика вела себя как гидра: с решением одного вопроса, на его месте тут же вырастали новые. Было не так сложно добавить аксиомы, чтобы некоторые утверждения Гёделя обрели свои доказательства. Но в таком случае теорема Гёделя станет применимой к увеличенному набору аксиом, тем самым производя очередное «верное, но недоказуемое» утверждение. Добавление конечного количества аксиом не могло решить проблему, поэтому возникла необходимость рассмотреть возможность добавления бесконечного множества аксиом.

Это было лишь первой ступенью исследования, поскольку математикам было хорошо известно, что существует великое множество возможных способов расположить «бесконечное множество» в определенном порядке. Кантор обнаружил эту особенность, когда исследовал понятие упорядочивания целых чисел. К примеру, предположим, что целые числа расположены следующим образом: сначала идут все четные числа в порядке возрастания, а затем уже все нечетные числа. Такой список целых чисел будет буквально в два раза длиннее обычного. Его можно сделать и в три раза длиннее или даже длиннее в бесконечное количество раз, указав сначала все четные числа, затем из оставшихся — все числа, делимые на три, затем из оставшихся — все числа, делимые на пять, затем из оставшихся — все числа, делимые на семь, и так далее. Действительно, такой список мог продолжаться до бесконечности. Подобным образом расширение аксиоматики может быть представлено одним бесконечным списком аксиом, одним или двумя, или же бесконечным числом списков — в этом отношении тоже не существовало пределов. Но вопрос оставался прежним: сможет ли хоть один из таких списков преодолеть результат Гёделя.

Кантор применил по отношению к своим разным упорядочениям целых чисел понятие «порядковых чисел», или «ординалов». Подобным образом Алан назвал свои расширения набора аксиом арифметики «ординальными логиками». В некотором смысле было ясно, что ни одна «ординальная логика» не может быть «полной» в рамках программы Гильберта. Если и существует бесконечное множество аксиом, все они не могут быть записаны. Здесь появлялась необходимость установить правило, ограничивающее их генерирование. Но в таком случае вся система снова будет основываться на конечном наборе правил, так что теорема Гёделя все еще будет применимой для доказательства существования недоказуемых утверждений.

Вместе с тем возникал еще один тонкий вопрос. В его теории «ординальных логик» правило генерирования аксиом предполагало замену «ординальной формулы» определенным выражением. Такой процесс сам по себе являлся механистическим. Но механистический процесс не мог принять решение, является ли данная формула ординальной. Так, он пришел к вопросу: может ли вся неполнота арифметики быть сосредоточена в одном месте, а именно — в неразрешимой проблеме определения, какая формула является ординальной. В таком случае в некотором смысле арифметика могла быть полной, а все утверждения могли быть доказаны при помощи аксиом, хотя и без механистического метода определения, каких именно аксиом.

Процесс определения, является ли формула ординальной, он связал с понятием «интуиции». В рамках одной «полной ординальной логики», любая теорема могла быть доказана с помощью механистического рассуждения и нескольких этапов «интуиции». Таким образом он надеялся взять под контроль «неполноту» Гёделя. Но результаты работы казались ему отрицательными. «Полные логики» действительно существовали, но обладали очевидным недостатком: никто не мог подсчитать количество этапов процесса «интуиции», требуемых для доказательства конкретной теоремы. Еще не существовало никакого способа, говоря его словами, измерить «глубину» теоремы.

Весьма интересным «штрихом» в работе оказалась идея «предсказывающей» машины Тьюринга, которая обладала способностью решить одну конкретную неразрешимую проблему (например, определения ординальных формул). Такая мысль открыла новую идею относительной вычислимости, или относительной неразрешимости, которые в свою очередь открыли целую новую область исследований в рамках математической логики. Возможно, в тот момент Алан думал об «оракуле» из пьесы «Назад к Мафусаилу», в чьи уста Бернард Шоу вложил свое решение неразрешимых задач политиков: «Убирайся восвояси, дурак!»

Также неясным из его примечаний в работе оставалось то, до какой степени, по его мнению, такая «интуиция», способность распознавать верные, но недоказуемые утверждения, соотносилась с человеческим разумом. По этому поводу он писал, что математическое рассуждение может рассматриваться в довольно схематичном виде как использование комбинации двух способностей, которые мы можем назвать интуицией и изобретательностью. (Здесь мы не учитываем наиболее значимую способность различать предметы интереса; на самом деле, мы видим задачу математика только в определении верности или ложности утверждений.) Процесс интуиции включает в себя создание спонтанных суждений, которые не являются результатом длительных рассуждений. (...)

А также заявил, что его идеи в рамках системы «ординальных логик» представляли собой один способ формализовать это различие. Но еще не было установлено, что «интуиция» имела какое-то отношение к неполноте конечно определенных формальных систем. В конце концов, никто не подозревал об этой неполноте до 1931 года, в то время как понятие интуиции было известно с давних времен. Подобная двусмысленность уже возникала в работе «О вычислимых числах», в которой он попытался механизировать человеческий разум и в то же время указывал на невозможность механизации всех его аспектов. На данном этапе его исследований, его взгляды по этому вопросу оставались неясными.

Что касается его дальнейших планов, намерение Алана вернуться в Кингз-Колледж могло означать, что, как и ожидалось, они продлили его членство в совете колледжа, которое в марте 1938 года подходило к концу. С другой стороны, отец писал ему, советуя (возможно, это было не совсем патриотично с его стороны) поискать себе должность в Соединенных Штатах. По какой-то причине Кингз-Колледж не торопился уведомить Алана о продленном членства в совете колледжа. В письме Филиппу Холлу от 30 марта Алан писал:

В данное время я работаю над своей диссертационной работой на соискание степени доктора наук, предмет исследования которой оказался весьма трудным для решения поставленных мною задач, поэтому мне постоянно приходится переписывать заново целые части работ. (...)

Меня немало взволновало то обстоятельство, что я сам еще ничего не слышал о своем переизбрании в члены совета колледжа. Наиболее вероятным тому объяснением станет новость, что никакого переизбрания и не было, но (я) предпочитаю думать, что на то есть какая-то иная причина. Если бы вы смогли осторожно расспросить о том неловком положении, в котором я сейчас оказался, и прислать мне ответ открыткой, я был бы вам очень признателен.

Надеюсь, Гитлер не успеет захватить Англию до моего возвращения.

После установления союза с Австрией 13 марта все начали воспринимать угрозу Германии более серьезно. Тем временем Алан обратился к Эйзенхарту и спросил у него, имеются ли «здесь подходящие вакансии; главным образом, чтобы просто передать информацию отцу, поскольку сам я считаю маловероятным, что займу здесь должность, только если вы не вступите в войну до начала июля. На тот момент он не имел сведений об открытых вакансиях, но пообещал не забыть о моем вопросе.» Вскоре такая должность внезапно появилась. Сам фон Нейман открыл должность своего научного ассистента при Институте перспективных исследований.

Такая возможность говорила о возросшем для университета приоритете тех областей исследования, которыми занимался фон Нейман, и на тот момент ими стали разделы математики, связанные с квантовой механикой и другими областями теоретической физики. Область математической логики и теория чисел потеряли свой приоритет. С другой стороны, возможность лично работать с фон Нейманом могла стать идеальным стартом для академической карьеры в Америке, которую отец Алана, возможно, считал более предпочтительной. Конкуренция за место оказалась очень высокой, рынок вакансий, который еще не успел оправиться от последствий экономической депрессии, вскоре наводнили эмигранты из Европы. Таким образом, должность ассистента у фон Неймана означала успешное будущее.

В профессиональном плане это было очень важное решение. Но все, что Алан написал о появившейся возможности в письме Филиппу Холлу от 26 было лишь: «Наконец появилось вакантное место». И позже в письме миссис Тьюринг от 17 мая: «Здесь появилась возможность работать личным ассистентом фон Неймана с заплатой в тысячу пятьсот долларов годовых, но я решил ее упустить». Ранее он отправил телеграмму в Кингз-Колледж, чтобы убедиться в своем переизбрании в члены совета колледжа, и когда он получил положительный ответ, у него не оставалось никаких сомнений, как ему следует поступить.

Не преследуя подобной цели, Алан все же приобрел известность в Изумрудном Городе. Как оказалось, не всегда необходимо быть человеком известным, чтобы тебя наконец услышали. К тому моменту фон Нейман уже ознакомился с его статьей «О вычислимых числах», пускай только через год после ее публикации. Об этом говорило то обстоятельство, что во время совместной с Уламом поездки в Европу летом 1938 года он предложил своему спутнику сыграть в игру, которая состояла в том, чтобы «записать на листе бумаги самое большое число, определяя его методом, имеющим некоторое отношение к схемам Тьюринга». Но никакие комплименты и вознаграждения не могли изменить его решения. Он хотел отправиться обратно в родной Кингз-Колледж.

Диссертационная работа, которую в октябре он надеялся завершить к Рождеству, была отложена. «Чёрч внес несколько предложений, и это привело к тому, что моя работа увеличилась до невероятного объема.» Поскольку сам он весьма неумело обращался с печатной машинкой, он нанял специалиста, который в свою очередь только все испортил, перепутав записи. В конце концов, 17 мая она была подана на рассмотрение. Устный экзамен должен был состояться 31 мая, экзаменаторами выступали Чёрч, Лефшец и Г. Ф. Боненбласт.

«Кандидат сдал экзамен с отличием не только в области математической логики, представляющей его специальность, но и в остальных областях.»

Экзамен также включал в себя небольшой тест на владение научной терминологией во французском и немецком языках. В этом было нечто абсурдное, учитывая, что в то же время ему предлагали выступить рецензентом диссертационной работы на соискание докторской степени кандидата Кембриджского университета. Как обычно и бывало в таких случаях, ему пришлось отказать соискателю. (В письме Филипу Холлу от 26 апреля: «Надеюсь, мои замечания не заставят его пойти и переписать всю работу заново. Трудность с такими людьми состоит в том, чтобы найти правильный способ выразить свою резкую критику. Однако, думаю, что мне все же удалось донести до него мысль, которая на долгое время успокоит его, если он действительно соберется переписать работу.») И наконец 21 июня он получил докторскую степень.

Его отъезд из страны Оз был совсем не таким, как он представлен в сказке. Волшебник не оказался фальшивкой, и даже просил его остаться. И если в истории Дороти, она смогла избавиться от Злой ведьмы с Запада, в его случае все было наоборот. Проблемы Алана так и не были решены. Где-то внутри он оставался уверенным в себе, но как говорилось в пьесе Т. С. Элиота «Убийство в соборе», на постановку которой он ходил в театр в марте («Невероятно впечатлен.»), он «жил и как бы жил».

В одном отношении их судьбы с Дороти все же были похожи. Все это время у него было нечто, что он мог использовать, и это нечто ждало своего момента. Алан высадился с «Нормандии» в Саутгемптоне 18 июля, сжимая в руке электрический умножитель, надежно запакованный в оберточную бумагу. «Буду рад встретиться с вами в середине июля», — писал он Филипу Холлу, «также надеюсь обнаружить свою лужайку, всю изрытую восьмифутовыми траншеями». Разумеется, до таких крайних мер дело не дошло, но начинались благоразумные подготовительные меры, в которых он сам мог принять участие.

Алан оказался прав в своем предположении, что правительство Его Величества будет заинтересовано в кодах и шифрах. Оно содержало службу, которая производила всю техническую работу. Подразделение Британского Адмиралтейства, которое было ведущим криптографическим органом Великобритании во время Первой мировой войны, известное под названием «Комната 40», возобновило свою работу 1938 году.

После расшифровки захваченного немецкого кодового словаря, который Россия передала Адмиралтейству в 1914 году, невероятно большое число радио и кабельных сигналов расшифровывалось главным образом гражданским персоналом, набор которых проходил в университетах и школах страны. В соглашении оговаривалась специфическая особенность, что Директору разведывательного подразделения, Капитану Уильяму Реджинальду Холлу, особенно нравилось держать под своим контролем дипломатические сообщения (например, как в случае с нотой Циммермана). Холл не понаслышке знал, как можно использовать свою власть. Именно он показал дневник Кейсмента прессе, были и другие не менее значимые случаи его «действий со стороны разведывательной службы в независимой от остальных подразделений манере в вопросах политики, которые не входили в компетенцию Адмиралтейства». Организация выжила во время военного перемирия, но в 1922 году Министерство иностранных дел успешно отделила ее от Адмиралтейства. На её базе, а также базе криптографического подразделения разведки британской армии была сформирована «Правительственная школа кодирования и шифрования». Общественная функция школы заключалась в «консультировании государственных ведомств по поводу безопасности кодов и шифров и оказании помощи в их предоставлении», однако школа имела и секретную директиву: «изучить методы шифрования, используемые иностранными державами». Теперь она в прямом смысле находилась под контролем главы секретной службы, который лично отчитывался за ход работы перед министром иностранных дел.

Глава «Правительственной школы кодирования и шифрования» Аластер Деннистон получил разрешение от министерства финансов принять на работу из гражданских лиц тридцать Ассистентов, как тогда называли сотрудников высокого уровня, и приблизительно пятьдесят служащих и машинисток. Ассистенты в свою очередь делились по званию на Младших и Старших. Все Старшие Ассистенты до этого работали в «Комнате 40», за исключением одного Эрнста Феттерлейна, который в начале века эмигрировал из России и теперь возглавил русский отдел по дешифрованию. Среди них также значился Оливер Стрейчи, брат известного английского писателя Литтона Стрейчи, а также муж Рэй Стрейчи, известной писательницы-феминистки. В их круг также входил Дилли Нокс, знаток классических текстов, состоявший в совете Кингз-Колледжа до начала Первой мировой войны. Стрейчи и Нокс были членами кейнсианского общества в самый расцвет эдвардианской эпохи. Младшие Ассистенты были набраны, когда служба немного расширилась во время 1920-х годов; последним принятым в штаб сотрудником стал А. М. Кендрик, который присоединился к их работе в 1932 году.

Работа «Правительственной школы кодирования и шифрования» сыграла существенную роль в политике 1920-х годов. Утечка перехваченных сигналов русских в прессу способствовали свержению лейбористского правительства в 1924 году. Но в плане защиты Британской империи от вскоре восстановившей свои силы Германии «школа кодирования и шифрования» была менее энергичной. Большим успехом для школы стала расшифровка связи между Италией и Японией, хотя в официальной истории этот случай был описан как весьма неудачный, поскольку «несмотря на то, что, начиная с 1936 года, школа кодирования и шифрования прикладывает все больше и больше усилий в военной сфере работы, при этом слишком мало внимания уделяется немецкой проблеме».

Одной из основных причин подобного положения стала экономическая ситуация. Деннистону пришлось почти умолять в своем прошении об увеличении штаба, чтобы соответствовать военным силам Средиземноморья. Осенью 1935 года министерство финансов позволило расширить штаб на тринадцать сотрудников с условием, что они будут состоять на временной службе сроком не более шести месяцев. В качестве примера характера общения Деннистона с министерством финансов можно привести следующее сообщение от января 1937 года:

Ситуация в Испании (...) остается настолько неопределенной, что мы сейчас наблюдаем существенное повышение траффика, который должен быть обработан, количественные данные возросшего числа телеграмм за последние три месяца 1934, 1935 и 1936 годов следующие

1934 10,638
1935 12,696
1936 13,990

В последние месяцы работы служебный персонал мог справиться с возросшим траффиком, только работая сверхурочно.

В середине 1937 года министерство финансов позволило расширить постоянный штаб. Но даже эта мера не могла оказать посильную помощь в сложившейся ситуации:

Объем немецких беспроводных передач (...) увеличивался; с каждым разом становилось все труднее перехватить их на британских станциях, и даже в 1939 году в виду отсутствия достаточного числа установок и операторов было невозможно перехватить все немецкие каналы служебной связи. При этом даже перехваченная информация не всегда расшифровывалась. Вплоть до 1937—1938 годов гражданский состав штаба оставался практически в прежнем составе по сравнению с служебным составом «Правительственной школы кодирования и шифрования». По причине постоянной нехватки немецких перехваченных сообщений, восемь выпускников, набранных в основной штаб, также не попевали обрабатывать информацию, поступавшую в итальянском и японском направлениях, что привело к расширению организации.

Однако дело было не в цифрах и даже не в спонсировании. Во многих отношениях устаревшая разведывательная служба не отвечала техническим требованиям 1930-х годов. годы после Первой мировой войны были «золотым веком современного дипломатического криптоанализа». Но теперь немецкие службы связи представили «Правительственной школе кодирования и шифрования» проблему, которую они не могли решить собственными силами, а именно — шифровальную машину под названием Энигма:

К началу 1937 года было уже установлено, что в отличие от своих итальянских и японских союзников, немецкая армия, немецкий военно-морской флот и, вероятно, военно-воздушные силы вместе с другими государственными организациями вроде железнодорожных, а также СС использовали в случае всех сообщений, за исключением тактических, различные версии одной шифровальной системы, известной под названием Энигма, которая появилась на рынке еще в 1920-х годах, но после ряда современных модификаций, произведенных немцами, эта машина была приведена в состояние, полностью отвечающее современным требованиям надежного шифрования. В 1937 году в «Правительственной школе кодирования и шифрования» было проведено вскрытие наименее модифицированной и защищенной модели этой машины, которую использовали немецкие, итальянские и испанские националистические военные силы. Но несмотря на проведенное изучение устройство машины, Энигма не поддавалась, и вполне вероятным казалось, что ее код еще долгое время не будет разгадан.

Шифровальная машина Энигма стала центральной проблемой, которую пыталась решить британская разведывательная служба в 1938 году. При этом они считали, что ее невозможно взломать. В рамках существовавшей у них системы, возможно, это было действительно так.

Постоянный штат в 1938 году остался в прежнем составе, несмотря на поразительную нехватку персонала. Хотя и «планировалось привлечь около шестидесяти криптоаналитиков в случае объявления войны». В этот момент в канву повествования незаметно вплетается Алан Тьюринг, выбранный одним из новобранцев в штат. Возможно, с 1936 года ему удалось установить контакт с правительством. А возможно, как только он сошел с «Нормандии», ему хотелось продемонстрировать миру свой умножитель. Но скорее всего, он был рекомендован Деннистону через одного из профессоров старшего возраста, которым довелось работать в проекте «Комната 40» еще во время Первой мировой войны. Под это описание подходил профессор Эдкок, член совета Кингз-Колледжа с 1911 года. Если Алан всего лишь упомянул о своей работе в области криптоанализа за профессорским столом в Кингз-Колледже, о его энтузиазме, возможно, тут же бы сообщили в «Правительственную школу кодирования и шифрования». Так или иначе, такое развитие событий совсем не казалось удивительным. Таким образом, по возвращению домой летом 1938 года он был приглашен пройти курс в штаб-квартире «Правительственной школы кодирования и шифрования».

Алан и его друзья видели собственными глазами, что вероятность военного конфликта возрастала с каждым днем вопреки всем надеждам 1933 года, и хотели помочь правительству найти более целесообразное им применение, чем просто отправить их в качестве пушечного мяса на фронт. Но вместе с чувством патриотического долга возникал страх за свою жизнь, и политику правительства по освобождению представителей интеллектуальных кругов от воинской обязанности многие встретили с явным облегчением. Таким образом, Алан Тьюрин принял свое судьбоносное решение и предпочел самому выйти на связь с британским правительством. И учитывая все его подозрения относительно правительства Его Величества, должно быть, ему было особенно интересно снова заглянуть вглубь мастерской, пообещав держать в секрете все правительственные тайны.

Несмотря на всю свою строгость и требовательность правительство, которому он теперь был готов оказать содействие, напоминало Белую Королеву, которую Алиса встречает в отчаянном положении, не способную разобраться со своими булавками и ленточкой. Неспособность направить серьезные усилия на разгадывание кода Энигмы была одним из аспектов непоследовательной стратегии, за которой следил весь мир в сентябре 1938 года. Еще в августе британцы могли продолжать убеждать себя, что существуют какое-то разумное «объяснение» немецким «недовольствам» в рамках существующей системы. Но вскоре обсуждения вопросов о нравственности, справедливости и самоопределении наконец перестали скрывать действительную расстановку сил. Белая Королева закричала еще до того, как уколола свой пальчик. Все дети были эвакуированы из Лондона в Ньюнем-Колледж, а студенты уже представили себя в списках новобранцев. В обозримом будущем было ясно только одно: вот-вот случится нечто ужасное. Волнения в обществе только усиливали страх перед ожидаемыми воздушными налетами, в то время как правительство, казалось, не знает что делать кроме как производить бомбардировщики, чтобы выполнить контратаку. И пока Старый Свет стремился к своему закату, Новый свет предлагал сбежать в мир собственных фантазий. Мультипликационная картина «Белоснежка и семь гномов» появилась в Кембридже в октябре, и Алан сделал именно то, что от него ожидал весь профессорский состав Кингз-Колледжа — поспешил вместе с Дэвидом Чамперноуном первым увидеть киноленту. Его особенно увлекла сцена, в которой Злая Королева опускает яблоко на ниточке в бурлящее зелье, бормоча

> Зельем сонным этот плод
> Кто откусит, тот уснёт.

И с того момента он принялся распевать это пророческое двустишие снова и снова.

Алан пригласил на званый обед, устраиваемый колледжем, Шона Уайли из Оксфордского университета в качестве своего гостя. Предположительно, Алан вновь подал заявление на соискание должности лектора, но в таком случае его снова постигло разочарование. Тем не менее, он предложил факультету провести курс лекций по Основаниям математики в весеннем семестре, поскольку фон Нейман не планировал приехать в Кембридж в этом году. Они приняли его предложение и вручили ему незначительный гонорар в размере десяти фунтов.

Невилл Чемберлен приехал на службу в День перемирия, которая состоялась 13 ноября 1938 года в часовне университета, и епископ в своей речи решил отметить «храбрость, понимание и настойчивость премьер-министра во время его бесед с герром Гитлером, благодаря которому в Европе снова установился мир шесть недель назад». Но мнение некоторых обитателей Кембриджа в большей степени отвечало действительности. В Кингз-Колледже профессор Клэпхэм возглавил комитет по приему евреев-беженцев, которых правительство решило впустить после волны насилия, накрывшей Германию в ноябре. Эти события имели особое значение для друга Алана, Фреда Клейтона, который с 1935 по 1937 год провел учебные семестры сначала в Вене, а затем и в Дрездене, где стал свидетелем событий, которые разительно отличались от развлечений Алана в Принстоне.

Они означали две очень сложные и пагубные идеи. С одной стороны, он хорошо понимал, какие последствия может иметь нацистский режим. С другой, он знал двух мальчиков, один был младшим сыном вдовы-еврейки, которые жили в одном с ним доме в Вене, другой учился в одной с ним школе в Дрездене. События ноября 1938 года подвергли опасности жизни семьи из Вены и Фрау С стала умолять его помочь им. Он пытался посодействовать переезду ее сыновей в Англию, и ему удалось осуществить свой план накануне Рождества при помощи благотворительной организации квакеров. Мальчики вскоре прибыли в лагерь для беженцев на побережье неподалеку от Хариджа и оттуда написали письмо Фреду, который через некоторое время приехал к ним. В сырости и холоде, в окружавшей атмосфере невольничьего рынка совсем юные беженцы исполняли немецкие и английские песни, а также отрывок из поэмы Шиллера «Дон Карлос», в котором Елизавета принимает бежавших из Фландрии. К тому моменту Фред уже полюбил Карла всей душой, и на эту привязанность оставшийся без отца Карл ответил взаимностью, а потом оставил его и отправился на поиски того, кто мог проявить родительскую заботу о нем.

Когда Алан услышал рассказ Фреда, он искренне проникся историей о мальчиках. В одно дождливое воскресенье в феврале 1939 года он отправился с Фредом в лагерь беженцев в Харидж. У него возникла идея проспонсировать какого-нибудь мальчика, который хотел бы отправиться в школу, а затем и в университет. Большинство мальчиков были рады возможности больше никогда не ходить в школу. Одним из немногих, кто не разделял подобное мнение, был Роберт Аугенфельд — а с момента его высадки на английском побережье просто «Боб» — еще в возрасте десяти лет он решил, что хочет стать химиком. Он происходил из одной уважаемой венской семьи, и его отец, служивший адъютантом в годы Первой мировой войны, наставлял его всегда настаивать на продолжении своего образования. В Англии ему было не к кому обратиться за помощью, и Алан согласился спонсировать его. Такой поступок мог показаться очень непрактичным, поскольку стипендия Алана могла скоро иссякнуть, хотя, скорее всего, ему удалось сберечь немного от стипендии Проктера. Его отец в письме спрашивал: «Думаешь, ты мудро поступил? Люди же неправильно поймут», — чем сильно раздосадовал Алана, хотя Дэвид Чамперноун считал мнение его отца вполне обоснованным.

Но проблемы практического характера вскоре были решены. Россал-Скул, привилегированная частная средняя школа, расположенная в графстве Ланкашир, собиралась принять некоторое число мальчиков без оплаты обучения. Протеже Фреда, Карл, собирался воспользоваться возможностью. Бобу пришлось совершить длительную поездку на север, чтобы пройти собеседование, после которого Россал принял его с условием, что он сначала улучшит свой английский в подготовительной школе. В пути о нем позаботились Друзья из Манчестера, и они в свою очередь обратились к богатой семье методистов с просьбой принять его к себе. (Карл обрел свою новую семью точно таким же образом.) Этот случай определил его будущее. И хотя Алан все еще чувствовал свою ответственность за судьбу мальчика, а Боб в свою очередь всегда чувствовал себя обязанным Алану, ему не пришлось тратить много денег, ограничиваясь лишь некоторыми подарками и школьным набором, чтобы помочь ему встать на путь учебы. Его безрассудство было оправдано, хотя во многом тому помогло обстоятельство, что Боб в каком-то смысле испытывал схожие проблемы психологического характера, пережив потерю всех, кого он знал, но только укрепивший свою решимость бороться за собственное образование.

Между тем Алан становился все больше вовлечен в дела «Правительственной школы кодирования и шифрования». На Рождество проводился еще один обучающий семинар, и Алан остановился в гостинице на Сент-Джеймс Сквер вместе с Патриком Уилкинсоном, профессором Кингз-Колледжа немногим старше его, которого также привлекли к делу. С тех пор каждые две или три недели он мог туда приходить, чтобы помочь с работой. Его приставили к Диллвину Ноксу, Старшему Ассистенту, и молодому Питеру Твину, аспиранту факультета физики Оксфордского университета, который сам только недавно занял постоянную должность Младшим Ассистентом, когда эта вакансия была открыта в феврале. Алану разрешалось забирать с собой в Кингз-Колледж некоторые работы, которые проводились над Энигмой. Там поговаривали, что он «запирал дверь, показывая этим, что занят», всякий раз, когда приступал к работе над ней, что казалось очень даже вероятным. Деннистон мудро поступил, когда решил не ждать, пока военные действия начнутся еще до того, как его «резерв» ознакомится с задачами. Однако, особого прогресса они так и не достигли. Общее понимание принципа работы шифровальной машины Энигма оказалось недостаточным для решения поставленной задачи.

Миссис Тьюринг пришла бы в крайнее удивление, узнав, что ее сыновьям вверены правительственные тайны. К тому времени Алан развил особую технику, которую применял в общении со своей семьей, в частности со своей матерью. Всем им казалось, что он вконец лишился здравого смысла, и он со своей стороны решил им подыграть и выставил себя перед семьей этаким очень рассеянным профессором. «Человек выдающегося ума, но нездоровый» — таким видела Алана его мать, которой приходилось следить за ним и постоянно напоминала ему о важных вопросах внешнего вида и манер. К примеру, каждый год она покупала ему новый костюм (которые он никогда не носил), напоминала про подарки на Рождество, про день рождения его тетушек, а также вовремя намекала о необходимости заглянуть к парикмахеру. Особенно хорошо ей удавалось отпускать мимолетные замечания и комментарии по поводу всего, что не отвечало ее вкусу и представлению о манерах нижне-среднего класса. Алан терпимо относился к такому положению, представляя свой образ мальчика-гения в самом выгодном свете. Он старался избегать всевозможных конфликтов. Что касается соблюдения религиозных предписаний, он мог исполнять рождественские гимны за работой, когда семья праздновала Пасху, и наоборот, а также обращаться в разговоре к «Господу Нашему» с совершенно невозмутимым видом на лице. Это не совсем можно было назвать ложью или лицемерием, скорее, ему не хотелось никого обижать своей горькой правдой.

Тем не менее, была и другая особенность его отношений с семьей. Миссис Тьюринг все же понимала, что ему удалось сделать нечто очень важное, и осталась впечатлена тем, что его работа вызывала интерес в других странах. Однажды ему даже написали из Японии. По каким-то причинам ее особенно поразило то обстоятельство, что Шольц собирался отметить работу Алана для переиздания *Enzyklopädie der mathematischen Wissenschaften* в 1938 году. Чтобы осознать значимость работ, ей нужно было некое официальное свидетельство. В свою очередь Алан решил наделить свою мать полномочиями личного секретаря. Так, она отсылала перепечатанные экземпляры статьи «О вычислимых числах», пока он находился в Америке. Алан приложил немало усилий, чтобы объяснить ей принципы математической логики и понятие комплексных чисел, но так и не преуспел в этом деле.

Весной 1939 года он провел свой первый курс лекций в Кембриджском университете. Сначала его курс посещали четырнадцать студентов, оканчивающих третью ступень учебной программы, но «не было сомнений, что посещаемость снизится ближе к концу семестра». Однако, то обстоятельство, что он написал ряд вопросов на тему своего курса для июньского экзамена, говорило о том, что по крайней мере один студент у него остался до конца курса. Один из его вопросов для экзамена спрашивал доказательство результатов работы «О вычислимых числах». Должно быть, такая возможность включить в список экзаменационных вопросов тот, который еще четыре года назад Ньюмен рассматривал, как один из нерешенных, казалась Алану особенно приятной.

В то же самое время он стал посещать курс лекций Витгенштейна по основаниям математики. И хотя Алан вел свой собственный курс с таким же названием, они во многом были разными. Курс лекций Тьюринга строился на понимании математической логики с точки зрения шахматной игры, в то время как курс Витгенштейна был посвящен философии математики, объясняющей принципы и основы науки.

Занятия Витгенштейна не были похожи ни на какие другие. Так, он установил негласное правило, что ученики его курса обязаны появляться на каждом занятии. Однажды Алан нарушил это правило и получил в результате устный выговор. Он пропустил седьмое занятие, скорее всего, из-за своей поездки в «Клок Хаус», где 13 февраля, на девятую годовщину смерти Кристофера, была открыта новая часовня приходской церкви. Курс лекций был расширен до тридцати одного часа занятий, которые проходили дважды в неделю в течение двух учебных семестров. Курс посещали около пятнадцати слушателей, среди них значился и Алистер Уотсон, и каждому из них пришлось впервые проходить собеседование с Витгенштейнов, которые он проводил в своей комнате в Тринити-Колледже. Во время таких собеседований часто возникали ситуации долгого и неловкого молчания, поскольку Витгенштейн еще больше Алана презирал пустые разговоры не по делу. Во время своего пребывания в Принстоне Алан однажды в разговоре с Венейблом Мартином описал Витгенштейна как «человека весьма своеобразного», поскольку один раз во время их обсуждений логики Витгенштейн заявил, что теперь ему нужно удалиться в другую комнату, чтобы подумать обо всем сказанном.

В глазах других они оба отличались своим аскетизмом и строгостью, а также непринужденностью как в своем отношении к делу, так и во внешнем виде (хотя Алан остался верен твидовым пиджакам, в то время как философ предпочитал носить свой кожаный пиджак). Занимаемые ими должности (Витгентштейн, которому на тот момент исполнилось пятьдесят лет, был назначен профессором философии на место Дж. Мура) не определяли их поведение, поскольку они обладали уникальной индивидуальностью и создавали свою собственную действительность. Они оба интересовались только вопросами фундаментального характера, хотя и взяли разные направления в научном подходе.

И все же Витгенштейн был личностью более яркой. Он родился одной из наиболее известных и богатых семей Австро-Венгерской империи, но после Первой мировой войны пожертвовал все свое состояние, полученное в наследство от отца, на благотворительность, и несколько лет работал учителем в отдаленных деревушках в Нижней Австрии, а также около года провел в полном одиночестве в Норвегии в собственноручно построенной хижине, где работал над своими философскими сочинениями.

Главный интерес Витгенштейна заключался в установлении отношений между математикой и «общеупотребительными словами». К примеру, какое отношение «доказательство» в области чистой математики имеет к слову «доказательство», употребленному в предложении «Доказательство вины Люиса состоит в том, что он был пойман на месте преступления с пистолетом в руке». Как не переставал отмечать Витгенштейн, связь оставалась неясной. Работа *Principia Mathematica* не решила эту проблему: все еще требовалось, чтобы люди пришли к согласию в том, что имеется в виду под словом «доказательство». Метод Витгенштейна решить эту проблему заключался в том, чтобы задать вопросы, в которых такие слова, как «доказательство», «бесконечный», «число», «правило» составляют предложения о реальной жизни, и показать, что они могут не иметь смысла. Поскольку Алан был единственным значимым математиком среди учеников, к нему относились на занятиях так, будто он нес непосредственную ответственность за все, что когда-либо говорили или делали математики, а он в свою очередь довольно смело приложил все свои усилия, чтобы защитить абстрактные построения чистой математики от критики Витгенштейна.

В частности, у них состоялась длительная дискуссия относительно целой структуры математической логики. В ходе дискуссии Витгенштейн утверждал, что процесс создания логической системы, не допускающей двойного толкования, не имел никакого отношения к тому, что обычно подразумевается под словом «истинный». Он сосредоточил все свое внимание на особенности любой логической системы, которая заключалась в том, что одно единственное противоречие, или одно внутреннее противоречие сделает возможным доказательство любого логического суждения:

ВИТГЕНШТЕЙН: (...) Представим случай с тем, кто говорит неправду. Такая ситуация необычна тем, что может любого привести в замешательство, куда более странная, чем вы можете себе это представить. (...) Поскольку это происходит таким образом: если человек говорит «я лгу», мы говорим, что из этого следует утверждение, что он не лжет, из чего в свою очередь следует, что он лжет, и так далее. И что с того? Вы можете продолжать этот ряд, пока не осипнете. Почему бы и нет? Это не имеет значения. (...) Это лишь бесполезная языковая игра, и почему она должна кого-то так волновать?

ТЬЮРИНГ: Человека приводит в замешательство то, что он обычно использует противоречие в качестве критерия, что он допустил ошибку. Но в таком случае он не может обнаружить, в чем именно заключается его ошибка.

ВИТГЕНШТЕЙН: Да, и более того — ошибки и не существует. (...) так в чем будет состоять вред?

ТЬЮРИНГ: Никакого серьезного вреда не будет, если только ему не найдется какое-нибудь применение, по причине которого может произойти обвал моста или нечто в этом роде.

ВИТГЕНШТЕЙН: ... Вопрос состоит в следующем: почему люди избегают противоречий? Легко понять, почему они должны избегать противоречий в распоряжениях, инструкциях и так далее, в областях вне математики. Возникает вопрос: почему они должны избегать противоречий в математике? Тьюринг говорит: «Потому что оно может привести к ошибке в применении». Но ошибки всегда происходят. И если она случается — и мост обваливается — тогда твоя ошибка относится к выбору не того естественного права.

ТЬЮРИНГ: Но вы не можете быть уверены относительно использования своего исчисления, пока вы не убедитесь, что в нем нет скрытого противоречия.

ВИТГЕНШТЕЙН: Как мне кажется, в этом есть огромное заблуждение. (...) Предположим, что я убедил Реса применить парадокс лжеца, и он говорит следующее: «Я лгу, значит я не лгу, значит я лгу ,и при этом я не лгу, значит возникает противоречие, значит $2 \times 2 = 369$». В таком случае нам просто не следует называть это «умножением», вот и все. (...)

ТЬЮРИНГ: Хотя мы и не можем знать, обвалится ли мост при условии отсутствия противоречий, мы можем быть почти уверены, если существуют противоречия, что-то обязательно пойдет не так.

ВИТГЕНШТЕЙН: И все же пока миру не известны подобные случаи.

Но Алана все это не убедило.

Он так и не завершил свое исследование проблемы Скьюза, которое осталось в виде усеянного ошибками и зачеркиваниями рукописного текста, и никогда больше не принимался за ее решение. Вместе с тем он продолжил заниматься более центральной проблемой, а именно — изучением поведения нулей дзета-функции Римана. Теоретическая часть работы, которая включала в себя нахождение и объяснение нового метода вычисления дзета-функции, была завершена и подана на рассмотрение в начале марта. Относительно электрического умножителя Малкольм Макфейл писал:

Как у тебя там обстоят дела с аккумуляторными батареями, токарными станками и тому подобному? Мне так жаль, что тебе придется внести изменении в его устройство. Надеюсь, он не выйдет слишком навороченным и сложным для работы. Кстати, если у тебя будет время для работы над устройством, ты всегда можешь попросить о помощи моего брата. Я рассказал ему о твоей машине и описал, по какому принципу она работает. Он остался под большим впечатлением от твоего метода изображения коммутационных схем, что меня немало удивило. Сам знаешь, какими консервативными и несовременными в своих взглядах инженеры обычно бывают.

Как оказалось, его брат, Дональд Макфейл, был приглашенным инженером-исследователем в Кингз-Колледже.

Идея с электрическим умножителем провалилась, но Дональд Макфейл теперь приступил к совместному с ним проекту по разработке машины дзета-функций.

Алан не был одинок в своих мыслях о механизации вычислений в 1939 году. В условиях роста новых отраслей электрической промышленности возникало множество подобных идей и инициатив. Несколько проектов уже имелись в распоряжении в Соединенных Штатах. Одним из них был «дифференциальный анализатор», который изобрел американский инженер Вэнивар Буш на отделении электротехники Массачусетского технологического института в 1930 году. Его устройство могло решать дифференциальные уравнения с восемнадцатью независимыми переменными. Похожая машина была построена в Манчестерском университете британским физиком Дугласом Хартри из деталей детского конструктора «Меккано». Вскоре за ним в 1937 году был построен еще один дифференциальный анализатор в Математической Лаборатории Кембриджского университета.

Подобная машина не могла решить проблему дзета-функции. Дифференциальные анализаторы могли воссоздавать математическую систему единственного вида. Подобным образом машина дзета-функций Тьюринга будет определена решением только одной определенной задачи. Алан подал заявку на грант Королевского общества 24 марта, в ней он просил средства для изготовления устройства и в опросном листе написал:

> Аппарат не будет требовать постоянных больших затрат. Его можно будет применить в целях выполнения схожих вычислений для более широкого диапазона t, а также он может быть использован для других исследований, связанных с дзета-функцией. Я не могу представить применений, которые бы не относились к дзета-функции.

В заявке Харди и Титчмарш указывались в качестве поручителей, и в итоге Алан получил необходимые сорок фунтов. Идея Алана состояла в том, что хотя машина не могла в точности произвести требуемое вычисление, она могла локализировать точки, в которых дзета-функция приобретает значение, близкое к нулю, и эти результаты уже можно было обрабатывать путем обычного вычисления. Алан подсчитал, что такое устройство уменьшит объем работы в пятьдесят раз.

Машина предсказания приливов использовала систему веревок и шкивов, чтобы создать модель математической проблемы суммирования серии волн. Длина веревки, обмотанной вокруг шкивов, отмерялась таким образом, чтобы дойти до нужной общей суммы. Они начали с такой же идеи для суммирования дзета-функций, но затем придумали другую модель. В представляемом ими устройстве вращение системы зубчатых колес будет воссоздавать требуемые тригонометрические функции. Операция сложения будет выполняться с помощью измерения не длины, а веса.

Дональд Макфейл выполнил детальный чертеж устройства с указанием даты 17 июля 1939 года. Но Алан не оставил его одного заниматься сборкой устройства. В его комнате летом 1939 года можно было с большой вероятностью увидеть раскиданные по полу зубчатые колеса, словно части одного большого пазла. Однажды комнату в таком состоянии увидел Кеннет Харрисон, который к тому времени уже стал членом совета колледжа. Алан попытался объяснить, что он пытается сделать, но потерпел неудачу. Ведь мало кому казалось очевидным, что движение этих зубчатых колес могло что-то сказать о закономерности распределения простых чисел в их бесконечном ряду. Алан начал с того, что самостоятельно нарезал зубчатые колеса, пронося заготовки в инженерно-конструкторский отдел в своем рюкзаке, и отказался от помощи, которую ему предложил аспирант. Чамперноун помог с шлифовкой готовых колес, которые хранились в чемодане в комнате Алана, что немало удивило Боба, когда в августе он приехал к Алану из своей школы в Хейле.

Удивление Кеннета Харрисона было вызвано тем, что из разговоров с Аланом он хорошо знал, что специалист в области чистой математики работает в мире символов, а вовсе не с предметами окружающего мира. Таким образом, сам факт существования машины казался противоречием. Особенно впечатляющим это казалось по причине того, что в Англии на тот момент не существовало традиции академического машиностроения высокого уровня в академической системе, как во Франции и Германии или (как в случае Вэнивара Буша) в Соединенных Штатах. Такая попытка вторжения в мир практических применений вполне могла стать предметом снисходительных шуток. Но лично для Алана Тьюринга машина являлась доказательством того, что некоторые вопросы не могли быть решены при помощи одной лишь математики. Он работал в пределах центральных проблем классической теории чисел и сделал значительный вклад в ее развитие, но этого было недостаточно. Машина Тьюринга и ординальные логики, формализующие мыслительные процессы, исследования вопросов Витгенштейна, электрический умножитель, а теперь еще и эта цепь зубчатых колес, — все это говорило о попытке установить связь между миром логических идей и материального мира. Это была не наука, не «прикладная математика», а что-то вроде прикладной логики, у которой еще не было собственного названия.

К тому моменту он смог пролезть еще немножко дальше в структуру Кембриджского университета, поскольку в июле факультет попросила его снова провести курс лекций по основаниям математике весной 1940 года, на этот раз за полную плату в размере пятидесяти фунтов. При обычных обстоятельствах он мог вскоре занять должность лектора в университете и получить возможность навсегда остаться в Кембридже в качестве одного специалистов в области логики, теории чисел и других областей чистой математики. Но теперь все его воодушевление двигалось в другом направлении.

Курс истории тоже был готов измениться. В марте произошла немецкая оккупация Чехословакии, и в ответ на пренебрежение Мюнхенских соглашений британское правительство пообещало Польше, что Англия и Франция являются гарантами независимости Польши, и обязалось защитить восточноевропейские границы. Это скорее казалось попыткой отпугнуть Германию, чем помочь Польше, поскольку у Британии даже не было возможности оказать помощь своему новому союзнику.

Возможно, так же могло казаться, что и Польша ничем не может помочь Великобритании. Но это было не так. Польские секретные службы в 1938 году дали понять, что они владеют некоторой информацией о машине Энигма. Диллвин Нокс был отправлен на переговоры, но вернулся с пустыми руками и жалобами о том, что поляки глупы и не владеют никакой интересной информацией. Союз с Великобританией и Францией был пересмотрен, и 24 июля британские и французские представители посетили конференцию в Варшаве и на этот раз получили желаемое.

Месяц спустя все снова изменилось, и союз между Великобританией и Польшей все больше казался бесполезным. В отношении разведывательных служб год оказался неудачным для Великобритании. В Сент-Олбансе появилась новая беспроводная станция перехвата сообщений. И все же оставалась «отчаянная нехватка приемников для беспроводного перехвата информации», несмотря на все просьбы «Правительственной школы кодирования и шифровании» с 1932 года.

Когда все газеты уже вещали о Пакте Риббентропа-Молотова, Алан отправился из Кембриджа провести неделю с Фредом Клейтоном и мальчиками, катаясь на лодке у берегов Бошема. Мальчики, которые никогда раньше не управляли судном, сочли Алана и Фреда некомпетентными и однажды перевели стрелки на их часах, чтобы они вернулись обратно вовремя. Но Фреда больше беспокоила психологическая подоплека их отдыха. И Алан только поддразнивал его, высмеивая мысль, что после нескольких семестров в Россалле мальчик останется невинным в плане сексуального опыта.

В один из дней своего плавания они сошли на берег острова Хейлинг, чтобы взглянуть на выстроенные на аэродроме самолеты Королевских военно-воздушных сил. Но мальчиков не впечатлило увиденное. Наступил вечер, начался отлив, и лодка застряла в иле. Им пришлось оставить ее и пройти вброд на остров, чтобы отправиться обратно на автобусе. Их ноги покрывал толстый слой темного ила, и Карл заметил, что они похожи на солдат в высоких черных сапогах. Именно в Бошеме однажды Кнуд Великий показал своим советникам, что даже он бессилен перед приливами и отливами. Но кто мог подумать, что этот шаркающий, бесстыдный молодой человек, погрязший по уши в грязи, поможет Британии управлять волнами?

Поскольку в 1940 году он уже не будет читать свой курс лекций и никогда уже не вернется в безопасный мир чистой математики. Чертежи Дональда Макфейла никогда не будут претворены в жизнь, и зубчатые колеса так и останутся лежать в чемодане. Поскольку началось вращение других, более мощных колес — и не только Энигмы. Сдерживающий фактор не сработал, но Гитлер просчитался в ситуации с Великобританией, правительство сдержало свои обещания и с честью вступило в войну.

Все произошло так, как предсказывала пьеса «Назад к Мафусаилу» еще в 1920 году:

А теперь, когда на города и гавани нацелены чудовищные орудия, когда гигантские самолеты готовы в любую минуту взмыть к небу и забросать противника бомбами, каждая из которых сносит целую улицу, или пустить на него боевые газы, способные мгновенно умертвить бог знает сколько людей, — теперь мы ждем, что кто-нибудь из вас, господа, выйдет на трибуну и беспомощно объявит нам, таким же беспомощным, как он сам, что снова началась война.

И все же они не были такими беспомощными, какими могли казаться. Когда Алан уже вернулся в Кембридж и сидел в своей комнате вместе с Бобом, в 11 часов утра 3 сентября премьер-министр Чемберлен выступил по радио с речью. Его друг Морис Прайс вскоре приступит к серьезному изучению практической физики цепных реакций. Алан в свою очередь посвятит себя другому секретному проекту. Он ничем не сможет помочь Польше, но поможет Алану изменить этот мир настолько, как он и не мечтал даже в самых безумных своих фантазиях.

Глава 4

Летящий над всем

Летящий над всем, через все,
Через Природу, Время, Пространство,
Словно корабль, плывущий вперед,
В полете души — не только жизнь,
Смерть, многие смерти я пою.

(Уолт Уитмен, «Листья травы»)

На следующий день, 4 сентября, Алан явился в Правительственную школу кодов и шифров, которую эвакуировали в августе в викторианское поместье Блетчли-Парк. Сам Блетчли представлял собой скучный застроенный кирпичными домами городской округ, затерянный среди кирпичных заводов Бакингемшира. Однако он находился в геометрическом центре интеллектуальной Англии, где главная железная дорога, ведущая из Лондона на север, пересекала ветку, соединяющую Оксфорд и Кембридж. Непосредственно на северо-запад от пересечения железных дорог, на небольшом холме, увенчанном древней церковью и нависающим над глиняным карьером в долине, и стоял Блетчли Парк.

По железной дороге в Бакингемшир было эвакуировано 17000 детей из Лондона, в результате население Блетчли увеличилось на двадцать пять процентов. «Тем немногим, кто вернулся (в Лондон)», — сказал один городской советник, «было бы просто негде остановиться, и они, возможно, оказались самыми умными, вернувшись в свои халабуды». В этих обстоятельствах прибытие нескольких отобранных для работы в Правительственной школе кодов и шифров джентльменов стало бы причиной небольшой сумятицы, хотя говорили, что когда профессор Эдкок впервые прибыл на станцию, один маленький мальчик закричал: «Я прочту вашу тайнопись, мистер!», приведя его в сильнейшее замешательство. Позднее местные жители жаловались на бездельников в Блетчли-Парке, говорили также, что члена парламента пришлось попросить не ставить об этом вопрос в Парламенте. Прибывшие устроились с жильем — в сердце Бакингемшира было несколько небольших гостиниц. Алана разместили в отеле «Краун Инн» в Шенли Брук-Энд, крошечной деревушке в трех милях севернее Блетчли-Парка, куда он каждый день приезжал на велосипеде. Его хозяйка, миссис Рэмшоу, громко выражала свое недовольство тем, что молодой здоровый мужчина не выполняет свой долг. Иногда он помогал ей в баре.

Первые дни в Блетчли-Парке напоминали переехавшую на новое место профессорскую, обитатели которой из-за домашних неурядиц были вынуждены обедать с коллегами, однако изо всех сил старались не жаловаться. Главным был Кинг, из стариков — Нокс, Эдкок и Бёрч, более молодые Фрэнк Лукас и Патрик Уилкинсон, а также Алан. Вероятно, опыт кейнсианского Кембриджа был полезен для Алана. В частности, у него завязались отношения с Диллвином Ноксом, которого современники Алана не считали доброжелательным или доступным человеком. GC&CS никак не нельзя было считать крупной организацией. 3 сентября Деннисон написал в министерство финансов:

> «Дорогой Уилсон,
>
> Несколько дней назад мы были вынуждены привлечь несколько человек в ранге профессора из нашего чрезвычайного списка, которым министерство согласилось платить 600 фунтов в год. Я прилагаю список уже принятых на службу джентльменов с указанием дат их прибытия».

Алан был далеко не первый. К моменту его прибытия в Блетчли с семью другими на следующий день, там уже находились девять человек «в ранге профессора» из списка Деннисона. В течение следующего года туда прибыли еще более шестидесяти специалистов со стороны.

«Чрезвычайный набор позволил вчетверо увеличить численность криптоаналитиков Службы и почти удвоить общее количество криптоаналитиков». Однако лишь трое из этих первых новобранцев были выходцами из научной среды. Кро-

ме Алана это были У.Г.Уэлчмен и Д. Джеффриз. Гордон Уэлчмен с 1929 г. преподавал математику в Кембридже и был на
шесть лет старше Алана. Он специализировался на алгебра-
ической геометрии, области математики, широко представленной в Кембридже в те времена, но никогда не привлекав-
шей Алана, поэтому их пути прежде не пересекались.

В отличие от Алана, Уэлчмен до начала войны не был связан с GC&CS и поэтому ему, как новичку, Нокс поручил ана-
лизировать немецкие позывные, используемые частоты и тому подобное. Как выяснилось, это была работа огромной
важности, и Уэлчмен быстро поднял «анализ траффика» на
новый уровень. Это позволило идентифицировать различные
системы ключей «Энигмы». Важность этого открытия заставила GC&CS по-новому оценить проблему и возможности ее
решения. Однако никто не мог расшифровать сами сообщения. Существовала лишь «малочисленная группа, которую
возглавляли гражданские, и она сражалась с «Энигмой»
в интересах всех трех Служб». Сначала в составе группы работали Нокс, Джеффриз, Питер Туинн и Алан. Они обосновались в бывшей конюшне поместья и развивали идеи, которыми поляки поделились незадолго до начала войны.

Шифровальное дело в те времена было лишено романти-
ческого ореола. В 1939 г. работа шифровальщика, хотя
и требовала мастерства, была скучной и монотонной. Однако шифрование являлось неотъемлемым атрибутом радиосвязи. Последняя использовалась в войне в воздухе, в море
и на земле, и радиосообщение для одного становилось до-
ступно всем. Поэтому сообщения необходимо было делать
неузнаваемыми. Их не просто делали «секретными» как
у шпионов или контрабандистов. Засекречивалась вся система коммуникации. А это означало ошибки, ограничения
и многочасовую работу над каждым сообщением. Однако
другого выбора не было.

Шифры, применявшиеся в 1930-х годах, основывались
не на большой математической сложности, а на простых идеях *суммирования* и *замещения*. Идею «суммирования» никак нельзя было назвать новой. Еще Юлий Цезарь скрывал
свои послания от галлов, прибавляя число три к каждой бук-

ве, так что буква A становилась буквой D, буква B — буквой E и т.д. Если выразить это точнее, то такой способ суммирования математики называли модулярным суммированием или суммированием без переноса, потому что оно означало, что буква Y становилась буквой B, буква Z становилась буквой C, как если бы буквы располагались по кругу.

Две тысячи лет спустя идею модулярного суммирования фиксированного числа вряд ли можно было бы считать адекватной. Однако ничего принципиально отличного от основной идеи придумано не было. Один важный тип шифров использовал идею «модулярного суммирования», но вместо фиксированного числа применялась изменяющаяся последовательность чисел, образующая *ключ*, который добавлялся к сообщению.

На практике слова сообщения сначала зашифровывались в числа с помощью стандартной книги шифров. Работа шифровальщика заключалась в том, чтобы взять этот «открытый текст», допустим

6728 5630 8923, взять ключ, допустим,
9620 6745 2397 и сформировать зашифрованный текст
5348 1375 0210 с помощью модулярного суммирования.

Чтобы это можно было как-то использовать, законный получатель должен был знать ключ, чтобы вычесть его и получить «открытый текст». Таким образом, должна была существовать система, с помощью которой отправитель и получатель заранее согласовывали ключ.

Одним из способов сделать это стал принцип «одноразовости». Это была одна из немногих рациональных идей, рожденных в области криптографии в 1930-х годах, она же являлась одной из самых простых. Принцип требовал, чтобы ключ был точно в два приема, одна копия передавалась отправителю, вторая — получателю сообщения. Аргумент в пользу безопасности данной системы заключался в том, что она работала абсолютно случайным образом, как при перетасовке карт или бросании костей, и вражескому криптоаналитику было не за что зацепиться.

Предположим, что зашифрованный текст выглядит как «5673», тогда дешифровщик может подумать, что открытый текст будет «6743», а ключ — «9930», или открытый текст будет «8442», а ключ — «7231». Однако проверить эту догадку будет невозможно, также нет причин предпочесть одну догадку другой. Аргумент в пользу системы базировался на полной бессистемности выбора ключа, который мог в равной степени состоять из всех возможных цифр, в противном случае криптоаналитик имел бы причину предпочесть одну догадку другой. И в самом деле, поиск системы в абсолютном хаосе — это работа как для криптоаналитика, так и для ученого.

По британской системе были изготовлены шифровальные блокноты для одноразового использования. Помимо случайного выбора ключа, ни одна из станиц не использовалась дважды, и к блокнотам не имели доступа посторонние, поэтому система была защищена от случайных ошибок и безопасна. Однако она была построена на создании колоссального количества ключей, равного по объему максимуму того, что мог потребовать канал связи. Предположительно, выполнение этой неблагодарной задачи было возложено на женщин из Строительной секции (Construction Section) GC&CS, которую с началом войны эвакуировали не в Блетчли, а в Мэнсфилд Колледж в Оксфорде. Что касается использования системы, то и оно не доставляло большого удовольствия. Малькольм Маггеридж, который работал в секретной службе, считал ее «трудоемкой работой, в которой я всегда был слаб. Во-первых, нужно было вычитать из групп чисел в телеграмме соответствующие группы из так называемого одноразового шифровального блокнота; затем смотреть в книге шифров, что означают получившиеся группы. Любая ошибка в вычитании или, что еще хуже, в вычтенных группах, и все можно выбрасывать. Я пахал до потери пульса, ужасно путался, и если надо было начитать все сначала....»

В качестве альтернативы можно было использовать систему шифрования, основанную на идее «замещения». В простейшем виде она применялась для головоломоккриптограмм, которые решали любители «Принстонской охоты за сокровищами». По этой системе одна буква алфавита заменялась другой по заранее определенному принципу, например:

A B C D E F G H J K L M N O P Q R S T U V W X Y Z
K S G J T D A Y O X H E P W M I Q C V N R F Z U ,

так что слово TURING превращается в VNQOPA. Такой простой или «моноалфавитный» шифр можно было легко разгадать, проверив частоту использования букв, общих слов и .т. Фактически проблема при решении таких головоломок возникала лишь тогда, когда составитель включал в нее необычные слова вроде XERXES (Ксеркс), чтобы затруднить разгадку. Такая система была слишком примитивной для использования в военных целях. Однако в 1939 г. использовались системы, которые были немногим сложнее. Сложность их заключалась в применении нескольких алфавитных замещений, используемых по принципу ротации или в соответствии с другими несложными схемами. Немногие существовавшие инструкции и учебники по криптологии были, в основном, посвящены таким «полиалфавитным» шифрам.

Немного более сложной была система, в которой шло замещение не отдельных букв, а 676 возможных пар букв. Одна британская шифровальная система тех лет была основана на этом принципе. Она сочетала использование этого принципа и книги шифров. Система использовалась британским Торговым флотом.

Сначала шифровальщик должен был закодировать сообщение кодом торгового флота, например:

Текст Закодированный текст

Expected to arrive at (ожидается прибытием в) V Q U W
14 C F U D
40   U Q G L

Следующим шагом было дополнение до четного числа строк, поэтому шифровальщик добавлял слово, не несущее никакого смысла, например,

Balloon   Z J V Y

После этого сообщение нужно было зашифровать. Шифровальщик брал первую вертикальную пару букв, т.е. VC, и искал ее соответствие в таблице буквенных пар. В таблице значилась другая буквенная пара, например, XX. Подобным образом шифровальщик заменял все остальные пары букв сообщения.

Добавить здесь особо нечего, за исключением того, что, как и в системе шифрования «с суммированием», процесс был бесполезен в случае, если законный получатель не знал, какая таблица замещения используется. Если, скажем, предварить передачу информацией «Таблица номер 8», то это может позволить криптоаналитику противника собрать и систематизировать сообщения, зашифрованные с использованием той же самой таблицы, и попробовать взломать шифр. Поэтому здесь также использовались некоторые способы сокрытия информации. С таблицами печатался список последовательностей из восьми букв, например, «B M T V K Z M D». Шифровальщик выбирал одну из этих последовательностей и добавлял ее к началу сообщения. Получатель, имевший такой же список, мог видеть, какая таблица используется.

Этот простой пример показывает самый общий принцип. В практической криптографии (что отличает ее от составления отдельных головоломок) часть передаваемого сообщения обычно содержит не сам текст, а инструкции по дешифровке. Такие элементы передачи, которые скрыты в ней, называются *индикаторами*. В системе с одноразовыми шифровальными блокнотами могут применяться индикаторы, указывающие, какую страницу блокнота следует использовать. Фактически, если все «не разжевано» в полном объеме заранее, детально, если существует малейшая вероятность двусмысленности или ошибки, что в сообщение должен быть какой-нибудь индикатор.

Это, бесспорно, пришло на ум Алану, который, по меньшей мере, с 1936 года размышлял о «самом общем виде кода или шифра». Такая смесь инструкций и данных внутри одной передачи напоминала о его «универсальной машине», которая сначала расшифровывает «номер описания» в инструкцию, а затем применяет эту инструкцию к содержанию ленты-накопителя. На самом деле, любая шифровальная система может рассматриваться как «сложный механический процесс» или машина Тьюринга, используя не просто правила сложения и замещения, но и правила того, как найти, применить и передать сам метод шифрования. Хорошая криптография базируется на создании целого свода правил, а не того или иного сообщения. И серьезный криптоанализ предполагает работу по их раскрытию, воссозданию всего механического процесса, проделанного шифровальщиками, с помощью анализа всей массы сигналов.

Возможно, шифровальная система торгового флота и не являлась последним словом с точки зрения сложности, но хорошо функционировала на обычных суда и находилась почти на пределе возможностей ручного метода. Кто угодно мог мечтать о создании более безопасной системы, но если процедура шифрования становилась слишком длинной и сложной, это приводило только к дополнительным задержкам и ошибкам. Однако если использовались шифровальные машины, которые перенимали часть «механической работы» шифровальщика, то ситуация начинала выглядеть совсем по-другому.

В этом отношении Британия и Германия вели симметричную войну, используя очень похожие машины. Фактически каждая немецкая официальная радиопередача была зашифрована с помощью машины «Энигма». Британцы использовали машину «Тайпекс», правда, не настолько широко. Она применялась в сухопутных войсках и в большей части королевских ВВС. Министерство иностранных дел и Адмиралтейство сохранили собственные ручные шифровальные системы, основанные на книгах. «Энигма» и «Тайпекс» в равной степени позволили механизировать базовые операции замещения и суммирования таким образом, что появилась возможность начать практическое применение более сложных систем. Они не делали ничего сверх того, что можно было делать с помощью таблиц в книгах шифров, но дали возможность выполнять эту работу быстрее и точнее.

В существовании таких машин не было никакого секрета. О них знали все — по меньшей мере все, кто получил в качестве школьного подарка книгу Роуза Болла «Математические развлечения и опыты» (Mathematical Recreations and Essays) издания 1938 г. В исправленной главе, написанной криптоаналитиком вооруженных сил США Абрахамом Синковым, говорилось о старых металлических решетках, шифрах Плейфера и тому подобных вещах, а также упоминалось, что «относительно недавно были проведены серьезные исследования в области изобретения машин для автоматической шифровки и расшифровки сообщений. Большая их часть использует периодические полиалфавитные системы».

«Периодический» полиалфавитный шифр использует некую последовательность алфавитных замещений и затем повторяет ее.

«Новейшие машины приводятся в действие электричеством и во многих случаях период представляет собой огромное число... Эти машинные системы намного более быстры и точны, чем ручные методы. Они могут даже объединяться с печатными и передающими устройствами таким образом, что при шифровке сохраняется запись зашифрованного сообщения и идет его передача; при дешифровке секретное сообщение принимается и переводится, все автоматически. Что касается существующих криптоаналитических методов, то шифровальные системы, полученные из некоторых из этих машин, очень близки к практической неразрешимости».

В базовой машине «Энигма» также не было никаких секретов. Она была представлена на конгрессе Международного почтового союза в 1923 г., вскоре после изобретения. Ее покупали и использовали банки. В 1935 г. британцы создали «Тайпекс», внеся некоторые изменения в конструкцию «Энигмы». Немецкие криптологи, в свою очередь, несколькими годами ранее модифицировали ее несколько другим способом, получив машину, которая, сохранив название

«Энигма», оказалась намного более эффективной по сравнению с коммерческим аналогом.

Все это не означало, что немецкая «Энигма», с которой теперь должен был бороться Алан Тьюринг, намного опережала свое время или даже лучшее из того, что могли предложить технологии конца 1930-х годов. Единственной особенностью «Энигмы», которая позволяла отнести ее к двадцатому или хотя бы к концу девятнадцатого столетия, было то, что она «приводилась в действие с помощью электричества». В ней использовались электрические провода, через которые автоматически осуществлялись серии алфавитных замещений. Однако «Энигма» буде использоваться в фиксированном положении только для шифрования одной буквы, после чего самый удаленный от середины ротор повернется на одну позицию, создав новые связи между входом и выходом. Это показано на рисунке.

Рисунок. Базовая «Энигма».

Ротор	ротор	ротор	рефлектор

A
B
C
D
E
F
G
H

Повернулся не изменилось
На один шаг не изменилось

Для простоты мы представили на рисунке алфавит только из восьми букв, хотя на самом деле «Энигма» работала с обычным 26-буквенным алфавитом. На рисунке показано положение машины в конкретный момент ее работы. Линии обозначают провода, по которым течет ток. Простая система выключателей на входе работает таким образом, что при нажатии клавиши (например, B) ток течет по проводу (на рисунке показан жирной линией) и зажигает лампочку на панели дисплея (в данном случае — под буквой D). Для гипотетической восьмибуквенной «Энигмы» следующее положение будет выглядеть так:

Для 26-буквенной «Энигмы» роторы имели 26 x 26 x 26 = 17576 возможных положений. Они приводились в действие как в любом арифмометре, когда средний ротор поворачивался на одно деление, когда первый ротор совершал полный оборот, а крайний в направлении внутрь поворачивался на один шаг, когда средний ротор совершал полный оборот. «Рефлектор» же не двигался. На нем были закреплены провода, соединявшие выходы крайнего внутреннего ротора.

Таким образом, «Энигма» была полиалфавитой, с периодом, равным 17576. Однако это было не «огромное число». На самом деле, для нее требовалась книга размером с арифметические таблицы для всех записанных алфавитов. Этот механизм, в действительности, не был прыжком в новую степень сложности. Роуз Болл в книге, изданной в 1922 г., предупредил (эту книгу Алан изучал в школе):

«Часто рекомендуют использовать приборы, создающих шифры, которые меняются или могут меняться постоянно и автоматически... но следует принимать в расчет риск попадания таких приборов в руки посторонних. Поскольку в равной степени хорошие шифры можно создавать без помощи механических средств, я не думаю, что их применение можно рекомендовать».

Однако то, что создано с помощью машины, с легкостью может быть уничтожено с помощью машины. Вся сложность «Энигмы», какой бы совершенной машина ни была, становится бесполезной, как только она создает шифр, который может взломать противник, получивший в свое распоряжение копию машины. Она может создавать лишь иллюзию безопасности.

Конструкция «Энигмы» вовсе не была настолько продвинутой и не соответствовала данному Синковым описанию современных разработок. Работавший на ней шифровальщик по-прежнему выполнял нудную и занимающую много времени работу, отмечая, под какой буквой загорелась лампочка, и записывая ее на бумаге. Не существовало также автоматической печати и передачи сообщений. Их надо было передавать с помощью азбуки Морзе. Медлительную машину никак нельзя было считать оружием блицкрига, по технической сложности она не превосходила электрическую лампочку.

С точки зрения криптоаналитика, тем не менее, физические затраты шифровальщика и физическая конструкция машины значения не имели. Значение имело *логическое* описание — точно также как в машине Тьюринга. Все самое важное в «Энигме» содержалось в ее «таблице», списке ее положений и того, что она делает в каждом положении. И с точки зрения логики действие «Энигмы», в любом данном конкретном положении имело очень специфическое свойство. Это была «симметричность», обусловленная «отражающей» природой машины. Для любой «Энигмы», в любом положении, истиной являлось то, что буква А при шифровке становится буквой Е, и затем в том же положении буква Е будет зашифрована как буква А. Алфавиты замещения, получающиеся из положения «Энигмы», всегда будут своппингами.

Для гипотетической 8-буквенной машины в положении, показанном на первом рисунке, замещение будет выглядеть так:

Открытый текст A B C D E F G H
Шифр E D G B A H C F

Для машины в положении, показанном на втором рисунке, замещение будет следующим:

Открытый текст A B C D E F G H
Шифр E F G H A B C D

Это можно записать в виде своппингов: как (AE) (BD) (CG) (FH) в первом случае и как (AE) (BF) (CG) (DH) во втором случае.

У этого свойства «Энигмы» было практическое преимущество. Оно заключалось в том, что операция дешифровки была идентична операции шифровки. (В терминологии теории групп шифр был самоинверсным). Получатель сообщения должен был лишь настроить машину точно таким же образом как отправитель, и загрузить зашифрованный текст. На выходе он получал расшифровку. Поэтому не было необходимости встраивать в машину режимы «шифровки» и «расшифровки», что делало ее работу менее подверженной ошибкам и путанице. Однако в этом же крылась и важнейшая уязвимость «Энигмы» — замещения всегда были именно особого вида, при этом буква не могла быть зашифрована самой собой.

Такова была базовая структура «Энигмы». Но машины, использовавшиеся в военных целях, были гораздо сложнее. Начать с того, что три ротора не были жестко зафиксированы и могли сниматься и располагаться в любом порядке. До конца 1938 г. в машине было только три ротора, которые можно было располагать шестью способами. В этом случае машина предлагала 6 x 17576 = 105456 различных буквенных замещений.

Очевидно, что роторы нужно было каким-то образом помечать снаружи, чтобы можно было идентифицировать разные положения. Однако это привносило еще одну сложность. На каждом роторе располагалось кольцо с 26 буквами, так что, когда кольцо фиксировалось в определенном положении, буква отмечала положение ротора. (На самом деле букву было видно через окно в верхней части машины). Однако положение кольца относительно системы электрических проводов менялось каждый день. Возможно, провода помечались числами от 1 до 26, а положение кольца — буквами от A до Z, появлявшимися в окне. Поэтому установка кольца определяла место, где оно должно было зафиксироваться на роторе. Например, буква G оказывалась на позиции 1, буква H — на позиции 2 и т.д.

Установка кольца в определенное положение входила в обязанности шифровальщика. Он же использовал буквы на кольце для определения положения ротора. С точки зрения криптоаналитика это означало, что даже если было бы открыто объявлено, что ротор установлен в положение К, это не не позволило бы установить то, что в Блетчли-Парке назвали бы «core-position» — фактическое физическое положение провода. Его можно было вычислить, если бы было также известно положение кольца. Однако аналитик может знать относительное физическое положение провода; таким образом, положения К и М неизбежно будут соответствовать положениям core-positions, расположенным в двух позициях одна от другой. Поэтому было известно, что если К находится в положении 9, то М будет находиться в положении 11.

Однако более важной и сложной особенностью машины было подключение коммутационной панели. Это было самое отличие военной «Энигмы» от коммерческой, и оно очень нервировало британских аналитиков. Она обладала эффектом автоматически выполнять дополнительные своппинги, как перед входом в роторы, так и после выхода из них. Технически это выполнялось втыканием штепселей, укрепленных на концах каждого провода в панель с 26 отверстиями — как на телефонном коммутаторе. Для достижения необходимого эффекта требовались искусные электрические соединения и двужильные провода. До конца 1938 г. для немецких шифровальщиков-пользователей «Энигмы» считалось обычным делом иметь всего шесть или семь пар букв, соединенных подобным способом.

Таким образом, если роторы и рефлектор базовой машины были установлены так, что замещение выглядело как

A B C D E F G H I J K L M N O P Q R S T U V W X Y Z
C O A I G Z E V D S W X U P B N Y T J R M H K L Q F,

а провода коммутационной панели были установлены так, что соединяли пары

(AP)(KO)(MZ)(IJ)(CG)(WY)(NQ),

то в результате нажатия клавиши A электрический ток тек по проводу к букве P, затем через роторы к букве N, затем по проводу — к букве Q.

Из-за симметричного использования коммутационной панели перед и после прохождением тока через роторы сохранялись самоинверсный характер базовой «Энигмы» и свойство каждой буквы никогда не шифроваться самой в себя. Если буква А зашифровывалась в букву Q, и, следовательно, при том же положении машины буква Q зашифровывалась в букву А.

Поэтому коммутационная панель не оказала влияния на этот полезный — но опасный — аспект базовой «Энигмы». Однако она же очень сильно увеличила огромное количество позиций «Энигмы». Существовало 1 305 093 289 500 способов соединения семи пар букв на коммутационной панели, для каждого из 6 x 17576 позиций роторов.

По-видимому, немецкие власти поверили в то, что эти изменения коммерческого варианта «Энигмы» очень сильно приблизили ее к рубежу «практической неразрешимости (невозможности расшифровки)». И все же, когда Алан 4 сентября присоединился к команде Блетчли, он обнаружил, что там все гудит от открытий, сделанных польскими криптоаналитиками. Ощущения были свежими и новыми, потому что технические материалы прибыли в Лондон только 16 августа. А в них указывались методы, с помощью которых поляки в течение семи лет расшифровывали сообщения, зашифрованные «Энигмой».

Во-первых, и это было обязательное условие (sine qua non), поляки сумели выяснить наличие проводов, соединенных с тремя роторами. Знать, что немцы используют машину «Энигма» — это одно, но узнать о наличии специальных проводов — это совсем другое дело. Сделать это в мирном 1932 году было настоящим подвигом. Это произошло благодаря усилиям французских спецслужб, чьи шпионы в сентябре и октябре 1932 г. добыли копию инструкций по применению машины. Инструкцию они передали полякам и затем — британцам. Разница заключалась в том, что в польском департаменте работали трое энергичных математиков, которые смогли использовать полученные документы, чтобы узнать о проводах.

Гениальные наблюдения, остроумные предположения и использование элементарной теории групп позволили понять, что в машине используются провода, и понять структуру рефлектора. Поняв все это, польские математики догадались, каким образом буквы на клавиатуре связаны с механизмом шифровки. Они могли быть соединены в полном беспорядке, чтобы внести дополнительную сложность в конструкцию машины. Однако поляки догадались и позднее убедились в том, что конструкция «Энигмы» не предусматривает эту потенциальную свободу. Буквы соединялись с ротором в алфавитном порядке. В результате поляки создали логическую, но не физическую копию машины и получили возможность использовать это обстоятельство.

Другими словами, они смогли сделать эти наблюдения, только поняв очень специфический способ использования машины. Применяя этот метод, они продвинулись в направлении регулярной расшифровки материалов, зашифрованных с помощью «Энигмы». Они не сломали машину; они победили систему.

Базовый принцип использования «Энигмы» заключался в том, что ее роторы, кольца и коммутационная панель устанавливались определенным образом, затем осуществлялась шифровка сообщения, и после того, как это было сделано, роторы автоматически поворачивались на шаг. Однако для того, чтобы такая система связи функционировала, получатель должен был знать первоначальное положение машины. В этом заключалась фундаментальная проблема любой системы шифрования. Недостаточно было иметь саму машину, должен был также существовать согласованный и постоянный метод ее использования. Согласно методу, который применяли немцы, первоначальное положение машины частично определялось во время ее использования шифровальщиком. При этом неизбежно применялись индикаторы, и именно с помощью системы индикаторов полякам удалось добиться успеха.

Чтобы добиться точности работы, порядок расположения роторов фиксировали в письменной инструкции, то же относилось к коммутационной панели и установке колец. Задачей шифровальщика было выбрать оставшийся элемент — изначальную установку трех роторов. Это сводилось к выбору некоей тройки букв, например, «W H J». Самая простая система индикаторов просто передала бы «W H J» и включила бы это сочетание в зашифрованное сообщение. Однако на самом деле все было намного сложнее. Сочетание «W H J» само зашифровывалось в машине. Для этого в инструкции на день закладывались так называемые базовые настройки (ground settings). Они, как и порядок расположения роторов, коммуникационная панель и установки колец, были общими для всех операторов в сети. Предположим, что базовая настройка была «R T Y». Затем шифровальщик устанавливает свою «Энигму» с учетом определенного положения роторов, коммутационной панели и колец. Он поворачивает роторы, который считывают «R T Y». После этого он зашифровывает в два приема установку ротора по своему выбору. Иными словами, он зашифровывает «W H J W H J», получая, допустим сочетание «E R I O N M». Он передает сочетание «E R I O N M», затем возвращает роторы на «W H J», зашифровывает сообщение и передает его. Преимущество заключалось в том, что каждое сообщение после первых шести букв зашифровывалось на другой настройке. Слабость системы состояла в том, что в течение одного дня все операторы в сети использовали одно и то же положение машины для первых шести букв своих сообщений. Еще хуже было то, что эти шесть букв всегда представляли шифровку повторяющихся сочетаний из трех букв. Повторение этого элемента и сумели использовать польские криптоаналитики.

Их метод заключался в том, чтобы с помощью радиоперехватов ежедневно составлять список этих первоначальных последовательностей из шести букв. Они знали, что в списке содержится некая модель или система. Например, если первой буквой была A, а четвертой R, то в любом другом сообщении, где первой буквой является A, то четвертой снова будет R. Накопив достаточно сообщений, они сумели составить полную таблицу, предположим:

Первая буква: A B C D E F G H I J K L M N O P Q R S T U V W X Y Z

Четвертая буква: R G Z L Y Q M J D X A O W V H N F B P C K I T S E U

Затем появятся еще две таблицы, в которых связываются вторая и пятая и третья и шестая буквы. Существовал целый ряд способов использования этой информации для выяснения положения «Энигмы» на тот момент, когда были отправлены все эти сочетания из шести букв. Но особенно важным считался метод, который реагировал на механическую работу шифровальщика, включая механизированную форму анализа.

Поляки написали несколько таблиц сочетаний букв в форме *циклов*. Запись цикла широко применялась в элементарной теории групп. Чтобы преобразовать приведенное выше специфическое сочетание букв в «циклическую» форму, аналитик начинал с буквы A и отмечал, что A связана с буквой R. В свою очередь, буква R была связана с B, B — с G, G — с M, M — с W, W — с T, T — с C, C — с Z, Z — с U, U — с K, и K — с A, таким образов получался полный «цикл»: (A R B G M W T C Z U K). Полное сочетание можно записать как произведение четырех циклов:

$$(A R B G M W T C Z U K)(D L O H J X S P N V I)(E Y)(F Q)$$

Причина такой записи состояла в следующем: аналитики обратили внимание на то, что *длины* этих циклов (в нашем примере 11, 11, 2, 2) не зависели от коммутационной панели. Они зависели только от положения роторов, коммутационная панель влияла на то, *какие* буквы появлялись в циклах, но не на их *количество*. Это наблюдение продемонстрировало, что положения роторов оставляют довольно четкие характерные признаки в зашифрованном тексте, когда поток сообщений рассматривается как единое целое. Фактически они оставили лишь три характерных признака — длины циклов каждой из трех таблиц сочетаний букв.

Из этого следовало, что если у аналитиков был полный набор признаков длин циклов, трех для каждого положения ротора, то все, что им нужно было сделать для того, чтобы определить, какое положение ротора использовалось для первых шести букв — это просто перебрать весь набор. Проблема заключалась в том, что в каталоге было 6 x 17576 позиций роторов. Но они сделали это. Для облегчения работы польские математики разработали небольшую электрическую машину, в которой были установлены роторы «Энигмы», и которая автоматически формировала требуемые комбинации букв. На всю работу у поляков ушел год, результаты ее были занесены в картотеку. Но после этого детективная работа была фактически механизирована. Для определения комбинации длин циклов, которые соответствовали обмену шифрованными сообщениями за день, требовалось всего 20 минут поиска в картотеке. В результате аналитики идентифицировали позиции роторов, в которых те находились во время шифровки шести букв индикаторов. Имея эту информацию, аналитики могли вычислить все остальное и прочитать дневную шифропереписку.

Это был элегантный метод, но его недостаток заключался в том, что он полностью зависел от конкретной системы индикаторов. И это не могло продолжаться долго. Сначала у поляков перестала получаться расшифровка сообщений, зашифрованных «Энигмой», применяемой в германском военно-морском флоте, и «... с конца апреля 1937 г., когда немцы изменили военно-морские индикаторы, они (поляки) смогли прочитать только военно-морскую переписку за период с 30 апреля по 8 мая 1937 г., и ту лишь в ретроспективе. Более того, этот небольшой успех не оставил им никаких сомнений в том, что новая система индикаторов сделала «Энигму» намного более безопасной...»

Затем, 15 сентября 1938 г., в тот день, когда Чемберлен прилетел в Мюнхен, произошла более серьезная катастрофа. Немцы изменили все остальные свои системы. Изменения были незначительны, но это означало, что в течение одной ночи все занесенные в каталог длины циклов стали совершенно бесполезны.

В новой системе базовая настройка (ground settings) больше не устанавливалась заранее. Теперь она выбиралась шифровальщиком, который таким образом должен был пе-

редать ее получателю. Это делалось простейшим способом — она передавалась, как есть. То есть, если шифровальщик выбирал буквы A G H, то устанавливал роторы так, что
они считывали A G H. Затем он мог выбрать другую на-
стройку, например, T U I. Он зашифровывает T U I T U I,
получая, допустим, R Y N F Y P. Затем он передает A G H R
Y N F Y P как буквы-индикаторы, после чего следует само
сообщение, зашифрованное с помощью роторов с базовой
настройкой T U I.

Безопасность этого метода базировалась на том, что установки колец менялись день ото дня. Однако первые три
буквы (A G H в нашем примере) могли раскрыть всю переписку. Соответственно, перед аналитиками стояла задача
определить установки колец, которые были общими для
всего потока шифрованных сообщений сети. Удивительно,
но польские аналитики смогли решить задачу поиска новых
отличительных признаков, которые позволяли определить
установку кольца или, что эквивалентно, определить физическое положение провода (core-position), которое соответствовало отрыто объявленной установке ротора, например A G H в нашем примере.

Так же как в случае с более старым методом, поиски характерных признаков зависели от оценки всего потока сообщений в целом и в использовании элемента повторений
в последних шести из девяти букв-индикаторов. Если общая
базовая настройка отсутствует, то отсутствует и четкая связь
между первой и четвертой, второй и пятой, третьей и шестой буквами, которую можно проанализировать. Но «остаток» этой идеи уцелел, подобно улыбке Чеширского кота.
Иногда случалось так, что первая и четвертая буквы фактически *совпадали*. Иногда совпадали вторая и пятая или третья и шестая буквы. Это явление было без всяких очевидных
причин названо «мамой». Таким образом, если предположить, что сочетание T U I T U I было действительно зашифровано как R Y N F Y P, то повторяющаяся буква Y считалась «мамой». Этот факт дает небольшой кусочек информации о положении роторов, которое они занимали во время
шифровки букв T U I T U I. Метод решения задачи зависел

от поиска достаточного количества таких кусочков, сложив которые можно было бы разгадать всю головоломку.

Более точно можно было сказать, что core-position содержит букву-маму, если шифровка этой буквы оказывается одинаковой через те же самые три шага. Это было не очень редкое явление и имело место в среднем один раз в двадцати пяти. Некоторые core-position (около сорока процентов) имели свойство содержать как минимум одну букву-маму, а остальных их не было совсем. Свойство содержать или не содержать букву-маму не зависело от коммутационной панели, а ее идентификация, напротив, требовала ее учитывать.

Аналитики с легкостью определяли местоположение всех букв-мам в дневном потоке шифровок. Они не знали физическое положение проводов, которое приводило к их возникновению. Однако из открыто объявленных установок ротора, например, A G H, они узнавали относительное физическое положение проводов. Эта информация дала возможность определить *систему* появления букв-мам. Из-за того, что только около сорока процентов положений (core-positions) содержали буквы-мамы, существовала единственный способ, в котором система могла совпадать с их известным распределением. Таким образом, был определен новый характерный признак — система букв-мам.

Однако заранее составить каталог всех возможных систем, как поляки поступили применительно к длинам циклов, было невозможно. Поэтому нужно было найти другие, более сложные способы определения соответствия. Аналитики использовали листы с перфорациями. Это были простые таблицы всех физических положений проводов (core-positions), в которых вместо того, чтобы печатать «содержит букву-маму» или «не содержит букву-маму», пробивали или не пробивали отверстия. В принципе, поляки могли бы сначала изготовить одну огромную таблицу, и затем ежедневно изготавливать шаблон систем «букв-мам», отмеченных в потоке шифросообщений за данный день. Накладывая шаблон на таблицу, они, в конце концов, находили бы позицию, где отверстия совпадали. Однако такой метод был бы слишком неэффективен. Вместо этого они выбрали метод накладывания кусков таблицы физических положений один на другой, чередуя их в порядке, соответствующем найденным относительным положениям материнских букв. В итоге совпадение схем наблюдалось там, где свет проходил сквозь все листы. Преимущество метода чередования заключалось в одновременной проверке 676 вариантов. Это была по-прежнему длительная работа, требовавшая проведения 6 x 26 операций для полного исследования. Требовалось также изготовить перфорированные листы, регистрировавшие 6 x 17576 положений проводов. Но аналитики выполнили эту работу в течение нескольких месяцев.

И это был не единственный метод, который они разработали. Система перфорированного листа требовала знания местоположения десяти материнских букв в потоке сообщений. Вторая система требовала знания местоположения лишь трех материнских букв, но использовала не только факт существования такой буквы, но и конкретную букву, которая оказывалась материнской в зашифрованном тексте. Важной особенностью найденного метода было то, что эти конкретные буквы должны были быть среди тех букв, на которые не оказывала влияния коммутационная панель. С тех пор как в 1938 г. в коммутационной панели использовались только шесть или семь пар букв, это требование стало не слишком обязательным.

В принципе, метод заключался в сопоставлении обнаруженной системы трех конкретных материнских букв со свойствами положениями провода. Однако было невозможно каталогизировать заранее все материнские буквы в 6 x 17576 положениях, а затем провести поиск, даже с помощью чередующихся листов. В этом случае возникало слишком много возможных вариантов. Вместо этого польские математики пошли на радикально новый шаг. Они решили перебирать позиции роторов каждый раз заново, не делая каталоги заранее. Но это должен был делать не человек. Работа должна была выполняться машинами. К ноябрю 1938 г. они построили такие машины — фактически их было шесть, по одной на каждый возможный способ расположения роторов. Во время работы машины громко тикали, поэтому их назвали «Бомбами».

В «Бомбах» использовалась электрическая схема «Энигмы». В ней применялся электрический метод распознавания обнаруженных «совпадений». Сам факт того, что «Энигма» была машиной, позволял задуматься о механизации криптоанализа. Суть идеи заключалась в том, чтобы соединить между собой шесть копий «Энигмы» таким образом, чтобы электрическая цепь замыкалась при появлении трех конкретных «материнских» букв. Относительные основные позиции проводов шести «Энигм» фиксировались на известных относительных установках «материнских букв» — так же как в чередовании листов. Сохраняя эти относительные позиции, «Энигмы» проверяли каждую возможную позицию. Они могли проделать полный перебор позиций за два часа, т.е. каждую секунду проверялось несколько позиций. Это был «лобовой» метод, заключавшийся в том, что проверялись все возможные варианты один за другим. В нем не было математической изысканности. Однако он «втащил» криптоанализ в двадцатый век.

К сожалению для польских криптоаналитиков, немцы сильнее их углубились в двадцатый век. Едва поляки оснастили свои «Энигмы» электромеханической системой, как новое осложнение свело на нет их усилия. В декабре 1938 г. количество роторов в немецких «Энигмах» было увеличено с трех до пяти. Вместо шести возможных вариантов расположения роторов их число выросло до *шестидесяти*. Польские аналитики не испытывали недостатка в предприимчивости и преуспели в разработке новой системы расположения проводов благодаря ошибкам криптографов самозваной немецкой службы безопасности СД. Однако арифметика здесь была простой. Вместо шести «Бомб» теперь нужно было иметь шестьдесят. Вместо шести комплектов перфорированных листов теперь требовалось шестьдесят. Поляки проиграли. Так складывалась ситуация в июле 1939 г., когда британская и французская делегации прибыли в Варшаву. У поляков не было технических ресурсов для дальнейших разработок.

Так выглядела история процесса, которую услышал Алан. Сам процесс застопорился. Однако даже на тот момент поляки были на годы впереди англичан, которые по-прежнему оставались там, где они были в 1932 г. Англичане не смогли разработать систему проводов, они не смогли осознать тот факт, что клавиатура соединялась с первым ротором в простом порядке. Как и польские аналитики, они предполагали, что в данной точке конструкции имеется какая-то сбивающая с толку операция, и с удивлением узнали, что таковая отсутствует. Перед июльской встречей 1939 г. в GC&CS даже не думали «о возможности испытаний высокоскоростной машины, предназначенной для борьбы с «Энигмой»». Это можно было назвать отказом воли на некотором уровне. Они действительно не хотели думать, они действительно не хотели знать. Теперь же было преодолено конкретное препятствие, и англичанам пришлось столкнуться с проблемой, которую поляки считали неразрешимой:

«Вскоре после того как различные документы, предоставленные поляками — а именно, детали электропроводки — прибыли в GC&CS, появилась возможность расшифровать старые сообщения, ключи к которым были взломаны поляками, но более новые сообщения так и остались нерасшированными».

Они остались не расшифрованными по той же самой причине, по которой поляки считали их нечитаемыми. У них не было достаточного количества «Бомб» или перфорированных листов для пятироторной «Энигмы». Существовала также еще одна трудность: с 1 января 1939 г. в немецких системах использовалось десять пар на коммутационной панели, из-за чего польский метод с «Бомбой», перестал работать. За всем этим стояла более глубокая проблема. Она заключалась в том, что основные польские методы полностью зависели от определенной системы индикаторов. Поэтому требовалось предложить что-то совершенно новое. И именно в этот момент Алан впервые сыграл решающую роль.

Британские аналитики немедленно приступили к изготовлению шестидесяти комплектов перфорированных листов, которые требовались для использования первого метода «материнских букв» — перед ними стояла колоссальная задача проверки миллиона положений ротора. Но они знали, что если девятибуквенная система индикаторов будет изменена, пусть даже совсем незначительно, то их листы окажутся бесполезными. Им был нужен какой-то принципиально новый метод, не зависящий от систем индикаторов.

И такие методы существовали. В случае с «Энигмой» это были машины без коммутационной панели. Такой, например, была итальянская «Энигма», которую использовали войска Франко во время гражданской войны в Испании. GC&CS взломала ее систему в апреле 1937 г. Взлом ее был основан на методе, который Синков назвал «Интуитивным» (Intuitive) или методом «вероятного слова». Его суть заключалась в том, что аналитик должен был угадать слово, появляющееся в сообщение, и его точное место. Это не было невозможным, если принять во внимание стереотипный характер большинства военных сообщений и помнить об особенности «Энигмы», когда буква не может быть зашифрована самой собой. Предположив, что соединения проводов к роторам «Энигмы» известны, правильно угаданное слово может достаточно легко привести криптоаналитика к идентификации первого ротора и его начальной позиции.

Такой анализ мог быть сделан вручную. Но в принципе можно было применить механизированный метод, используя тот факт, что даже миллион возможных позиций роторов не был «страшно большим числом». Подобно польской «Бомбе», машина могла бы просто перебирать позиции роторов одну за другой до тех пор, пока не будет найдена та, что позволит превратить зашифрованный текст в обычный.

Мы забываем о внутренних деталях базовой «Энигмы» и воспринимаем ее просто как ящик, который трансформирует букву на входе в букву на выходе. Положение машины представлено тремя числами, соответствующими позициям роторов. (Мы также не учитываем, что средний и расположенный ближе к центру роторы могут двигаться, и считаем, что они статичны; это не влияет на принцип).

Предположим, что нам точно известно, что слово G E N E R A L зашифровано буквами U I L K N T N с помощью машины «Энигма» без коммутационной панели. Это значит, что существует такая позиция ротора, когда буква U трансформируется в букву G, также следующая позиция трансформирует I в E, следующая — L в N и т.д. В принципе, не существует помех в переборе всех возможных позиций то тех, пока не будет найдена нужная. Самым эффективным способом было бы рассматривать все семь букв *одновременно*. Это можно было сделать, если создать цепочку из семи «Энигм», установив из роторы в последовательные позиции. Задав буквы U I L K N T N, можно будет увидеть, появятся ли буквы G E N E R A L. Если нет, все «Энигмы» нужно передвинуть на один шаг, и повторить процесс. В конце концов, будет найдена нужная позиция ротора, и тогда положение машин будет выглядеть, допустим, так

U I L K N T N

5,9,3 5,9,4 5,9,5 5,9,6 5,9,7 5,9,8 5,9,9

G E N E R A L

Метод не требовал технических изысков, превосходящих уровень польской «Бомбы». Было достаточно легко прикрепить провода так, чтобы ток по ним шел лишь тогда, когда все семь букв совпадут с G E N E R A L и выключить машину.

Даже в самые первые дни эта идея не казалась особенно надуманной. Современник Алана, физик из Оксфорда Р.В.Джонс, который стал советником секретной службы по науке, был поставлен да довольствие в Блетчли в конце 1939 г. Он обсуждал насущные проблемы криптоанализа с заместителем Деннистона Эдвардом Трэвисом. Последний говорил о более амбициозной проблеме автоматического распознавания не определенного текста, а немецкого языка вообще. Джонс находчиво предложил несколько вариантов решения, одним из которых было «отметить или сделать прокол в бумаге или пленке в любой из 26 позиций в соответствии с буквой, выходящей из машины... и пропустить получившуюся запись мимо блока фотоэлементов, так что каждый из них может сосчитать количество появлений буквы, которую он ищет. После того, как будет достигнуто заданное общее число, распределение частот встречаемости букв можно будет сравнить с числом, соответствующим языку, таким образом, будет создано что-то вроде шаблона».

Трэвис представил Джонса Алану, которому идея «понравилась». Однако в том, что касалось «Энигмы», то основной метод по-прежнему оставался совсем другим. Он основывался на идее анализа известного куска обычного текста. Трудность, конечно, заключалась в том, что у военной «Энигмы» была коммуникационная панель, которая делала такой примитивный процесс невозможным — существовало 150 738 274 937 250 возможных комбинаций десяти пар букв. Проверить их все у машины не было никакой возможности.

Конечно, это устрашающее число не оказывало влияния на серьезного аналитика. Большие числа сами по себе не гарантировали безопасности от взлома. Любой человек, решивший криптограмму-головоломку, сумел устранить все кроме одного из 403 291 461 126 605 635 584 000000 различных буквенных замещений. Это было возможно сделать благодаря тому, что буква E вполне обычна, сочетание AO — редко и т.д. и т.п. Так что каждый мог устранить большое количество вариантов сразу.

Как видно, большое количество коммутационных панелей само по себе не является проблемой. Можно рассмотреть гипотетическую машину, в которой своппинг коммутационной панели применяется только перед зашифровкой с помощью базовой «Энигмы». Предположим, что для такой машины точно известно, что текст F H O P Q B Z является шифровкой слова G E N E R A L.

И опять-таки, имеется возможность ввести буквы F H O P Q B Z в семь соединенных последовательно «Энигм» и проверить, что получается на выходе. Но в этот раз аналитик не ожидает появления букв G E N E R A L, потому что к ним был применен неизвестный свопинг коммутационной панели. Тем не менее, кое-что еще можно сделать. Предположим, что в некоей точке процесса прохода через все позиции ротора сложился такой набор значений:

(26!/ 10!6!2) На самом деле 11 пар дают немного больше способов — правда, тут совсем небольшая разница; 12 или 13 пар иногда меньше, т.е. 26! Это также число возможных подключений проводов к каждому ротору «Энигмы».

F H O P Q B Z

2,17,3 2,17,4 2,17,5 2,17,6 2,17,7 2,17,8 2,17,9

G F G C O R I

Затем можно задать вопрос: могут ли (или не могут) буквы G F G C O R I быть получены из комбинации G E N E R A L как побочный эффект от свопинга коммутационной панели. В этом примере звучит ответ «нет», потому что при свопинге первая буква G поменяется, а вторая буква G превратится в N, свопинг не может превратить первую букву в слове G E N E R A L в F, а вторую — в C. К этому можно добавить, что свопинг не может превратить букву R в слове G E N E R A L в O, а затем трансформировать A в R. Любого из этих замечаний достаточно, чтобы исключить эту позицию роторов.

Чтобы правильно ответить на вопрос, надо исходить из принципа соответствия. Если загрузить зашифрованный текст в «Энигмы», то будет ли результат на выходе соответствовать известному заранее простому тексту в том плане, что он отличается только в силу свопинга. С этой точки зрения, соответствия (OR) и (RA) или (EF) и (EC) являются *противоречиями*. Но достаточно одного противоречия, чтобы устранить миллиарды возможных коммутационных панелей на этой гипотетической машине. Поэтому огромное число (замещений) может считаться несущественным в сравнении с логическими свойствами шифровальной системы.

Было сделано важнейшее открытие. Его суть заключалась в том, что нечто подобное можно было бы сделать и с реальной военной «Енигмой» со своппингом для коммутационной панели. Ведь он осуществлялся перед и после ввода текста на роторы у базовой «Энигмы». Открытие было сделано далеко не сразу и оно не было плодом раздумий и усилий одного человека. Чтобы сделать этот вывод, ушло несколько месяцев. К его авторам, в первую очередь, следует отнести двух человек. В то время, как Джеффрис присматривал за изготовлением новых перфорированных листов, Алан и Гордон Уэлчмен контролировали разработку изделия, которое позже стало известно как «британская Бомба».

«Атаку» начал Алан, а Уэлчмэн отвечал за анализ потоков информации, поэтому ему первому удалось сформулировать принцип механизации поиска логических соответствий, основанный на «вероятном слове». Польские аналитики механизировали простую форму распознавания, будучи ограниченными используемой тогда системой индикаторов. Новая машина, как ее видел Алан, была намного более амбициозной, требовала наличия проводки для имитации «включений» от гипотетической коммутационной панели и средств распознавания не только простых соответствий, но и появляющихся противоречий.

Теперь предположим, что нам известно, что буквы L A K N Q K R являются шифровкой слова G E N E R A L, и эта шифровка выполнена на «полноценной» «Энигме» с коммутационной панелью. В этот раз нет смысла в проверке сочетания L A K N Q K R на базовых «Энигмах» и в просмотре того, что получается на выходе, потому что перед вводом L A K N Q K R на роторы «Энигмы» к этой комбинации букв был применен неизвестный своппинг коммутационной панели. Но поиски были небесполезны. Рассмотрим только одну букву, а именно А. Существует только 26 вариантов воздействия коммутационной панели на А, поэтому мы можем проверить их все. Начать мы можем с принятия гипотезы (АА), т.е. допустить, что коммутационная панель не повлияла на букву А.

Что следует из этого? Теперь мы можем использовать то обстоятельство, что имеется только одна коммутационная панель, выполняющая одну и ту же своппинговую операцию на буквах, поступающих на роторы и выходящих из них (если бы «Энигма» была оснащена двумя разными коммутационными панелями — одной для своппинга вводимых букв, другой — для своппинга получающихся, то это была бы совсем другая история). Кроме того, мы можем использовать тот факт, что этот конкретный иллюстративный «ключ» содержит одну особенность — замкнутый контур. Проще всего это можно увидеть при выработке возможных обобщений, которые можно сделать из (AA).

Проверяя вторую букву в комбинации, мы вводим A в роторы «Энигмы» и получаем на выходе, например, букву O. Это значит, что коммутационная панель должна содержать своппинг (EO).

L A K N Q K R

A
O

G E N E R A L

При проверке четвертой буквы, утверждение (EO) будет иметь импликацию для N, например, (NQ); теперь третья буква дает импликацию для K, например (KG).

L A K N Q K R

A G Q G

O Q O A

G E N E R A L

Наконец, мы рассматриваем шестую букву: здесь контур замыкается, и мы получаем либо соответствие, либо противоречие между (KG) и оригинальной гипотезой (AA). Если это противоречие, то гипотеза оказалась ложной и может быть удалена.

Предложенный метод был далек от идеала, потому что полностью зависел от нахождения замкнутых контуров в «ключе». Этот феномен проявлялся не во всех ключах. Но это был метод, который по-настоящему работал, потому что идея с замнутой цепью позволяла перевести работу в электрическую форму. Это доказывало, что огромное количество коммутационных панелей само по себе не являлось непреодолимым препятствием.

Это было начало, и оно стало первым успехом Алана. Подобно большинству научных исследований военного времени, идея не требовала самых совершенных знаний. Скорее здесь была нужна квалификация такого же уровня, что и про проведении перспективных исследований, но применяемая при решении более простых проблем. Идея автоматизации процессов была достаточно известна в двадцатом веке. Ей не был нужен автор «Computable Nambers». Но его серьезный интерес к математическим (вычислительным) машинам, его увлеченность идеей работы машины, были очень важны. Опять же, присущие коммутационной панели условия «соответствия» и «противоречия» касались только сугубо ограниченной проблемы, а не чего-то, подобного теореме Гёделя, которая описывала бесконечное множество теории чисел. Но аналогия с формалистской концепцией математики, в которой импликации должны были механически доведены до логического конца, была поразительна.

Алан смог реализовать свою идею в виде конструкции новой «Бомбы» в начале 1940 г. Она была запущена в производство, причем работа шла со скоростью, которую невозможно было представить в мирное время. Выпуском руководил Гарольд «Док» Кин на заводе компании «British Tabulating Machinery» в Летчуорте. Раньше здесь выпускали офисные счетные машины и сортирующие устройства, в которых реле выполняли простейшие логические функции, например, суммирование и распознавание. Теперь задачей завода был выпуск реле, выполняющих переключение «Бомбы» в случае «распознавания» позиции, где есть соответствие, и остановку машины. И снова Алан оказался тем самым человеком, который понял, что необходимо сделать. Сказался его необычный опыт знакомства с релейными множителями, который помог вникнуть в проблему выполнения логических манипуляций в такого рода технике. Возможно, в 1940 г. не было никого, кто мог бы контролировать эту работу лучше его.

Однако не Алан увидел, как можно кардинально улучшить конструкцию машины. Этим человеком стал Гордон Уэлчмен. Он присоединился к криптоаналитической группе, работавшей над «Энигмой» и сразу сделал важное открытие: самостоятельно изобрел метод перфорированных листов, совершенно проигнорировав тот факт, что поляки уже придумали его, и Джеффрис наладил их производства. Затем, изучив конструкцию «Бомбы» Тьюринга, он понял, что машина не может в полной мере использовать слабости «Энигмы».

С созданием «Бомбы» и запуском ее в производство проблема «Энигмы» все равно была далека от разрешения. «Бомба» не выполняла всю работу, связанную с методом «вероятного слова». Тут нужно отметить важный пункт: когда соблюдались условия соответствия, и «Бомба» останавливалась, это не всегда означало, что найдена нужная позиция ротора. Такая «остановка», как ее называли, могла произойти случайно. Каждую «остановку» нужно было проверить на «Энигме», чтобы установить, не преобразует ли она весь оставшийся зашифрованный текст в немецкий так до тех пор, пока не будет найдена правильная позиция ротора.

Угадать вероятное слово было совсем не тривиальной задачей, как и сопоставить его с зашифрованным текстом. Хороший шифровальщик, конечно, мог сделать эти операции невозможными. Правильный способ использования «Энигмы» заключался в том, чтобы защититься от вероятного взлома такими очевидными средствами как предварение сообщения переменным количеством бессмысленных комбинаций букв, вставкой буквы X в длинные слова, использованием «похоронной процедуры» в стереотипные или повторяющиеся части сообщения. Основной принцип заключался в том, чтобы сделать систему как можно более непредсказуемой, но понятной законному получателю. Если все было сделано как следует, найти необходимые «Бомбе» «ключи» было невозможно.

«Бомба» оставалась почти бесполезной, пока не удалось взломать поток зашифрованных сообщений, но это произошло не там, где ожидалось.

Работа по взлому сигналов люфтваффе вели по-другому: использовали метод перфорированных листов, который применялся для системы девятибуквенных индикаторов. В течение осени 1939 г. было завершено изготовление шестидесяти комплектов листов, и копию передали французским криптоаналитикам в Виньоль. Это был акт надежды. С декабря 1938 г. не удалось расшифровать ни одного сообщения, зашифрованного с помощью «Энигмы», поэтому англичане не имели никакой гарантии, что к моменту окончания изготовления листов они вообще понадобятся. Однако надежда оправдалась.

«В конце года, — говорится в отчетах GC&CS, — наш эмиссар вернулся с важнейшей новостью о том, что шифр взломан (28 октября, Грин) на ... листах, которые он привез с собой. Мы немедленно приступили к работе над ключом (25 октября, Грин)...; впервые шифр «Энигмы», использованный в военное время, был взломан в январе 1940 г.». В отчете GC&CS далее говорится: «Внесли ли немцы изменения в свою машину на Новый год? Пока мы ждали ... было взломано еще несколько шифров 1939 г. Благоприятный день, наконец, настал... Листы были наложены...и «Красный» (шифр) от 6 января был взломан. Вскоре последовали другие шифры...»

Счастье улыбнулось британцам, и перфорированные листы позволили первый раз войти в систему. Это было как на Принстонской охоте за сокровищами — каждый новый успех давал ключ к следующей цели с более быстрой и полной расшифровкой. Помимо листов, англичане использовали и другие методы — алгебраические, лингвистические, психологические. Но это всегда было очень сложно, потому что правила постоянно менялись, а они должны были действовать максимально быстро, чтобы не отставать. Они держались изо всех сил, стоило им отстать на несколько месяцев, и они бы не смогли догнать немцев. Весной 1940 г. положение было особенно шатким, они держались на находчивости и интуиции.

Догадываться и надеяться — это самая полная характеристика действий британцев. Правительство немногим лучше общественности понимало в том, что надо делать, чтобы выиграть войну, и что вообще происходит.

Кроме того, оказалось, что шифровки люфтваффе, на прочтение которых в Блетчли потратили столько времени и сил в марте 1940 г., состоят, в большинстве своем, из детских стишков, отправленных в качестве тренировки. Даже там, где аналитики были заняты захватывающей работой, часто ощущалось чувство оторванности от жизни и разочарования. То же самое было в Кембридже. Алан вернулся туда на время увольнения, чтобы поработать над некоторыми математическими проблемами и повидаться с друзьями. В Кингс-колледж им пришлось провести некоторое время в бомбоубежище, но бомбежка так и не началась. Три четверти детей, эвакуированных из Кембриджа, вернулись домой к середине 1940 г.

Однако к Рождеству война не закончилась. 2 октября 1939 года Алан воспользовался правом временно (до окончания войны) приостановить свою работу в качестве преподавателя. И хотя его курс по основаниям математики значился в списке лекций, он так и не был прочитан. Шла русско-финская война. Однажды на вечеринке в комнате Патрика Уилкинсона Алан познакомился со студентом-третьекурсником Робином Гэнди, который изучал математику и добросовестно пытался защищать идеи коммунистической партии. Лозунг «Руки прочь от Финляндии» был настоящей демагогией, которую Алан презирал, но Робин Гэнди ему нравился, и вместо того, чтобы ссориться с ним, он, задавая вопросы, по-сократовски привел его к противоречию.

Единственной реальной вещью даже во время «странной войны» был конфликт на море. Как и в годы Первой мировой войны, островное положение Британии было одновременно ее силой и слабостью. Война с Британией означала атаку на мировую экономику. Одна треть мирового торгового судоходства приходилась на Британию. Вряд ли существовал какой-либо вид сырья, кроме каменного угля и кирпичей, в котором Британия была бы независима от ввоза из-за границы. Несмотря на блокаду, Германия могла выжить, привлекая природные и человеческие ресурсы из Европы. Выживание Британии зависело исключительно от безопасности океанского судоходства. В этом заключалось чудовищное неравенство.

Именно война на море стала «епархией» Алана. В начале 1940 г. «Энигмы» были распределены между ведущими криптоаналитиками, которые заняли домики, разбросанные на территории поместья Блетчли. Уэлчмен взял на себя «Энигмы» вермахта и люфтваффе и занял домик №6, к нему присоединились новобранцы. Диллвин Нокс взял себе итальянскую «Энигму» и «Энигму», которую использовала немецкая СД. Ему тоже придали новобранцев. Эти системы, которые не имели коммутационных панелей, лучше сочетались с его психологическими методами. А Алан в домике №8 приступил к работе с «Энигмой» германского военно-морского флота. В остальных домиках разместились секции перевода и интерпретации выходных сигналов. В домике №3 перерабатывали материалы по вермахту и люфтваффе, которые выдавала бригада из домика №6, а военно-морские сигналы интерпретировала группа в домике №4, которой руководил Фрэнк Бёрч.

Вероятно, Алану было мало что известно об обстановке, в которой он работал. А она была не очень вдохновляющей. Он работал на Адмиралтейство, которое с огромной неохотой передало военно-морской криптоанализ в ведение GC&CS. Оно традиционно стремилось к автономии. Руководя крупнейшим флотом мира, оно полагало, что может вести военные действия самостоятельно. Однако оно не усвоило урок, согласно которому флоты полагаются не только на силу, но и на *информацию*, потому что орудия и торпеды бесполезны, если их не применять в нужное время в нужном месте.

Отдел военно-морской разведки (Naval Intelligence Division, NID) был создан только во время Первой мировой войны, а в мирное время он был ужат до размеров, достойных романов Кафки.

К сентябрю 1939 г. новый глава отдела, Норман Деннинг, сумел несколько улучшить ситуацию. Он ввел картотеки вместо книг учета, установил прямую телефонную связь с Ллойдом, и оборудовал Зал слежения, где можно было отслеживать и обновлять местоположение торговых судов. Контакты с GC&CS были не такими успешными. Фактически к криптоаналитической организации, после Первой мировой войны перешедшей под эгиду Форин-Офис, относились, скорее, как к врагу. Деннинг пытался вернуть ее под контроль Адмиралтейства вплоть до февраля 1941 г.

Правда, дальновидный Деннинг сумел установить правило, согласно которому новая подсекция NID, Оперативный разведывательный центр (ОРЦ), должен был получать и координировать информацию из всех источников. Это был настоящий прорыв. Перед войной штат ОРЦ составлял 36 человек. Им нужно было решить множество проблем, но главная проблема 1939 г. заключалась в том, что у них не было информации, которую нужно было координировать.

Самолеты Берегового командования время от времени засекали немецкие подлодки, и командование Королевских ВВС убедили информировать Адмиралтейство, когда такие случаи имели место. Авиаразведка ограничивалась тем, что нанимала гражданских пилотов фотографировать немецкую береговую линию. Информация от агентов в Европе была «скудной». «Самые полезные сведения поступали от одного дилера черного рынка в шелковых носках, у которого были связи в Почтовом управлении германского военно-морского флота. Время от времени он мог сообщать почтовые адреса определенных кораблей. Таким образом, добывалась фрагментарная информация об их местонахождении». Когда в но-

ябре 1939 г. был потоплен корабль «Равалпинди», Адмиралтейство было не в состоянии выяснить даже класс судна, ответственного за эту трагедию.

Вплоть до начала войны в «военно-морской подсекции
Германской секции GC&CS, в штате которой в мае 1938 г.
числились один офицер и один клерк, по-прежнему не было
криптоаналитиков». В этом заключалась одна из причин того, почему никто даже не попытался ответить на немецкий
вызов. Теперь, после поступления помощи от поляков и почти готовой «Бомбы», перспективы выглядели получше, но
общая картина была очень мрачной.

Чтобы добиться хоть какого-нибудь прогресса, Алану
было нужно что-то большее. «Начиная с декабря 1939 г.
GC&CS ставило Адмиралтейство в известность о срочности
выполнения этого... требования, но у Адмиралтейства было
мало возможностей выполнить его. Однако война (по меньшей мере, на море) продолжалась, и это означало, что немецкое командование должно было учитывать вероятность
попадания самой машины «Энигма» в руки противника.
Дела обстояло именно так; открытия поляков лишь дали
GC&CS возможность начать работу в этом направлении
семь месяцев назад, потому что «три входных колеса
«Энигмы», были добыты у экипажа немецкой подлодки
U-33 только в феврале 1940 г.». Однако все это «не давало оснований для дальнейшего продвижения». Наличие
используемой немецким военно-морским флотом шифровальной машины хоть и было необходимо, но далеко не достаточно. Если бы германский флот использовал свою машину «более внимательно», то его шифры были менее
прозрачными, чем дурацкие повторяющиеся тройки, которые использовали поляки. А скудный поток шифровок
в мирные дни давал слишком слабую основу для плодо-
творной попытки взлома шифра.

Затем война на море распространилась на сушу, напа-
дение Германии на Норвегию опередило планы англичан.
Англо-французской реакции совсем не способствовал тот
факт, что немецкая криптоаналитическая служба (Beobachter

Dienst) смогла прочитать целый ряд шифрованных сообщений, и это было использовано с большим успехом. В конце кампании командующий флотом метрополии жаловался, что «очень обидно, что противник всегда знает, где находятся наши корабли, в то время как мы узнаем, где находятся его основные силы лишь тогда, они топят один или несколько наших судов». Во время окончательного отступления из Нарвика 8 июня британский авианосец «Глориос» был потоплен немецкими линкорами «Шарнхорст» и «Гнейзенау». В ОРЦ не знали о положении «Глориос», не говоря уже о немецких кораблях, и узнали о его потоплении только из победных реляций, переданных открытым текстом.

События в Норвегии перевели Блетчли-Парк в состояние войны, потому что в ходе кампании удалось «вручную» взломать главный шифр люфтваффе и общий шифр, которыми пользовали другие рода войск. Это в значительной степени помогло получить информацию о передвижении немецких войск. Что касается флота, то в домике №4 смогли добиться прогресса в изучении шифросообщений, который мог бы оказаться полезным в событиях с авианосцем «Глориос». Однако система, при которой эта информация могла бы быть использована, отсутствовала. Да и ситуация в Норвегии складывалась так, что большой пользы открытия, сделанные в Блетчли-Парк, принести уже не могли. Однако теперь ОРЦ был обязан обратить внимание на Блетчли. Там осознали отчаянную нужду в реорганизации системы военно-морской разведки. «В самом начале кампании Адмиралтейство полностью нас игнорировало. Когда оно отдавало приказы, которые привели к первому сражению за Нарвик 9 апреля, то было уверено, что туда прибыл один германский корабль, в то время как туда прибыл отряд из десяти эсминцев. Приказ Адмиралтейства основывался на сообщениях прессы».

И в такой ситуации волшебный шанс, который мог бы очень помочь работе Алана над военно-морской «Энигмой», был упущен по глупости:

«26 апреля корабль военно-морского флота захватил немецкий патрульный катер VP2623, совершавший переход из Германии в Нарвик, и нашел там несколько документов... Но их могло бы быть намного больше, если бы VP2623 не был бы ограблен досмотровой группой до начала тщательного обыска. Адмиралтейство тут же отдало приказ, призванный предупредить проявления такой вопиющей халатности в будущем. Фактически найденные документы дали возможность получить некоторую информацию об уровне потерь, полученных основными немецкими силами во время Норвежской кампании. Расшифровки не представляли большого оперативного интереса.

Захват шифровального оборудования ожидался и был разрешен, а вот получить тончайшие, растворимые в воде страницы текущих инструкций по применению машины — это совсем другое дело.

Тем временем работа над «Энигмой» люфтваффе, которая принесла успех Блетчли в начале 1940 г., начала давать первые плоды. Правда, случился сбой, потому что 1 мая 1940 г. «германское командование ввело новые индикаторы для всех шифров «Энигмы», кроме «желтого». Перфорированные листы были только что изготовлены, и аналитики были готовы начать «охоту за сокровищами», теперь же они были почти бесполезны. Однако «вскоре после введения изменений 1 мая немцы допустили несколько ошибок» — классических ошибок, отправив сообщения, зашифрованные с помощью старой и новой систем. Поэтому 22 мая группа из домика №6 сумела обнаружить новую («Красную») систему шифровки основных сообщений люфтваффе и начать ее взлом буквально на следующий день. Однако к этому моменту немецкие войска уже стояли на Сомме и приближались к Дюнкерку. Успех аналитиков Блетчли пришел слишком поздно и позволил раскрыть планы немцев относительно наступления на западе.

Но именно тогда началось «боевое» применение первых «Бомб», в мае 1940 г. —прототипа Тьюринга, а после августа — машины с диагональной доской. Естественно, машины «сильно повысили скорость и регулярность, с которыми специалисты GC&CS взламывали ежедневно меняющиеся шифры «Энигмы»». «Бомбы» были установлены не в Блетчли, а в разных удаленных пунктах вроде Гейхерст Мэнор, затерянного в самом дальнем уголке Бакингемшира. Их обслуживали дамы из Женской службы военно-морского флота, которые не знали, что они делают, и, не спрашивая о причинах, «загружали» роторы и звонили аналитикам, чтобы сообщить об остановке машины. «Бомбы» были по-своему красивы, издавая звуки, подобные стуку тысячи иголок швейных машинок — это работали релейные переключатели.

Армейские офицеры, служившие в Блетчли, были очень впечатлены работой «Бомб». Офицер разведки Ф. У. Уинтерботам назвал ее «Восточной богиней, которой суждено стать оракулом Блетчли». Об «оракуле» говорили и в ОРЦ. Такое определение забавляло Алана, потому что он тоже представлял себе оракула, дающего ответы на неразрешимые вопросы.

Когда в полдень пришло сообщение о перемирии (Германии и Франции), свободные от службы аналитики играли в шары в Блетчли-Парк с присущим англичанам хладнокровием. Громкие слова были теперь бесполезны. В ближайшие месяцы глазами и ушами британцев стали радары, хотя в конце года «жемчужины» информации, полученные из шифровок «Энигмы», позволили найти разгадку навигационных лучей люфтваффе.

Если опасность прямого вторжения на Британские острова схлынула, то удары по морским коммуникациям угрожали полностью прервать связи Британии с внешним миром. В первый год войны потопление корабля немецкой подлодкой не считалось доминирующей проблемой. Более существенным были ликвидация торговых флотов оккупированных и нейтральных государств, прекращение торговли через Ла-Манш и в Средиземноморье, а также снижение способности британских портов и транспортной системы страны переработать прибывающие грузы.

Однако с конца 1940 г. положение начало меняться. Британский торговый флот должен был доставлять грузы на остров, отделенный всего лишь 20 милями водного пространства от войск противника, и делать это, следуя по пути в тысячи миль по кишащему вражескими подлодками морю. Британия должна была поддерживать деятельность своей экономики, от которой зависели сотни миллионов людей по всему миру и одновременно вести войну. Ей пришлось воевать с Италией на Ближнем Востоке, который был теперь также далек от нее, как Новая Зеландия. Уроки 1917 г. были усвоены, и с самого начала войны британцы ввели систему конвоев. Однако испытывавший огромные нагрузки военно-морской флот не мог сопровождать конвои вглубь Атлантики. В этот раз Германия в течение нескольких недель достигла того, чего не смогла добиться в течение четырех лет с помощью пулеметов и горчичного газа. Теперь базы немецких субмарин расположились на французском побережье Атлантики.

Лишь один фактор был за то, что вероятность немецкой победы на море не так велика, как кажется. Строительство подводного флота, показавшего феноменальные успехи в 1917 г., до 1939 г. практически не велось. Блеф под Данцигом означал, что Гитлер ввязался в войну, имея менее шестидесяти субмарин под командой Дёница. Из-за близорукой стратегии немецкого руководства численность подлодок находилась примерно на том же уровне до конца 1941 г. Хотя резкий рост числа успехов немецких подводников после падения Франции внушил тревогу, сам по себе он не мог считаться катастрофическим для Британии.

Чтобы сохранять способность вести войну, Британия должна была импортировать тридцать миллионов тонн различных товаров в год. Для этого она располагала флотом общим водоизмещением тринадцать миллионов тонн. В течение года, начиная с июня 1940 г., немецкие субмарины в среднем ежемесячно топили корабли общим водоизмещением 200000 тонн. Такие потери можно было бы возместить.

Но все понимали, что если численность подлодок вырастет в три раза, и количество потопленных кораблей вырастет в той же пропорции, то это приведет как к краху морских перевозок, так и к невосполнимым потерям кораблей. В течение своего срока службы каждая подлодка топила более двадцати кораблей, и противопоставить этому было нечего до тех пор, пока она оставалась невидимой. Это было скорее логическое, чем физическое преимущество подводной лодки. Огромная ошибка немцев заключалась в том, что они не смогли использовать это свое преимущество над единственным оставшимся противником и дали ему время, чтобы нивелировать его с помощью новых средств получения информации и коммуникации. К сонару присоединились радиопеленгатор и радар. Работа команды из домика №8 все еще сильно отставала.

Алан начал исследование сообщение военно-морской «Энигмы» самостоятельно, затем к нему на время присоединились Питер Туинн и Кендрик. Техническую работу выполняли женщины. В июне 1940 г. к группе присоединился новый математик: Джоан Кларк, один из нескольких сотрудников «уровня профессора» женского пола. Руководство гражданской службы упрямо противилось принципу равной оплаты труда и предоставления женщинами равных должностей с мужчинами. Поэтому Джоан Кларк пришлось повысить до неприметной должности «лингвиста», которую довоенный истэблишмент зарезервировал для женщин. Трэвис также вел переговоры о переводе ее на должность офицера Женской службы военно-морского флота, где ей могли платить больше. Но в самом домике доминировала более прогрессивная атмосфера Кембриджа. Джоан Кларк пригласил в Блетчли Гордон Уэлчмен, который был ее преподавателем по проективной геометрии. Алан познакомился с ней в Кембридже.

Таким образом, летом 1940 г. Алан Тьюринг оказался в положении, когда он мог говорить людям, что им следует делать. Это случилось с ним впервые после окончания школы. С другой стороны, в отличие от школы, ему впервые пришлось контактировать с женщинами.

Остаток 1940 г. не принес больших успехов с «Энигмой». Апрельский захват немецкой подлодки дал немного, но хотя бы кое-что. Это послужило одной из причин появления Джоан Кларк в домике №8.

В течение мая 1940 г. аналитики GC&CS смогли прочитать зашифрованные «Энигмой» сообщения за шесть дней предыдущего месяца. Это дало важную дополнительную информацию об организации системы радиосвязи и шифрования германского военно-морского флота. GC&CS смогла подтвердить это, хотя немцы, прибегая в простым ручным кодам и шифрам для таких вещей как легкие корабли, судоверфи и торговое судоходство. Однако части кригсмарине, даже самые маленькие, всегда использовали «Энигму». GC&CS установило также, что они используют только два шифра «Энигмы» (Внутренний и Внешний), и что подводные лодки и надводные корабли используют одни и те же шифры, переходя на внешний шифр только во время операций в дальних водах.

В оставшиеся месяцы 1940 г. удалось прочитать сообщения только за пять дней в апреле и мае, и «дальнейшая работа также подтвердила худшие опасения GC&CS о трудности взлома даже Внутреннего шифра, который использовался для зашифровки 95 процентов сообщений, передаваемых германским военно-морским флотом». Работа группы Алана показала, что они не могут рассчитывать на успех без новых захватов (инструкций или шифровальных машин). Но пока они ждали, Алан не сидел без дела. Он разработал математическую теорию, которая потребуется для их использования. Теория шла намного дальше, чем постройка «Бомбы».

Изучая поток зашифрованных сообщений, опытный глаз может сказать, что такие-то вещи «кажутся вероятными», но сейчас, когда целью является серийное производство, необходимо перевести зыбкие, интуитивные оценки в нечто более точное и механистическое. Основа психического аппарата, необходимая для этого, была создана в восемнадцатом столетии, хотя это было ново для GC&CS. Английский математик Томас Байес понял, как описать математически концепцию «обращенной вероятности» — это термин для того, чтобы переставить местами причину и следствие — по известному факту вычислить вероятность того, что следствие было вызвано данной причиной.

Основная идея представляет собой не что иное, как простой расчет «вероятности» причины, который люди постоянно применяют, даже не задумываясь об этом. Классическое представление его выглядит так: предположим, что у нас есть два одинаковых ящика, в одном находятся два белых и один черный шар, в другом — один белый и два черных шара. Затем нужно угадать, в каком ящике находится какой набор шаров. Допускается даже эксперимент — можно сунуть руку в каждый из ящиков и вынуть по шару (конечно, не заглядывая внутрь). Если вынимается белый шар, то здравый смысл подсказывает, что два раза более вероятнее, что он вытащен из ящика с двумя белыми шарами, чем из второго ящика. Теория Байеса дала точный расчет этой идеи.

Одна из особенностей этой теории заключалась в том, что она опиралась не на происходящие события, но на изменения отношения. На самом деле, было очень важно помнить о том, что эксперименты могут только создать относительные изменения «вероятности», но не абсолютные значения. Сделанный вывод всегда будет опираться на априорную вероятность, которую экспериментатор держал в уме в начале эксперимента.

Чтобы лучше прочувствовать теорию, Алан любил размышлять с точки зрения разумного человека, вынужденного делать ставки, основываясь на предположении. Ему нравилась идея пари, и он представил теорию в форме шансов. Например, последствия эксперимента увеличивает шансы вдвое тем или иным способом. Если разрешены дальнейшие эксперименты, то шансы возрастут до очень больших значений, хотя, в принципе, полная определенность достигнута все равно не будет. Или же процесс можно представить по-другому: как сбор все большего и большего количества данных. С этой точки зрения, будет более естественным подумать о *суммировании* чего- либо каждый раз, когда сделан эксперимент, а не об *умножении* шансов, существующих на данный момент. Это можно проделать, используя логарифмы. Американский философ Ч.С.Пирс описал сходную идею в 1878 г., дав ей название «значение данных». Ее принцип заключался в том, что научный эксперимент дает выраженное количественно «значение данных», которое можно прибавлять или вычитать из вероятности верности гипотезы. В нашем примере обнаружение белого шара дает прибавление «значения данных» в количестве log2 к гипотезе, что ящик, из которого его вынули, был ящиком с двумя белыми шарами. Это была не новая идея, но...

«Тьюринг был первым, кто понял значение присвоения названий единицам, в которых измеряется значение данных. Если основанием логарифма было e, он называл единицу «естественный бан» и «простой бан», если основание равнялось 10... Тьюринг ввел название «децибан» — понятно, что он равнялся одной десятой бана по аналогии с децибелом. Причиной появления названия «бан» были десятки тысяч листов, отпечатанных в городе Бэнбери (Banbury), на которые наносились «значения данных» в децибанах, необходимые для выполнения важного процесса, названного Banburismus».

Поэтому «бан данных» представлял собой нечто, что делало верность гипотезы в десять раз более вероятной, чем до этого. Тьюринг механизировал процесс разгадывания и был готов перевести его на машины, которые будут суммировать децибаны, приближаясь к разумному решению.

Алан развивал теорию в нескольких направлениях. Очень важным ее применением была новая процедура проведения экспериментов, которую со временем назвали «последовательным анализом». Идея Тьюринга заключалась в определении цели для «значения данных», которая требовала продолжения наблюдений для достижения цели.

Такой метод был намного эффективнее, чем решать заранее, сколько экспериментов провести.

Тьюринг также ввел принцип оценки значения эксперимента с помощью учета количества значений данных, который он дает в среднем. Он даже продолжал обдумывать понятие «дисперсии» значений данных, полученных в ходе эксперимента, как критерия возможной случайности полученных результатов. Сведя эти идеи вместо, он перевел искусство угадывания, применяемое в криптоанализе, в 40-е годы двадцатого века. Он работал для себя, либо не зная о более ранних работах других ученых (того же Пирса), либо предпочитая собственную теорию статистическим методам, предложенным Р.А.Фишером в 30-х годах.

Поэтому теперь, когда они думали, что ключ, присутствующий в тексте, «вероятно», верен, или одно сообщение было, «вероятно», передано дважды, иди что одни и те же настройки были, «вероятно», использованы дважды, или что какой-то ротор — крайний в ряду, можно было проверить вероятность суммированием полученных значений данных рациональным способом. Сэкономленный на этом час равнялся часу, в течение которого субмарина проходила шесть миль, гонясь за конвоем.

Идеи Алана Тьюринга начали превращаться в рабочую систему. В центре ее была «Бомба», по-прежнему стрекотали машины, пробивающие перфорации в картах, «девушки из большой комнаты» работали на производственной линии. Все этого делало «игру в угадайку» настолько эффективной и быстрой, насколько это позволяли разработанные наскоро методы.

Первый запланированный захват был осуществлен 23 февраля 1941 г. во время рейда на Лофотенские острова у побережья Норвегии. Это значило, что кто-то погиб за инструкции к «Энигме», в которых нуждался Алан: немецкий вооруженный траулер «Кребс» был выведен из строя, его капитан был убит, не успев уничтожить до конца секретные документы. Оставшиеся в живых покинули корабль. Было найдено достаточно материалов для того, что команда из домика №8 прочитала все шифровки военно-морского флота за февраль 1941 г. и за разные даты, начиная с 10 марта.

Отставание во времени, по мнению специалистов по анализу информации, было устрашающим. Сообщения по линии военно-морского флота, в отличие от большей части информации, поступавшей из других источников, содержали данные первоочередной важности. В одном из них, расшифрованном первым, говорилось:

Военно-морской атташе в Вашингтоне сообщает конвой рандеву 25 февраля в 200 морских милях восточнее острова Сейбл. 13 грузовых судов, 4 танкера 100000 тонн. Груз: детали к самолетам, детали машин, грузовики, боеприпасы, химикаты. Вероятный номер конвоя HX 114.

Но 12 марта, когда сообщение было расшифровано, было уже слишком поздно что-то делать. Оставалось только узнать, откуда военно-морской атташе так много знает. Два дня спустя люди Тьюринга прочитали шифровку от Дёница.

От кого: адмирал, командующий подводными силами.
Эскорт для U69 и U107 будет в пункте 2 1 марта в 0800.

Двумя неделями ранее эта информация очень пригодилась бы в Зале слежения — если бы было известно, где расположен пункт 2. Нужно было накопить информацию, чтобы суметь решить такие проблемы с анализом.

Массив информации за март 1941 г. взломать не удалось. Но затем к команде домика №8 пришел триумф: она дешифровала апрельский траффик, не дожидаясь новых захватов инструкций. Сообщения за апрель и май были взломаны «криптоаналитическими методами». Они, наконец, начали взламывать систему. Группа из домика №4 могла теперь взглянуть противнику в глаза, расшифровав сообщения такого рода:

От: Центр оперативной разведки ВМС Ставангер

Кому: Адмирал Западного побережья [24 апреля; дешифровано 18 мая]

Доклад противника Офицер G и W

Высшее военно-морское командование (Первый оперативный дивизион), телеграмма No 8231/41

Захвачены шведские рыбацкие суда:

1. Оперативный дивизион считает, что задачей шведских рыбацких судов было получение информации о минах в интересах Британии.

2. Удостоверьтесь в том, что ни Швеция, ни другое иностранное государство не знают о захвате. Должно создаться впечатление, что корабли затонули, попав на мины.

3. Экипажи должны содержаться под арестом до дальнейших распоряжений. Вам следует направить детальный доклад об их допросах.

Материалы недельной давности по-прежнему были очень важны с точки зрения получения информации о системе. Однако еще важнее было добиться сокращения разрыва во времени. К концу мая 1941 г. они смогли сократить разрыв всего до одних суток. В одном из сообщений, которое удалось расшифровать в течение недели, говорилось:

[19 мая; дешифровано 25 мая]

От: адмирала командующего подводными силами

Кому: U94 и U556

Фюрер наградил обоих капитанов Рыцарским крестом к Железному кресту. Я бы хотел передать вам мои искренние поздравления по случаю признания заслуг и успехов лодок и их экипажей. Желаю счастья и успехов в будущем. Уничтожьте Англию.

Уничтожить Англию было теперь намного труднее, чем они думали, потому даже старые сообщения ставили под угрозу планы немцев. Когда 19 мая «Бисмарк» вышел в море из Киля, задержка с расшифровкой в три и даже больше дней не позволила команде домика №8 раскрыть секрет его курса. Однако утром 21 мая несколько прочитанных сообщений за апрель не оставили никаких сомнений в том, что целью «Бисмарка» будут традиционные торговые маршруты. После Адмиралтейству оставалось действовать более традиционным путем, пеленгуя радиосообщения «Бисмарка». Но 25 мая догадки дешифровщиков были подтверждены перехваченным 25 мая сообщением «Энигмы» люфтваффе. События развивались очень замысловато, и военно-морская «Энигма» сыграла в них незначительную роль. Но если бы «Бисмарк» вышел в море всего неделей позже, история развивалась по совсем другому сценарию. Новые открытия, сделанные в домике №8, изменили бы всю картину.

Причиной тому послужили серьезные выводы, к которым аналитики пришли по прочтении более старых материалов: «после изучения расшифрованных сообщений за февраль и апрель GC&CS пришла к выводу о том, что немцы постоянно держат метеорологические суда в двух точках, одно — к северу от Исландии, другое — в центре Атлантики. Хотя их рутинные доклады зашифрованы «погодным шифром» и внешне отличаются от сообщений, зашифрованных «Энигмой», на кораблях имеется военно-морская «Энигма»».

Качественный анализ, казалось бы, бесполезного материала принес победу новым людям и придуманным ими новым методам, и Алан имел к этому самое непосредственное отношение. У Адмиралтейства не хватало времени и ума на то, чтобы сделать поразительное открытие о том, что крошечные и хрупкие кораблики несут ключи к тайнам рейха. Однако оно было готово действовать и подготовилось к захватам.

Пароход «Мюнхен» был обнаружен и захвачен 7 мая 1941 г. Полученные материалы и настройки машин позволили англичанам читать немецкие июньские шифрограммы практически «на сегодняшний день». Они, наконец, освоили текущую тактику. Июльские настройки были получены в результате захвата другого корабля метеорологической службы «Лауэнбург» 28 июня. Между тем 9 мая имела место случайная, но блестяще проведенная операция. Корабли сопровождения обнаружили и повредили подлодку U-110, которая атаковала конвой в открытом море. За доли секунды моряки высадились над субмарину и захватили шифровальные материалы целыми и невредимыми. Уроки 1940 г. были усвоены. Материалы дали возможность заполнить важные пробелы в имеющейся информации — среди них были «Книга кодов, использующаяся подводными лодками при составлении кратких рапортов об обнаружении судов противника» и «специальные настройки, применяемые в военно-морском флоте для сообщений, «предназначенных для служебного пользования»». Последние сообщения были зашифрованы двойным шифром в целях обеспечения дополнительной секретности на самой подводной лодке. С точки зрения команды из домика 3, это были сигналы, которые оставались непонятными даже после того, как были найдены настройки на сутки и начат процесс дешифровки. Другие сообщения на немецком языке были прочитаны. Таким образом, для того, чтобы понять самые сокровенные секреты операций немецких подводников, нужно было переходить ко второму этапу взлома шифров. Теперь же англичане получили все, что им было нужно.

Адмиралтейство быстро воспользовалось растущим объемом полученной информации. С начала июня 1941 г. англичане читали весь поток сообщений по линии ВМС практически одновременно с адресатами. Адмиралтейство смогло найти и потопить семь из восьми судов снабжения, направленных в Атлантику еще до «Бисмарка». Эта акция, тем не менее, вызвала неприятные вопросы. В домике №8 наивно полагали, что читая сообщения о точках рандеву подводных лодок, они дают великолепную информацию, с помощью которой подлодки будут с легкостью уничтожены. В июне 1941 г. также думали и в Адмиралтействе. Лишь со временем кто-то робко выразил озабоченность тем, что потопление столь большого количества судов, да еще непосредственно после потери «Бисмарка», может привести немцев к мысли о том, что их шифры могли взломать.

Фактически эта операция Адмиралтейства «выдала» успехи Алана. Немецкие власти пришли к выводу, что местоположение судов было каким-то образом выдано, и назначило расследование. Немецкие эксперты, однако, исключили возможность того, что шифр «Энигмы» был взломан. Вместо этого они возложили вину на британские секретные службы, которые имели высокую репутацию у немецкой правящей элиты. Немцы заведомо считали, что вероятность взлома «Энигмы» равна нулю и «значения данных» для ее увеличения не существует.

Это была грубая ошибка, но ее можно было легко сделать в таких условиях. Когда в Блетчли команде домика №8 объяснили, что полученные ими данные впредь не будут использовать с такой легкостью, аналитикам не оставалось ничего, кроме как скрестить пальцы (на счастье). Метод «Бомбы», который был основой всей системы, висел на волоске. Если бы немцы в целях повышения безопасности перешли на двойную шифровку каждого сообщения, то было бы потеряно все. Такое изменение могло быть введено на основании малейшего подозрения.

В середине июня 1941 г. Адмиралтейство пришло к мысли о том, что сообщениям, содержащим информацию, полученную исключительно из дешифровок «Энигмы», будет присвоен гриф «Сверхсекретно» (Ultra Secret), и они переводятся на одноразовые блокноты. В других службах были созданы отделы спецсвязи, приданные штабам частей на фронте и в разных частях империи, ответственные за прием и контроль за информацией, поступившей из Блетчли.

Война, писал Черчилль в 1930 г., «была совершенно испорчена. Виноваты в этом Демократия и Наука». Но он по-прежнему использовал демократию и науку, когда это было необходимо, и не забывал о тех, кто занимался дешифровкой. Летов 1941 г. он нанес визит в Блетчли и произнес воодушевляющую речь перед криптоаналитиками, собравшимися перед ним на лужайке. Он пришел в домик №8 и был представлен очень нервничающему Алану Тьюрингу. Премьер-министр назвал обитателей Блетчли «гусями, которые несут золотые яйца и никогда не гогочут». Алан был «призовым гусем».

Последний немецкий корабль снабжения был потоплен 23 июня 1941 г. Но в этот день произошло кое-что другое, о чем стоило подумать. Это был не только Сталин, которого застали врасплох. Сообщения с «Энигмы» люфтваффе указывали на неизбежное немецкое вторжение, и это стало еще одной причиной для борьбы между GC&CS с одной стороны и командующими родами войск — с другой. Они не могли поверить своим ушам. Но мировая война началась. Теперь Атлантика лежала в тылу у немцев, а события в Средиземноморье перешли в разряд второстепенных. Условия игры изменились, и анархии пришел конец.

Весной 1941 г. Алан завел новую дружбу. Его подругой стала Джоан Кларк, и это стало для него очень трудным решением. Сначала они пару раз сходили вместе в кино и провели вдвоем несколько отпускных дней. Скоро все звезды сошлись. Он предложил пожениться, и Джоан с радостью согласилась.

В 1941 г. многие не подумали бы о важности того, что брак не соответствует его сексуальным желаниям: мысль о том, что брак должен включать взаимное сексуальное удовлетворение, считалось современным, еще не успевшим сменить старые представления о браке, как о социальном долге. Алан никогда не говорил о форме брака, когда жена была только домохозяйкой. В остальном он придерживался современных взглядов и, кроме того, был слишком честен. Поэтому через несколько дней он сказал Джоан, что им не следует рассчитывать на то, что из их затеи что-нибудь выйдет, потому что он имеет «гомосексуальные наклонности».

Он ожидал, что вопрос будет закрыт, и удивился, что этого не случилось. Он недооценил Джоан, потому что она не была не из тех, кого можно было испугать. Отношения продолжались. Он подарил ей кольцо, и они нанесли визит в Гилдфорд, чтобы официально познакомиться с семейством Тьюрингов, который прошел хорошо. По пути они заехали на ланч к Кларкам — отец Джоан был священником в Лондоне.

В Блетчли Алан организовал смены таким образом, что они могли работать вместе. В домике Джоан не надевала подаренное им кольцо. О помолвке они рассказали только Шону Уайли, но остальные тоже что-то подозревали. Когда пришло время объявить о помолвке, Алан достал несколько бутылок дефицитного шерри, отложенных на черный день для вечеринки с сослуживцами. Будучи не на службе, они мало говорили о будущем. Алан сказал, что хотел бы иметь детей, но не может быть и речи о том, чтобы она оставила службу в такое время. В начале войны, летом 1941 г., все было слишком неясно, и он был склонен к пессимизму. Казалось, что ничто не может остановить войска Оси в России и на юго-востоке.

ЧАСТЬ ВТОРАЯ

Глава 5

Забег к цели

Одного я пою, всякую простую отдельную личность.

И все же Демократическое слово твержу, слово «En Masse»*

Физиологию с головы и до пят я пою.

Не только лицо человеческое и не только рассудок достойны Музы, но все

 Тело еще более достойно ее,

Женское наравне с Мужским я пою.

Жизнь безмерную в страсти, в биении, в силе,

Радостную, созданную чудесным законом для самых свободных деяний,

Человека Новых Времен я пою.

Уолт Уитмен, пер. К. Чуковского

Капитуляция под Сталинградом ознаменовала для Германии начало конца. Ход войны был переломлен. Хотя на юге и западе успехи союзников еще выглядели недостаточно убедительными. На Африканском театре военные действия приняли затяжной характер, самолеты люфтваффе все еще совершали налеты на Британию. И, пока Алан томился ожиданием в Нью-Йорке, в порты продолжали возвращаться те, кому посчастливилось уцелеть во время немецких атак на конвои в самый критический период битвы за Атлантику.

У встретившихся на конференции в Касабланке Черчилля и Рузвельта имелись все основания надеяться на то, что с восстановлением «Энигмы» на немецких подлодках частоту случаев потопления удастся сохранить на уровне конца 1941 г. И в январе, действительно, удалось. Но в феврале количество потоплений удвоилось, снова достигнув примерного уровня 1942 г. А месяц март выдался худшим за все

___
* франц. — «все вместе, в массе»

время военных действий: девяносто пять грузовых кораблей, или три четверти от миллиона тонн. Многочисленные немецкие субмарины сумели потопить двадцать два судна из 125 конвойных кораблей в Восточной Атлантике. Причина столь удручающего развития событий для союзников была почти невероятная. Дело было вовсе не в том, что конвои проходили в период девятидневного нарушения радиосвязи, вызванного изменением системы оповещения о погоде на подлодках. Дело было в том, что на протяжении всего времени (и при том во все возрастающей мере), шифры маршрутов конвоев взламывались «Службой Б».

Конвой SC. 122 вышел 5 марта, HX.229 — 8 марта, а меньший по величине и более счастливый HX.229A — на следующий день. 12 марта маршрут прохождения SC. 122 был изменен; конвой был перенаправлен на север, дабы избежать преследования «волчьей стаи «Раубграф», самой крупной подводной флотилии гитлеровцев. Этот сигнал был перехвачен и расшифрован. 13 марта стая «Раубграф» атаковала идущий по весту конвой, открыв свое местоположение. Маршруты SC.122 и HX.229 были снова изменены. И снова оба радиосигнала были перехвачены и дешифрованы — в течении четырех часов! Группа «Раубграф» не могла настичь SC.122. В погоню за конвоем были посланы две другие «волчьи стаи», караулившие добычу в 300 милях восточнее, «Штюрмер» и «Дрангер». Немцам одновременно не повезло (они оказались в замешательстве касательно принадлежности конвоев) и повезло, поскольку одной из лодок группы «Раубграф» удалось — чисто случайно — обнаружить HX.229 и натравить на него другие «стаи». В Лондоне осознали, что два конвоя движутся в самое пекло немецких подлодок, но сделать что-либо, чтобы помочь им выстоять, было слишком поздно. 17 марта вражеские субмарины окружили конвои и в течение трех последующих дней немцы потопили двадцать два судна, потеряв при этом лишь одну свою подлодку. В этой операции случай сыграл, конечно, не последнюю роль, однако основной причиной этих и прочих столкновений были систематические провалы в связи союзников.

Подозрения об этом зародились в Лондоне и Вашингтоне в феврале 1943 г., когда было подмечено, что немецкие подлодки получили приказы об изменении маршрута в течение тридцати минут, что и позволило им успешно атаковать конвои 18 марта. Но очевидные доказательства появились лишь в середине мая, когда три дважды зашифрованные сообщения* «Энигмы» подтвердили дешифровку радиосообщений союзников. Могущая быть опознанной информация «Энигмы» с 1941 г. строилась по схеме одноразовых блокнотов и потому обладала высокой стойкостью к компрометации Однако она присутствовала в имплицитной, неявной форме в ежедневных оперативных сводках германского подводного флота, которые к февралю 1943 г. были дешифрованы. И вновь германские власти объяснили осведомленность союзников действием самолетных РЛС и предательством своих офицеров. В бессмысленном порыве противоборства они сократили количество лиц с разрешенным допуском к информации о перемещении подводных лодок. В который раз одна лишь *слепая* вера в машину помешала немцам осознать правду. А ведь союзники легко могли проиграть.

Это была удручающая история, пожалуй, не только об отдельных людях, но и обо всей системе. Ни в Лондоне, ни в Вашингтоне не было отдела, который был в состоянии сделать очень трудную кропотливую работу и выяснить, что германское командование на самом деле знало из того, что оно могло узнать. Дешифровщики не получали доступ к донесениям союзников — из которых, в любом случае, не было полного отчета. Штат Центра оперативной разведки все еще оставался недоукомплектованным, не полностью оснащенным и работал на пределе сил из-за конвойных битв.

Органы криптографической защиты и оперативного управления работали в соответствии со стандартами, которые сотрудникам 8-й хижины могли бы показаться преступно беспечными. С одной стороны, шифр маршрута конвоя, введенный, как совместная англо-американская система, был в действительности старым британским книжным шифром, который

---

* сообщения, зашифрованные на двух различных ключах

«Служба Б» могла распознать. И, хотя в декабре 1942 г. «перешифровка кодовых обозначений ключей» стала препятствием для «службы Б», ошибки любого рода все еще делались. Согласно американскому «разбору полетов» задним числом:

Система морской радиосвязи ВМС США и Британии была настолько сложной и зачастую повторяющейся, что, похоже, никто не знал, сколько раз сообщение могло быть послано и кем — и в какой системе. Возможно, что вопрос о компрометации шифра мог быть поднят раньше мая, если бы Совместная система связи была более четкой, а сотрудничество британцев и американцев по таким вопросам было более тесным.

Хотя немецкий контрагент Тревиса утверждал: Адмирал в Галифаксе (Новая Шотландия) оказал нам большую помощь. Он отправлял ежедневные сводки, которые приходили к нам каждый вечер и всегда начинались с «адресов, положении дел, дат», и такие повторения помогали нам подбирать очень быстро верный код, применявшийся на тот момент...

На протяжении всего этого времени, когда все умы и технологии в Блетчли-парке были максимально сосредоточены на атаке на германскую связь, самые элементарные промахи допускались ими в защите своей собственной. И результатом этого было то, что с конца 1941 г. своими успехами немцы были обязаны не только растущей численной мощи своего подводного флота, но и своей осведомленности о маршрутах союзнических конвоев, а в 1942 г. последствия сбоя «Энигмы» были только частью истории.

В отличие от германских властей, власти Британии смогли признать ошибку. Промашку допустило не только Адмиралтейство. Ведь только часть Правительственной школы кодов и шифров радела за криптографическую стойкость шифра. Тогда как ее другую часть не касались революции в других регионах мира, и ее временная шкала все еще исчислялась годами. В 1941 г. школа разработала новую систему, которую Адмиралтейство в 1942 г. согласилось ввести в июне 1943 года. Даже учитывая тот факт, что на одно лишь оснащение военно-морского флота новыми таблицами требовалось шесть месяцев, такое запоздание было бы нормальным в мирное время, но никак не отвечало новым стандартам, применяемым ко всему, что считалось важным в условиях войны. Если бы речь шла о дешифровке интересных, потрясающих сообщений, самолетной РЛС, делавшей германские города видимыми во время ночных рейдов, или атомных бомбах, тогда бы новые индустрии могли возникнуть, как по волшебству, за считанные месяцы. Менее эффектная работа по защите конвоев не требовала таких усилий. И, хотя принцип интеграции организационной структуры в Блетчли-парке применялся активно, он не распространялся на то, чтобы привести в соответствие две сферы ее деятельности.

Британцы это осознали, но процесс осознания оказался болезненным, а те, кто больше всех пострадал, уже не могли извлечь пользы из урока. Они лежали на морском дне. Пятьдесят тысяч моряков союзников погибли в ходе войны, пытаясь делать свое дело в суровейших условиях западной войны; только одна конвойная битва в марте 1943 г. унесла 360 жизней. И на том их испытания не закончились; шифровальная система торгового флота оставалась уязвимой для взлома до конца 1943 г. — долгое время после того, как флот был защищен введением новой системы 10 июня. Наиболее уязвимое и низкоприоритетное торговое судоходство находилось в опасности, о которой знали немногие, и чудовищность и масштабность которой могли оценить единицы.

В ретроспективе провалы связи союзнических ВМС доказывают правильность курса на необходимость задействования шифровальных машин —курса, который прозорливо отстаивал перед войной Маунтбаттен и который отвергло Адмиралтейство. С 1943 г. ВМС последовали примеру других служб и стали все более активно использовать «Тайпекс» и равноценные американские шифровальные машины. Противостоять им «служба Б» не могла. И все же, такие модернизаторы, как Маунтбаттен, возможно, были правы при всей ошибочности своих резонов. Машинные шифры в своей основе не были надежными, что доказала «Энигма». В британском МИДе продолжали пользоваться ручной системой, основанной на книгах; она оставалась не взломанной. В Блетчли-парке вскрывали машинные шифры итальянских ВМС, но оказывались беспомощными перед их книжными шифрами. Тексты, зашифрованные машиной, легко дешифровывались машиной. И дело было не в машинах, а в той человеческой системе, в которой они задействовались. За нестыковкой криптоаналитических и криптографических стандартов стоял другой вопрос: действительно ли передаваемые сообщения «Тайпекса» были надежнее таковых «Энигмы»? Пожалуй, самый существенный факт был негативным: «служба Б» просто не предпринимала серьезных усилий против них — точно так же, как они не приложили серьезных усилий против «Энигмы» в 1938 г. Если бы атака на «Тайпекс» была проведена такими ресурсами, как были мобилизованы в Блетчли-парке, история могла бы принять совсем иной оборот.[3] Но, похоже, у немцев не было ни Алана Тьюринга, ни системы, в которой мог быть использован Алан Тьюринг.

Такова была подоплека возвращения Алана в 8-ю хижину Блетлчи-парка. Дела шли плохо. Криптоаналитики думали, что их продукты попадают в систему, знающую, что она делает. И для них было шоком узнать о вскрытии «конвойного шифра». В самой 8-й хижине в отсутствие Алана распоряжался Хью Александер. Рассказывали, что, когда там проводили опрос по поводу кандидатуры на должность руководителя отдела, Александер заявил: «Полагаю, это я». После чего он постепенно и возглавил группу дешифровальщиков военно-морской версии «Энигмы». Кризисов у них больше не было, несмотря на постоянное увеличение у ВМС Германии числа криптосистем с секретным ключом. Появление четвертого ротора в июле 1943 г. не вызвало у них никаких проблем; они могли прослеживать сообщения без перехвата. Ни для чего этого Алан был больше не нужен: несколько первоклассных аналитиков были даже переведены на более актуальную работу над вражеской криптосистемой «Рыба». У англичан действительно теперь отпала необходимость сосредотачивать все усилия над военно-морской «Энигмой». Хотя они и разработали первую рабочую высокоскоростную четырехроторную «Бомбу» в июне 1943 г., американцы с сентября выпускали больше «Бомб», притом более совершенных. К концу 1943 г. они полностью взяли на себя все заботы с немецкими подлодками, располагая резервными мощностями для решения и всех прочих проблем с «Энигмой».

Впрочем, коль скоро не было необходимости участия Алана в том, что теперь превратилось в рутинную работу, помощь Тьюринга могла оказаться полезной в криптографической области, степень сотрудничества и координации действий в которой в 1943 году слегка повысилась. Тьюринг был уже знаком с работой по проверке систем шифрования речевых сигналов (голосовых сообщений) и с деликатной работой англо-американских войск связи. Союзниками теперь стремились преодолеть свои отставания и выйти за рамки узкого видения, присущего им в 1942 году — в то время, когда связи между ними только расширялись и усиливались, стремясь достичь своей кульминации. Теперь времена поменялись, и союзники не всегда могли посвящать друг друга в свои хитросплетенные планы на 1944 год. Для Алана Тьюринга это была бы скучная и удручающая работа, в сравнении с волнительной эстафетой, но это была работа, остро нуждавшаяся в зорком внимании специалиста.

После июня 1943 г. ход битвы за Атлантику драматично изменился в пользу союзников; число случаев затопления судов сократилось до приемлемого уровня. В исторической ретроспективе стало принято утверждать, будто «кризис» битвы за Атлантику пришелся на март 1943 г., а затем подводный флот Третьего рейха был «разгромлен». Но на поверку 1943-й год ознаменовался затяжным кризисом, в ходе которого не суда, а система поражалась изо дня в день более превосходящей системой. Наконец, союзники организовали авиа-патрули дальнего радиуса действия, покрывавшие брешь посредине Атлантики. И закономерное преимущество, удерживаемое немецкими подлодками в 1941 г., было устранено. Теперь их можно было засечь как издалека — благодаря «Энигме» (в конце 1943 г. англичане имели более ясное представление об их местонахождении, чем их собственное командование), так и на близком расстоянии — благодаря действию самолетной РЛС НИИ дальней связи. Между делом, надежной стала и конвойная связь. Комбинация была выигрышной, и атлантический покер превратился в тихий фронт, всколыхавшийся лишь тогда, когда обман не срабатывал. Правда, немцы еще так не считали. Для них 1943-й год ознаменовался значительным расширением наступательной мощи. К концу года они намеревались развернуть свыше 400 подлодок, оснащенных усовершенствованными средствами противодействия радиолокационному обнаружению, которое они винили в своей неспособности обнаружить конвои. Германский подводный флот все еще оставался действующим и агрессивным, даже при том, что срок службы отдельных субмарин существенно сократился. Это была игра с совершенной информацией (или *радиотехническая разведка*, как ее стали называть на новом языке 1943 г.) для одного игрока. Но другой игрок не признавал поражения. Вторая мировая война не была игрой.

Введение четвертого ротора в феврале 1942 г. имело, таким образом, последствия, неизвестные в Германии. Нерешительность и непродуманность действий, обусловившие его освоение только после декабря 1942 г., означали поражения в битве за Атлантику. Но то, что ротор был вообще применен, означало привлечение инженеров-электронщиков в Блетчли и, соответственно, их внимания к проблеме «Рыбы». А при том, что 1943-й год ознаменовался, в общем и целом, разрешением англо-американских трений из-за разведывательной деятельности — Британии досталась Европа, а Америке Азия — ВМС США сохранили свой более агрессивный настрой. Быстрая разработка американцами «Бомб» отразила тот факт, что воды Атлантики стали теперь американскими. Работа Алана Тьюринга лишила Германию океанских путей, отдав их под контроль Соединенных Штатов.

Будучи еще в Америке, Алан написал Джоан письмо, в котором поинтересовался, что бы ей хотелось получить от него в подарок. Но в своем ответном послании Джоан предпочла не отвечать на этот вопрос из-за цензуры. В итоге он привез ей хорошую авторучку. Для других тоже были подарки. Коллективу 8-й хижины Алан привез сладости, в числе которых были плитки шоколада от «Херши», а Бобу он подарил электробритву, которую снабдил понижающим трансформатором для преобразования напряжения в сети, сообразно европейским стандартам. Алан признался Джоан, что при встрече с Мэри Крауфорд в январе, вскоре после смерти Джека, он глубоко прочувствовал, сколь много они значат друг для друга. Он намекнул Джоан, что они могли бы «попробовать еще раз», но Джоан не отреагировала на этот намек. Она сознавала, что все кончено.

Алан показал Джоан книгу о го* и, улегшись на пол в своем номере в отеле «Краун Инн», продемонстрировал несколько игровых ситуаций. Он также дал ей почитать замечательный новый роман, который написал, хоть и под псевдонимом, его друг Фрэд Клейтон. Этот роман вышел в свет в январе 1943 г. под названием *Расщепленная сосна*, загадочно перекликавшимся с деревом, в котором заточила Ариэля колдунья Сикоракса в шекспировской *Буре*. Роман изобиловал стенаниями о политике и сексе, которые занимали Фрэда гораздо больше, чем Алана. В его сюжете, местом развития которого стала Германия 1937—38 гг., преломились, как в призме, те сложные и противоречивые эмоции, что Фред испытал к Вене и Дрездену несколько ранее.

Фрэд попытался понять крах идеалов 1933 г. С одной стороны, он показывал отдельных немцев не менее и не более привлекательными, чем англичане. С другой стороны, он показывал систему, нацистскую систему. И, хотя Фред изобразил себя англичанином, задающимся вопросом, как немцы могли уверовать в подобные вещи, он попытался увидеть себя и отношения англичан глазами немца. В интернационалистском порыве он посвятил *Расщепленную сосну* Джорджу, своему младшему брату, и Вольфу, одному из своих дрезденских знакомых. Анализируя английский либерализм, Фред своей авторской волею внушил немецкому юноше в книге коварную мысль: «Свобода и душевное равновесие...Это иллюзии! Какая свобода или душевное равновесие может быть у человека, этого раба настроений, не

---

* традиционная стратегическая настольная игра, возникшая в Древнем Китае.

способных понять друг друга...». Таков был вывод королевского либерала, упорно пытавшегося осмыслить абсолютное самоотречение.

В романе Фреда была и вторая нить повествования — о дружбе школьного учителя-англичанина и немецкого юноши, сохраняющего «отстраненность в своей атмосфере полуплатонической сентиментальности». Для Джоан такая отстраненность воплощала ту степень самоограничения, что заслуживала восхищения. А вот Алан, который частенько поддразнивал Фрэда, прибегая к подобным выражениям, скорее всего, придерживался иного взгляда на вещи. От очевидной опасности (той, что Ивлин Во высмеял в своем романе *Не жалейте флагов*) книгу спасали педантизм и изощренность, с которыми в ней исследовались противоречия. Личностные реалии все время подвергали сомнению политическую обстановку, включая нацистскую пропаганду конца 1930-х о евреях и католических священниках, растлевающих мальчиков и юношей. Но и политический фон все время подрывал личностные устои. И такой подход вооружал Алана ключом к способу выражения той из своих «наклонностей», которую невозможно было ни отделить от его места в обществе, ни счесть второстепенной для обретения им собственной свободы и душевного равновесия.

Хотя Алана отстранили от непосредственной криптоаналитической работы, он сохранил свой круг в Блетчли-парке; в свободное нерабочее время его можно было встретить в кафетерии. Разговоры тогда часто вращались вокруг математических и логических головоломок, а Алан был мастак взять какую-то элементарную задачку и показать, какой принципиальный вопрос за ней стоял, или наоборот — проиллюстрировать какое-нибудь математическое доказательство повседневным примером. Так проявлялись его особый интерес к соединению абстрактного и конкретного и удовольствие, которое он находил в демистификации «высокой» математики. Для доказательства симметрии он мог использовать узоры на обоях. Из той же серии была и его «бумажная лента» в статье *О вычислимых числах*, с треском низвергавшая на землю «заумную сферу логики».

В числе людей, ценивших такой подход, был Дональд Мичи, которому, как классицисту, мысли и идеи Алана импонировали, как свежие и новые. Он очень подружился с Тьюрингом, и в 1943 г. они по пятничным вечерам стали встречаться в пабе в Стоуни-Стратфорде, чуть к северу от Блетчли-парка, чтобы поиграть в шахматы и поговорить или — что чаще предпочитал Дональд — послушать. Игра профессора в шахматы всегда была в Блетчли предметом шуток, все чаще сводившихся к пристрастному сравнению с приезжавшими шахматистами. Гарри Голомбек пожертвовал ему королеву и все равно выиграл; а когда ему сдался Алан, профессор перевернул шахматную доску и добился победы из положения почти безнадежного. Он посетовал, что Алан понятия не имел, как заставить части работать вместе, и слишком много раздумывал над своими действиями, чтобы играть свободно (что, может быть, проявлялось и в его социальном поведении). По выражению Джека Гуда, Алан был слишком продуманным, чтобы воспринимать, как очевидные и прозрачные, ходы, которые другие могли делать, не думая. Он всегда все обдумывал с самого начала. Был один замечательный случай, когда Алан вышел в ночную смену (это произошло в конце 1941 г.), а рано утром сел играть партию с Гарри Голомбеком. Заглянувший в комнату Тревис, сильно смешался, увидев это — он подумал, что его старший криптоаналитик играет в рабочее время. «Хм... гм.. не думал вас застать за таким занятием, Тьюринг», — сказал он смущенно, как заведующий пансионом при школе, застукавший старшеклассника с сигаретой в туалете. «Надеюсь, вы обыграете его», — добавил он Голомбеку, когда они выходили из комнаты, ошибочно решив, что ас криптоанализа был первоклассным шахматистом. Но молодой Дональд Мичи был игроком под стать Алану.

Эти встречи давали Алану возможность развивать свои идеи об ЭВМ для игры в шахматы, обозначенные в его беседе с Джеком Гудом в 1941 г. Они с профессором часто разговаривали о механизации мыслительных процессов, привлекая теории вероятности и совокупности доказательств, с которыми Дональд Мичи был к тому времени уже знаком.

Разработка машин для автоматизированного криптоанализа, естественно, подталкивала к обсуждению математических задач, которые можно было решать с помощью механических устройств. (Напр., поиск больших простых чисел был главной темой, всплывавшей в беседах за ланчами — к вящему изумлению Флауэрса, инженера-электронщика, который не видел в том никакой пользы). Но Алан частенько переводил разговор в другое русло. Он не проявлял большого интереса к созданию машин, призванных решать ту или иную сложную задачу. Он теперь был увлечен идеей создания машины, способной к *обучению*. Эта идея развивала выдвинутое им в статье *«О вычислимых числах»* предположение о том, что состояния машины подобны «состояниям ума». Если бы это было так, если бы машина могла симулировать мозг таким образом, как он обсуждал это с Клодом Шенноном, то она обладала бы и присущей мозгу способностью к обучению новым навыкам. Алан упорно отвергал возражения, будто машина, при всем своем совершенстве, могла решать только те задачи, которые ей точно и недвусмысленно задавал человек. В подобных дискуссиях в свободное от работы время они посвящали довольно много времени вопросу, что именно следовало понимать под «обучением».

Характер обсуждений определяла материалистическое воззрение о том, что никакого автономного «ума» или «души», использовавшей механизм мозга, не существовало. (Похоже, Алан укрепился в своей атеистической позиции, и в разговоре теперь более непринужденно прибегал к шуткам, направленным против Бога и против Церкви, нежели до войны). Избегая философских дискуссий о том, что подразумевалось под понятиями «ум», «мышление» или «свободная воля», Алан апеллировал к идее оценки умственных способностей машины путем простого сравнения ее производительности с таковой человека. Это избирательное предпочтение Аланом операционального определения «мышления» было сродни настойчивому применению Эйнштейном операциональных определений времени и пространства, к которым он прибегал в стремлении освободить свою теорию от априорных предположений. В этом не было ничего нового — совершенно стандартный рационалистический подход. В 1933 г. Алан видел его на сцене — в пьесе *Назад к Мафусаилу* Бернард Шоу изобразил ученого будущего, создающего искусственный «автомат», способный отображать или, по крайней мере, имитировать ход мыслей и эмоции людей двадцатого века. Шоу показал «человека науки» не способным провести четкую черту между «автоматом и живым организмом». Не то, чтобы это было новацией, но Шоу попытался доказать, что такое представление уже стало атавизмом Викторианской эпохи. Рационалистический взгляд на вещи отличает и другую его книгу *«Чудеса природы»*. В одной из ее глав, озаглавленной «Как думают некоторые животные», мышление, интеллект и обучаемость трактовались, как различающиеся по своей степени: как различаются одноклеточные организмы и люди. Так что Алан не «открывал Америки», когда рассуждал с позиции принципа имитации: если оказывается, что машина делает что-то так же хорошо, как человек, значит, она действительно делает это так же хорошо, как человек. Но это придавало остроты и конструктивности их дискуссиям.

Между тем Дональд Мичи был выведен из отдела Testery, а Джек Гуд из 8-й хижины — для проведения под началом Ньюмана чрезвычайно занимательного анализа криптосистемы «Рыбы». Дональд Мичи продолжил работать над усовершенствованием метода взлома Тьюринга (в шутку прозванного «Тьюрингисмус») и неофициально информировал Алана об успехах. Прогресс был налицо, о чем свидетельствовал тот факт, что уже в начале 1943 г. энная часть сигналов «Рыбы» считывались регулярно и с совсем небольшим отставанием. Теория статистики Тьюринга, с ее формализацией «вероятности» и «совокупности доказательств», а также с ее идеей «последовательного анализа», также играла существенную роль в изучении работы «Рыбы»; здесь она пригодилась больше, чем при изучении принципов «Энигмы». Но весной 1943 г. начали приносить свои плоды идеи Ньюмана насчет механизации. Новые разработки с применением электронных технологияй, ключевые шаги в которых были сделаны, когда Алан находился в Америке, являлись очень важными и сами по себе.

Инженеры Министерства почт смогли установить в хижине F, где работал Ньюман со своими двумя помощниками, первую электронную счетную машину где-то в апреле 1943 г. Эта машина и сменившие ее модели назывались «Робинзонами». «Робинзоны» помогли инженерам справиться с рядом проблем, связанных с очень быстрым проходом бумажной ленты через электронный счетчик. Однако у них все же еще имелось множество недостатков. «Робинзоны» были склонны к возгоранию, бумажные ленты часто рвались, и подсчеты были ненадежными. А все потому, что более медленные звенья счетного процесса выполнялись старыми реле, которые оказывали интерференционное воздействие на электронные компоненты. Но главной технологической проблемой была синхронизация подачи двух разных бумажных лент, как того требовал данный метод. В силу всех этих причин «Робинзоны» показали себя слишком ненадежными и слишком медленными для эффективной криптоаналитической работы; они годились для использования только в исследовательских целях. Была и другая сложность — не столько физического, сколько логического свойства — сказавшаяся на медленности машинного метода. При его использовании в криптографическом анализе оператору приходилось обеспечивать постоянную подачу свежих лент, прибегая для этого к «вспомогательной машине для подачи лент, служившей одним из двух вводов сего «хитроумного приспособления».

Впрочем, еще до того, как первый «Робинзон» был готов, Флауэрс выдвинул одно революционное предложение; оно и решило проблему синхронизации лент, и нивелировало трудоемкий процесс обеспечения машины свежими лентами. Идея состояла в том, чтобы хранить меандры «Рыбы» внутри, и при том в электронной форме. Если бы это удалось сделать, то потребовалось бы всего одна лента. Но трудность крылась в том, что такое внутренне хранение требовало более широкого использования электронных ламп. И это предложение восприняли с глубокой подозрительностью выдающиеся эксперты, Кин и Винн-Вильямс. Однако Ньюман понял и поддержал инициативу Флауэрса.

По любым обычным меркам, этот проект являл собой не подкрепленную опытными изысканиями попытку нащупать луч света в темном царстве технологий. Но они работали не в обычное время, а в условиях 1943 г. И дальше произошло то, что было немыслимо даже еще два года назад. Флауэрс просто сказал Рэдли, руководителю лаборатории Министерства почт, что проект необходим для работы Блетчли-парка. Получивший от Черчилля четкие инструкции обеспечивать первоочередность решению насущных потребностей Блетчли, без всяких вопросов и проволочек, Рэдли не смог отказать ему, хотя на разработку требовалась половина ресурсов его лаборатории. Создание машины, задуманной Флауэрсом, началось в феврале 1943 г. И по прошествии одиннадцати месяцев денной и нощной работы она была закончена. Никому, кроме Флауэрса, Бродхарста и Чендлера, вместе проектировавших машину, не разрешалось лицезреть все ее части, а тем более знать, для чего она предназначалась. Не было чертежей многих частей машины, только оригиналы разработчиков; не было руководств и инструкций, никаких расчетов и отчетов, никаких вопросов о потребленных материалах и ресурсах. В лаборатории собирали, подключали и опробовали в действии только отдельные части машины. Они были соединены в одно целое только в декабре 1943 г., когда в Блетчли установили и запустили всю машину.

За три года был проделан полувековой путь технологического прогресса. В феврале 1943 г. умер Дилвин Нокс, почив чуть раньше Итальянской империи, для подрыва которой он так много сделал. А с ним кануло в лету и доиндустриальное мышление. «Энигма» вовлекла их в одну научную революцию, и вот захлестнул водоворот уже второй. Полностью электронная машина оказалась гораздо более надежной и быстродействующей, нежели были модификации «Робинзонов». Они назвали ее «Колоссом», и машина демонстрировала, что колоссальное количество — 1500 — электронных ламп при правильном использовании могли работать вместе долгое время без сбоев и ошибок. Это был удивительный факт для всех традиционалистов. Но в 1943 году было возможно и думать, и делать невозможное в самые сжатые сроки.

Алан был в курсе всех этих разработках, но отказался от приглашения поучаствовать в них непосредственно. Ньюман создавал все более крупную и мощную группу, заманивая к себе лучшие таланты из других хижин и математического мира вовне. Алан двигался в противоположном направлении; он не был Ньюманом, искушенным в общем руководстве, и еще меньше он походил на Блэкетта, вращавшегося в политических кругах. Он не боролся за сохранение контроля над морской версией «Энигмы», и он отступил перед организаторской мощью Хью Александера. Будь Алан совершенно другим человеком, он бы мог теперь добиться для себя достаточно влиятельного положения и заседать в координационных советах, англо-американских комиссиях, комитетах по вопросам дальнейшей политики. Но он даже не думал искать себе применение где-то еще, кроме стези научных исследований. Другие ученые сознавали, что война наделяет их могуществом и влиянием, которых они были лишены в 1930-е гг., и пользовались этим, к своему пущему благополучию. Алану Тьюрингу война, конечно же, принесла новый опыт и новые идеи, как и шанс что-то сделать, создать. Но она так и не возбудила в нем стремления организовывать других людей под своим началом и сохранила его постулаты неизмененными. Убежденный одиночка, он и дальше желал делать и создавать что-то только свое.

Точно так же Второй мировой войны оказалось недостаточно, чтобы изменить представления и взгляды его матери, которая в декабре 1943 г. предалась традиционному занятию — выбору рождественских подарков. Алан писал ей 23 декабря:

Моя дорогая мама,

Спасибо тебе за твои расспросы о подарке, который бы мне хотелось получить к Рождеству. Но я действительно полагаю, что нам стоит в этом году воздержаться. Я могу думать о множестве вещей — желанных, но сейчас, как мне думается, недостижимых. Например, о прекрасном комплекте шахмат вместо того набора, который ты мне подарила в 1922 г. или около того, и который украли в мое отсутствие. Однако я знаю, что это просто бессмысленно в нынешние времена. Здесь есть старый комплект, которым я могу пользоваться до окончания войны.

Сравнительно недавно мне выдался недельный отпуск. Я ездил на озера с Чемпернауном и жил в коттедже проф. Пигу на Баттермире. Я даже не думал, что стоит ехать в горы в такое время года, но нам невероятно повезло с погодой. Дождя не было вообще, а снег шел всего несколько минут, когда мы находились на Грейт-Гейбл. Это было в середине ноября, так что я не думаю, что смогу взять рождественский отпуск раньше февраля...

Твой Алан

Однако на Рождество 1943 г., после потопления «Шарнхорста» с помощью «Энигмы», Алан начал новый проект — на этот раз практически свой собственный. Он передал свое досье по американской машине Гордону Уэлчману, который к тому моменту покинул 6-ю хижину, чтобы взять на себя общую координирующую роль. Уэлчман утратил интерес к математике, но обрел новую жизнь в освоении эффективной организации; особый интерес у него вызывала американская связь взаимодействия. А Алан по возвращении из Америки проводил большую часть своего времени за разработкой нового способа шифрования речи. И если другие математики, похоже, удовлетворялись *пользованием* электронной аппаратурой или имели о ней самое общее представление, то Алан, полагаясь на свой опыт в научно-исследовательской фирме «Белл Телефон Лабораторис», был преисполнен решимости действительно создать своим умом и своими руками что-нибудь реально работающее и стоящее. В конце 1943 г. он стал достаточно свободен, чтобы посвящать время проведению ряда экспериментов.

Шифрование речи теперь не считалось срочной, безотлагательной задачей. 15 июля 1943 года состоялась официальная церемония принятия в эксплуатацию новой аппаратуры засекреченной радиотелефонной связи «X-system», или SYGSALY, для обеспечения конфиденциальных переговоров на высшем уровне по трансатлантическому радиоканалу Лондон — Вашингтон. (Связь с «Военными комнатами» Черчилля была обеспечена через месяц). В служебной записке Комитета начальников штабов за тот день говорилось, что «британские эксперты, назначенные проверить надежность аппаратуры, выразили полное удовлетворение»; в записке также перечислялись двадцать четыре высших чина Британии, от Черчилля и ниже, которым было дозволено пользоваться новой системой, и сорок американцев, от Рузвельта и ниже, с которыми они могли контактировать. Проблема трансатлантической связи на высоком уровне была решена. Хотя англичанам пришлось идти на поклон, чтобы пользоваться ею, и американцы обошли их в налаживании связи с Филиппинами и Австралией. К тому же, едва ли англичанам хотелось, чтобы все передаваемые ими сообщения записывались американцами; союз союзников никогда не был настолько тесным, чтобы британское правительство поверяло все свои секреты Соединенным Штатам. Независимость будущей политики мотивировала англичан развивать собственную, независимую и надежную систему закрытия и распознавания речи. Великобритания, а не Соединенные Штаты, должна была стать центром мировой политики и торговли.

Но этого не было предпринято, как не было у новой идеи Алана потенциала для разработки такой системы. Концепция, складывавшаяся в его уме, не могла быть использована для решения проблем с изменяемыми задержками по времени и затуханием сигналов в случае с коротковолновыми трансатлантическими радиопередачами. Алану с самого начала было ясно: конкурировать с «X-system», преодолевшей эти проблемы, его проект никогда бы не смог. Он имел признаки чего-то такого, что Алан желал достичь исключительно для самого себя, а вовсе не того, что от него ждали под заказ. Война уже больше не требовала от него оригинального подхода к решению задач, и после 1943 г. он ощущал себя чуть ли не лишним в Блетчли-парке. Да и ресурсы для воплощения его проекта были весьма скромными, чтобы не сказать символическими. Призрак былой неудовлетворенности вновь маячил перед Аланом. Чтобы воплотить свою идею в жизнь, он вынужден был обратить свой взор на другое учреждение. В то время, как в Блетчли-парке десятки тысяч людей продолжали корпеть над поставленными на поток секретами, выполняя колоссальный объем работы по декодированию, дешифрованию, переводу и интерпретации, Алан Тьюринг постепенно переключался на соседний Хэнслоп-парк.

Если Правительственная школа кодов и шифров расширилась до размеров почти немыслимых в 1939 г., то Служба безопасности также разрослась в разных направлениях. Перед самой войной ее ряды пополнил бригадир Ричард Гамбьер-Пэрри, призванный усовершенствовать ее радиосвязь. С той поры Гамбьер-Пэрри, ветеран Королевского летного корпуса и гениальный патерналист, которого младшие офицеры называли не иначе, как «Папаша», только все больше расправлял свои крылья. Первый шанс представился ему в мае 1941 г., когда Службе безопасности удалось отделить от М15 службу радиоразведки, тогда ответственную за выявление вражеских агентов в Британии. И именно Гамбьеру-Пэрри выпало взять ее под свою эгиду. При таком количестве вражеских агентов, оказавшихся теперь под ее контролем, роль службы радиоразведки свелась к перехвату радиосообщений вражеских агентов со всех уголков мира. Теперь называющаяся «Специальная группа связи № 3», эта организация использовала ряд больших приемных радиостанций, замкнутых на центральную приемную радиостанцию в Хэнслоп-парке, большом особняке восемнадцатого века в отдаленном уголке северной части Бакингемшира.

Гамбьер-Пэрри стал ответственным и за ряд других аспектов деятельности секретной службы. В их число входило обеспечение радиопередатчиками фальшивой радиослужбы (якобы немецкой, а на самом деле, пропагандистской британской радиостанции, передавшей из Франции программы на немецком языке в нацистскую Германию), которая начала вещание «Солдатского радио Кале» 24 октября 1943 года. (Студии, где журналисты и германские экспатрианты состряпывали свои искусные фальшивки, находились в Симпсоне, еще одной деревне Бакингемшира.) Затем Специальная группа связи № 3 взяла на себя разработку криптосистемы «Rockex», предназначавшейся для обеспечения высококачественной британской телеграфной связи. Трафик теперь достигал миллиона слов в сутки только в одну Америку. Криптосистема «Rockex», гарантировавшая повышенную засекреченность, являла собой техническое усовершенствование шифра одноразового использования (одноразового блокнота), разработанного Вернамом для телеграфных сообщений.

Проблемой в концепции Вернама было то, что шифротекст в коде Бодо обязательно включал множество случайных операционных символов, соотносившихся не с буквами, а с действиями — такими, как «подача строки», «возврат каретки» и т.п. По этой причине шифротекст нельзя было передать в коммерческую телеграфную компанию для передачи в коде Морзе, что зачастую было целесообразно. И не кто иной, как профессор Бейли, канадский инженер в организации Стефенсона* в Нью-Йорке, «разработал метод подавления нежелательных знаков и их замены таким образом, чтобы конечный шифротекст можно было напечатать на странице четко. Это потребовало разработки электронных устройств, которые могли бы автоматически «распознавать» нежелательные телеграфные символы. Проблемы были и с логическими схемами — примерно такие, что проявились в «Колоссе», пусть и в гораздо меньшей степени; связаны они были с потерями времени на переключение электронных логических элементов, выполняющих логические (булевы) операции над отверстиями телеграфной ленты.

К концу 1943 г. исследование было закончено. Для разработки детального проекта из компании «Кейбл энд уайрелес» был привлечен изобретательный инженер-телеграфист, Р. Дж. Гриффит. В Хэнслоп-парке приступили к изготовлению изделия. Параллельно Гриффит работал также над проблемой автоматической генерации ключевой информации на лентоносителе путем использования электронного случайного шума.

Таким образом, Хэнслоп-парк, с его сетью связей с секретными предприятиями и работой с электронными средствами криптографии, являлся подходящим местом для разработки проекта Тьюринга по шифрованию речи. Исследовательская станция Министерства почт также могла бы стать его обителью, но она находилась значительно дальше от Блетчли, чем Хэнслоп, расположенный всего в десяти милях к северу от него. Хэнслоп являл собой довольно необычное место, необычное по одному своему облику — под стать обычному военному городку, со всеми атрибутами воинских званий и военного языка. В отличие от Блетчли-парка, где военные были обязаны подстраиваться под молодых интеллигентных выпускников Кембриджа, здесь военный менталитет оставался не затронут пришествием современной технологии. Здесь не было гражданского кафетерия, здесь была офицерская столовая, в которой в картонной рамке содержался ключ к разгадке тайны Хэнслопа — цитата из *«Генриха V»*:

О заговоре королю известно, — Их письма удалось перехватить. /Шекспир, Генрих V, пер. Е. Бируковой/

Правда, на самом деле сотрудники Гамбьера-Пэрри работали практически вслепую, не представляя себе доподлинно ни всю важность того, что они делали, ни назначение того, что делали другие. Новичку требовалось провести там многие месяцы, чтобы уяснить для себя, что организация находится под управлением службы безопасности.

Впервые Алан побывал в Хэнслоп-парке где-то в сентябре 1943 г., проехав на велосипеде десять милей от Блетчли, чтобы разведать там возможности. Позаботиться о выполнении его условий был делегирован бывший старший менеджер Министерства почт, У. «Джамбо» Ли. Хэнслоп не стремился пустить пыль в глаза показушным порядком. Лишь некоторые из его облаченных в униформу сотрудников действительно были «настоящими солдатами». Но многим другим, переведенным прямо из Министерства почт, «Кейбл энд уорелес» и прочих подобных организаций, военный нрав был чужд. Но при всем при том, в Хэнслопе искусно поддерживалось впечатление боевого порядка, бросившееся Алану в глаза, когда «Джамбо» Ли представлял его своему начальнику, майору Кину. «Дик» Кин был ведущим британским специалистом по радиопеленгации, который написал единственное учебное пособие по этой теме во время Первой Мировой войны и провел большую часть Второй за подготовкой нового издания.

Алан и «Джамбо» Ли застыли вместе на пороге его кабинета, а Кин делал им знаки удалиться, решив по виду Алана, что тот был уборщиком или посыльным.

В Хэнслоп-парке имелся прецедент поступления криптографического проекта, но если Гриффит требовал и получал, новый «цех» и адекватный персонал, то Алан просто принимал то, что ему давали — не так уж много. На самом деле, ему даровали «место за столом» в большой хижине, где велись разработки по еще нескольким исследовательским проектам. И ему была предложена помощь математика в лице Мэри Уилсон, которая вела с Кином анализ радиопеленгации. Мэри была выпускницей Шотландского унвиерситета и в рабочей связке с Кином добилась существенного прогресса по сравнению с былыми деньками, когда люди приговвривали: «Два исправления лучше, чем три — не получится треугольника погрешностей». Теперь они предлагали аналитикам эллипсы на карте, символизировавшие зону, в которой точка направления передачи данных могла утверждаться с такой-то и такой вероятностью. Но ей не доставало математических знаний, чтобы понять, чего именно хотел Алан, когда он растолковывал свою идею. (Он помог ей позднее с работой по радиопеленгации, хотя и выразился довольно критически по поводу ее подготовки.) Так что последующие шесть месяцев ему пришлось работать над своим проектом в одиночку, появляясь на пару дней в неделю, и то не каждую. Двум армейским связистам было поручено собрать под его руководством части электронной аппаратуры, но только и всего.

В середине марта 1944 г. в штате Хэнслопа произошла явственная перемена, с притоком экспертов по математике и инженерному делу. Так, например, был случай, когда «Джамбо» Ли указал Алану на проблему, ставившую их в тупик. Речь шла всего лишь о тригонометрических рядах, в пределах понимания кандидата на стипендию в Кембридже. Но Ли был невероятно впечатлен, когда Алан тут же выдал ему ответ, тем более что инженеры Министерства почт с трудом суммировали его термин за термином. Руководство отобрало пять новых молодых специалистов из тех, кто обучался на курсах в школе радистов СВ близ Ричмонда в графстве

Суррей. Двоим из них суждено было занять особое место в жизни Алана Тьюринга. В 1943 г. он повидался за ланчем в Лондоне с Виктором Бьютеллом, и некоторые их личные проблемы выплыли наружу. (Виктор, наконец, взбунтовался против своего отца и поступил в королевские ВВС.) Они никогда больше не встречались друг с другом; но новые друзья заменили Алану личные отношения, ушедшие в прошлое.

Первым был Робин Гэнди, студент, который в 1940 г. решительно провозгласил «руки прочь от Финляндии!» на вечеринке Патрика Уилкинсона перед лицом насмешливого / недоуменного/ скептицизма Алана. Его появление привнесло в атмосферу Хэнслопа дыхание королевского духа. Он был призван в армию в декабре 1940 г. и провел шесть месяцев в батарее береговой обороны, пока его математический ум не снискал еще большего признания, когда он стал оператором радиолокационной установки, а затем инструктором. После назначения в инженерную ремонтно-строительную службу СВ, он прошел несколько курсов, которые вкупе с практическим опытом обогатили его знаниями о всех радиоаппаратуре и радарном оборудовании, использовавшемся вооруженными силами Британии.

Вторым был еще один Дональд — Дональд Бейли, вышедший из совершенно иной среды, а именно средней школы Уолсолла (где друг Алана, Джеймс Аткинс, учил его математике) и Бирмингемского университета, электротехнический факультет которого он закончил в 1942 году. Он так же получил назначение в инженерную ремонтно-строительную школу и точно так же прошел все курсы.

Оба они были допущены в большую «лабораторию», где велись исследовательские проекты, и застали там Алана за работой. Если уж гражданские из Кембриджа склонны были обращать внимание на его необычно небрежный внешний вид, то в военном Хэнслопе его отклонения от респектабельности бросались в глаза еще больше. В своей дырявой спортивной куртке, в блестящих серых фланелевых брюках на древних подтяжках и с волосами, топорщившимися на затылке, он походил на ученого с карикатуры — и это впечатление подчеркивалось его манерой работать: Алан ворчал и чертыхался, когда пайка не получалась, почесывал свою голову и испускал странный хлюпающий звук, когда задумывался над чем-то, и вскрикивал, когда его ударяло током, который он забывал отключить перед паянием в своем «птичьем гнезде» из электронных ламп.

Но Робина Гэнди поразило другое, почти в первый же день, когда он приступил к работе по изучению эффективности сердечников с высокой магнитной проницаемостью в трансформаторах радиоприемников. В его отделе было два инженера, затеявшие нудный процесс тестирования. Но тут в дело вмешался Алан, решивший, что все следует решать, исходя из теоретических принципов — в данном случае речь шла об электромагнитной проблеме, связанной с уравнениями Максвелла. Эти уравнения Алан записал на верху своей работы, как если бы это был какой-то надуманный вопрос для получения отличия на экзамене в Кембридже, а не задачка из реальной жизни, и в конце концов проявил незаурядный талант по решению дифференциальных уравнений в частных производных.

Дональда Бейли впечатлил аналогичным образом проект шифрования речи, который в Хэнслопе получил название «Далила». Алан предложил награду за лучшее название проекта и присудил ее Робину за его вариант (Далила — библейская «обманщица мужчин»). Проект наиболее полно использовал его опыт в криптоанализе, и как объяснял Алан, был призван выполнить одно основное условие: аппаратура, даже подвергшаяся компрометации, должна была все равно обеспечивать полную секретность. И все же система, которую он задумал на борту *Императрицы Шотландии* годом ранее, была сущности очень простой. Это был математический проект, причем такой, что зависел от Алана, вопрошающего «Почему бы и нет?»

То, что он сделал, это изучил полную комнату аппаратуры, составлявшего «X-system», и задался вопросом, каковы были важнейшие характеристики, которые делали этот метод стойким шифром голосовых сигналов. Вокодер (кодировщик речевых сигналов) не являлся определяющим, хотя и был отправным пунктом проекта. Не играл существенного значения и процесс квантования по амплитуде выходного сигнала в число дискретных уровней. Отбросив эти аспекты, Алан свел количество идей к двум: при дискретизации по времени непрерывный речевой сигнал *преобразуется* в последовательность его мгновенных значений, соответствующих определенным моментам времени (сигнал представляется рядом отсчетов, или выборок, взятых через равные промежутки времени); используется *модульное* наращивание, напр., шифр Вернама одноразового использования, или одноразовый блокнот.

«Далила» базировалась на этих двух идеях с самого начала, тогда как к «X-system» разработчики пришли через «задний ход». Смысл дискретизации заключался в том, что она устраняла информационную избыточность непрерывного звукового сигнала. Любой звуковой сигнал можно было графически представить в виде кривой:

Смысл заключался в том, что отпадала необходимость передачи всей кривой. Достаточно было передать информацию с определенных точек (отсчетов) на кривой, при условии, что получатель мог затем «соединить точки» и восстановить кривую. Это можно было сделать (по крайней мере, по идее) при условии, что была известна дозволенная острота изгиба кривой между отсчетами. Поскольку острые изгибы соотносились с высокими частотами, из этого следовало, что при условии ограничения частотного спектра дискретизируемого сигнала, последовательность дискретных отсчетов, или выборок, взятых через регулярные промежутки, должна была содержать *всю* информацию, заключенную в сигнале. И, поскольку в телефонных каналах в любом случае происходило срезание высоких частот (подавление высокочастотных составляющих), ограничение на дозволенную «изгибаемость» кривой вовсе не являлось ограничением, и, на самом деле, достаточно было отобразить довольно малое число выборок, чтобы передать сигнал.

Эта идея была хорошо известна инженерам связи. В «X-system» было принято дискретизировать каждый из двенадцати каналов (25 Гц) пятьдесят раз в секунду. Эти цифры иллюстрировали общий постулат: необходимо было производить выборку со скоростью, вдвое превышающей максимальное изменение частотной характеристики звукового сигнала, или ширины полосы пропускания. Точный математический результат такого действия, доказанный еще в 1915 г., был пересчитан Шенноном и обсужден с Аланом в «Белл Телефоник Лабораторис». Если, к примеру, спектр звукового сигнала ограничивался до частот менее 2000 Гц, то для восстановления сигнала достаточно было взять 4000 отсчетов (выборок) в секунду. Строго одна кривая установленного частотного ограничения должна была проходить все элементы выборки. Алан описал и доказал этот постулат Дону Бейли, как «теорему о ширине полосы пропускания». Его «Почему бы и нет?» трансформировалось в вопрос: почему этот ясный факт нельзя было сделать отправной точкой для преобразования всего процесса шифрования.

И цифру в 2000 Гц Алан, в действительности, намеревался использовать. Его процесс шифрования должен был начинаться с речевого сигнала, дискретизуемого 4000 раз в секунду. «Далила» затем должна была прибавить полученные путем выборки амплитудные значения речевого сигнала к потоку ключевых амплитудных значений. Сложение должно было производиться по модульному принципу, т.е. если сложение 0.256 единиц выборки амплитудных значений речевого сигнала и 0,567 единиц ключевых амплитудных значений давали в сумме 0,823 единицы, то сложение 0,768 и 0,845 давало бы 0,613, а не 1,613. В результате выстраивалась последовательность острых «пиков», высших значений, варьирующих между нулем и одной единицей.

Следующей проблемой было — как передать информацию этих «пиковых» значений получателю. В отличие от «X-system». Аалан планировал не делать квантования амплитуд на этом этапе. Он намеревался передавать их по возможности напрямую. По идее, можно было передать и сами «пики». Но, поскольку они имели столь малую длительность, всего несколько микросекунд, потребовался бы канал, способный пропускать очень высокие частоты. Никакая телефонная линия не могла этого делать. Для использования телефонного канала информацию «пиков» необходимо было преобразовать в сигнал звуковой частоты. Предложение Алана заключалось в том, чтобы подавать каждый «пик» в специально разработанный электронный контур «ортогональной» модели. Ответом такого контура на «пик» единицы амплитудной выборки являлась бы волна с высотой этой единицы после одного промежутка времени и нулевой высотой в каждый следующий промежуток времени.

При условии, что контур «линейный», результатом подачи в него последовательности «пиков» должно было стать очень точное «соединение точек». Информация о каждом «пике» преобразовывалась точно в амплитуду ответа этого контура с задержкой всего на одну единицу времени.

Передача в таком случае проходила бы прямо и могла быть получена совершенно стандартным образом; декодирование процесса не требовало применения никаких новых идей. Помимо обеспечения криптосистемы с секретным ключом, это было все, что требовалось, чтобы «Далила» осуществляла «встроенное» шифрование речи, аналогично тому, как агенты типа Маггериджа или машины, производящие сигналы «Рыбы», либо «Rockex», все одинаково делали для телеграфа или телетайпа. Если ключ был действительно «случайным», либо не имел никакого распознаваемого шаблона, такая система шифрования речи была бы надежной, как шифр Вернама для телеграфной ленты, и на точно таком же основании. С точки зрения неприятеля, при условии равной вероятности всех ключей, все сообщения были бы равновозможны. И противостоять было бы сложно.

Недостатком простой системы «Далила», в сравнении с «X-system», было то, что ее ширина полосы пропускания ее выходного сигнала составляла бы 2000 Гц, и связь должна была функционировать безупречно, иначе он мог быть потерян. В частности, любое отклонение во времени задержки или искажения амплитуд могли негативно повлиять на процесс дешифрования. По той же причине отправитель и получатель должны были работать с точностью до микросекунды. Вот почему «Далилу» нельзя было использовать для коротковолновых передач на дальние расстояния. Но ее можно было применять для коротковолновых передач на близкие расстояния, в диапазоне ОВЧ и телефонной связи. Для тактических или внутренних целей у нее был значительный потенциал.

Дон Бейли истово желал работать над «Далилой», но поначалу ему в этом было отказано. Бейли дали другие задания, и только со временем он получил возможность уделять время проекту Алана. Прошло несколько месяцев до того, как было выдано официальное разрешение на его участие в разработке проекта, и то лишь с условием, что он будет периодически переключаться на другие работы.

Ожидание Аланом помощи совпало со временем, когда все ожидали решения более важного вопроса о Втором фронте. И это было в конечном итоге то самое дело, обеспечению условий для которого способствовал всеми своими усилиями Алан. А в Блетчли-парке, в отделе Ньюмана, была совершенно иная причина для возбуждения. Там показали, что даже во времена тщательного планирования и координации действий оставалось место для инициативы. Действительно, в последнюю минуту по ходу недавнего поиска сокровищ дошло до настоящего соревнования. И вновь молодые сотрудники оказались «на высоте», опровергнув предположение о том, что что-то может быть не сделано. И об этом они могли с гордостью поведать Алану Тьюрингу.

Используя новый электронный «Колосс», установленный с декабря месяца, Джек Гуд и Дональд Мичи сделали чудесное открытие — внося вручную изменения в процессе его работы, они смогли выполнить работу, которая прежде считалась выполнимой только ручными методами в «Тестери». Следствием этого открытия стал заказ, направленный в марте 1944 г. в исследовательский центр Министерства почт в Доллис-хилле, на поставку к 1 июня еще шести «Колоссов». Эта потребность могла остаться не удовлетворенной, но отчаянными усилиями одна машина «Колосс Марк-2» была готова в ночь на 31 мая, а за ней последовали и остальные. «Марк-2» был технически более усовершенствован, работал в пять раз быстрее и также включал 2400 электронных ламп. Но его важнейшей особенностью было то, что он включал средства для автоматического выполнения тех самых изменений, которые Джек Гуд и Дональд Мичи делали вручную. Первый «Колосс» при распознавании и вычислении был способен выдать лучшее соответствие заданной части шаблона с текстом. Новый «Колосс» благодаря автоматизации процесса варьирования части шаблона был способен решать, какой шаблон является лучшим для опробования. Это значило, что он выполнял простые действия по решению, которые выходили далеко за пределы «да или нет» «Бомбы». Результат одного вычислительного процесса определял, что «Колосс» будет делать дальше. «Бомба» была только оснащена «меню»; «Колосс» был снабжен набором инструкций = команд.

Это значительно повышало роль машины в приведении «Рыбы» до состояния «неисчерпаемого изобилия». Как и в случае с «Бомбой», дело было не в том, что «Колосс» делал все. Он был в центре чрезвычайно замысловатой и сложной теории, в которой математика, далеко не «скучная и элементарная» оказывалась теперь на передовых рубежах исследования. В действительности имелось много путей применения «Колосса», с учетом приспособляемости и гибкости, сулимой его изменяемой таблицей команд. Он обращал работу аналитика в совершенно новое царство волшебства. В одной из основных сфер применения человеку и машине нужно было работать вместе:

...Аналитик в программе вывода данных на телетайп выбирал команды, чтобы произвести изменения в программах. Некоторые другие возможности применения в конечном итоге были сведены к «дереву решений»* и переданы операторам вычислительных машин.

«Дерева решений» походили на «дерева» машинных шахматных программ. Это означало, что часть работы за аналитиков разведслужбы теперь делало электронное оборудование «Колоссов»; и некоторые аналитики занялись разработкой команд для них, другие — «деревами решений», которые можно было оставить для непосвященных «рабов», а третьи остались на ролях «человеческих умов». В свободное от работы время они вели разговоры об играющих в шахматы машинах, автоматически принимающих разумные решения. А во время работы на этом новом, необыкновенном этапе фактор произ-

_____

* графическое изображение альтернативных действий и их последствий

вольного распределения ключей в немецкой криптосистеме порождал в них странное ощущение — ощущение диалога с машиной. Грань между «механическим» и «разумным» была очень слабо размыта. При том, что немцев ожидало сильно удивление в связи с назначением машины, они проживали прекрасное время постижения истории будущего.

Никто в Хэнслопе, наблюдая странноватого гражданского ученого, разъезжавшего по территории на велосипеде с платком вокруг носа (Алан страдал сенной лихорадкой в тот период), не мог соотнести его с успехом наступления союзников в Нормандии. И до сих пор его роль в создании необходимых условий для этого была чем-то, что осталось в прошлом; успех, которого он желал, был чем-то поистине и всецело его собственным. Как и десять лет назад, он сохранял за собой привилегию своим собственным путем, с меньшей затратой энергии, способствовать развитию цивилизации, требовавшей от других более суровых жертв. И он вынашивал в своем уме иной вид вторжения — такой, заявлять о котором был еще не готов.

Успешный переход десантных отрядов через Ла-Манш 6 июня 1944 г. совпал с моментом, когда для Алана и Дональда Бейли стало возможным серьезно взяться за работу над созданием аппаратуры «Далилы», освободившись от довольно беспорядочных усилий, на которые растрачивал себя профессор. Главной задачей была разработка схемы для создания высокоточного «ортогонального» ответа. И именно эта разработка вобрала в себя большую часть более ранних идей и экспериментов Алана. Он осознал, что синтез такой схемы можно было произвести из стандартных компонентов. Это была совершенно новая идея для Дона Бейли, как и математика теории Фурье, примененная для ее критики. Это была труднорешимая проблема, которая, по словам Алана, заставила его потратить целый месяц на нахождение корней уравнения седьмой степени. Хотя он был любителем и самоучкой инженером-электронщиком, он мог рассказать своему новому помощнику многое о математике проектирования схем, и к тому же оказался к этому времени способен продемонстрировать большинству работников в лаборатории свои познания в области электронике. А Дон, с его практическим опытом, нужен был Алану, чтобы решать проблему и умиротворять взбудораженное «птичье гнездо». Он также хранил аккуратные записи их экспериментов и вообще следил за состоянием Алана.

По утрам обычно Алан приезжал в Хэнслоп на своем велосипеде — иногда даже в проливной дождь, который он, казалось, даже не замечал. Ему предложили для поездок на работу и обратно служебную машину, но он отказался, предпочтя пользоваться своей собственной движущей силой. Однажды — и это было совершенно нетипично для него — Алан сильно припоздал и появился даже еще более всклокоченный, чем всегда. В качестве оправдания он предъявил грязную пачку банкнот на 200 фунтов стерлингов, пояснив, что выкопал их из тайника в лесу и ему осталось отыскать еще два серебряных слитка.

Но в конце лета, когда плацдарм, наконец, был захвачен и войска союзников стремительно хлынули во Францию, Алан покинул свою комнату у м-с Рэмшоу в «Краун-инн» и переехал в офицерскую столовую командного состава в Хэнслоп-парке. Поначалу он занял комнату на верхнем этаже особняка (благодаря более привилегированному статусу в сравнении с младшими офицерами ему выделили отдельную комнату), а впоследствии перебрался в коттедж в огороженном огороде, который Алан разделил с Робином Гэнди и большим полосатым котом. Кота звали Тимоти; а привез его в Хэнслоп Робин по своем возвращении из Лондона. Алан хорошо относился к Тимоти, даже несмотря (или, возможно, в силу того), что кот имел привычку шаловливо шлепать лапами по клавиатуре пишущей машинки, когда он работал.

Как «сонная обитель» в ожидании окончания войны, Хэнслоп имел одно особое преимущество. Начальником кухни-столовой был Бернард Уолш, владелец роскошного устричного ресторана «Уилерс» в Сохо. Как по волшебству, свежие яйца и куропатки оказывались на обеденном столе Хэнслопа в то время, как остальная Британия чавкала пирог лорда Вултона и «восстановленные» яйца. Их могли дополнять кролик из рощицы или утиные яйца из пруда, что лежал в глубине лужка, окружавшего дом. А Алан могло достаться также яблоко, которое он, как правило, всегда съедал перед сном. Алан выходил на прогулки или пробежки по полям; и его нередко можно было увидеть задумчиво жующим травинки, когда он шел размашистым шагом или рыскал в округе в поисках грибов. В течение года издательством «Пенкуин букс» периодически выпускался справочник о съедобных и несъедобных грибах, и, пользуясь им, Алан заимел привычку приносить миссис Ли (которая организовывала повседневное питание) удивительные образцы грибов, чтобы она приготовила ему их. Особенно ему нравилось название самого ядовитого гриба — *Amanita phalloides*, или бледной поганки. Он с явным восторгом произносил его, и всем поручал искать этот гриб; но никто так и нашел ни одной такой поганки.

В один из вечеров он отправился на пробежку и, едва сделав первый шаг, умудрился повредить лодыжку, поскользнувшись на покрытом грязью кирпиче в мощеной садовой дорожке. Ему пришлось вызывать карету скорой помощи, чтобы подлечить ее в больнице. Зато в другой раз профессор порадовал всех, приняв участие в спортивном забеге и победив молодого Алана Уэсли (еще одного представителя мартовского набора), который опрометчиво бросил ему вызов потягаться силенками в беге по кругу на большом поле. Алана воспринимали (с должным уважением к его отличиям), своим в кругу младших офицеров. Во время ланчей они собирались в столовой и просматривали газеты: сначала *Дейли Миррор*», а затем комикс *«Джейн»*. Дон Бейли, любивший пообсуждать военные дела, должно быть, рассказывал им о стратегии двигавшихся на восток армий. А Алан, наверное, разглагольствовал на какую-нибудь тему с научным или техническим налетом — например, почему вода непроницаема для электромагнитных волн радиолокационного диапазона или почему ракета довольно быстро вырабатывает свое топливо. Иногда они все вместе совершали обеденные прогулки, в которых их обычно сопровождала кошка Тимоти. Робин Гэнди учил русский язык — не из-за своего былого членства в Коммунистической партии (из которой он вышел в 1940 г.), а из-за своего восхищения русской классикой. Робин все еще сочувствовал коммунистам, и в этом плане 1941-й год не изменил мнения Алана о том, что его друг заблуждался. Впрочем, о политике в Хэнслопе говорили мало; там предпочитали делать дело, не задаваясь вопросами.

Примерно каждый месяц устраивались официальные обеды офицерского состава, на которые нужно было являться в униформе или — в случае Алана — в смокинге, и в меню которых должен был входить фазан. Алану нравились эти обеды — при всей своей строгости и аскетичности в жизни, ему нравилось время от времени пускаться во все тяжкие, лихо отплясывая после трапезы с дамами из Женского вспомогательного территориального корпуса. За такими обедами можно было услышать о многих светских новостях и интригах, и Алан с удовольствием обсуждал их с миссис Ли и Мэри Уилсон. Иногда его собственное довольно чарующее позиционирование себя, как загадочного профессора, вкупе с его безобидной дружелюбной манерой общения с женщинами из числа персонала, вызывали легкую ревность. В этом отношении он сам предпочитал оставаться «засекреченным».

Впервые в своей жизни Алан общался довольно продолжительное время с обычными людьми — людьми, не подобранными ни по своему социальному сословию, ни по особому складу ума и менталитета. Тьюринг любил шутить, что по-другому и не могло быть в учреждении, работающем на службу безопасности. Алану пришлось по душе это отсутствие претенциозности и, похоже, он был рад избавиться от интеллектуального давления, столь явственно ощутимого в Блетчли. Тьюрингу явно нравилось чувствовать себя крупной рыбой в маленьком пруду. И его расположение подкреплялось взаимностью. Как-то раз его пригласили на попойку, затеянную рядовым и сержантским составом. По каким-то причинам она не состоялась. Но Алан все равно остался очень доволен: отчасти благодаря преодолению социальных барьеров, но в равной мере и благодаря очаровательной притягательности этой неизвестной ему прежде Англии рабочих и трудяг (чувство, которое почти неизбежно испытывал гомосексуалист из его среды).

По вечерам большинство офицеров играли в бильярд или выпивали в баре; иногда их примеру следовал и Алан. Но

Дональд Бейли, Робин Гэнди и Алан Уэсли были одержимы идеей интеллектуального самосовершенствования и попросили Алана преподать им курс лекций о методах математического анализа. На верхнем этаже особняка они подыскали место для занятий — необычайно холодную в условиях зимы 1944 г. комнату — и уединились в ней, к вящему удивлению менее усердных коллег. Наряду с конспектами лекций (которые энтузиасты знаний переписали), в основном на тему преобразования Фурье, Алан подготовил для них также сопутствующие материалы, с исчислением комплексов. Идею «свертки» — разложения одной функции путем, заданным какой-либо другой функцией — он проиллюстрировал на примере «ведьминого кольца» из грибов.

Кстати, не одни грибы отражали его интерес к биологической форме. По возвращении со своих пробежек он частенько показывал Дону Бейли образцы числа Фибоначчи[*] на примере пихтовых шишек, как в 1941 г. Он все еще оставался убежденным, что тому есть причина. И находил время для своих собственных математических изысканий, вновь и вновь обращаясь к *Математическим основам квантовой механики* Ньюмана. Вечера также скрашивали игры в шашки или карты, которые ему нравились, хотя в ходе них наружу всплывала его самая детская черта (как у маленького мальчика): если Алану казалось, будто кто-то другой смухлевал или нарушил правила, он взрывался от гнева и уходил, хлопнув дверью. Такое поведение он демонстрировал и в отношениях с руководством, от которого все еще наивно ожидал приверженности истине и постоянства в политике.

Все это напоминало последние два семестра на факультете: оставаться там, уже получив образование и без явной надобности, зато заслужить отрадное уважение. В августе 1944 г., примерно в то же самое время, как Алан переехал жить в Хэнслоп, большая лаборатория получила маленькую пристройку, и одна из четырех комнат в ней, размером десять на восемь футов, была отведена под разработку «Делилы». Это обеспечило

---

[*] элементы бесконечной числовой последовательности, каждое последующее число которой равно сумме двух предыдущих

ему более автономный мир, где Алан мог экспериментировать, читать и размышлять над будущим. Необычное положение для «ведущего криптоаналитика в Англии», ожидавшего, когда его оппонент уступит в затягивающейся игре! Проект «Далила» теперь, когда у него имелся квалифицированный инженер для его решения, приобрел больше значения и смысла. Но даже это было, скорее, случайностью. Дона Бейли не допускали к нему, и ему приходилось искать обходные пути для участия в нем, при этом постоянно испытывая давление со стороны, понуждающее его отказаться от проекта ради выполнения других обязанностей. Алана это сильно раздражало, и иногда он помогал Дону избавиться от них.

Однажды, к примеру, понадобился его совет по вопросу о том, вносили ли в систему шумовые помехи «широкополосные» усилители, применявшиеся в процессе распределения сигналов с одной большой антенны на несколько разных приемников. Алан разработал несколько экспериментов для их тестирования и произвел небольшой теоретический анализ. Для этого потребовалось съездить в Кембридж — для подборки подходящей литературы о тепловом шуме. В качестве привилегии им полагался служебный автомобиль, и Дон Бейли очень обрадовался представившейся возможности совершить свой первый визит в Кембридж. Перед тем, как им тронуться в путь, Алан попросил всех спутников не называть его в Кембридже «профессором».

Алану, несомненно, нравилось работать вместе со своим помощником в таком ключе, но это подразумевало участие в очень маленьком коллективе, в сравнении с его ролью в проекте по морской «Энигме» или в обеспечении англо-американской связи взаимодействия. Дон знал об Алане только то, что он работал в области криптоанализа и бывал в Америке. Алан больше ничего о себе не рассказывал. И это было особенно поразительно в Хэнслопе, где в случае с большинством людей несколько наводящих вопросов и предположение о знании больше, чем в реальности, обычно вызывало новые вопросы. С профессором этот метод не срабатывал. С исключительно упорным молчанием он защищал не только государственные тайны, но и все свои личные секреты тоже. Он относился к своим обещаниям с несколько раздражающей добросовестностью, как к произнесенным им сакральным словам. (И часто винил политиков в том, что те никогда не выполняют своих обещаний.) И это изумляло и озадачивало его коллег, пытавшихся разгадать его статус. Алан проявил некоторую спесивость, когда через некоторое время его взяли в штат Специальной группы №3 и он дал понять, что ценит себя несколько выше. Но не было никого из начальства, кому бы он мог доложиться, и никто так и не явился посмотреть, как обстоят дела с «Далилой».

Несколько раз к нему с дружескими визитами наведывались его коллеги из Блетчли-парка. И есть свидетельство, что к нему обращались из Блетчли за консультацией. Это было связано с проектом новой машины типа «Энигма», который на тот момент вел Гордон Уэлчмен. Новая машина предназначалась для шифрования сообщения в коде Бодо и потому имела роторы (шифровальные диски) с тридцатью двумя, а не двадцатью шестью контактами. Это Алан также описал Шону Уили, рассказав, как ему показали планируемую машину, и посетовав, что ее период составлял только 32 х 32 х 32. Встретив сопротивление, он стал вручную корректировать настройки только за тем, чтобы убедиться, что станет даже хуже — период был только 32 х 32. Его алгебраические изыскания по этой проблеме породили несколько чисто математических решений, которые он сохранил для себя.

Довелось Алану провести консультацию по криптографии и в Хэнслопе. И это, пожалуй, была самая типичная его работа после возвращения из Америки. Алана попросили проверить, что ленты с записанным ключом «Rockex», сгенерированные электронным шумом (электронными помехами), были в действительности, достаточно случайны. Незащищенный буфером 4-й хижины или Хью Александером в таких делах с военными, часто случались нарушения связи. Говоря слишком техническим языком о «мнимой доле погрешности», Алан обнаружил, что высшие чины перестали слушать. То, что он воспринимал, как некомпетентность и глупостью, нередко приводило его в отвратительное расположение духа. В таких случаях он часто отправлялся бегать по большому полю южнее особняка Хэнслоп-парка, чтобы избавиться от раздражения и успокоиться.

Был и другой вопрос, который вызвал препирательства и разочарование, на этот раз уже в самой группе «Далила». Алан неожиданно обмолвился в разговоре, случайно или по недомыслию, что был гомосексуалистом. Его молодой помощник из Мидлендса испытал двоякие чувства — и удивление, и глубокое огорчение. Все свои представления о гомосексуализме он почерпнул лишь из шуток в школе (которым он не придавал значения) и смутных намеков на «серьезные обвинения» в воскресных газетах, освещавших судебные дела. И дело было не только в том, что сказанное Аланом своему помощнику тот счел отвратительным и отталкивающим, но и в огульно непримиримой позиции тогдашнего социума по отношению к гомосексуализму.

Именно по этому вопросу позиция кембриджской среды отличалась от таковой Дона Бейли ровно настолько, насколько отличается математика от инженерного искусства. У помощника Алана имелась на этот счет тоже твердая, четкая точка зрения. И он заявил довольно резко, что никогда прежде не встречал ни одного человека, который бы не только признавал то, что он считал в лучшем случае противным, а в худшем омерзительным, но и, похоже, находил это вполне естественным делом и даже гордился этим. Алан, в свою очередь, был расстроен и разочарован его реакцией, которую он описал, как слишком типичную для общества в целом. Пожалуй, это был один из немногих случаев, когда Тьюринг прямо высказывал свое мнение об обществе в целом. Действительность, нравилось это ему или нет, была такова, что большинство обычных людей воспринимали его чувства, как чуждые и гадкие до тошнотворности. Собственные взгляды Алана со временем только ужесточались, поскольку уже до войны — возможно, с разрыва помолвки, а затем и в силу возросшей уверенности в себе после той работы, которую он проделал — он не обрывал разговора на эту тему в раздражении, а продолжал спорить, да так разгоряченно, что разговор становился очень накаленным. Работа над «Далилой» оказалось под угрозой.

Алан не считался с принципиальными различиями. Но ему удавалось преодолевать различия, не поступаясь ни одним из них. Дон Бейли нашел в себе силы закрыть на ориентацию Тьюринга, усмотрев в ней еще одно проявление его эксцентричности и противопоставив ей преимущество работы над такими значительными идеями с таким человеком, с которым во всех иных отношениях ему очень нравилось общаться и которого, по его мнению, он знал очень хорошо. Так что «Далила» пережила разоблачение.

Несколько строк из решения Аланом Тьюрингом задачи проводки роторов демонстрируют его использование теории групп. Кому-то, быть может, покажется, что этот отрывок выдает также влияние кота Тимоти на его работу, но на самом деле это был типичный для Алана стиль печати.

В конце 1944 г. аппаратура, производившая дискретизацию речевых сигналов и шифрование выборки сообщения, была, наконец, готова. Они убедились в том, что работает она удовлетворительно, подключив и передающее, и принимающее устройства прямо в лаборатории и введя в них идентичный «ключ» в виде хаотичного шума радиоприемника со снятой антенной. Осталось спроектировать и создать систему для ввода идентичного ключа на станции, которые на практике могли находиться на большом расстоянии друг от друга.

В принципе «Далила» могла бы работать на ключе одноразового использования, записанном на граммофонных пластинках, как работала и «X-system», аналогично схеме «одноразовых блокнотов»для передачи сообщений по телеграфу. Но Алан предпочел разработать систему, которая, будучи не хуже «одноразовой», не требовала бы пересылки тысяч лент или записей, а вместо этого позволяла бы передатчику и приемнику генерировать идентичный ключ синхронно с моментом передачи.

Именно в таком подходе к «Далиле» сказался его опыт криптоаналитика. Работа, которую они делали, до этой поры касалась процесса «добавления». Решению принципиального вопроса — что именно добавлять — Алан посвящал большую часть времени еще с 1938 г. В этом плане он мог действовать, как имеющая вес «математическая фигура» Кембриджа и Блетчли, а не как какой-то человек со стороны, неловко и стеснительно приоткрывший дверь в непрерывно развивающийся мир электронной инженерии.

Несмотря на то, что Алан не мог в том признаться ни открыто, ни намеками, задача сводилась к созданию чего-то наподобие генератора ключей «Рыбы». Ключ должен был быть детерминированным, иначе его не получилось бы создать идентичным для двух независимых концов. В то же время необходимо было нивелировать шаблоны и исключить повторы, чтобы по своей стойкости ключ не уступал чему-то действительно «случайному» — например, электронному шуму. Любой тип устройства неизбежно имел *какой-либо* шаблон. И цель заключалась в том, чтобы этот шаблон был таков, что вражеский дешифровщик не смог бы его обнаружить. Решая эту задачу для «Далилы», Алан одерживал верх над вялыми потугами немецкой криптографии. На самом деле, он создавал систему гораздо лучшую, поскольку элементы ключа «Далилы» могли подаваться последовательностями из сотен тысяч чисел. Это было сродни шифрованию не телеграфных сообщений, а *«Войны и мира»*.

Идея генерирования ключа для шифрования речи таким путем не была совершенно новой. В «X-system» не всегда использовались одноразовые граммофонные записи ключа. Имелся альтернативный вариант, именуемый «молотилкой». Но «молотилка» могла лишь передавать поток цифр (разрядов) со скоростью 300 в секунду и применялась только для тестирования, либо для сигналов низкого уровня. «Далила» оказывалась более требовательной.

Генератор должен был быть электронным. И в качестве базового элемента Алан применил «мультивибратор» — пару электронных ламп, обладающих свойством синхронизировать колебания между состояниями «включено» и «выключено» с длительностью импульса равной целому кратному базового периода. Его генератор ключа использовал выходные сигналы восьми таких мультивибраторов, синхронизировавших различные моды колебаний. Но это было только начало. Эти выходные сигналы подавались в несколько контуров с нелинейными элементами, осуществлявших их комбинирование довольно сложным образом. Алан разработал такую схему, которая гарантировала максимально равномерное распределение выходной энергии во всем диапазоне частот. Он объяснил Дональду Бейли с помощью теории Фурье, что это наделяет амплитуду получающегося выходного сигнала необходимым уровнем «случайности» для криптографической защиты.

В контурах должна была присутствовать некоторая вариативность, иначе генератор бы производил все время один и тот же шум. Эта вариативность достигалось созданием особых межсоединений, обеспечивавших прохождение по проводке комбинации выходных сигналов с восьми мультивибраторов, таким же путем, как в оригинальной «Энигме», с роторами и коммутационной панелью. Настройка такой «Энигмы» позволяла задавать некую последовательность ключа таким образом, чтобы и отправитель, и получать имели возможность согласовывать ее заранее. При фиксированной позиции роторов исключалось повторение ключа в течение примерно семи минут. На практике передача речевого сообщения в одном направлении передачи могла ограничиваться этим промежутком временем, и новая ключевая последовательность задавалась после изменения направления передачи. А изменить его можно было путем простого изменения шага роторов. У роторов и коммутационной панели было достаточно позиций, чтобы система была — согласно теории Алана — такой же стойкой и надежной, как действительно случайный ключ одноразового использования.

Разработка «Далилы» в целом была задачей, ради которой все выкладывались на полную катушку. Система была бесполезной до тез пор, если отправитель и получатель не могли согласовать свои мультивибраторы с точностью до микросекунды. Большую часть первой половины 1945 г. они провели, добиваясь необходимой точности. Им также нужно было протестировать выходной сигнал генератора ключей уже готовой «Далилы» на предмет равномерного распределения его спектральных составляющих по всему расчетному диапазону задействованных частот. Но у них не было частотного анализатора (обычное дело в тех условиях, в которых они работали).

Алан довелось видеть один такой анализатор в «Белл Телефон Лабораторис»; еще один имелся в Доллис-хилле. А вот в Хэнслопе им самим пришлось делать для себя анализатор. Это был вызов из разряда тех, с которыми сталкивается человек, оказавшийся на необитаемом острове и которые так нравились Алану. Изрядно потрудившись, они получили устройство, но, когда в первый раз опробовали его, Алан вынужден был признать: «Он слегка смахивает на абортированный плод». Так они его и назвали — «АБОРТ Марк I».

Вообще, для получения и использования различного оборудования требовалось прибегать к искусной и напористой дипломатии в обращении с руководством. Все, чего они сумели добиться, ограничилось двухлучевым осциллографом и генератором звуковой частоты от «Хьюлетт-Паккард». Жа и за них им пришлось побороться, едва отбившись от низкокачественной аппаратуры и потребовав «что-либо получше» от инспектора Спецгруппы №3, полковника Молтби. Для Алана этот процесс был столь же непостижимым и приводящим в замешательство, как для Алисы из страны Чудес, пытавшейся отыскать то, что ей было нужно, на полках магазина Белой Королевы. Общение с Молтби по телефону приводило Алана в крайнюю нервозность, и люди рассказывали, что в такие моменты его речь, и без того нескладная в обычной обстановке, становилась в такие почти не поддающейся расшифровке. Алану претил показушный самопиар и недоставало умения привлечь внимание, произвести эффект, которое так требовалось в переговорах об оборудовании. Он часто с горечью в голосе сетовал на то, что игроки, более поднаторевшие в искусстве пускать пыль в глаза — всякие там «шарлатаны», «политики», «торговцы» — добивались своего не благодаря своим знаниям, профессионализму и опыту, а благодаря умению строить разговор. Но продолжал рассчитывать, что разум, словно по волшебству, возобладает.

Это был пример тех мелких, «внутренних» конфликтов, что пронизывали военные усилия британцев. Но проект «Далила», явно слишком запоздалый для войны с немцами, не мог рассчитывать на приоритетность. Это была не та работа, что в Блетчли. И Алан, скорее всего, это понимал. И потому, даже приходя в раздражение от того, что он находил непостижимой глупостью и идиотизмом, он мог себе также позволить не вмешиваться и наблюдать за всем происходящим в Хэнслопе более невозмутимо и беспристрастно, сторонним, отвлеченным взглядом. В этом отношении Алан и Робин Гэнди смотрели на вещи почти в одинаковом свете, и им обоим нравился роман Найджела Балчина *«Маленькая задняя комната»*, вышедший в 1945 году. Этот роман был пронизан нескрываемой горечью и в то же время едким остроумием, разочарованиями, переживаемыми молодыми учеными, стремящимися победить в войне и покончить с ней и ограниченными играми в «поиск преимущества над противником» и «защиту империи». В Хэнслопе ходили всякие истории и заговорах и бунтах в верхних эшелонах, но Алан явно не страдал от тех невзгод, что описывал Балчин, и был избавлен от проблематичной необходимости иметь дело с никчемными «именитыми учеными», душившими инициативу во имя эффективности. Действительно, никто из таких пустоплетов не проявлял никакого интереса — ни научного, никакого иного — к проекту «Далила». И ситуация не изменилась, даже когда добавление генератора ключей показало, что он нашел способ обеспечения полного засекречивания речи, используя всего два небольших ящика оборудования.

Армейские офицеры фигурировали в книге Балчина, как «марионетки» штабных «кукловодов», но Алану армейская система виделась скорее нелепой, чем пагубной. Ему очень нравились романы Троллопа, и он хранил в Хэнслопа их целую стопку. Он часто рассуждал о схожестях в организации англиканской церкви и армии; с помощью Робина Гэнди и Дона Бейли он выискивал параллели между барчестерскими махинациями и таковыми в верхушке Хэнслопа. Они провели соответствия между лицами разных статусов и рангов, так что подполковник стал старшим священником, генерал-майор — епископом, а бригадир был наделен статусом викарного епископа (самого дешевого типа епископа — пояснил Алан).

Время от времени им наносили визиты — Гамбьер-Перри и Молтби заглядывали, чтобы засвидетельствовать свое почтение и послушать выходной сигнал «Далилы». Но делали они это, скорее, ради проформы, чем из реального интереса, потому как не несли прямой ответственности за работу и имели лишь самые туманные представления о том, что задумали Алан и Дон Бейли. Да и особо расспрашивать они не стремились, так как Алан им был малопонятен — факт несколько неудобный, поскольку они приписывали себе научные познания. Возможно, визитерам хотелось послушать воспроизведение голоса Уинстона Черчилля, поскольку для проверки «Далилы» они не раз использовали граммофонную запись одной из его речей. В этой речи, переданной по радио 26 марта 1944 г., после довольно невнятных рассуждений на предмет послевоенной жилищной политики, премьер-министр коснулся более близкой перспективы:

...Час нашего величайшего успеха приближается. Мы маршируем с нашими доблестными союзниками. Они рассчитывают на нас, а мы рассчитываем на них. Наши солдаты, моряки и летчики должны пронзать своими сверкающими взглядами врагов на фронте. Единственная дорога домой для нас лежит через арку победы. Блистательные войска Соединенных Штатов уже здесь или стекаются сюда. Наши собственные войска таким же числом, отлично обученные и прекрасно оснащенные, встают рядом с ними в духе подлинного товарищества. Их ведут командиры, в которых мы верим все. Мы требуем от нашего собственного народа здесь, от парламента, от прессы, от всех сословий такой же холодной, железной выдержки, такой же стойкости и крепости, какие сослужили нам хорошую службу в дни воздушного блица.

С помощью «АБОРТ Марк I» можно было убедиться, что «Далила» кодировала фразы Черчилля в белый шум — замечательно ровное и неинформативное шипение. А затем, в процессе декодирования выходной сигнал восстанавливался:

И я должен предупредить вас, что в целях обмана и дезориентации врага, а также военных учений будет много ложных тревог, ложных атак и генеральных репетиций. Мы тоже можем стать объектами новых типов вражеских атак. Британия может все выдержать. Она никогда не отступала и не терпела поражений. И когда будет дан сигнал, все мстящие нации бросятся на недруга и выбьют дух из жесточайшей тирании, которая стремилась помешать прогрессу человечества.

Было не слишком хорошей тактикой тестировать «Далилу», используя все время одну и ту же запись — даже когда весной 1945 г. система была запущена, она помогала распознать отдельные слова при прослушивании. Декодированная речь должна была состязаться с шумовым фоном, и свистом в 4000 Гц. Свист порождал сигнал в 4000 Гц, применявшийся для синхронизации передатчика и приемника и недостаточно хорошо отфильтрованный из конечного речевого сигнала. Но «Далила» *действительно работала* — и это было главное, несмотря на все ее недостатки. Алан создал изощренный образец электронной техники практически из ничего, и он работал! Его команда даже записала результат на подходящий 16-дюймовый диск и отвезла его на подпольную радиостудию в Симпсоне, поскольку в Хэнслопе не было соответствующего оборудования. На той студии у Алана лопнули подтяжки. И Гарольд Робин, главный инженер организации, дал ему ярко-красный корд от американского ящика для упаковки. С того дня Алан использовал его всегда в качестве подтяжек для своих брюк.

Как главные гусаки, наверняка, догадывались, пророчества Черчилля были отчасти обязаны продолжавшейся поставке золотых яиц, как и тот факт, что к тому времени, как «Далила» закодировала его слова, они стали реальностью. Перехитрить немецкое командование удалось, и в критические моменты Нормандской компании Алан с коллегами наслаждались своим преимуществом слушать историю от другой стороны. И Алан, возможно, задавался вопросом, почему же окончание войны приближается так ужасающе долго.

Период чрезмерной самонадеянности миновал, и в череде сменявших друг друга месяцев технологические разработки Блетчли становились все менее и менее значимыми для ведения войны. Если сбор секретной информации путем перехвата сигналов и сообщений продолжал поддерживать общую осведомленность, то в критические моменты ее ощутимо не доставало. При всех чудесах электронной революции, союзники оказались застигнуты врасплох в декабре 1944 г., когда над фронтом, и так удерживаемым гораздо дольше, чем кто-либо мог предполагать, замаячила угроза нового и более ужасного 1917 года. Радио-молчание. Пожалуй, в том была, скорее, вина военных, что никакой серьезной оценки немецких сил под Арнемом не было сделано. Но возможности разведчиков были ограничены. Знаний «новых типов атак» беспилотных VI и реактивных V2 было недостаточно, чтобы их прекратить. И, что самое главное — даже война подводных лодок, в большей степени «радио-война», чем все прочие, оказалась не «легкой прогулкой» для союзников. Был и политический фактор: Королевские ВВС, уже видевшие себя независимыми победоносцами, увлеклись разрушением немецких городов в ущерб скрупулезному уничтожению вражеских подлодок. Все более активное использование радио-молчания седлало криптоанализ почти неактуальным в конце. Удивительный факт: когда в апреле 1945 г. Дёниц стал преемником Гитлера на посту верховного главнокомандующего, под его началом оказалась все еще мощная, хоть и суицидальная армия. У американских берегов патрулировало больше подводных лодок, чем в любые времена с зимы в середине войны. И несли службу не просто погружные лодки, а новые типы настоящих субмарин. Они появились поздно, как и новые версии «Энигмы», готовые, но так и не поступившие на службу. И все же, не слишком поздно.

Ленты крутились со свистом и роторы вращались, но в последние месяцы математики, получившие, наконец, все, что они хотели, погрузились в свой собственный мир. (Хотя сказать, что являлось реальностью, а что — абсурдом, было трудно.) «Метод грубой силы», а вовсе не сообразительность или изобретательность, характеризовал последние усилия союзников. Это не была война Алана Тьюринга. Его достижение было скорее оборонительного толка, больше соответствующим его натуре, желавшей лишь одного — чтобы его оставили в покое. Повторения Первой битвы за Атлантику 1917 года не произошло. И почти невозможное стало возможно вовремя, до того как немцы всерьез задействовали свою науку и промышленность. Что до Европы 1945 г., Дрездена его друга, Варшавы, где все началось — была ли это победа чьей-либо разведки? Поспособствовала ли как-то этому игра в покер 1941 г. Об этом не думалось.

Да и, по правде говоря, едва ли кому-либо разрешалось об этом думать. «Взлом изнутри» 1918 г. часто питал британских стратегов Второй мировой войны успокоительными иллюзиями о легкой победе, но он же и создал миф о предательстве, из которого выгоду для себя извлекла нацистская партия. Большой взлом в логическом управлении, достигнутый Блетчли-парком, без сомнения, повлиял на его стратегов в дальнейшем, но в этот раз масштабного воздействия не оказал. Он полностью замалчивался. Победоносные западные правительства имели общий интерес, по понятным причинам, в сокрытии того факта, что самую надежную систему связи в мире удалось одолеть.

Никто не сомневался, что так оно и должно было быть. Те, кто знали часть своей истории, поместили ее в герметичный отсек сознания, чтобы вся война стала пробелом, из которого могли всплыть только рассказы о велосипедах. Когда-то мировоззренческая концепция Блетчли увлекла некоторых людей в путешествие во времени, в мир Нашего Форда, в котором наука знала ответ на всё. Теперь они должны были вернуться в середину 1940-х годов. Некоторые, конечно, все это время боролись с мрачной реальностью 1940-х годов и по своему опыту знали, насколько трудно, практически невозможно преодолеть разрыв. Алан Тьюринг же оказался способным в большей мере, чем большинство людей, защитить себя от испытания на износ. Ему было нелегко приспособиться. И как человек, обладающий более широкими научными познаниями, чем любой другой из «людей профессорского типа», это значило особенно острый процесс раскола сознания, раздвоения личности. В день победы в Европе, 8 мая 1945 г., он отправился вместе с Робином Гэнди, Доном Бейли и Аланом Уэсли на прогулку по окрестным лесам в Полеспери. «Что ж, война закончена, теперь вы можете рассказать все», — сказал Дон полушутя, полусерьезно. «Не будьте глупцом», — ответил Алан, и больше не произнес ни слова.

«Далила» была закончена примерно в то же время, когда немцы сдались. И не было никакого особого стремления усовершенствовать ее характеристики ни для Японской войны, ни для использования в будущем. И улучшение ее базы было встречено со сдержанным энтузиазмом. Рэдли и другой инженер, Р. Дж. Холси, пожаловали в Хэнслоп для ее осмотра в некотором недоумении. В Министерстве почт разрабатывалась своя собственная система подобного рода — вероятно, основанная на Вокодере, на котором они запрашивали и получали информацию в 1941 г. Их главным убеждением было то, что трескучий выход «Далилы» был крайне неудовлетворительным и потому неприемлемым для промышленного освоения, что, собственно, было правдой. Они не выказали никакого интереса к потенциалу главной идеи, заложенной в «Далиле». Алан после того сам побывал в Доллис-хилле летом 1945 г., где описал свою систему довольно скептичному Флауэрсу.

Она была закончена, если не считать деталей — а Алан никогда не любил заморачиваться последними штрихами. Он был счастлив предоставить это занятие Дону Бейли. Тем более, что в уме он уже вынашивал новые идеи. Он несколько раз обсуждал с Доном вопрос о своих планах на мирное время, и говорил, что рассчитывал вернуться в аспирантуру Королевского колледжа и сократить свой годовой доход до 300 фунтов стерлингов. Восемнадцать месяцев аспирантуры 1938 г. еще оставались, но кроме того ему был теперь гарантирован более долгий срок, поскольку 27 мая 1944 г., сделав довольно специфический жест доверия, Королевский колледж продлил срок его аспирантуры еще на три года. Алан мог возвратиться, как будто войны и не было и продолжить с того места, на котором он остановился в 1939 г. И впереди ему могло светить лекторство в университете. И, все же, война *случилась*, и все изменилось. Это был не просто перерыв в развитии его научной карьеры, как для некоторых представителей среды «профессорского типа». Это мобилизовало его внутреннюю жизнь. Его идеи сплелись с их критической реализацией, и они обрели способность развиваться соизмеримо развитию самой войны. Мир научился думать масштабно, метить высоко, строить далеко идущие планы. И Алан тоже. И, хотя он обдумывал возвращение в Кембридж, он также признавался Дону Бейли с самого начала их сотрудничества, что хотел «создать мозг».

Его использование слова «мозг» полностью соотносилось с его смелой апелляцией к «состоянию ума» десятью годами ранее. И если структуру машины Тьюринга можно было уподобить «состоянию ума», тогда ее физическое воплощение можно было уподобить мозгу. Одним из важных аспектов такого уподобления — важных для всякого, кто сознавал загадочность ума, явный парадокс свободной воли и детерминированности — являлась независимость модели машины Тьюринга от физики. Аргументацию лапласовского детерминизма, зиждившегося на физической основе, оказалось возможным сбросить со счетов, наблюдая, как ни одно из таких прогнозирований не могло осуществиться на практике. Эти контраргументы не могли быть применимы к машине Тьюринга, в которой все, то происходило, можно было описать с позиции конечного множества символов и разрабатывалось с предельной точностью с позиции дискретных состояний. Впоследствии он и сам сформулировал это:

Прогнозирование, которое мы рассматриваем, более приближено к осуществимости, чем то, что рассматривал Лаплас. Система «вселенной в целом» такова, что даже очень малое число погрешностей в исходных условиях может со временем иметь огромные последствия. Замена одиночного электрона миллиардной долей сантиметра в один момент могла повлиять на то, будет ли человек убит через год во время операции «Аваланч» («Лавина») или избежит гибели. Именно жизненно важное обладание механическими системами, которые мы назвали «машинами дискретных состояний», не позволило такому случиться.

Чтобы понять предложенную Тьюрингом модель «мозга», важно было увидеть, что она рассматривала физику и химию, включая все доводы на основании квантовой механики, к которым апеллировал Эддингтон, как в сущности малозначимые, второстепенные. По его мнению, физика и химия были важны только с той точки зрения, что они служили средством для воплощения дискретных «состояний», «чтения» и «записи». Только *логическая* структура этих «состояний» имела действительно важное значение. Идея была в следующем: что бы не делал мозг, он делал это благодаря структуре своей логической системы, а не потому что находился внутри человеческой головы или являлся губчатой тканью, созданной из биологических клеток особого типа. И, коль скоро это было так, значит, подобную логическую структуру можно было воспроизвести и в других средствах, воплощенных другими физическими механизмами. Это был материалистическая точка зрения, но при том такая, которая не смешивала логические структуры и связи с физическими веществами и вещами, как то часто делали люди.

В особенности эта идея отличалась от идей некоторых адептов поведенческой психологии, выступавших за сведение физиологии к физике. Модель Тьюринга не стремилась объяснить один вид явления, то есть разум, в ракурсе других. Она не предполагала «сведение» физиологии к чему-то другому. Концепция заключалась в том, что «разум» или физиология можно было адекватно описать с ракурса машин Тьюринга, потому что и «разум», и физиология лежали на *том же* уровне описания мира, что и дискретные логические системы. Это было не сведение одного к другому, а попытка переноса, когда он представлял соединение таких систем в искусственном «мозгу».

Алан, скорее всего, не знал в 1945 г. многого о физиологии человеческого мозга: вполне вероятно, его познания не выходили за пределы тех забавных изображений мозга в виде кипящих работой телефонных узлов в *Детской энциклопедии* или абзаца в *Чудесах природы*, описывающего «место мыслительных процессов в мозгу»:

Прямо над ухом, в том месте, которое вы можете почти полностью закрыть большим пальцем своей руки, лежит самая важная часть всего, место, где мы помним и управляем словами. В глубине этой точки слов мы помним, как слова звучат. Дюймом выше и назад, мы помним, как выглядят слова в печатном виде. Чуть выше и вперед лежит «речевой центр», из которого, когда мы хотим что-то сказать, мы командуем своему языку и губам, что говорить. Таким образом мы держим наши центры слухового восприятия слов, видения слов и произнесения слов рядышком, с тем чтобы, когда мы говорим, мы имели «под рукой», свою память из тех слов, которые мы слышали или прочитали.

Но это, пожалуй, было еще довольно сносно. Алан, наверняка, видел изображения нервных клеток (несколько имелось в *Чудесах природы*), но на таком уровне, на котором он подходил к описанию разума; детали не были важны. Обсуждая «создание мозга», Алан не подразумевал под этим, что компоненты его машины должны были походить на компоненты мозга, а их соединения — имитировать способ, которым связуются между собой зоны мозга. То, что мозг хранил слова, изображения, навыки каким-то определенным образом, связанным с входными сигналами, поступающими от органов чувств, и выходными сигналами, идущими на мышцы, — вот практически и все, что ему требовалось. Но десятью годами ранее Алану пришлось также отстаивать важную идею, которую затушевал Брюстер; он отверг идею о том, что это «мы» стоим за мозгом, который каким-то образом «осуществляет» передачу сигналов и структурирует память. Передача сигналов и структурирование — вот и все, что в нем происходило.

А в описании машин Тьюринга десятью годами ранее он также обосновал свою формулировку идеи «механического» дополнительным аргументом о «записи инструкций». Акцент ставился не на процессы, происходящие внутри мозга, не на внутреннюю работу мозга, а на ясные инструкции, которым человек-работник мог слепо следовать. В 1936 г. на мысль о подобных «записях инструкций» его натолкнули правила Шербонской школы, прочие нормы общения, и, конечно же, математические формулы, которые можно было применять «не думая». Но к 1945 г. многое изменилось, и «записи инструкций», казавшиеся в 1936 г. довольно фантастическими, как и теоретические логические машины, стали весьма конкретными и вошли в практику. Обилие изобилия было одним из посланий, «основанных на машине и вскрываемых машиной», и эти машины были машинами *Тьюринга*, в которых значение имело логическое преобразование символов, а не физическая сила. И при проектировании таких машин, и при разработке процессов, которые можно было бы поручить людям, действующим, как машины, т.е. «рабам», они эффективно записывали утонченные «инструкции».

Это был другой, но отнюдь не несочетающийся подход к идее «мозга». Именно взаимосвязь между двумя подходами, возможно, более всего воодушевила Алана — совсем как в Блетчли велась постоянная игра между человеческим разумом /агентурной разведкой/ и использованием машинных, или «рабских» методов. Его теория «совокупности доказательств» показала, как преобразовывать определенные виды человеческого распознавания, суждений и решений в форму «записи инструкций». Его методы игры в шахматы служили той же цели, как и игры на «Колоссе», и поднимали вопрос: где можно было бы прочертить линию между «разумным», осмысленным, и «механическим». Его точка зрения, выраженная с позиции принципа имитации, заключалась в том, что такой линии *не было*, да и никогда он не проводил резкого различия между «состоянием ума» и «записью инструкций», как двумя подходами к проблеме согласования понятий свободы и детерминированности.

Все эти вопросы предстояло еще исследовать, так как требования к немецким шифровальным машинам были еще далеко от того, что можно было сделать. Еще только предстояло увидеть, могла ли машина повести себя, как мозг, структурировав свое «мышление». Как подчеркивал Алан в своих спорах с Дональдом Мичи, нужно было показать, что машина способна к *познаванию /обучению/*. Чтобы исследовать эти вопросы, необходимо было иметь машины, с которыми можно было экспериментировать. Но почти невероятным звучал тот факт, что для проведения каких-либо определенных или всех экспериментов подобного рода требовалась всего лишь *одна* машина. Так как *универсальная* машина Тьюринга могла имитировать поведение любой другой машины Тьюринга.

В 1936 г. универсальная машина Тьюринга сыграла чисто теоретическую роль в его атаке на *проблему разрешимости* Гильберта. Но к 1945 г. ее практический потенциал несоизмеримо вырос. Так как «Бомбы» и «Колоссы» и все

прочие машины и механические процессы были паразити-
ческими созданиями, зависящими от причуд, промашек
и слепоты немецких криптографов. Изменение намерений
на другом берегу Ла-Манша означало бы, что все инже-
нерство, требовавшееся для их создания, внезапно могло
стать ненужным, бесполезным. Это вскрылось уже с самого
начала, с польской дактилоскопической картотеки, их дыр-
чатых листов и их простой «Бомбы». И это едва не привело
к катастрофе во время затемнения в 1942 г. Создание специальных машин ставило перед криптоаналитиками одну
проблему за другой с обретением и применением новой технологии. Но *универсальная* машина, если бы только эту
идею удалось реализовать на практике, не потребовала бы
свежего инженерства, а только бы свежие таблицы, закоди-
рованные, как «дескриптивные числа», и помещенные на ее
«ленту». Такая машина могла заменить не только «Бомбу»,
«Колосса», дерева решений и все прочие механические задачи Блетчли, но всю трудоемкую работу по вычислениям
и расчетам, к выполнению которой война призвала математиков. Расчет дзета-функции, нахождение корней из уравнений седьмой степени, большие системы уравнений, возникающие в теории электрической цепи, — все это могла выполнить одна машина. Это было за пределами понимания для
большинства людей в 1945 г., но не Алана Тьюринга. Как
писал он позднее в 1945 г.:

Несомненно, не будет произведено никаких внутренних
изменений, даже если мы внезапно захотим переключиться
с вычисления энергетических уровней атомов неона на под-
счет групп порядка 720, или, как указал он в 1948 г.:

Нам не нужно иметь бесконечное множество разных машин, выполняющих разные задачи. Одной единственной будет достаточно. Инженерно- техническая проблема производства разных машин для разных задач заменяется офисной
работой «программирования» универсальной машины для
выполнения этих задач.

С этой точки зрения, «мозг» должен был быть не только
больше и лучше машины, некой улучшенной версией «Колосса». Он вырос не из опытного познания вещей, а из

осознания основополагающих идей. Универсальная машина должна была быть не просто машиной, а *всеми* машинами сразу. Она должна была заменить не только физическое оборудование Блетчли, но все рутинные операции — почти все, что эти десять тысяч человек делали. И даже «разумная» работа первоклассных аналитиков должна была лишиться своей сакральности. Так как универсальная машина могла также выполнять работу человеческого мозга. Все, что бы не делал мозг, любой мозг, могло в принципе быть представлено, как «дескриптивное число» на ленте Универсальной машины. Такова была его концепция.

Но в проекте Универсальной машины Тьюринга не было ничего, что бы указывало на ее практическое предложение. В частности, не было информации о ее операционной скорости. Таблицы вычислимых чисел могли быть использованы людьми, посылающими друг другу открытки, без теоретической аргументации. Но коль скоро речь шла о практическом применении универсальной машины, то она должна была выполнять миллионы шагов в рациональном режиме. Эту потребность в скорости могли обеспечить только электронные компоненты. И именно в этом контексте революция 1943 г. была очень важна и существенно поменяла все дело.

Точнее говоря, суть была в том, что электронные компоненты могли рассматриваться, как производящие действия над дискретными, позиционными (включено или выключено) величинами, и на этом принципе могла состояться машина Тьюринга. Алан узнал это в 1942 г., после чего изучил все, что касалось «Робинзонов», «X-system» и « Rockex». Он также почерпнул много знаний о радиолокации от своих новых друзей в Хэнслопе. Но главное — в 1943 г. начались два проекта. При всей его полезности для военных нужд, технический успех «Колосса» показал Алану, что тысячи электронных ламп можно было использовать в соединении и взаимодействии — то, во что могли поверить лишь немногие, пока не появился наглядный пример. А затем Алан создавал собственноручно, голыми руками, «Далилу». В его безумии всегда был метод. Работая в далеко не лучших условиях над устройством, не заказанным властями, он доказал, что может успешно справиться с электронным проектом сам. В сочетании с его теоретическими идеями и его освоением технических (машинных) методов, это личное познание электронной технологии стало последним звеном в его планах. Он понял, как создать мозг — не *электрический* мозг, как он, возможно, воображал себе до войны, а *электронный* мозг. И «где-то в 1944 г.» мать Алана слышала, как он рассказывает о «своих планах по созданию универсальной машины и о том вкладе, которое такая машина могла бы оказать психологии в изучении человеческого мозга».

Помимо дискретности, надежности и скорости учитывался и еще один важный фактор: величина. На «ленте» универсальной машины должны были поместиться и «дискретные числа» машин, которые она бы имитировала, и ее операции. Абстрактная универсальная машина 1936 г. была оснащена «лентой» *бесконечной* длины, а это значило, что, несмотря на то, что на любом этапе количество использованной ленты могло быть ограничено, тем не менее, допускалось, что больше места всегда можно было обеспечить.

В реальной, действующей машине место всегда ограничено по объему. И по этой причине ни одна физическая машина не могла на практике выступать действительно универсальной машиной. В «вычислимых числах» Алан выдвинул предположение об ограниченности человеческой памяти в своем объеме. Если это было так, тогда и сам человеческий мозг мог хранить только ограниченное количество моделей поведения — «таблиц», и для записи их всех требовалась достаточно большая лента. В таком случае ограниченность любой реальной машины не могла препятствовать ей быть похожей на мозг. Вопрос заключался в том, насколько большая «лента» потребовалась бы для машины, которую можно было ло создать на практике: достаточно для того, чтобы она представляла интереса, но не больше того, что было бы технически целесообразно и осуществимо. И как можно было организовать такое хранилище, т.е. «память» машины без неслыханных затрат в виде электронных ламп?

Этот практический вопрос был, скорее, во вкусе Дона Бейли. Поскольку война в Европе подходила к концу и проблемы «Далилы» были в основном решены, стало ясно, что интерес Алана перекинулся на «мозг». Он описал своему помощнику универсальную машину из «Вычислимых чисел» и ее «ленту», на которой должны были храниться инструкции. И они вместе начали раздумывать над способами, которые бы позволили получить «ленту», которая могла бы хранить такую информацию. Вот так и случилось, что на этой удаленной станции новой Империи радиотехнической разведки, работая с одним помощником в маленькой хижине и обдумывая свои идеи в свободное время, английский гомосексуалист, атеист и математик замыслил *компьютер*.

И речь здесь не о том, как мир воспринял его, да и мир не был уж совсем несправедлив. Изобретение Алана Тьюринга должно было занять свое место в историческом контексте, в котором он не был ни первым в числе тех, кому приходила в голову идея создания универсальных машин, ни единственным, кто додумал в 1945 г. электронную версию универсальной машины из *«Вычислимых чисел»*.

Конечно же, на тот момент уже существовали самые разные машины, сберегающие (сохраняющие) мысли, начиная с древних счет. В общих чертах их можно было классифицировать в две категории, «аналоговые» и «цифровые». Две машины, над которыми работал Алан перед самой войной, были образчиками каждого из этих типов. В основе машины для вычисления значений дзета-функции лежал метод определения моментов инерции системы вращающихся колес. Физическое количество было «аналогом» вычисленного математического количества. С другой стороны, бинарного умножитель строился на принципе наблюдений в режимах «включен» и «выключен». Это была машине не для вычисления количеств, а для организации символов. На практике, машина могла обладать и аналоговой, и цифровой функцией. Строгого и непреложного разграничения не существовало. К примеру, «Бомба» определенно оперировала символами, и потому по сути являлась «цифровой», но режим ее работы /операционный режим/ зависел от точного, четкого физического движения роторов, и их аналогией с шифровальной «Энигмой». Даже счет на пальцах руки, «цифровой» по определению, можно рассматривать, как физическую аналогию с исчисляемыми предметами. Впрочем, имелось одно практическое соображение, позволявшее провести четкое разграничение между аналоговым и цифровым подходом. Это был вопрос о том, что происходит, когда достигнута повышенная точность.

Спроектированная Тьюрингом машина для расчета значений дзета-функции могла бы отлично проиллюстрировать этот вопрос. Она предназначалась для расчета значений дзета-функции в пределах определенной точности вычислений. Если бы он затем обнаружил, что эта точность не удовлетворяет его задаче исследовать гипотезу Римана и требует другого десятичного разряда, то это бы означало полное перепроектирование физического оборудования — с большими по величине зубчатыми колесами или гораздо более выверенной балансировкой. Каждый шаг вперед по повышению точности требовал бы нового оборудования. И, наоборот, если бы значения дзета-функции вычислялись «цифровыми» методами — с помощью карандаша, бумаги и настольных счетных машин — тогда бы повышение точности вычислений означало бы увеличение объема работы в сто раз, но не требовало никаких других физических аппаратов. Это ограничение в физической точности было проблемой в случае с довоенными «дифференциальными анализаторами», призванными устанавливать аналогии (в ракурсе электрических амплитуд) для определенных систем дифференциальных уравнений. Именно этот вопрос установил «большой раздел» между «аналоговым» и «цифровым».

Алан, разумеется, тяготел к «цифровой» машине — машины из Тьюринга «Вычислимых чисел» были точно абстрактными версиями таких машин. Его предрасположенность, должно быть, укрепило длительное экспериментирование с «цифровыми» проблемами в криптоанализе — проблемами, о которых те, что работали над числовыми вопросами, совершенно ничего не знали, в силу секретности, окружавшей их. Алан же, несомненно, знал об аналоговых подходах к решению проблем. Если не считать машины по вычислению значений дзета-функции, аналоговый подход прослеживался в «Далиле». Этот проект принципиально строился на точном измерении амплитуд и коэффициентов пропускании, в отличие от «X-system», которая делала их «цифровыми». Алан должен был признать, что для некоторых проблем аналоговое решение не могло и отдалено соперничать с цифровым методом. Помещение модели летательного аппарата в аэродинамическую трубу сразу же вскрывало картину нагрузок и вихрей, которые не удалось бы получить и за столетия вычислений. В 1945 г. открылся простор для обсуждения относительной практической пользы аналоговых и цифровых устройств и преимуществ для их создания. Но споры вели другие люди, не Алан Тьюринг. Он был предан цифровому подходу, вытекающему из концепции машины Тьюринга, с упором на его потенциальную универсальность. Ни одна аналоговая машина не могла претендовать на универсальность, такие устройства создавались, чтобы быть физическими аналогами конкретных систем с определенными задачами. Следовательно, что его идеи должны были найти свое место среди проектов цифровых вычислительных машин и составить им конкуренцию.

С семнадцатого века были известны машины для сложения и умножения чисел, цифровые эквиваленты логарифмической линейки. У Алана в Хэнслопе была настольная счетная машина (арифмометр), которой он пользовался для вычисления частотных характеристик цепи. Путь от таких устройств до идеи практической универсальной машины был действительно очень долгим. Но к тому времени Алан уже было известно, что попытку пройти его предпринял еще веком ранее английский математик Чарльз Бэббидж (1791—1871). Алан часто разговаривал о нем с Доном Бейли и знал кое-что из того, что планировал Бэббидж.

После разработки «разностной машины» для механизации конкретного числового метода, использовавшегося в построении математических таблиц, Бэббидж задумал (в 1837 г.) «аналитическую машину» для механизации всех математических операций. Она воплощала главную идею замены инженерства различных машин для выполнения разных задач офисной работой по созданию новых инструкций для тех же машин. У Бэббиджа не было теории, подобной теории

«Вычислимых чисел», для аргументированного обоснования идеи универсальности, и его внимание было сфокусировано на операциях с использованием чисел в десятичной системе счисления. И все же он ощущал, что ее механизм мог быть применим для производства операций над символами любых типов, и в этом и в других отношениях «аналитическая машина» приближалась в своей концепции к универсальной машине Тьюринга. Бэббидж, по сути, хотел «сканнер», обрабатывающий поток инструкций и вводящий их в действие. Ему пришла в голову идея кодирования инструкций на перфорированных картах, таких, которые тогда использовались для ткачества сложных узоров на парче. Его планы также требовали позиционного хранения чисел на регистрах из *зубчатых* колес. Каждая программная карта, содержащая команду, задавала бы определенное арифметическое действие, напр., «вычесть число в позиции 5 из числа в позиции 8 и поместить результат в позицию 16».Таким образом, машина, названная им «мельницей», выполняла бы арифметические действия, но самое важное новаторство в планах Бэббиджа сводилось вовсе не к эффективной механизации сложения и умножения. Его концепция заключалась в организации или *логическом контроле*, управлении арифметическими операциями. И это было главное!

В частности, Бэббидж сформулировал важную идею о возможности совершения перемещений вперед-назад в потоке программных карт, пропусков или повторов, сообразно критериям, которые должны были быть протестированы самой машиной в ходе производимых ей вычислений. Эта идея «условного ветвления» явилась самой передовой идеей Бэббиджа. Она была равноценна «свободе», данной машинам Тьюринга, т.е . изменению «конфигурации» сообразно той информации, что считывалась с ленты. И именно она сделала проектируемую машину Бэббиджа универсальной машиной, что ученый очень хорошо сознавал.

Без «условного ветвления», способности механизировать слово «ЕСЛИ», самая выдающаяся вычислительная машина была бы не более, чем возвеличенным арифмометром — сборочным конвейером, где все, от начала и до конца, установлено, заложено, без всякой возможности вмешательства в процесс, однажды начатый. «Условное ветвление» в этой модели явилось бы аналогом конкретизации не только обычных, повседневных задач работников, но и задач по тестированию, решению и контролированию операций *управления*. Бэббидж имел все возможности, чтобы постичь и проникнуться этой идеей; его книга *«Экономика машин и производства»* стала базисом современного управления.

Эти идеи на стол лет опередили свое время и никогда не были воплощены в какой-либо действующей машине при жизни Бэббиджа. Государственное финансирование не могло разрешить проблем, поставленных его сверхамбициозными техническими условиями. Продвижению проекта не способствовало презрение Бэббиджа к кураторам, попечителям, администраторам и другим ученым; его собственные усилия не могли вывести механическую инженерию на совершенно новый уровень, и его личного увлеченного проникновения в каждый теоретический и практический аспект работы было недостаточно, чтобы преодолеть эти трудности.

На самом деле, минуло точно сто лет с появления концепции Аналитической машины, пока не возникли сущностно новые подвижки, как в теории, так и в конструировании такой универсальной машины. В теоретическом плане их аккумулировали изданные в 1937 г. «Вычислимые числа», в которых все эти идеи приобрели четкую, точную и продуманную форму, в практическом плане — неизбежная зеркальная война на фоне ожившей и расширившейся электротехнической промышленности 1930-х гг., наделившей соперничавшие силы новыми возможностями.

Первая разработка имела место в Германии 1937 г., в берлинском доме Конрада Цузе, инженера, давшего вторую жизнь многим идеям Бэббиджа (правда, увы, не его идее «условного ветвления»). Как и машина Бэббиджа, первая машина Цузе, созданная в 1938 г., была механической, а не электрической. Но он избежал применения тысяч соединительных десятиспицевых зубчатых колес, которые требовались Бэббиджу, прибегнув к простому, но целесообразному решению: его машина работала в двоичной системе счисления. Это решения не являлось значительным теоретическим прогрессом, но с любой практической точки зрения это было огромное упрощение. И это было также освобождение от обычного инженерного допущения о том, что числа должны быть представлены в десятичной системе. Эту идею применил одновременно с Цузе и Алан, в своем электрическом умножителе 1937 г. Цузе пошел еще дальше в разработке новых версий своей машины, сделав ставку на использование электромагнитных реле, а не механических элементов, и вместе со своими соратниками начал еще до окончания войны эксперименты с электрониыми устройствами. Вычислительные машины Цузе использовались в авиастроении, а не для взлома кодов; утверждалось, что война в скором времени будет закончена. Короткий век нацизма обрек Цузе в 1945 г. на отчаянные попытки спасти свои труды от уничтожения.

Эти события были не известны на стороне союзников, где велись условно параллельные разработки, только большего масштаба. В Британии не было такой вычислительной машины, управляемой последовательностью команд, за исключением «Колосса». И такая ситуация разительно контрастировала с ситуацией в Соединенных Штатах. Британский успех, отчаянный, но триумфальный, был достигнут в последний момент отдельными личностями, отдавшими все свои силы гражданскому служению в военное время. Американцы, гораздо более искусные в капиталистической предприимчивости, опередили британцев на несколько лет в вынашивании двух разных, возможно, несколько прозаических подходов к идее Бэббиджа даже еще в мирное время, точно так же, как они опередили их с аналоговым дифференцирующим устройством начала 1930-х годов. А в 1937 г. гарвардский физик Говард Эйкен начал реализовывать эту идею с применением электромагнитных реле. Спроектированная в результате машина была смонтирована «Ай-Ю-Эм» и передана ВМФ США для секретной работы в 1944 г. Машина Эйкена была также более традиционной, чем машина Цузе, в том, что арифметические операции в ней производились в десятичной системе счисления.

Второй американский проект разрабатывался в «Белл Телефон Лабораторис». Там инженер Джордж Стибиц сначала только обдумывал о создании машин с реле для выполнения арифметический операций над комплексными числами, но с началом войны добавил в их опции способность осуществлять фиксированную последовательность арифметический действий. Разработка его «Модели 3» велась в нью-йоркском здании в то самое время, когда Алан там находился, но она не привлекла его внимания.

Однако, был другой человек, который провел доскональное исследование двух этих перспективных проектов и который, как и Алан, обладал таким умом, чтобы составить себе более абстрактное представление того, что происходило. Это был еще один математик войны специалистов, Джон фон Нейман. С 1937 г. он был связан (в качестве консультанта) с лабораторией баллистических исследований армии США. С 1941 г. большую часть своего времени Нейман посвящал прикладной математике взрывов и аэродинамики. В первые шесть месяцев 1943 г. он находился в Британии, обсуждая эти вопросы с Джефри Инграмом Тейлором, британским специалистом в области физики и прикладной математики. Именно тогда Нейман получил первый опыт программирования большой вычислительной машины, в смысле разработки ее наилучшего устройства людьми, работавшими на настольных арифмометрах. В сентябре 1943 г., по возвращении в Соединенные Штаты, Нейман привлечен к проекту по созданию атомной бомбы и столкнулся со схожими проблемами ударных волн, прогнозирование воздействия которых численными методами требовало месяцы упорной работы. В 1944 г. в поисках помощи он предпринял осмотр доступных машин. У. Уивер из Национального комитета по научным исследованиям и разработкам свел его со Стибицем, и 27 мая 1944 г. Нейман написал Уиверу:

Я напишу Стибицу: мое желание узнать больше о релейных вычислительных системах, как и ожидания касаемо перспектив в этом направлении существенно возросли

10 апреля он написал Уиверу еще одно письмо, в котором сообщил, что Стибиц показал ему «принцип и действие релей-

ных счетных устройств». 14 апреля он написал Рудольфу Э. Пайерлсу в Лос-Аламос о «проблеме ударных волн», сообщив, что, похоже, ее можно механизировать, и добавив, что он теперь в контакте также с Эйкеном. В июле 1944 г. состоялись переговоры по использованию машины «Гарвард Ай-Би-Эм». Но затем все изменилось. Так как давление требований военного времени вызвало к жизни такую же технологическую революцию, какая случилась и в Блетчли, и при том примерно в то же самое время. В совершенно ином месте, а именно на инженерном факультете Пенсильванского университета (в школе Мура), в апреле 1943 г. началась работа на еще одной большой вычислительной машиной — ЭНИАК — Электронным числовым интегратором и вычислителем.

Новую машину проектировали инженеры-электронщики Джон Преспер Екерт и Джон Уильям Мокли, хотя фон Нейман впервые узнал о ней — по-видимому случайно — из разговора на железнодорожной станции с Г. Гольдстайном, математиком, связанным с проектом. Фон Нейман ухватился за возможности, сулимые машиной, которая после создания могла бы производить арифметические операции в тысячу раз быстрее, чем машина Эйкена. С августа 1944 г. он регулярно посещал встречи коллектива ЭНИАК, и 1 ноября 1944 г. написал Уиверу:

Есть еще ряд вопросов, связанных преимущественно с автоматизированными вычислениями, о которых мне бы хотелось переговорить с вами при случае. Я чрезвычайно признателен вам за то, что вы познакомили меня с некоторыми специалистами в этой области, и, в частности, с Эйкеном и Стибицем. Все это время мы активно обменивались мнениями с Эйкеном и членами коллектива школы Мура... которые сейчас проектируют вторую электронную машину. Мне предложили быть их консультантом, главным образом — по вопросам, связанным с логическим управлением, памятью и т.п.

Проект ЭНИАК был чрезвычайно впечатляющим — достаточным для того, чтобы дать людям ощущение видения будущего и сопричастности к нему. В нем было задействовано не менее 19 000 электронных ламп. В этом плане ЭНИАК превосходил «Колосса», с которым во многих отношениях он был сопоставим, хотя одно различие состояло в том, что летом 1945 г. ЭНИАК все еще не был готов: этой машине суждено было появиться на свет слишком поздно, чтобы найти себе какое-то применение в войне.

ЭНИАК требовал большего количества ламп, чем «Колосс», потому что хранил в своей памяти длинные десятичные числа — во многом из-за примитивной системы, задействованной проектировщиками, в силу чего на каждый требуемый десятичный разряд отводилось по десять ламп, «9» представляла девятая из этих ламп в режиме «включено». В отличие от него «Колосс» оперировал одиночными импульсами, отображавшими логическое «да» или «нет» отверстий в телеграфной ленте.

Но это было довольно поверхностное различие. Обе машины равно демонстрировали, что тысячи электронных ламп, прежде считавшихся слишком ненадежными для работы *en masse*, вполне годились для совместного использования. И проект ЭНИАК воплощал собой идею, которую Цузе, Эйкен и Стибиц упустили. Как и «Колосс Марк 2», с его способностью автоматизировать процессы решения, когда результаты одной вычислительной операции автоматически определяли, каким будет следующий шаг, в ЭНИАКе был реализован условный переход управления. Этот вычислитель проектировался так, чтобы он мог переходить взад-вперед по всему набору команд, повторяя разделы столько раз, сколько было необходимо по ходу вычисления, без вмешательства в управление со стороны человека. В общем-то, ничего, что бы вышло за пределы формы, предугаданной Бэббиджем — кроме разве того, что электронные компоненты были намного быстрее, и что ЭНИАК являлся (или почти являлся) реальностью.

Как и «Колосс», ЭНИАК проектировался с определенной целью — а именно для расчета таблиц стрельбы (дальностей и прицелов). В сущности, он был призван симулировать траектории снарядов в различных условиях аэродинамического сопротивления и скорости ветра, что предполагало суммирование тысяч мельчайших отрезков траектории. Он имел внешние переключатели, настройка которых обеспечивала бы запоминание постоянных параметров для расчета траектории, и дополнительные внешние устройства для установки набора инструкций (команд) о том, как рассчитывать сегменты движения. Также там должны были быть электронные лампы для сохранения промежуточных рабочих показателей. В такой архитектуре ЭНИАКа напоминал «Колосса». Но в обоих случаях люди быстро раскрыли возможность использования машин для более широкого спектра задач, чем те, для выполнения которых они проектировались. Роль изначального «Колосса» была существенно расширена Дональдом Мичи и Джеком Гудом, а затем «Марк 2» был настроен для вывода данных дешифрованного сообщения, хотя это было сделано из чистого интереса, а не ради эффективности. Хотя и «паразит» на немецких шифровальных машинах, приспособляемость, обеспечиваемая его набором команд (инструкций), была такова, что его можно было «практически» настроить на совершение численного умножения. ЭНИАК был еще более приспособляем, и фон Нейман уже осознал, что, когда эта машина будет готова, ее можно будет использовать для решения вопросов Лос-Аламоса.

Однако ЭНИАК не задумывался, как универсальная машина, и в одном немаловажном аспекте проектировщики отошли от направления разработки, заданного Бэббиджа. Бэббидж гордился тем фактом, что спроектированная им Аналитическая машина могла усвоить бесконечное число операционных (программных) карт, содержащих команды. И релейная машина Эйкена обладала таким же свойством, хотя карты в ней были заменены «валиком» по типу пианолы. В случае с ЭНИАК все обстояло совсем иначе. Операции, будучи электронными, выполнялись бы на ней так быстро, что обеспечить такую же быструю подачу карт или ленты, представлялось невозможным. Конструкторы должны были найти способ ввода инструкций (команд) за миллионные доли секунды.

В ЭНИАК они добились этого с помощью системы внешних устройств. которые должны были устанавливать команды для каждой операции. Эти устройства соединялись с разъемами, как на ручной телефонной станции. (Нечто очень похожее было у «Колосса».) Преимущество такого решения заключалось в том, что команды оказывались на деле доступны мгновенно, как только обеспечивалось подключение к разъемам. А недостаток состоял в том, что последовательность команд была ограничена по длине, и мог потребоваться день или около того, чтобы выполнить подключение. Это было сродни конструированию новой машины для выполнения каждой отдельной задачи. И ЭНИАК, и «Колосс» являлись своего рода комплектами, наборами, из которых можно было сделать много машин, слегка отличавшихся друг от друга, а вовсе не воплощением концепции истинной универсальности Бэббиджа, согласно которой машина должна была оставаться в неизменном виде; переписывались бы только операционные карты, содержащие команды.

Но даже когда фон Нейман присоединился в качестве «консультанта» к команде ЭНИАК в конце 1944 г., Эккерт и Мокли видели совершенно иное решение своей проблемы. Оно сводилось к тому, чтобы оставить в покое аппаратное обеспечение («железо») машины и делать команды доступными на электронных скоростях путем хранения *их внутри*, в памяти, в электронной форме. ЭНИАК был призван хранить в своей памяти арифметические действия, а первый «Колосс» — образцы ключей «Рыбы». Это было совершенно новый принцип хранения команд внутри машины. Команды обычно воспринимались, как поступающие извне для того, чтобы воздействовать на «внутреннюю начинку». Однако «вторая электронная машина», упомянутая в письме фон Неймана Уиверу, была призвана отразить эту новую идею.

Каждая традиция здравого смысла и абстрактного мышления склонна допускать, что «числа» совершенно отличны по форме от «команд». И очевидным решением представлялось хранить их раздельно: данные в одном месте, а набор команд для оперирования, управления этими данными — в другом месте. Это представлялось очевидным — но было неверным. В марте и апреле 1945 г. коллектив ЭНИАК подготовил предложение — *Предварительный доклада о машине ЭДВАК*. ЭДВАК — Электронный дискретный переменный компьютер — был проектируемой «второй электронной машиной».

Предварительный доклад был датирован 30 июня 1945 г. и подписан фон Нейманом. Это был не его проект, но его описание несло на себе следы математической ориентированности его мышления, явно довлеющей над техническими деталями.

В частности, в докладе была сформулирована очень осторожная, продуманная, но совершенно новая идея, к которой пришел коллектив ЭНИАКа при обдумывании лучшей машины. На обсуждение были вынесены различные типы хранения промежуточных показателей, команд, фиксированных констант параметров, статистических данных, требовавшиеся существующим машинам, а затем утверждалось, что устройство нуждается в значительной памяти. При том, что различные части этой памяти должны выполнять функции, слегка отличные по своей природе и значительно различающиеся по своему назначению, тем не менее, представляется целесообразным рассматривать всю память, как один орган.

Однако при подобной трактовке памяти, как «одного органа», она уподоблялась «одной ленте» Универсальной машины Тьюринга, на которой должно было храниться всё — команды, данные и операции. Это была новая идея, отличная от всего в концепции Бэббиджа, и эта идея ознаменовала поворотный момент в проектировании цифровых машин. Поскольку акцент переносился на новую установку: создание большой, скоростной, эффективной, всеохватывающей (универсальной) электронной «памяти». В результате все в концепции упрощалось, становилось более упорядоченным. Фон Нейман, должно быть, нашел эту идею «соблазнительной» — ведь она была слишком хороша, чтобы оказаться правдой. Но она всегда присутствовала в статье *«О вычислимых числах»*!

Так, весной 1945 г. команда ЭНИАКа с одной стороны и Алан Тьюринг с другой пришли к мысли создать универсальную «одноленточную» машину. Но пришли они к этой мысли довольно разными путями. ЭНИАК, показавший себя еще до того, как был закончен, принципиально устаревшей моделью, явился чем-то вроде кувалды, вскрывшей проблему. И фон Нейман был вынужден прорубать себе тропу среди джунглей всех известных подходов к вычислению, учитывая все текущие нужды военных изысканий и возможности американской промышленности. Результат довольно точно отразил воззрение на науку Ланселота Томаса Хогбена: политические и экономические потребности дня определяют новые идеи.

Но когда Алан Тьюринг говорил о «создании мозга», он работал и обдумывал эту идею в одиночку, в свое свободное время, слоняясь по английскому садовому сараю с несколькими образчиками оборудования, с неохотой уступленными службой безопасности. Его никто не просил найти решение таким численным задачам, к решению которых был привлечен фон Нейман. Он размышлял над ними для себя. Алан просто совместил то, что до него никто не совмещал: свою одноленточную универсальную машину, свое осознание того, что масштабное импульсное электронное устройство способно исправно и четко работать, и свой опыт преобразования криптоаналического мышления в «определенные методы» и «машинные процессы». С 1939 г. его мало что волновало, кроме символов, уровней, режимов и наборов команд, а также проблемы их по возможности максимально успешного и эффективного воплощения в конкретных формах. Теперь он мог все это закончить.

Да и война теперь была закончена. И его помыслы были гораздо ближе к таковым Годфри Харолда Харди, нежели отвечали практицизму мира. Их больше заботил парадокс детерминизма и свободной воли, чем осуществление долгих вычислений. Конечно, никто, скорее всего, не стал бы платить за «мозг», не имевший полезного применения. И в этом отношении Харди мог бы найти оправдание своим взглядам на приложения математики. 30 января 1945 г. фон Нейман написал, что ЭДВАК проектировался для решения трехмерных «аэродинамических задач и проблем ударных волн... расчета воздействий снарядов, бомб и ракет... в области метательных и бризантных взрывчатых веществ». Он ознаменовал бы собой, перефразируя Черчилля, «прогресс человечества». Алан Тьюринг также следовало пройти долгий путь от логики Гилберта и Геделя, если он действительно хотел создать мозг.

Предварительный доклад о машине ЭДВАК пронизывал (отражая интересы фон Неймана) более теоретический рефрен, привлекавший внимание к аналогии между компьютером и нервной системой человека. И одним из инструментов для этого служило слово «память». В таком ключе это действительно оказывалось «созданием мозга». Однако, акцент доклада был сделан не на абстрактном тезисе о «состоянии ума», а на сходствах механизмов ввода/вывода данных и афферентных (чувствительных, центростремительных) нервов и эфферентных (двигательных, центробежных) нервов соответственно. Доклад также апеллировал к статье чикагских неврологов Уоррена Маккалока и Уолта Питтса (1943 г.), в которой активность нейронов анализировалась логическим языком, и использовал их символизм для описания логических связей электронных компонентов.

Маккалок и Питтс почерпнули вдохновение в *«Вычислимых числах»*, и потому, пусть и весьма опосредованным путем, проект ЭДВАКа был в некотором смысле обязан концепция машины Тьюринга. Впрочем, в докладе не было ни слова упомянуто о *«Вычислимых числах»*, и не была ясно очерчена идея универсальной машины. Между тем фон Нейман ознакомился с ней еще до войны и, наверняка, должен был осознать эту связь, когда избавился от допущения, что данные и команды следует сохранять разными способами. Согласно С. Френкелю, который работал в Лос-Аламосе над атомной бомбой и одним из первых использовал ЭНИАК, фон Нейман отлично осознал фундаментальное значение статьи Тьюринга 1936 г. «О вычислимых числах…» еще в 1943-м или 44-м году… Фон Нейман показал мне эту статью, и по его настоянию я внимательно изучил ее… он решительно подчеркивал и мне, и другим — я уверен — что основная идея принадлежит Тьюрингу, постольку поскольку не была предвосхищена ни Бэббиджем, ни Лавлейс, ни кем иным.

Таким образом, Уизард мог что-либо узнать от Дороти. Однако, существенным моментом в связи с этими двумя инициативами, американской и британской, была не довольно тонкая связь между ними, а их явно выраженная независимость.

Какие-бы идеи не проникали на запад, *Предварительный доклад о машине ЭДВАК* впервые совместил их в письменном виде. Так что вновь победу у британского новаторства на самом финише вырвала американская публикация — и это в то время, когда все следили за западом. Американцы победили, и Алан оказался вторым. На этот раз, правда, приоритет американцев обернулся плюсом для его планов — ведь он задал им политический и экономический импульс, который одним умозрительным идеям Тьюринга иначе не видать было бы никогда.

Действительно, лишь существование ЭНИАКа и идея ЭДВАКа сделали возможным следующий этап жизни Тьюринга. Постольку поскольку в июне ему в Хэнслоп позвонил по телефону Джон Р. Уомерсли, заведующий математическим отделом в Национальной физической лаборатории.

Уомерсли был новым человеком на новой должности в новой организации. Национальная физическая лаборатория не была новым учреждением; она была основана в захудалом лондонском пригороде, Теддингтоне, в 1900 г. — как британский ответ на финансируемые государством немецкие научные исследования. Место под нее отобрали у парка Буши, большую часть которого и так уже была отведена под Верховный штаб Союзнических экспедиционных сил. Это была самая обширная правительственная лаборатория Соединенного Королевства, стяжавшая себе высокую репутацию в своей традиционной сфере, каковыми являлись национальные системы измерений и технические аспекты физических стандартов. Ее нынешний директор, назначенный в 1938 г., сэр Чарльз Галтон Дарвин, правнук теоретика эволюции и сам именитый кембриджский математик и физик. Свой главный вклад в науку он сделал в области рентгеновской кристаллографии, и, подобно Шалтаю-Болтаю, способному объяснить смысл стихотворения «Бармаглот» из повести-сказки Льюиса Кэррола «Алиса в Зазеркалье», считался «толкователем новой квантовой теории физикам-экспериментаторам». Крупный, внушительный и дистанцированный, сэр Дарвин был в 1941 г. направлен в Вашингтон и провел там год в качестве руководителя миссии, призванной координировать деятельность британских, американских и канадских ученых, а по возвращении в Англию исполнял функции научного консультанта при Военном министерстве.

Математический отдел являлся, однако, новым. На самом деле, он был компьютерным эквивалентом планируемого социального благополучия, продукт доклада Бевериджа, опубликованного еще в 1942 г. под названием «Социальное страхование и смежные услуги» и содержавшего принципы построения государства всеобщего благоденствия в послевоенной Британии. Где-то в марте 1944 г. поступило предложение о независимой Математической станции, и это предложение — прекрасный образчик планирования мира в войну — было направлено в крупный межведомственный комитет, сам являвший собой воплощение кооперации и координации, немыслимой в мирное время. Правительство одобрило принцип продолжения финансирования, как необходимого во время войны, и разрозненные службы, занимавшиеся муторными численными вычислениями для военных целей, решено было объединить под крышей централизованного, рационализированного учреждения. Сэр Чарльз Дарвин убедил комитет основать его, как отдел Национальной физической лаборатории.

Впрочем, телефонный звонок в Хэнслоп был сделан не по распоряжению сэра Дарвина, а по инициативе его подчиненного, Уомерсли, избранного руководителем нового отдела 27 сентября 1944 года. Уомерсли, дородный йоркширец, тогда прикрепленный к министерству снабжения и бывший членом межведомственного комитета, являлся, судя по всему, выдвиженцем Дугласа Рейнера Хартри — «серого кардинала» сэра Дарвина в математической сфере. Еще в 1937 г. Уомерсли в соавторстве с Хартри написал статью об использовании дифференциального анализатора для решения дифференциальных уравнений в частных производных.

Официальная программа исследований для нового отдела в октябре 1944 г. включала «изучение возможностей адаптирования автоматического телефонного оборудования для научных вычислений» и «разработку электронного счетного устройства, пригодного для выполнения быстрых вычислений». Хартри, с его дифференциальным анализатором в Манчестерском университете, уже проявлял интерес к вычислительной технике и прикладывал руку ко многим научным проектам военного времени. В высшие круги, где он вращался, просачивались некоторые детали секретной машины Эйкена и ЭНИАКа. Осведомленность о них отразилась в докладе Уомерсли в декабре 1944 г., в котором, хоть и делался акцент на создании большого дифференциального анализатора, были затронуты вопросы скорости работы электронной техники и выдвинуто предположение о «возможности создания машины для автоматического выполнения некоторых циклов операций». «Команды [такой] машине определялись бы результатами предыдущих операций.. эта проблема уже решается в США», — говорилось также в докладе. В пресс-релизе, выпущенном в апреле 1945 г. по случаю официального открытия нового отдела, было упомянуто только об «аналитических машинах, включая дифференциальный анализатор и другие машины, как уже существующих, так и ожидающих изобретения... очевидно, что эта область обладает богатым потенциалом; сложнее предсказать, в каких направлениях пойдет его реализация». Но, похоже, что смотреть надо было на запад. И в феврале 1945 г. Уомерсли отправился для осмотра вычислительных установок на два месяца в Соединенные Штаты, где 12 марта он стал первым не-американцем, которому разрешили доступ к ЭНИАКу и которого проинформировали о проекте ЭДВАК.

К 15 мая Уомерсли вернулся в Национальную физическую лабораторию, «пересмотрев свои планы». Американских откровений ему оказалось довольно, чтобы взять паузу на размышление. Впрочем, для Уомерсли эти откровения имели особое значение — ведь он держал в рукаве необычный козырь. До войны, занимаясь на оружейном заводе Вулвиче практическими вычислениями, он узнал о машинах Тьюринга. А что еще более замечательно для обычного математика, его не обескураживал и не пугал заумный язык математической логики. Согласно Уомерсли:

1937—38 Д.Р.У. увидел и прочил статью *«О вычислимых числах».* Д.Р.У. встретился с К.Норфолком, инженером телефонной связи, специализировавшимся на сумматорах, и обсудил с ним конструирование «машины Тьюринга» с использованием телефонного оборудования и возможность выдвинуть это предложение на обсуждение в НФЛ. Было решено, что такая машина работала бы слишком медленно, чтобы быть эффективной.

Июнь 1938 г. Д.Р.У. приобрел шаговый переключатель и несколько реле в Вулвиче для опытов в свободное от работы время. Опыты были заброшены из-за обилия работы, связанной с проблемами баллистики.

Осмотрев машину Эйкена в Гарварде, Уомерсли написал своей жене о том, что видел «Тьюринга в железе». Далее, следуя его хронологии, в июне 1945 г.:

Д.Р.У. встречается с профессором М.Г.А. Ньюманом. И говорит ему, что хочет встретиться с Тьюрингом. В тот же день он встречается с Тьюрингом и приглашает его к себе домой. Д.Р.У показывает Тьюрингу первый доклад о проекте ЭДВАК и убеждает его присоединится к коллективу НФЛ, организует интервью и убеждает руководителя и помощника.

Алану предложили должность временного старшего научного сотрудника с окладом в 800 ф.ст. в год. Узнавшего об этом Дона Бейли такой статус не впечатлил, но Алан сказал ему, что это была самая высокая должность, на которую его могли взять в лабораторию. К тому же, он был уверен, что получит повышение через несколько недель. Это было не то что бы, «одному грош цена, десяток не стоит ни гроша», как оценила стоимость предложенных Алисе яиц Овца в магазине Зазеркалья, но при цене в 600 ф.ст. за морскую версию «Энигмы» и 800 ф.ст. за цифровой компьютер британское правительство явно пыталось нажиться на Алане Тьюринге. Алан утверждал, что Уомерсли поинтересовался у него, знает ли он «интеграл от косинуса х», что, как тут же подметил Бейли, было смехотворно банальным вопросом, который задавали любому будущему специалисту по безопасности систем. «Эх, — вздохнул Алан, смеясь над собственной беспечностью, — а если бы *ошибся* в ответе?»

Что до Уомерсли, то он не скрывал от коллег радость в связи с заполучением Алана Тьюринга в свой новый отдел.

Для Алана же, который не заморачивался должностью и условиями назначения, это была все же отличная перспектива заручиться поддержкой британских властей для реализации Универсальной машины Тьюринга. Он уже кое-что сделал для них, и теперь им представлялся случай ответить ему тем же. Национальная физическая лаборатория была основана, чтобы «сломать барьеры между теорией и практикой». А именно к этому стремился и Алан. Каковы бы ни были его сомнения насчет государственной службы, она давала ему шанс. Прощаясь с Джоном Кларком и другими сотрудниками 8-й хижины, Алан с воодушевлением рассказал им о будущем автоматических вычислительных машин и заверил их, что математики никогда не останутся без работы.

На выборах в июле 1945 г. он голосовал за лейбористов. «Время для перемен», — сказал он расплывчато потом. Война понудила к планированию и государственному контролю, и Лейбористская партия предлагала сохранить то, что Черчилль предлагал ликвидировать — как Ллойд Джордж в 1919 г. Однако Алан Тьюринг не был уверенным лейбористом. Как почитатель Бернарда Шоу, читатель *New Statesman* и ученый военного времени, выступающий против ослепляющей инерции старого режима, он должен был одобрять реформы. Но на самом деле организация и реорганизация не интересовали его.

В его взглядах все еще было больше общего с демократическим индивидуализмом Джона Стюарта Милля, чем с планировщиками 1945 г. Но он не разделял интерес Милля к коммерческой конкуренции. На самом деле, он мало что знал о ней. Его жизнь проходила в школах, университетах и на госслужбе. В годы его учебы бизнес был в удовольствие, и маленькие фирмы Бьютела и Моркома сами были исключением из тенденции двадцатого века, воплощая дух, по большей части умерший вместе с Глэдстоуном. И во время войны подрядчики по оборудованию работали по дававшим им карт-бланш правительственным контрактам, к которым обычные соображения по получению прибыли были неприменимы.

Деньги, коммерция и конкуренция не играли явной роли в главных разработках, к которым Алан Тьюринг имел отношение — разработках, которые во многих смыслах позволили ему остаться идеалистом. Его верность примитивному либерализму, его «торжество пораженчества», равно как и его приверженность главному сближала его в большей степени с философами-утопистами, нежели с Миллем. Кто-то соотносил его с Толстым, а Клод Шеннон воспринимал его, как Ницше, «за пределами Добра и Зла». Но, пожалуй, ближе всех ему по духу (и по отечеству) был еще один деятель конца девятнадцатого века, еще более скрытый за кулисами политики. Этим человеком был Эдвард Карпентер, который, имея много общего с каждым из упомянутых европейских мыслителей, критиковал Толстого за строгую позицию по вопросу отношений двух полов, а Ницше — за чрезмерное высокомерие и надменность. И в те времена, когда социализм воспринимался лучшей системой организации общества, Карпентер являл собой пример английского социалиста, интересующегося не организацией общества, а наукой, половой жизнью и естественной простотой отношений, равно как и достижением между ними гармонии. Родившийся в 1844 г., он написал эти слова в Первую мировую войну, которая уже застигла маленького мальчика в Сент-Леонардс-он-Си и в соответствии с которыми Алан Тьюринг продолжал жить, не считаясь со мнениями более респектабельных персон:

Я часто гулял и сиживал на пляже в Брайтоне, предаваясь мечтам, а теперь я сижу на берегу человеческой жизни и грежу почти теми же мечтами. Я вспоминаю о том времени, что упоминаю (хотя, быть может, это было малость позже), придя к заключению, что есть только две вещи, ради которых стоит жить — слава и красота Природы и слава и красота человеческой любви и дружбы. И сегодня я все еще чувствую то же самое. И, в самом деле, ради чего еще стоит жить? Вся эта чушь о богатстве, известности, почете, покое и непринужденности, роскоши и т.п. — она не имеет никакого значения! На все это, и правда, не стоит терять время. Эти вещи столь явственно второстепенны, полезны постольку, поскольку они могут привести к первым двум.

В 1945 г. их можно было рассматривать, как мировоззренческую концепцию Алана Тьюринга. На ранних этапах

Лейбористская партия была открыта идеала Карпентера и даже «новой морали». Его наивный вопрос, для чего нужно жить, и рассуждения о том, как социализм может повлиять на жизнь людей, сыграли свою роль во дни ее относительной невинности. Даже будучи у власти в 1924 г., первый лейбористский кабинет послал Карпентеру благодарственное письмо, приуроченное к его восьмидесятилетию. Но тридцатые годы двадцатого века поставили крест на всем этом. В 1937 г. Джордж Оруэлл высмеял все, что осталось от той непрактичной, смущающей наивности:

Такое впечатление, будто простые слова «социализм» и «коммунизм» привлекают к себе с магнетической силой всех любителей пить фруктовые соки, нудистов, лапотников, сексуально озабоченных, квакеров, шарлатанов-целителей, пацифистов и феминисток в Англии.

Оруэлл избежал дихотомии, воззвав к Англии «обычных добропорядочных людей». Возможно, Алану Тьюрингу и стоило бы сделать то же самое, но он был теперь безнадежно обременен своим сознанием, в котором гнездились необычные, непристойные противоречия. Величайшие идеи «механизации, рационализации, модернизации» войны уживались с другим состоянием, величайшим из всех осмысленных, пока еще желающим «самого обычного в природе» и пока еще остающимся тем, что Оруэлл подразумевал под выражением «сексуальный маньяк». Алан не мог избежать этих вещей, но, предав половину своего сознания государству, он лишил себя свободы попытки. Он что-то делал, но не так, как Оруэлл, и прошел точку невозврата.

Эттли заменил Черчилля на Потсдамской конференции, когда результаты британских выборов стали известны. В это же время Алан Тьюринг поехал в Германию в составе группы из пяти английских и шести американских экспертов, чтобы изучить прогресс немцев в области связи. Одним из англичан был Флауэрс. Они тронулись в путь 15 июля и прибыли в Париж в ясный жаркий день. В Париже они должны были встретиться с американцами. А еще через пару дней они сели в джип; им предстояло проехать более 200 миль, и они надеялись, что прибудут у месту назначения до наступления ночи.

По дороге их останавливали тридцать семь раз из-за того, что они, как гражданские лица, ехали без касок.

Так Алан Тьюринг снова оказался на лежавшей в руинах земле Гаусса и Гилберта под неусыпным наблюдением американцев и в военном джипе. Компания остановилась а лаборатории исследований в области связи в Эберманнштадте, близ Байройта; чтобы добраться до нее, им пришлось предолеть тысячу футов подъема в гору. Прежде там располагался госпиталь — на крыше здания сохранился красный крест. Так что спали они на госпитальных кроватях. А приходившие из деревни женщины убирались — за миску похлебки. Только Алан и Флауэрс интересовались вопросами криптологии, остальные члены группы об этом не знали (насколько им было известно). Один из захваченных немецких ученых с гордостью показал им машину типа «Рыбы» и объяснил, как много миллиардов действий она выполнила без повторения ключевой последовательности. Алан и Флауэрс только моргнули и обронили «Неужели!», когда он продолжил рассказывать им, что, тем не менее, их математики определяли ей срок стойкости перед взломом только в два года, допуская затем возможность взлома.

Пока они там находились, во исполнение туманных пророчеств 1939 г. к небу поднялись грибообразные облака. Квантовая механика, которую Харди еще совсем недавно объявлял бесполезной, достигла совершеннолетия. Это был видимый результат работы новых людей. Морис Прайс сыграл свою роль в начале британских исследований, а завершающий штрих добавил фон Нейман, рассчитав высоту, на которой следовало произвести взрывы, чтобы добиться максимальных разрушений. Облака опрокинули второго врага и предостерегли потенциального нового врага. Американцы решили последнюю проблему войны. И все же, без череды событий, позволивших союзникам контролировать «Энигму» в 1943 г., война в 1945 г. могла принять совсем иной оборот, и атомное оружие впервые применили бы против бетонных «загонов» немецких подводных лодок.

Большой секрет был раскрыт — или, точнее, стало известно, что был секрет, сильно отличавшийся от всех остальных. Американские военные появились на станции в Эберманнштадте с новостями, которые нисколько не удивили Алана. Он узнал о такой возможности еще до войны, и намеков ему было довольно. После его возвращения из Америки, он задавал и Джеку Гуду, и Шону Уайли вопрос о цепной реакции, выраженной через бочки с порохом. Он также рассказывал о возможной «урановой бомбе» в обеденные перерывы в Хэнслопе. И он прочитал лекцию о фундаментальном принципе физики всем в Эберманнштадте.

Алан оставался в Германии примерно до середины августа, а потом вернулся назад — писать свой отчет о поездке. По прошествии шести лет война была официально закончена. Он внес свою лепту в слом подчиненных состояний и победу янки. Возможно, более опосредованно, его работа сыграла роль в обозначении новых границ Скотного двора. Но в 1945 г. немногие оставались в состоянии восточного зверинца, хотя новые люди в Блетчли-парке отказались от средств, с помощью которых можно было возобновить политику 1920-х гг.

Более не ответственные за мир, они могли заняться делами дома. В этом плане Алан Тьюринг был столь же везуч, как и все остальные. Даже если его работа часто оказывалась напрасной, он вынес для себя максимум из войны и был готов служить делу мира. Британцы избежали поражения и были обязаны этим Америке. Окончание ленд-лиза означало только начало новых проблем. Могущество британского капитала подорвалось, и его империи грозило исчезновение. Но в умах уже прорастали другие семена.

Глава 6

Ртутная задержка

Не дожидаясь назначения на должность в Национальной физической лаборатории, Алан Тьюринг обдумывал вопрос практического конструирования своей универсальной машины. В частности, он обсудил с Доном Бейли основную проблему ее архитектуры, а именно — механизм хранения данных, или «ленту». Алан с Доном обсудили все формы дискретного хранения данных, которые только могли прийти им на ум. Так, например, они рассмотрели возможность магнитной записи. Они видели захваченный немецкий армейский «Магнитофон», первое удачное устройство для записи данных на магнитную ленту, но отвергли эту идею потому, что магнитная лента была слишком похожей по своей сути на ленту теоретической Универсальной машины Тьюринга — она требовала активного физического передвижения туда-сюда. Алан и Дон предпочли иное решение, с которым Алан к этому моменту уже был знаком, и этим решением была «акустическая линия задержки».

Идея базировалась на том, что время, необходимое звуковой волне для прохождения нескольких футов по звуководу (трубке), составляло порядка тысячной доли секунды. Звуковод можно было рассматривать, как временное *хранилище* звуковой волны на этот период. Данный принцип уже был применен в радаре: данные, сохраненные в линии задержки, использовались для гашения всех отраженных радиолокационных сигналов, не претерпевших преобразований с момента последнего сканирования. Таким образом, можно было сделать так, чтобы экран радара показывал только новые, или преобразованные, объекты. Использовать линию задержки, как запоминающий элемент для хранения импульсов электронной вычислительной машины, предложил Эккерт из коллектива разработчиков ЭНИАК. Его концепция зиждилась на нескольких условиях. Звуковод (трубка), или линия задержки, должен был различать импульсы, разделенные паузами всего в миллионную долю секунды, и передавать их не «замазанными». Необходимо также было, чтобы импульсы сохранялись не только на протяжении тысячной доли секунды, а неопределенно долгое время, что требовало их повторной рециркуляции в линии задержки. Если бы это делалось безыскусно, тогда бы импульсы очень скоро становились слишком «замытыми» для распознавания. Поэтому нужно было разработать электронное устройство, способное обнаруживать существование (несколько измененного) импульса, приходящего на конец линии, и посылать чистый импульс в начало = электронный аналог реле, используемый как телеграфный повторитель. А его надо было совместить с устройством для приема импульсов с остальных элементов вычислительной машины и обеспечения, при необходимости, обратной связи с ними. Было ясно, что для звуковых волн предпочтительная какая-либо иная среда, нежели воздух. А в многофункциональных РЛС уже применялась ртуть. Этот подходящий элемент, ассоциируемый с классическим божеством быстрой связи и сообщения, стал навязчивой идеей разработчиков на последующие несколько лет.

Это заманчиво дешевое решение в границах существующих технологий было провидчески принято в *Предварительном докладе о машине ЭДВАК*. В этот же сентябрьский период 1945 г. они опробовали этот принцип в хижине Хэнслопа. Дон Бейли соорудил картонную трубку с поперечником в восемь дюймов и во всю десятифутовую длину хижины, а Алан собрал сверхрегенеративный усилитель (особо чувствительный тип усилителя, модный в то время). Они подсоединили усилитель к микрофону на одном конце трубки и динамиком на другом. Идея заключалась в том, чтобы «прощупать» проблему, перезапуская звуковую волну в воздухе по принципу линии задержки, хлопая в ладоши на одном конце и рассчитывая получить после этого сотню искусственных. Из их затеи так ничего и не вышло до отъезда Алана из Хэнслопа для работы в Национальной физической лаборатории с 1 октября 1945 года. Но это значило, что Алан вступил в свою новую должность там уже не таким адептом «чистой математики», каким был в 1938 г., а полным идей, связанных, как с логикой, так и с физикой.

Создав новый Математический отдел, Уомерсли получил возможность набирать сотрудников из числа специалистов в области вычислений численными методами, поскольку он формировался в фарватере мобилизации сил для обороны страны. В его отдел вошла высоко ценимая Служба вычислительной техники Адмиралтейства ВМС Великобритании; она стала ядром самой мощной группы в западном мире, конкурентным аналогом которой в Америке служила соответствующая служба в Национальном бюро стандартов. Нельзя сказать, что они могли решать большие арифметические задачи, хотя они действительно *решали* задачи на арифмометрах. Их проблема была примерно такой же, с какой столкнулся Алан при вычислении значений дзета-функции Римана в 1938 г. Когда ресурсы «чистой математики» полностью исчерпывались, оставалась формула, или система уравнений, в которой действительные (вещественные) числа можно было заменить. Выполнение таких замен на настольных вычислительных машинах, арифмометрах, было процессом не слишком интересным. Но проблема лучшей организации работы была скорее абстрактным вопросом, относившимся к той области математики, которая звалась «численным анализом». А конкретная проблема заключалась в том, что, несмотря на то, что уравнения и формулы в основном соотносили «действительные числа» бесконечной точности, на практике в вычисления, произведенные с величинами, определенными только до энного числа десятичных знаков, неминуема закрадывалась погрешность на каждом шаге. Установление последствий таких погрешностей и их минимизация было важным аспектом численного анализа. Отчасти из-за существования таких проблем Алан шутил, что с появлением автоматических электронно-вычислительных машин математики не станут лишними и не останутся без работы.

Подотдел, выполнявший такую работу, возглавлял Э. Т.. «Чарльз» Гудвин, ценивший Алана со студенческих лет. Два других подотдела, «Статистики» и «Перфорированных карт», также представляли интерес для Тьюринга, и наличие перфораторов в помещении должно было повлиять на выбор устройства ввода для его машины. Четвертый подотдел состоял из сотрудников группы дифференциального анализатора Хартри и некоторые время оставался в Манчестере. Пятый подотдел состоял из одного Алана Тьюринга. К концу года во всем Математическом отделе насчитывалось двадцать семь сотрудников — примерно столько же, как и в штате крупного университетского факультета.В марте были приобретены два дома Викторианской эпохи, Теддингтон-холл и Кромер-хаус, в периметре территории Национальной лаборатории, а в октябре весь новый отдел разместился в Кромер-хаусе. Алану досталась маленькая комнатка в северном крыле. Напротив обустроились Чарльз Гудвин и его коллега Лесли Фокс, сосредоточившиеся на вопросе нахождения характеристических чисел матриц в связи с проблемой поиска резонансных частот при проектировании самолета. В те осенние месяцы они частенько слышали судорожные рывки каретки его пишущей машинки.

Поселился Алан в гостинице в расположенном по соседству Хэмптон-хилле, на окраине парка Буши, продолжая вести «жизнь на чемоданах», как в во время войны. Переход от войны к миру ознаменовался для Тьюринга тем, что теперь он оказался не под началом военных офицеров, а под руководством ученых. Это оказалось не такой уж большой переменой, как он мог ожидать. Потому как Уомерсли, которого Алан мрачно называл «мой босс» (и каковым он, собственно, ему и приходился), являл собой ходячее олицетворение того, что Алан презирал, как «обманку». Уомерсли не лишен был ни энергичности, ни прозорливости, но ему явно не хватало солидного запаса научных знаний, который Алан считал безусловно важным для человека на таком посту. Оттого и случилось, что длительный и обширный тур по Соединенным Штатам, совершенный «боссом» ранее в 1945 г., обернулся техническим провалом, поскольку Уомерсли не достало опыта, чтобы сделать подробные записи о том, что ему было дозволено там посмотреть. Флауэрс и Чендлер, вместо того, чтобы воспользоваться записями Уомерсли, были вынуждены отправиться сами в поездку в сентябре и октябре, чтобы ознакомиться с ЭНИАК в связи с той работой, которую они выполняли для военных на вычислительных машинах целевого назначения. Особенности руководящего стиля Уомерсли — умение похваляться знакомством с видными людьми; умеренный энтузиазм, обхаживание важных посетителей, дипломатическое чутье на то, о чем следует докладывать, а о чем нет — отнюдь не являлись теми качествами, которые высоко ценил Алан Тьюринг. И не столько в силу того, что он сам был лишен таких качеств, сколько потому, что он все еще не понимал, почему кому-то необходимо иное оружие, нежели разумная аргументация. В скором времени Алан уже открыто грубил Уомерсли в офисе, язвительно вопрошая «Чего хотим?» и, поворачиваясь спиной, если его «босс» решался вмешаться в какое-нибудь обсуждение. Впоследствии сотрудники отдела даже заключили пари о том, кто же из них выйдет из кабинета Уомерсли с «каким-нибудь уравнением, пусть даже с самым простейшим». Но потом от пари отказались и признали поражение, «за ограниченностью доступа», как выразился Алан. В свою очередь, Уомерсли водил посетителей по Кромер-хаусу, показывая на кабинет Алана издалека с наигранным трепетом и отзываясь о нем, как о каком-то редком зоологическом экземпляре: «Ох, уж этот Тьюринг, нам не стоит нарушать его покой».

Более мощный научный интеллект вкупе с независимым мнением о том, как должно проектировать компьютеры, возможно, больше тормозил, помогал реализации планов Алана, которые, по крайней мере, не вызывали у Уомерсли формального сопротивления. Наоборот, Уомерсли был готов согласиться со всем, что бы ему в конечном итоге не предложили. Он также придумал для проекта электронной вычислительной машины Тьюринга более счастливый акроним, в сравнении с бездушным ЭНИАК или ЭДВАК: АВМ — «Автоматическая вычислительная машина», по аналогии с «машиной» Бэббиджа. В связи с этим Алану даже припомнился Джордж Джонстон Стони, который не открыл электрон, но дал ему название. На самом деле, Уомерсли продемонстрировал завидное политическое мастерство, добиваясь одобрения проекта. Недаром на его столе лежала книжка *«Как завоевывать друзей и влиятельных людей»*. Алан не замечал этого. Он все еще оставался политической фигурой.

Первой задачей Алана было написать «Предложения по созданию в Математическом отделе АВМ» с подробным изложением архитектуры электронной универсальной машины и описанием ее действия. Удивительно, но в докладе, представленном Аланом, не содержалось упоминаний о *«Вычислимых числах»*. Вместо этого, доклад перекликался с *Предварительным докладом о машине ЭДВАК* и был рассчитан на чтение в увязке с ним. Впрочем, проект АВМ был вполне самостоятельным, и его истоки восходили не к ЭДВАК, а к универсальной машине Тьюринга. Это наглядно демонстрируют некоторые фрагментарные заметки и комментарии, датируемые этим периодом:

...В статье «О вычислимых числах» допускалась организация хранения всех данных по линейному закону; в таком случае время доступности информации прямо пропорционально объему сохраненных данных, будучи по сути цифровым интервалом, умноженным на число хранимых знаков. Это основная причина, по которой форма организации в «Вычислимых числах» не могла быть принята и реализована на практике в настоящей машине.

Намек содержался и в первом параграфе упомянутого доклада Алана, где примерами сопровождалось обещание того, что новые проблемы сведутся «буквально к канцелярской работе», и говорилось:

Кому-то может показаться удивительным, что такую машину можно создать. Разве возможно, чтобы машина выполняла так много разных операций? Ответ в том, что нам следует воспринимать машину, как совершающую совершенно простую операцию, а именно — выполняющую команды, поступающие ей в такой форме, в которой она будет способна их понять.

Но существенно акцентировал эту идею Алан в разговоре, состоявшемся годом позже, в феврале 1947 г., объяснив происхождение АВМ, как он сам его воспринимал:

Несколько лет назад я занимался изучением теоретических возможностей и ограничений цифровых вычислительных машин. Я обдумывал машину с центральным механизмом и бесконечной памятью, хранящейся на бесконечной ленте. Такой тип машины представлялся мне достаточно общим. Я пришел к нескольким выводам, и один из моих выводов заключался в том, что идеи процесса «приближенного подсчета» и «машинного процесса» были синонимичными. Выражение «машинный процесс», конечно же, означает такой процесс, который мог бы выполняться машиной, обдумываемой мной... Такие машины, как АВМ, можно считать практическими версиями машины этого типа. По крайней мере, аналогия очень близкая.

У всех цифровых вычислительных машин есть центральный механизм, или контроль, а у некоторых — довольно обширная память. Память не должна быть бесконечной, но она, безусловно, должна быть очень большой. Вообще говоря, использование бесконечной ленты для запоминания данных в реальной машине нецелесообразно в силу того, что на передвижение ленты вперед-назад до обнаружения того места, где хранится фрагмент информации, требуемый в определенный момент, уходило бы чрезвычайно много времени.

Алан рассматривал различные серьезные предложения по сохранению данных, считая, что «обеспечение надлежащего хранилища — ключ к цифровой вычислительной машине».

По моему мнению, эта проблема создания большой памяти, доступной в разумно короткий срок, гораздо более важная, чем проблема выполнения таких операций, как умножение на высокой скорости. Скорость необходима, если машина должна работать достаточно быстро, чтобы быть коммерчески востребованной, тогда как большая память необходима, если машина должна быть способна на нечто большее, нежели довольно простые операции. Так что емкость запоминающего элемента (памяти) — более фундаментальное требование.

Тьюринг продолжал давать краткое описание «создания мозга»:

Давайте теперь вернемся к аналогии теоретических вычислительных машин с бесконечной лентой. Можно создать одну особую машину такого типа, которая бы делала все. На самом деле, она бы работала, как модель любой другой машины. Такую особую машину можно назвать универсальной машиной; она работает довольно простым образом. Определившись, какую машину мы хотели бы имитировать, мы наносим информацию с ее описанием в виде отверстий на ленту универсальной машины. Эта описание объясняет, что машине следует делать при том или ином сценарии настройки. Универсальной машине останется только «сверяться» с этим описанием, чтобы узнать, что ей следует делать на каждом этапе. Таким образом, сложность имитируемой машины будет сосредоточена на ленте, а не в конструкции самой универсальной машины.

Учитывая свойства универсальной машины вкупе с тем фактом, что машинный процесс и процесс приближенного вычисления синонимичны, можно сказать, что универсальная машина = это такая машина, которая, при условии обеспечения надлежащими командами может выполнять любое приближенное вычисление. Этим свойством обладают такие цифровые вычислительные машины, как АВМ. Фактически они являются практическими версиями универсальной машины. У них есть некий центральный узел электронных элементов и большая память. Когда требуется решить какую-либо задачу, производится настройка соответствующих команд, хранящиеся в памяти АВМ, на ее выполнении, и вычислительный процесс запускается.

Алан отдавал предпочтение большой, быстрой памяти, при этом считая, что система аппаратных средств («железо») должна быть *настолько простой, насколько это возможно*. В последнем требовании выражался его «островной» менталитет, склонный все делать с наименьшими отходами. Но оба эти условия должны были обеспечивать универсальность машины. Любая идея Алана всегда подразумевала, что все действия в плане усовершенствования процесса или удобства для пользователя следовало выполнять посредством мышления, а не оборудования, с помощью команд (программы), а не «железа».

В его философии представлялось расточительностью, если не сумасбродством, производить операции сложения и умножения с помощью дополнительных технических средств устройств, коль скоро их можно было заменить командами (инструкциями), сводящимися к более простым логическим операциям ИЛИ, И, либо НЕТ. Включение этих простых логических операций (отсутствующие в проекте ЭДВАК) в архитектуру АВМ позволяло ему пренебречь сумматорами и умножителями, но все равно получить при этом универсальную машину. И, на самом деле, он включил специальные аппаратные средства для выполнения арифметических задач, но даже при этом он разложил арифметические операции на малые фрагменты с тем, чтобы сэкономить на «железе» с помощью большего набора команд. Вся концепция была невероятно удивительной и озадачивающей для его современников, для которых электронно-вычислительная машина являлась машиной для решения арифметических задач, а умножитель сущностным для ее функционирования. Для Алана Тьюринга умножитель был довольно утомительным техническим элементом; сущностным для машины он считал систему логического управления, которая черпала команды (инструкции) из памяти и приводила их в действие.

По схожим причинам в его докладе не делалось особого акцента на том, что АВМ должна была использовать двоичную систему счисления. Алан констатировал преимущество двоичного представления информации на ленте (перфокарте), когда переключатели могли представлять 1 и 0 режимами «включено» и «выключено». И на этом все, за исключением разве лаконичного заявления о том, что для ввода/вывода чисел в машине использовалась обычная десятичная запись, а процесс их преобразования должен быть представлен в «практически невидимой форме». В беседе, состоявшейся в 1947 г., Алан конкретизировал этот кратчайший из всех возможных комментариев. Суть была в том, что универсальность машины позволяла конвертировать числа в самой машине в двоичный формат, если это отвечало технологической концепции. Использовать двоичные числа в кассовом аппарате было бы некорректно и нецелесообразно, так как преобразование чисел для ввода/вывода было более проблемным и хлопотным, чем оно того стоило.

Последнее утверждение звучит парадоксально, но это — лишь следствие того факта, что эти машины можно спроектировать так, чтобы они выполняли любое действие по приближенному подсчету в результате запоминания соответствующих команд. В частности, можно сделать такую машину, которая бы выполняла преобразование из двоичной формы в десятичную. Например, в случае с АВМ предоставление преобразователя (конвертера) достигается всего лишь добавлением двух дополнительных линий задержки в память. Подобная ситуация весьма типична для АВМ. Есть много мелких «привередливых» деталей, за которыми нужен уход и которые в обычной инженерной /конструкторской/практике потребовали бы создания особых схем. Мы можем справиться с такими проблемами, обойдясь без модификации самой машины, посредством одной голой «бумажной» работы, сводящейся в конечном итоге к вводу соответствующих команд.

Это было логично и безусловно понятно математикам, знакомым с двоичными числами, по меньшей мере, три сотни дел. Для других людей факт мелкие «привередливые» детали оборачивались головной болью для других людей. В частности, для инженеров-конструкторов было практически откровением то, что концепцию чисел можно было отделить от их представления в десятичной форме. Многие люди воспринимали саму «двоичную» арифметику АВМ, как необычное и чудесное новаторское решение. И хотя Алан был абсолютно прав, усматривая в этом частный момент, легко себе представить, какие трудности ему доводилось испытывать в общении с определенным сортом людей, которые должны были финансировать, организовывать и собирать его машину.

Презрев такие частности, Алан в своем докладе сконцентрировался на двух действительно важных моментах: памяти и управлении.

Обсуждая вопрос хранения данных, он перечислил все формы дискретного хранения, над которыми раздумывали они с Доном Бейли, включая пленку, перфокарты, магнитную ленту и «кору головного мозга», сопроводив каждую оценкой (в ряде случаев явно фантастической) времени доступа и количеством знаков, которые можно было сохранить за фунт стерлингов. В крайнем варианте можно было использовать запоминающее устройство целиком на электронных лампах, обеспечивающее доступ к информации в течение микросекунды, но чрезмерно дорогостоящее. Как указал Алан в своем уточнении 1947 г., «сохранение контента обычного романа такими средствами обошлось бы в несколько миллионов фунтов». Необходимо было найти компромисс между стоимостью и скоростью доступа. Алан согласился с предложением фон Неймана (сославшегося в *Предварительно докладе о машине ЭДВАК* на возможность разработки в будущем специального «иконоскопа» или телевизионного экрана) о целесообразности хранении чисел в форме схемы точек. Алан описал ее, как «наиболее обнадеживающую схему, с позиции экономии и скорости». Однако в пророческом параграфе доклада об АВМ он также предложил свой подход, естественно, основанный на принципе «наименьшей затраты сил»:

Представляется вероятным, что подходящую систему хранения данных можно разработать без привлечения каких-либо новых типов трубок, используя обычную электронно-лучевую трубку с оловянной фольгой поверх экрана в качестве сигнальной пластины. Потенциальный рельеф постепенно разрушается, и его необходимо периодически восстанавливать... Нужно будет остановить считывание записи электронным пучком, перейти к точке, с которой должна быть взята требуемая информация, произвести там считывание, заменить информацию, стертую в процессе считывания, и вернуться к восстановлению с точки, на которой остановились. Следует также убедиться, что восстановление не откладывалось слишком надолго из-за более неотложных обязанностей. Все эти меры не представляют особой сложности, но, без сомнения, потребуется время, чтобы их отработать.

За отсутствием такой электронно-лучевой трубки Алан был вынужден остановить свой выбор на ртутных линиях задержки — без особого энтузиазма, просто потому, что они уже применялись. Но у такого варианта имелся один явный недостаток; связан он был с доступом данных. По задумке Алана, через линию задержки должна была пропускаться последовательность из 1024 импульсов (это было сродни разделению «ленты» Универсальной машины Тьюринга на сегменты, длиной 1024 клетки каждый). На передачу на заданный вход в среднем уходило бы 512 единиц времени (тактов). Тем не менее, это был шаг вперед по сравнению с «папирусным свитком».

Другим немаловажным аспектом архитектуры машины являлась система «логического управления». Она соотносилась со «сканером» Универсальной машины Тьюринга. Принцип был прост: Универсальная машина должна только постоянно «сверяться» с описанием — то есть командами на ленте — «чтобы знать, что делать на каждом этапе». Таким образом, система логического управления была частью электронного аппаратного обеспечения, содержащего две порции информации: в каком месте «ленты» и какую команду там надо было считать. Команда занимала тридцать две «клетки», или импульса, в «хранилище» линии задержки и должна была быть двух типов. Она должна была просто заставлять «сканер» переходить к другой точке «ленты» для получения следующей команды. Альтернативный вариант — она могла предписывать операцию сложения, умножения, переноса или копирования чисел, хранимых где-либо на «ленте». В последнем случае «сканер» должен был переместиться на следующую точку на «ленте» для получения следующей команды. Ни одно из этих действий не подразумевало ничего, кроме считывания, написания, стирания, изменения состояния и перемещения влево и вправо, что делала и теоретическая Универсальная машина Тьюринга, обрабатывая дескриптивные числа на своей ленте. За исключением тех случаев, когда бы добавлялись специальные устройства с тем, чтобы сложение и умножение можно было выполнять всего за несколько шагов, а не за тысячу более элементарных операций.

Конечно, речь не шла о физическом движении при выборе «сканером» команды. Напротив, принцип работы системы управления АВМ был довольно похож на набор телефонного номера. По большей части сложность электронных схем обуславливалась требованиями этой системы с «древовидной» структурой. Сложность заключалась и в способе, которым эти тридцать две ячейки «временного хранилища», состоявшие из специальных коротких линий задержек, обеспечивались для шунтирования /отвода, ответвления/ импульсов. Он существенно отличался от концепции ЭНИАКа, в которой все арифметические задачи должны были решаться путем переноса чисел в и из центрального «накопителя». В проекте АВМ арифметические операции «распределялись» по тридцати двум линиям задержки для «временного хранения» весьма остроумным способом.

Смысл в таком усложнении заключался в том, что повышалось быстродействие машины. Скорость работы стала приоритетней простоты конструкции. Это нашло отражение также в том, что Алан определил для АВМ частоту импульсов миллион в секунду, вознамерившись использовать электронную технику в полной мере. То, что он сосредоточился на скорости, было вполне естественно, учитывая его опыт работы в Блетчли, где быстродействие, как аппаратуры, так и сотрудников, ее обслуживавших, имела первостепенное значение и несколько часов определяли различие между полезностью и нецелесообразностью. Быстродействие также соотносилось с универсальностью электронной вычислительной машины. В 1942 г. они пытались сделать «Бомбу» быстрее, чтобы справиться с четырехроторной моделью «Энигмы». Но спасла их допущенная немцами ошибка в системе оповещения о погоде. А, если бы не этот счастливый случай, на решение задачи им бы пришлось потратить больше года. Одним из достоинств универсальной машины должна была стать ее способность справляться с любой новой задачей немедленно. Но это значило, что она должна была работать с максимально возможной быстротой. Модернизировать конструкцию универсальной машины ради решения специальной задачи едва было бы целесообразно.

Весь смысл был в том, чтобы спроектировать ее необыкновенную конструкцию раз и навсегда, чтобы вся работа после этого сводилась лишь к разработке таблиц команд.

Тем не менее, при том, что АВМ зиждилась на идее Универсальной машины Тьюринга, в одном плане она все же отступала от нее. В конструкции машины не предусматривалось устройство для условного ветвления — особенность, на первый взгляд, необычная. Концепция машины пренебрегала важной идеей, которую ввел Бэббидж столетием ранее. Так как «сканер», или устройство логического управления, могло хранить лишь один «адрес», или позицию на ленте, единовременно. Оно не могло сохранять более двух «адресов» и выбирать следующий адресат информации по ряду критериев.

Впрочем, недоработка была только кажущейся. Она была обусловлена тем, что это был тот случай, когда аппаратное обеспечение можно было упростить, ценой большего объема хранимых команд. Алан пошел путем, при котором условное ветвление можно было осуществить при хранении устройством логического управления не более одного «адреса» единовременно. Этот путь не являлся лучшим техническим решением, но он обеспечивал дерзкую простоту конструкции. Допустим, нужно было выполнить команду 50, если какая-нибудь цифра D была 1, и выполнить команду 33, если D была 0. Идея Алана состояла в том, чтобы «представить себе, что команды были действительно числами, и произвести вычисление D × (команда 50) + (1-D) × (команда 33)». Результат этого вычисления был бы командой, производящей требуемое действие. «ЕСЛИ» определяло бы не аппаратное обеспечение, а дополнительное программирование. Такая схема побудила его причислить данные (цифра D) к командам. Это само по себе имело большое значение, так как Алан позволил себе модифицировать хранимую программу. Но это было только начало.

Фон Нейман также считал возможным изменять хранимые команды, но только одним весьма специфичным путем. Допустим, хранимая команда осуществляла действие «извлечь число по адресу 786». Фон Нейман заметил, что было бы удобно добавить 1 к 786, чтобы в результате выполнялась команда «извлечь число по адресу 787». Только это и нужно было для работы по длинному списку чисел, хранимых в ячейках 786, 787, 788, 789 и далее, как это часто происходит при больших расчетах. Фон Нейман заложил идею перехода на «следующий» адрес с тем, чтобы его не нужно было выражать в имплицитной форме. Но дальше этого фон Нейман не пошел. По факту он, в действительности, предложил метод, гарантирующий, что команды невозможно изменить никаким другим способом.

Подход Тьюринга был совершенно иной. Комментируя свой принцип модифицирования команд, он писал в своем докладе: «Он дает машине возможность создавать свои собственные команды... Это может быть очень действенно». В 1945 г. Тьюрингу с командой ЭНИАКа пришла в голову идея хранения команд внутри машины. Но она не повлекла а собой следующий шаг — использование того факта, что теперь можно было изменять сами команды в процессе работы машины. И именно эту идею Тьюринг стремился развить теперь.

Эта идея зародилась почти что случайно. Американцы работали над хранением команд внутри машины, так как это был единственный способ достаточно быстрой подачи команд. Алан же просто воспользовался принципом одиночной ленты старой Универсальной машины Тьюринга. Но в обоих случаях не рассматривалась возможность влиять на команды в ходе вычисления. Американцы приняли в расчет эту характеристику только в новом проекте 1947 г. Точно так же, концепция Универсальной машины Тьюринга 1936 г. в рабочем процессе на бумаге не предусматривала изменения «дескриптивного (описательного) числа», которым она оперировала. Эта машина была призвана считывать, декодировать и выполнять таблицу команд, хранимую на ее ленте. Она никогда не стала бы *менять* эти команды. Универсальная машина Тьюринга 1936 г. была сравнима с машиной Бэббиджа в том смысле, что должна была работать с фиксированным набором команд. (И отличалась тем, что этот набор команд (программа) хранился на точно таком же носителе, на каком фиксировались исходные, промежуточные и конечные данные). Так что собственный довод «универсальности» Алана

Тьбринга показал, что машины, похожей на машину Бэббиджа, было достаточно. В принципе не было ничего, что можно было достичь посредством модифицирования команд в процессе работы, чего не могла бы достичь универсальная машина без такой функции. Возможность изменения программы позволяла только *экономить* на командах, но не расширяла теоретический объем операций. Однако эта экономия, как подметил Алан, могла оказаться «очень действенной».

Столь оригинальное восприятие проистекало из самой универсальности машины, которую предполагалось использовать для любого типа «определенного метода», не обязательно арифметического. Импульсы «1101», хранимые в линии задержки, могли не соотноситься каким-либо образом с числом «тринадцать», а воплощать шахматный ход или фрагмент кода (шифра). Либо, даже если машина занималась арифметическими вычислениями, импульсы «1101» могли не представлять «тринадцать», а указывать на возможную погрешность порядка 13 единиц или обозначать тринадцать в представлении чисел с плавающей запятой, либо еще что-либо, по выбору пользователя машины. Алан с самого начала сознавал, что сложение и умножение не сводились к подаче импульсов на вход сумматора или умножителя аппаратного обеспечения. Импульсы нужно было упорядочить, расшифровать, распределить и свести вместе снова сообразно той схеме, по которой они использовались. Особенно подробно Алан рассмотрел вопрос выполнения арифметических задач в формате с плавающей запятой; он показал, что даже простое сложение двух числе с плавающей запятой требует целой таблицы команд. Алан написал несколько таблиц такого типа. Таблица MULTIP, например, имела целью умножение двух чисел, закодированных и хранимых в формате с плавающей запятой, и кодирование и сохранение результата. Его таблицы зиждились на этой «очень действенной» возможности машины самой транслировать с языка ассемблера в машинный язык биты необходимых команд и затем выполнять их.

Но если даже такая простая операция, как умножение чисел с плавающей запятой, требовала набора команд, тогда процедура любого полезного масштаба должна была включать сведение множества таких наборов команд вместе. Алан представлял себе это не как связывание таблиц, а как иерархию, в которой второстепенные таблицы команд, типа MULTIP, обслуживали бы «главную» таблицу. В качестве конкретного примера главной таблицы он привел таблицу под названием CALPOL, задачей которой было вычисление пятнадцатой степени многочлена в формате с плавающей запятой. Каждый раз, когда требовалось произвести умножение или сложение, она должна была задействовать второстепенной таблицы. Осуществление этого процесса вызова и обратной отсылки второстепенных таблиц *само по себе* требовало команд, как видел это Алан:

Чтобы начать выполнение второстепенной операции (подпрограммы), нам необходимо отметить только место, где мы покинули главную программу. Когда второстепенная операция завершена, мы находим это место и продолжаем выполнять основную операцию. Каждая из этих второстепенных операций (подпрограмм) должна оканчиваться командой, определяющей упомянутое место. Вопрос — как скрывать и отыскивать это место? Есть несколько способов. Одни из них — сохранить список таких мест на одной или нескольких линий задержки стандартной длины... самое свежее место сокрытия должно быть в нем последним. Указание на нахождение этого последнего места будет храниться на короткой линии задержки, и эта отсылка будет меняться каждый раз, когда будет начинаться или завершаться второстепенная операция. Процессы сокрытия и отыскания довольно замысловаты, зато, к счастью, отпадает необходимость повторять каждый раз команды; сокрытие производится посредством стандартной таблицы команд BURY [скрыть], а отыскание — с помощью таблицы UNBURY [раскрыть].

Возможно, свое представление о сокрытии и отыскании (раскрытии) Алан почерпнул из истории о серебряном слитке. Это была совершенно новая идея. Фон Нейман рассуждал только в ракурсе проработки последовательности команд.

Концепция иерархии таблиц расширяла возможности модификации программы. Так, например, Алан предлагал «держать таблицы команд в сокращенной форме и развертывать их каждый раз, когда мы захотим» — эту работу выполняла бы сама машина, используя таблицу под названием EXPAND [развернуть, расширить]. Чем дальше он развивал идею иерархии таблиц, тем отчетливей он сознавал, что АВМ можно было бы использовать для подготовки, сопоставления, упорядочения и структурирования своих собственных программ. Тьюринг писал:

Таблицы команд должны создаваться математиками с опытом вычислительной работы и, пожалуй, определенной способностью решать головоломки. Придется проделать большой объем работы подобного типа, поскольку каждое известное действие должно быть на каком-то этапе преобразовано в форму таблицы команд. Эта работа будет вестись, пока создается сама машина, чтобы можно было сразу запустить машину и получить результаты. Отставание в работе по созданию таблиц команд в силу всяких неизбежных загвоздок и затруднений допускается до того момента, когда лучше оставить эти затруднения, как есть, чем тратить время на их устранение (сколько десятков лет на это уйдет?). Этот процесс создания таблиц команд должен быть очень увлекательным. Страшиться его не следует, как, впрочем, и не следует превращать его в рабский труд, так как все процессы, которые по сути своей являются механическими, могут быть возложены на саму машину..

Не удивительно, что Алан расценивал процесс написания программ (таблиц команд), как «очень увлекательный». Ведь он создал нечто очень оригинальное и при том именно свое. Он изобрел искусство компьютерного программирования. Это был полный разрыв со старомодными арифмометрами — о которых он, в любом случае, знал немногое. Они объединяли суммирующие и умножающие механизмы, да еще они заправлялись бумажной лентой, без которых они не работали исправно. Они были машинами для совершения арифметических действий, для которых логическая структура была лишь обременением. АВМ была принципиальной иной машиной. Она задумывалась, как машина, выполняющая программы «каждого известного действия». Акцент делался на логическое структурирование и управление процессом работы, а арифметические устройства добавлялась только ради быстрого доступа к наиболее часто использующимся операциям.

На настольных счетных машинах цифры от 0 до 9 становились видны на регистрах и клавиатуре, и у оператора могло возникать ощущение, будто каким-то образом цифры хранятся в самой машине. В действительности, в них не было ничего, кроме колес и рычагов управления, однако иллюзия присутствия цифр в машине была сильна. Эта иллюзия отличала и большие релейные счетные машины, и машины Эйкена и Стибица, и ЭНИАК. Даже в докладе о машине ЭДВАК сохранялось ощущение, будто импульсы в линиях задержки будут на самом деле числами. Однако концепция Тьюринга несколько отличалась и имела более абстрактный вид. В АВМ импульсы могли восприниматься, как представляющие числа, либо команды. Хотя это все было, конечно, только в уме наблюдателя. Машина работала, как указывал Алан, «не думая», и на самом деле оперировала не числами и не командами, а электронными импульсами. Человек мог «делать вид, будто команда была числом», поскольку сама машина ничего не знала ни об одном, ни о другом. Соответственно, он мог свободно допускать в мыслях соединение данных и команд, управление командами, вводе таблиц команд посредством других команд «высшего порядка».

Причина готовности Алана к применению столь вольного подхода была. С того самого момента, когда Тьюринг впервые задумался о математической логике, он воспринимал математику как игру, в которую играют знаками на бумаге, не считаясь с их «значением» и по правилам, напоминающим шахматные. Такой взгляд Алана на математику подпитывал подход Гильберта. Теорема Геделя бодро смешала «числа» и «теоремы». И в статье *О вычислимых числах* таблицы команд представлялись, как «описательные числа». Его доказательство существования нерешаемых задач опиралось на это смешение чисел и команд на трактовке и тех, и других, как абстрактных символов. Посему это был маленький шаг считать команды (инструкции) и таблицы команд «зерном для помола» на собственной мельнице Алана.

Действительно, коль скоро столь многое в его военной работе зависело от систем индикации, в которых команды умышленно маскировались под данные, пойти на такой шаг ему было вовсе не сложно. Он воспринимал, как очевидное то, что других повергало в конфуз и непонимание.

Такое видение функций АВМ подкреплял также довод об имитации. АВМ не должна была «решать арифметические задачи» так, как их решал бы человек. Она должна была лишь имитировать арифметические действия в том смысле, что при вводе команды, представляющей «67 + 45», можно было гарантированно получить на выходе «112». Но внутри машины не было «чисел», только импульсы. И когда дело дошло до чисел с плавающей запятой, способность Алана проникать в самую суть обрела практическую значимость. Вся суть его разработки заключалась в том, что оператор АВМ получал возможность использовать «вспомогательную таблицу», типа MULTIP, как если бы одна команда «множилась». То есть фактически результатом этого стала бы большее шунтирование и ассемблирование импульсов внутри машины. Но это не играло бы значения для пользователя, который мог работать так, как если бы машина оперировала непосредственно «числами с плавающей запятой». Как писал Алан, «нам надо только однажды придумать, как это сделать, а потом забыть о то, как это сделано». Тот же принцип был применим и к машине, запрограммированной на игру в шахматы: ей следовало бы пользоваться, как если бы она играла в шахматы. На любом этапе «игры» она бы только внешне имитировала действие мозга. Но тогда, кто бы знал, как мозг делал это? Единственно допустимым использованием языка, по мнению Алана, было применение тех же норм, стандартов внешнего проявления к машине, что и к мозгу. На практике люди ведь говорили совершенно некорректно, что машина «решала арифметические задачи»; точно так же они бы говорили, что машина играет в шахматы, обучается или думает, если бы она могла имитировать функцию мозга, совершенно не считаясь с тем, что «в реальности» происходило внутри машины. Так что даже в его технических предложениях скрывалось философское видение, далеко превосходящее амбициозное желание создать машину для решения больших и сложных (арифметических) задач. Но это не помогало ему в общении с другими людьми.

Хотя Алан перенес акцент с конструирования машины на разработку программ, ничего неясного в его инженерных планах по АВМ не было. Линии задержки, писал Алан, были разработаны для целей радиопеленгации до уровня, значительно превосходящего наши требования во многих отношениях. Проекты нам доступны, и один из них замечательно подходит для промышленного производства. Но 20 фунтов стерлингов за одну линию задержки — это довольно дорого.

На самом деле, Алан наведался с визитом в НИИ связи британских ВМС ради встречи с Т. Голдом, занимавшимся там разработкой линий задержки. Алан рассчитывал приобрести две сотни ртутных линий задержки, емкостью 1024 цифры каждая. Однако цифры, размеры, стоимость и выбор ртутной линии задержки для хранения информации не были сняты с полки инженеров-конструкторов радиолокационной техники. Он сам освоил физику. На основании его расчетов ртуть была лишь чуть предпочтительней смеси воды и спирта, по силе действия равноценной, по его представлению, джину. Алан очень хотел использовать джин; это было дешевле, чем использовать ртуть. Однако, он отказался от того, чтобы самому производить опытно-конструкторскую работу. Он хотел, что ее сделали инженеры «Колосса»,, на экспериментально-исследовательской станции Министерства почт. Флауэрс был уже знаком с линиями задержки (в октябре 1945 г. ему показали модель Эккерта).

А о проектировании логических и арифметических схем («LC and CA») Алан писал:

Работа над электронно-ламповым элементом может занять четыре месяца и больше. С учетом того факта, что придется еще выполнить кое-какую работу по конфигурации принципиальных схем, такая задержка может быть оправдана, но приступить к работе следует, как можно скорее....

Ввиду сравнительного малого числа используемых электронных ламп фактическое производство LC и CA не потребует много времени; от силы шесть месяцев.

В докладе уже были представлены проекты множества «принципиальных схем». Алан сделал детальную разработку арифметических схем, воспользовавшись (и расширив) системой обозначения фон Неймана. Наверное, ему было приятно, что его довоенный опыт по проектированию двоичного множительного устройства пригодился. С обращением к опыту из прошлого была связана и другая деталь проекта. Он предусматривал возможность подсоединения, при необходимости, специальных контуров для операций с арифметическими функциями и нулевыми функциями. Эта идея несколько расходилась с принципом максимально активного задействования команд, но он представлялся вполне уместным в случае, если под рукой имелась какая-либо крайне эффективная схема специального назначения. Как, например, в случае с «Бомбами». Там шаги, зависевшие от срабатывания реле, были медленны по электронным стандартам. Тогда как шаги, которые зависели от электрического тока, пропускаемого по внутренней проводке «Энигмы», выполнялись моментально. На выполнение их с помощью таблицы команд на электронной вычислительной машине требовалось бы больше времени. Проект Алана позволял, при желании, идти более коротким, рациональным путем. Но мало кто мог догадаться, что в основе этого лежал его опыт с механическими методами.

Алан также оценивал практические требования проекта в целом:

Трудно строить предположения о зданиях, опираясь на вероятность расширения всего плана в масштабе. Есть множество возможностей, которые было бы целесообразно включить, но которые отвергнуты в силу одной лишь необходимости провести где-то черту. Однако, через несколько лет, когда машина докажет свою полезность, мы наверняка захотим расширить ее возможности, включив новые функции или реализовав лучшие идеи, которые выдвигались при работе над первой моделью. Какой бы величины не решено было строить здание, всегда следует оставлять место для его достройки.

В беседе 1947 г. Тьюринг развил идею о том, как машина должна «доказать свою ценность», обрисовав картину действия машины. Давайте начнем с тех вопросов, которые могут возникнуть у потребителя. В первую очередь встает вопрос о подготовке места, где будет проходить проверка машины с целью изучения ее рабочего состояния и настройки и выполнения процедуры самого простого вычисления.

Алан привел частный пример задачи, а именно численное решение дифференциального уравнения Бесселя. (Это была типичная задача в прикладной математике и инженерии.) Тьюринг объяснил, что таблица команд для вычисления значений функции Бесселя будут уже «лежать на полке», наряду с таблицей, задающей общий порядок действий (общий алгоритм) решения дифференциального уравнения.

Команды для работы будут, таким образом, состоять из значительного числа извлеченных с полки и нескольких, разработанных специально для процедуры, о которой идет речь. Карты команд для рабочих, стандартных операций должны будут быть уже перфорированы, а новые необходимо будет создать специально. После ассемблирования и проверки их всех нужно будет поместить в устройство ввода, представляющее собой просто механизм подачи перфокарт. Их нужно будет поместить в карман для перфокарт и нажать кнопку, запускающую протяжку перфокарт. Следует помнить, что изначально в машине нет команд, а, значит, обычные функции не доступны. Поэтому необходимо четко представлять себе, какие карты должны подаваться первыми. Эти карты с исходными данными всегда должны быть одинаковыми. Их заведение означает установку в машине нескольких ключевых таблиц команд, включая достаточное количество таких, что позволят машине считывать специальный набор карт, подготовленных для выполнения нашей процедуры. А далее возможны различные сценарии действий, в зависимость от способа программирования процедуры. Машина должна довести дело до конца и выполнить процедуру, выдав в перфорированном или напечатанном виде требуемые ответы, остановившись только, когда все будет сделано. Но более предпочтительна такая настройка, чтобы машина останавливалась сразу после введения таблиц команд. Это позволяет убедиться в правильности контента, сохраненного на запоминающем устройстве (носителе информации), и обеспечивает вариативность процедуры. И это удобный момент для паузы. Нам придется делать несколько пауз. Например, нам могут понадобиться некоторые значения параметра, а это — цифры, полученные экспериментальным путем, и тогда будет удобно делать паузу после введения каждого значения параметра, а затем загружать следующее значение параметра с другой карты. Или, например, кто-то захочет поместить в карман все карты, чтобы машина запоминала данные по мере надобности. Каждый волен поступать по своему усмотрению, но каждый должен принять решение.

Эти предложения были в высшей степени практическими и действительно провидческими, предвидящими потребность в гибком взаимодействии оператора и машины. Но, конечно же, он уже увидел будущее, в использовании «Колосса». В другом абзаце рассматривалась возможность использования удаленных терминалов:

...автоматическая вычислительная машина будет выполнять работу примерно за 10 000 вычислителей (людей). Поэтому логично ожидать, что большой объем вычислений, производимых вручную, сведется к нулю. Вычислители (люди) будут и в дальнейшем выполнять на маленьких счетных машинах такие действия, как подстановка значений в формулы, но, если на одно какое-либо вычисление у вычислителя уходит несколько дней работы, то лучше, чтобы его вместо человека выполняла электронная вычислительная машина. Но при этом совсем необязательно будет, чтобы у всех, кто заинтересован в такой работе, имелся компьютер. Целесообразно и возможно будет наладить управление удаленным компьютером с помощью телефонной связи. Для использования на этих удаленных станциях будут разработаны специальные устройства ввода и вывода информации, которые будут стоить, самое большее, несколько сотен фунтов стерлингов.

Алан также осознал требования к компьютерным программистам:

Основной объем работы, выполняемой этими компьютерами, будет состоять из задач, которые невозможно решить путем вычислений вручную в силу их масштабности. Чтобы загрузить машину такими задачами, нам потребуется большое количество способных математиков. Эти математики нужны будут для того для предварительной обработки и оформления задач для вычисления...

И он на самом деле смог предугадать развитие новой отрасли промышленности и занятости:

Очевидно, что возможности просто огромны. Одной из трудностей для нас будет поддержание соответствующей дисциплины, чтобы мы не потеряли нить того, что мы делаем. Нам потребуется энное число эффективных библиотечных типов для поддержания у нас порядка.

Опередив свое время на двадцать лет в своей концепции организации компьютерных узлов, Алан исходил из опыта, полученного в Блетчли-парке. Там работало десять тысяч человек, операторов, и все они составляли *систему,* включавшую отдаленные от центра станции, телефонные коммуникации, элиту, которая преобразовывала задачи в программы, и множество «библиотечных типов». Но он никогда не мог сказать об этом прямо, и никто не мог представить себе картину того, что никогда официально не существовало, так что его анализ был сродни вестям ниоткуда.

Доклад о АВМ был также первым отчетом о спектре применения универсальной вычислительной машины. АВМ была призвана решать «такие задачи, которые решаются трудоемкими усилиями клерков, работающих по строгим правилам и без всякого понимания», сталкивающихся с тем, что из-за размера машин «количество письменных материалов, необходимых на каком-либо одном этапе ограничивается... 50 листами бумаги», а «инструкции для оператора», написанные на «обычном» языке, «объемом с обычный роман». АВМ могла бы решать такие задачи за одну стотысячную долю того времени, которое требовалось «оператору-человеку, решающему свои арифметические задачи без помощи технических средств».

АВМ смогла бы выполнить всю рутинную умственную работу для нужд британского фронта. Огласив такой вывод, Алан заработал себе необычно хороший «политический» балл: в перечне возможных приложений «создание таблиц стрельбы» стояло первым. Это была работа, для которой специально спроектировали ЭНИАК. Затем следовали еще четыре примера практического применения АВМ для вычислений, которые на тот момент требовали месяцы, а то и годы работы за арифмометрами. А еще четыре примера были не связаны с численными вычислениями; они отражали более широкий взгляд Алана на сущность компьютера, опыт и спектр интересов Тьюринга.

Первым значился компьютер, интерпретирующий специальный, предметно-ориентированный язык для описания электрических проблем:

Учитывая сложную электрическую цепь и характеристики ее компонентов, можно было бы рассчитывать ответы на действие входных сигналов. С этой целью можно было бы легко разработать стандартный код для описания этих компонентов, а также код для описания связей.

Это бы означало автоматическое решение таких задач расчета и моделирования электрических схем, за которыми Алан проводил в Хэнслопе целые недели. Второй пример применения был более прозаическим:

Для подсчета количества мясников, должных демобилизоваться в июне 1946 г., по картам, приготовленным на основании армейских списков.

Машина — писал Алан — «отлично справилась бы с этим делом; только не подходящее оно для нее. Скорость, с которой это можно было бы сделать, ограничивалась бы скоростью прочитывания карт. Такую работу может и должно делать с помощью обычной счетной машины Холлерита».

Это был не столько доклад, сколько план кампании, в котором тактические и стратегические идеи грудились на бумаге так же тесно, как и в уме Алана Тьюринга. Перспектива создания электронного «мозга» представлялась столь же фантастической, как и путешествие в космос, и этот доклад был сродни объяснению колонизации Марса. Наивный, разговорный стиль не был рассчитан на то, чтобы понравиться руководству, а детализация изложения материала явно превышала потенциал его усвоения. Никто не горел желанием ни прорабатывать примеры программ или коммутационные схемы, ни разрешать плохо сформулированный парадокс машины «без разума» и, тем не менее, «демонстрирующей интеллект». Даже Хартри посчитал это слишком сложным.

Хотя и не датированные, «Предложения по созданию АВМ» были закончены к концу 1945 г., явив собой поразительный всплеск энергии. Он был представлен Уомерсли, который направил служебную записку Дарвину и предварительный доклад к заседанию исполнительного комитета, намеченному на 19 февраля 1946 г. Уомерсли быстро оценил возможности, сулимые универсальной машиной. И надо отдать ему должное: несмотря на свою интеллектуальную ограниченность, подмеченную Аланом и другими математиками, Уомерсли привел весьма удачную аргументацию в защиту того, что он назвал «одной из лучших сделок, когда-либо заключенных Управлением научных и промышленных изысканий». «Возможности, скрывающиеся в этом оборудовании, настолько огромны, что даже трудно изложить практическую сторону вопроса.... настолько фантастической она может показаться...» оптика, гидравлика и аэродинамика могли бы быть «революционизироваться», претерпеть поистине коренные изменения; промышленность пластмасс могла бы «продвинуться вперед так, как сегодня, с нынешними вычислительными ресурсами просто не представляется возможным». Уомерсли заявил, что «машина успешно справится» не только с таблицами стрельбы, уже упомянутыми Аланом (проблемы, на разработку которой существующим Математическим отделом требовалось по расчетам три года), но и с «проблемами теплоотдачи в неоднородных субстанциях, либо в субстанциях, в которых происходит непрерывная генерация тепла» — по сути, со взрывами старыми и новыми. Уомерсли также заявил, что «обещанная поддержка капитана 3 ранга, сэра Эдварда Трэвиса из министерства иностранных дел будет бесценна».

Коснувшись теоретической стороны вопроса, Уомерсли подчеркнул, что «это устройство не является вычислительной машиной в обычном смысле слова. Оно не нуждается в ограничении своих функций арифметическими вычислениями. Ему по силам также алгебраические задачи. Не обошел молчанием Уомерсли и политической стороны вопроса: он обратил внимание на крупные суммы, уже потраченные в Америке на машины, возможности которых АВМ далеко превосходит. И с ловкостью тонкого дипломата, он указал на преимущество, которое появится у Национальной физической лаборатории Британии, если в ней будет смонтирована такая машина:

...мы в этой стране и, в частности, в этом отделе можем внести уникальный вклад в мировой прогресс. Я могу сказать совершенно определенно, что в *применении* такого оборудования мы будем намного более изобретательны и хитроумны, чем американцы... Все машины США находятся в электротехнических отделах. В нашем отделе машина будет в руках пользователей, а не производителей...

Обсуждение этого визионерского сотрудничества британских мозгов и рук было отложено до заседания исполнительного комитета 19 марта. На этот раз Алана пригласили принять в нем участие, и после того, как Уомерсли в своей обескураживающе пугающей манере представил его, как «эксперта в области математической логики», он приложил все усилия, чтобы объяснить архитектуру и действие АВМ, как можно, проще. Это был предельно ясный доклад, который Алан начал со слов:

Поскольку нужно было добиться высокой скорости вычислений, необходимо было производить все операции автоматически. Но огромной скорости выполнения арифметических операций, обеспечиваемой электронной машиной, недостаточно. Необходимо было также обеспечить передачу данных (чисел и т.п.) с одного элемента на другой. А эта цель обуславливала еще два требования: «хранилище» или «память» для чисел и средства для ввода команд, обеспечивающего выполнение машиной нужных операций в нужном порядке. В связи с этим перед нами стояли четыре задачи — две конструкторские и две математического или смешанного толка.

Задача (1) (Конструкторская) Обеспечить подходящую систему хранения данных (систему памяти).

Задача (2) (Конструкторская) Обеспечить высокоскорост-ные электронные переключающие устройства.

Задача (3) (Математическая) Разработать схемы для АВМ, построив цепи из системы хранения данных и пере-ключающих устройств, описанных в п. 1 и 2.

Задача (4) (Математическая) Произвести разбивку рабо-чего задания АВМ по элементам... Разработать таблицы ко-манд, преобразующих элементы рабочего процесса в форму, понятную машине.

Сформулировав эти четыре задачи, д-р Тьюринг сказал, что система хранения (система памяти) должна быть как *эконо-мичной,* так и *доступной.* В качестве примера высоко эконо-мичной, но при этом недоступной системы, он привел ленту те-леграфного буквопечатающего аппарата. Она давала возмож-ность хранить около десяти миллионов двоичных цифр всего за 1 ф.ст., но человек мог потратить несколько минут на развер-тывание ленты в поисках одной единицы информации. А вот триггерные схемы, включавшие электронные лампы, являли собой пример высоко доступной, но крайне неэкономичной формы хранения данных; искомое единицу информации можно было найти в течение микросекунды и даже быстрее, но за 1 ф.ст. можно было сохранить только один или два бита. Требо-валось компромиссное решение. Одной из подходящих систем виделась «акустическая линия задержки», которая обеспечи-вала хранение 1000 двоичных цифр, или битов, ценою в не-сколько фунтов стерлингов, а вся требуемая информация был доступна в течение миллисекунды.

Увы, возбужденно объясняя комитету принцип действия линии задержки, Алан быстро забылся и начал сыпать тех-ническими терминами, и его выступление прервали даже еще до того, как он успел затронуть вопрос о разработке «таблиц команд». А посему Дарвин был настроен скептичес-ки, и небеспочвенно.

Глава комитета поинтересовался, что произойдет, если машине зададут команду решить уравнение с несколькими корнями. Д-р Тьюринг ответил, что регулятору нужно будет учесть все возможные варианты, так что создание программ-ных команд — дело «кропотливое».

Хартри поспешил прийти ему на помощь, приведя довод, апеллировавший скорее к послевоенному патриотизму, нежели к науке:

... Она [АВМ] требует всего 2000 электронных ламп против 18000 ЭНИАКа, а емкость ее «памяти» составляет 6000 чисел в сравнении с 20 числами «памяти» ЭНИАКа.... Если АВМ не будет создана в нашей стране, США прехватят инициативу... наша страна показала большую гибкость, по сравнению с американцами, в использовании аппаратуры для решения математических задач. Хартри призвал признать приоритетное значение проекта Алана перед уже существующим предложением по созданию большого дифференциального анализатора.

Эта действительно дальновидная и великодушная рекомендация исходила от человека, который потратил большую часть своего собственного времени и сил на разработку дифференциального анализатора. Это была чистая победа цифрового подхода над аналоговым. Хартри, конечно же, видел почти уже готовый ЭНИАК и мог видеть «Колосс» по окончании войны. И он был человеком отзывчивым и готовым помочь, с развитым духом сотрудничества.

Все еще не убежденный, Дарвин спросил, можно ли будет использовать машину для других целей, если она не оправдает всех надежд д-ра Тьюринга. Это будет зависеть главным образом оттого, какая часть машины не будет действовать, — ответил Алан . Но, в общем и целом, он уверен, что машина сможет послужить многим целям.

Судя по всему, он призвал себе на помощь все свое терпение, и, только стиснув зубы, наблюдал за попытками Дарвина понять принцип универсальности. Потом Уомерсли вынес на обсуждение вопрос, не игравший никакой роли в докладе Тьюринга — об *опытном образце* машины.

А затем члены комитета заговорили о возможной стоимости машины. Уомерсли сказал, что опытный образец может быть построен где-то за 10 000 ф.ст., и все согласились, что на этом этапе точно оценить общую стоимость целой машины невозможно.

На смету капитальных расходов, предварительно прикинутую Аланом, большого внимания не обратили. Уомерсли сказал, что затраты могут превысить ее в четыре или пять раз. На самом деле, членов комитета, похоже, раздражило и раздосадовало, что Алан нарушил демаркационную линию, самовольно вторгшись в административную сферу. Тем более, что он расписал смету так, как будто мог сам обойти магазины и купить нужное оборудование. Комитет предпочел заслушать рекомендации, особенно представителей министерства снабжения, курировавшего все военные контракты.

Затем комитет тайным голосованием принял решение поддержать предложение о разработке и строительстве Математическим отделом автоматической вычислительной машины такого типа, как предложил д-р А. М. Тьюринг, и глава комитета согласился обсудить финансовые и прочие аспекты проекта с главным управлением.

Алан Тьюринг затаил большую и острую неприязнь к заседаниям и совещаниям такого рода, обидевшись на то, что решение на нем было принято не в силу ясного понимания его идей, а по причинам политического и управленческого свойства. Доклад, который он представил, оказался на поверку малозначимым для членов комитета: главное, что-то написано на бумаге, а что именно — не так уж и важно. Однако сэр Чарльз Дарвин начал действовать, нисколько не мешкая, Уже 22 февраля он написал[8] в министерство почт об этой «электронной математической машине новейшего типа, которая обещает значительно превзойти по всем параметрам все, что было создано где-либо прежде».

В общих чертах, ее действие строится на принципах, разработанных нашими сотрудниками во время войны для одного проекта министерства иностранных дел, и мы хотим воспользоваться этим, заручившись [вашей] поддержкой... в особенности м-ра Флауэрса, имеющего некоторый опыт в разработке электронной части проекта.

Первый ответ из министерства почт был обнадеживающим, и 17 апреля Дарвин смог представить в консультативный совет Управления научных и промышленных изысканий убедительный план действий, показавший, что он к тому моменту уже упорядочил все основные идеи:

...Возможность создания новой машины наметилась в написанной несколько лет назад статье д-ра А. М. Тьюрингом, когда он показал, какой широкий спектр математических задач можно решить (теоретически, по крайней мере), установив правила и представив машине делать все остальное. Ныне Д-р Тьюринг работает в штате Национальной физической лаборатории и является ответственным за теоретическое обоснование данного проекта, а также за разработку множества аспектов, имеющих более практическое значение.

Дарвин привел три примера больших вычислений, которые машина могла бы выполнять, и пояснил:

Готовая машина будет, конечно, стоить дорого; по расчетам, на ее создание может потребоваться свыше 50 000 ф.ст., если не в два раза больше. На первых порах можно построить меньшую по величине машину, сохраняющую все основные характеристики, примерно за 10 000 ф.ст. Но ее главная функция сведется к выявлению тех деталей проекта, которые не возможно спроектировать без испытаний на практике, а ее сфера применения будет ограничена самоцелью конструирования ради этих испытаний. А они включают проработку линий задержки и триггерных схем, и эта часть работы будет проведена в министерстве почт, где имеются все условия и специально обученный персонал, в сотрудничестве с д-ром Тьюрингом и его помощниками...

Маленькая машина не будет миниатюрной заменой большой машины, но станет впоследствии частью полномасштабной машины. Есть надежда, что целая машина будет собрана за три года... Предлагаем приступить к делу немедленно и в порядке первостепенной важности к проектированию и конструированию этой предварительной версии машины. И, если она оправдает ожидания, это будет наглядным обоснованием для выделения больших средств на создание настоящей действующей машины. С учетом ее скорости работы и легкости, с которой она может переключаться с решения задач одного типа на задачи другого типа, вполне вероятно, что одной машины окажется вполне достаточно, чтобы решить все задачи, заданные ей со всей страны...

Дарвин запросил на «маленькую машину» 10 000 ф. ст. в текущем финансовом году. 8 мая 1946 года Управление научных и промышленных изысканий одобрило его заявку и заверило —в случае, если «маленькая машина» оправдает ожидания, оно поддержит заявку на выделение средств в сумме до 100 000 ф. ст. на создание полномасштабной машины. 15 августа Казначейство санкционировало выделение 10 000 ф.ст., хотя, по стандартной процедуре, отказалось от дальнейших обязательств. Между тем еще 18 июня Национальная физическая лаборатория по собственной инициативе направила письмо в министерство почт с просьбой произвести разработку линий задержки. Проект АВМ сдвинулся с места. Сегодня, наверное, такая оперативность навевает ассоциации с ударными пятилетками, и все же не следует забывать, что речь шла о машине, призванной решать все задачи, заданные ей целой страной! Наследие тотальной войны и захвата общей системы связи теперь можно было направить на создание совершенной универсальной машины.

Написав доклад, Алан продолжил усовершенствовать свой проект и писать «таблицы команд» для машины на бумаге. И получил даже помощь, поскольку Дарвин решил, что «в порядке первостепенной важности» можно подключить к проекту еще двух научных сотрудников. Первым из них был Джеймс Харди Уилкинсон, блестяще закончивший Тринити-колледж при Кембриджском университете в 1939 г. и к тому времени посвятивший шесть лет численному анализу диапазона воздействия взрывчатых веществ. И не кто иной, как Чарльз Гудвин разыскал его, чтобы пригласить в Национальную физическую лабораторию для работы в той же области численного анализа. Но, когда Уилкинсон посетил лабораторию для ознакомления, Алан рассказал ему о волнительном проекте АВМ. И именно АВМ подтолкнула его к решению остаться на государственной службе и не возвращаться к «чистой» математике Кембриджа. Было условлено, что он будет совмещать работу на арифмометрах для Гудвина с работой над АВМ. Такое положение было чревато возможными трениями внутри отдела, но, к счастью, Джеймс Уилкинсон оказался невероятно спокойным и дипломатичным человеком, он присоединился к Алану 1 мая 1946 г. Второй помощник подключился чуть позже; им стал молодой Майк Вуджер, сын специалиста в области теоретической биологии и философии науки Джозефа Генри Вуджера. Майка сразу же привлекла концепция универсальной машины Тьюринга. Но, к несчастью, попрактиковавшись на настольных вычислительных машинах в июне, он заболел инфекционным мононуклеозом и оказался не у дел до сентября.

Майк Вуджер был в лаборатории, когда в июне объявили о награждении Алана. За свои заслуги в военное время он был представлен к ордену Британской империи — обычного знака отличия для гражданских служащих такого ранга, какой уже был у Тьюринга. Документы о присвоении ордена были помещены на дверь его кабинета, что привело Алана в бешенство — возможно, потому что он не хотел, чтобы его расспрашивали, за что он удостоился такой награды, а, быть может, из-за абсурдности рекламирования такого признания. Король тогда был болен, и медаль ордена Британской империи с надписью «За Бога и империю» Алану прислали по почте. Он убрал ее в свой ящик для инструментов.

Уже к маю, когда Джеймс Уилкинсон подключился к работе над проектом ABM, прорабатывалась версия V. Ее единственное отличие заключалось во включении технического обеспечения условного ветвления. Эту версию быстро сменили переходная версия VI, а затем версия VII. К тому моменту Алан уделял больше внимания скорости работы машины (по сравнению с исходной концепцией, изложенной в докладе) за счет расширения аппаратного обеспечения. В версии VII было добавлено достаточно технических средств и стало возможным, чтобы одной командой достигалось выполнение всей арифметической операции, с извлечением двух чисел из памяти, сложением их и вводом результата обратно в память. И снова ради быстроты работы возникла необходимость запрограммировать команды управления так, чтобы выход каждой команды со своей линии задержки происходил по возможности в тот момент, когда завершалось выполнение предыдущей команды. Поскольку для выполнения различных операций требовалось разные промежутки времени, создание таблиц команд превратилось в сущую головоломку. И опять же ради скорости было принято решение о том, что каждая команда должна конкретизировать, какую команду «голова» воспримет следующей, и отвергнута идея о естественном потоке последовательности команд, подаваемых с периодическими интервалами. Увеличилась и длина командных слов с тридцати двух до сорока импульсов, что также потребовало расширения аппаратного обеспечения. В версии VII каждая такая операция занимала сорок микросекунд, но затем требовалось еще сорок микросекунд, чтобы ассемблировать следующую команду в цепи управления. И снова ради быстроты работы Алан надумал исключить этот период посредством дублирующей части оборудования с тем, чтобы ассемблирование каждой команды можно было произвести во время выполнения последней команды.

Это полностью соответствовало тезису его доклада: поскольку опыт появится с написанием таблиц команд, ему придется модифицировать элементы системы аппаратного обеспечения. И это также согласовывалось с тем, что ему придется пожертвовать простотой конструкции ради большей скорости работы машины. Тем не менее, ожидать в скором времени сборки действующих компонентов ему не приходилось; «таблицы» на бумаге предназначались для реальной машины, а не для теоретических изысканий.

А в этом плане разработки продвигались далеко не быстро. Проект АВМ сдерживала одна труднопреодолимая проблема. Хотя в НФЛ имелся радиотехнический отдел, в нем не было ни одного инженера-электронщика, способного не то, что реализовать, а просто оценить идеи Алана. Еще в декабре 1944 г. Уомерсли сказал исполнительному комитету, что планы новых машин «могут быть осуществлены только в результате кооперации отдела и определенных промышленных организаций — возможно, на основе контрактов на проведение опытно-конструкторской работы». Но для того, чтобы сделать такую кооперацию возможной, не было предпринято ровным сетом ничего. Была вероятность договориться с фирмой «Инглиш Электрик», с которой у Дарвина были налажены контакты, о выпуске промышленного образца машины. Директор этой фирмы, сэр Джордж Нельсон, присутствовал на мартовском заседании исполнительного комитета. Но кто займется непосредственно опытно-конструкторской работой, так и не было ясно. И это сильно подрывало уверенную надежду, выраженную в докладе Алана, о возможности выпуска оборудования для системы логического управления в течение шести месяцев.

Другая проблема крылась во внутренней структуре НФЛ. В Хэнслопе Алан с удовольствием работал сообща с Доном Бейли; они оба полагали свой опыт и умения во благо общему делу. В этом смысле проект «Далила» был хорошей практикой. И Алану, безусловно, хотелось продолжать работать в таком же ключе, пусть и над более крупным проектом. (Он туманно намекал, чтобы Дон самолично приехал в НФЛ, но тот не мог освободиться раньше февраля 1947 г.; к тому же, Дон считал себя чем-то большим, чем «король усилителей», который, по словам Алана, был так ему нужен.)

Однако Национальная физическая лаборатория не поощряла подобного *ad hoc*, неофициального сотрудничества. Ее принцип разделения труда строился на четком разграничении мозга и рук, умственной и физической работы. Алану была отведена роль разработчика-теоретика, не требующей, чтобы он что-либо понимал в практическом конструировании. Бюрократические устои НФЛ зиждились на необходимости заполнять множество разных заявок и требований для получения разрешения на использование оборудования. Но, что еще хуже, послевоенный хаос, сильно смахивавший на «черный рынок» излишков военных материалов, требовал проявления спекулянтской сноровки в поисках аппаратуры любого типа. По этим причинам заполучить в ближайшей перспективе инженеров, способных создать нужные схемы, было нереально, как было нереальным для Алана осуществлять самоличное руководство практическими опытами.

Проект АВМ столкнулся и с еще одним затруднением общего свойства, аналогичным тому, что сопровождало появление сообщений об «Энигмы» в 1940 г. Весь арсенал своих идей, накопленных за десяток лет, Алан преподнес на блюдечке организации, чурающейся новаторства. В 1940 г.

криптоаналитики наивно полагали, что правительство сможет быстро и эффективно воспользоваться дешифрованными сообщениями. На самом же деле, потребовалось два года болезненной адаптации, прежде чем это произошло, даже под прессингом войны. И вот теперь опять «неисчерпаемое изобилие» проекта АВМ требовало перемены отношения. Но прецедента для этого не возникало, и несмотря на то, что управленцы понимающе обсуждали проблему, ясного представления, как нужно действовать, ни у кого не было. Традиции внедрения важных инновационных разработок в НФЛ не было, и проект АВМ отчетливо высветил консервативный и негативный характер учреждения. И, как в 1941 г., Алан раздражала и напрягала организационная инерция, ему совершенно непонятная.

Не мог он, похоже, понять и того, что в 1946 г. уже не стоило рассчитывать на сохранение за Блетчли-парком высокой приоритетности, которой он в войну, равно как и патриотичной готовности других организаций пожертвовать своей независимостью, типичной в военное время. Так, например, в Доллис-хилле не приходилось сомневаться в компетентности инженеров «Колосса», но его директор Рэдли не придавал большого значения работе над линиями задержки для НФЛ. Министерство почт сосредоточилось на решении своих собственных многочисленных задач, нерешенных или отложенных из-за войны. И ни более высокие руководящие инстанции, ни национальная политика не координировали теперь приоритеты различных государственных учреждений. Алан и Уомерсли нанесли официальный визит в Доллис-хилл 3 апреля 1946 г., и после этого работа началась — но совершенно бессистемная, с перспективой возможного, но не поддающегося прогнозированию отставания и довлеющим чувством неуверенности в правильности пути.

Алан писал в своем докладе о возможности использования электронно-лучевых трубок, как совершенно иного типа системы хранения данных. И, вероятно, по его подсказке, Уомерсли направил 8 мая 1946 году в НИИ дальней связи запрос о целесообразности исследования в институте применения таких трубок для хранения данных, пояснив: это помогло бы «найти и даже усовершенствовать подходящую альтернативу ртутной линии задержки, которую мы в настоящее время намереваемся использовать в нашей автоматической вычислительной машине». Последовавший ответ не был обезнадеживающим, и 13 августа Дарвин смог написать сэру Эдварду Эпплтону в Управление научных и промышленных изысканий:

Как я говорил вам, Уомерсли съездил в НИИ дальней связи, чтобы узнать, могли бы они сделать какую-нибудь работу, связанную с АВМ. По его мнению, шанс есть и, похоже, самый перспективный. И я полагаю, что нам следует двигаться дальше в этом направлении. Их план работ выглядит убедительным, и, по моему заключению, с этой работой отлично бы справился Ф. К. Уильямс, он любит этим заниматься. Так что перспектива действительно есть. Я кляну себя за то, что раньше не подумал о таком варианте.

Насчет того, что будет дальше, Уомерсли стал деликатно прощупывать, как у нас обстоят дела с министерством почт. Они готовы помогать нам, и это было бы очень хорошо, но они явно не склонны слишком сильно углубляться в суть дела. Так что надо будет также согласовать первоочередные задачи с НИИ, и при необходимости я приложу для этого все усилия. Ведь у нас есть отличный шанс обогнать Америку.

Ф. К. Уильямс был одним из ведущих специалистов по электронике в НИИ дальней связи и горел энтузиазмом — не потому что интересовался вычислительными технологиями, а потому что истово стремился найти в мирное время применение знаниям и навыкам в области электроники, наработанным в радиолокации в годы войны. В этом поиске он руководствовался своим собственным мнением, и перед ним стоял выбор, идущий вразрез с «усилиями» Дарвина. Этот выбор был связан с Манчестером.

Ньюман покинул Блетчли, чтобы преподавать чистую математику в Манчерстерском университете, и забрал с собой Джека Гуда и Дэвида Риса в качестве младших преподавателей. (Рис был еще одним выпускником кембриджского курса с дипломом магистра математики, который в декабре 1939 г. появился в хижине Уэлчмена, а позднее вошел в отдел Ньюмана.) Отказавшись от лекторства в Кембридже в пользу места в Манчестерсском университете, Ньюман последовал примеру Блэкетта, тогда преподававшего физики. Вместе они составляли грозную команду — такую, что не понимала, почему Дарвин должен монополизировать сферу электронных вычислительных машин. Как первый читатель статьи «*О вычислимых числах*» и соавтор «Колосса», Ньюман не хуже других сознавал потенциал компьютерной техники, и, если ему и недоставало эмоциональной веры Адана в «создание мозга» и личного опыта по сборке компонентов в единое целое, он компенсировал это большей искушенностью в искусстве возможного.

В письме фон Нейману от 8 февраля 1946 г. Ньюман пояснял:

Я надеюсь приступить здесь к работе над частью вычислительной машины; в последние два—три года электронные устройства такого типа неустанно будоражили мой интерес. Примерно 18 месяцев назад я решил попробовать свои силы в запуске машины. На самом деле, одной из причин моего приезда в Манчестер было то, что положение дел здесь более благоприятно в некоторых смыслах. Это было до того, как я узнал о работе американце или о планах создания машины в Национальной физической лаборатории. Впоследствии я узнал от Хартри и Флауэрса о разных американских машинах, существующих и проектируемых.

Как только проект НФЛ был запущен, возник вопрос, а нужна ли еще одна машина. Я полагал, что здесь, как и в остальных областях техники, нужно проводить фундаментальные исследования, не думая о промышленном производстве...

По мнению Ньюмана, стоило уделять внимание математическим задачам совершенно иного сорта, чем те, с которыми пока что справляются машины, например, проверке теоремы о четырех красках или различных теорем о решетках, группах и т.п...

Он пояснил:

Как бы там ни было, я подал в Королевское общество заявку на выделение мне гранта — достаточного для старта. Я, конечно, поддерживаю тесный контакт с Тьюрингом. Обсудив вопрос с ним и выслушав Хартри и Флауэрса, я пришел к выводу что, если мы решим заниматься «математическими» задачами здесь, в указанном смысле, нам следует быть готовыми к работе со значительно меньшей памятью, хотя я и просил Королевское общество приготовиться к чему-то чрезвычайно солидному.

Ньюман рассчитывал использовать грант на покрытие капитальных расходов и выплату заработной платы сотрудникам в течении пяти лет. Королевское общество учредило комитет для изучения заявки на грант в составе Блэкетта, Дарвина, Хартри и двух чистых математиков, Ходжа из Кембриджа и Уайтхеда из Оксфорда. Дарвин выступил против на том основании, что АВМ должна была служить потребностям страны. Уомерсли выразил озабоченность тем, Ньюман отстранит Флауэрса от АВМ. Но ее никто не разделил, поскольку было решено, что Ньюман будет вести проект «другого типа машины». 29 мая Казначейство выдало Ньюману 35 000 ф.ст. То, что его предложение, как «фундаментальная наука», оказалось в сфере деятельности Королевского общества и не конфликтовало с Центром научных и промышленных изысканий, было очень разумно. Это значило, что снова повеяло удивительным дыханием математической чистоты и невинности, когда развития вычислительной техники не диктовалось необходимостью вооружения страны.

Впрочем, проволочек с продвижением проекта было еще много. Целая череда событий, при рассмотрении которых может создаться впечатление, будто руководство Национальной физической лаборатории вовсе не стремилось «создавать мозг». Между делом Алан провел несколько экспериментов в подвале Телингтон-хилла и съездил на пару недель в Принстон. Идеи американцев его не впечатлили, и он продолжил развивать свой проект.

Наконец, 18 августа 1947 г. был дан официальный старт созданию АВМ.

Уомерсли, сообщавший Дарвину о том, что АВМ будет полностью завершена к началу 1950 г., был удовлетворен. В теории АВМ все еще оставалась проектом огромной государственной важности. На практике же вышло, что НФЛ почти преуспела в его низведении до бюрократических размеров.

В июле и августе 1948 г. Алан закончил свой доклад для НФЛ, в котором почти в разговорном стиле, отражающем полемические обсуждения его идей, преимущественно в Блетчли, утверждалась идея Тьюринга о «разумной машине». Это было фактически описание мечты, царившей в Блетчли-парке, и одновременно обзор, почти в ностальгическом духе, его собственной жизни. А ключевым моментом его предложений, прозвучавших в докладе , стала идея *обучения* машины ради улучшения ее «поведения» до уровня *разумного*. Главным было то, что Алан начал всерьез размышлять о природе человеческого разума и о том, как и чем он отличался от машинного.

А 21 июня 1948 г. в Манчестере запустили первую программу первого в мире действующего цифрового компьютера с памятью. Алан узнал о том, списавшись с Уиильямсом. Дарвин только рассуждал о «труднопреодолимых математических трудностях», а в Манчестере с ними справились и выпустили компьютер за спиной Дарвина. Его система памяти строилась на использовании электронно-лучевой трубки, разработанной Уильямсом, и вся память вмещала всего 1024 двоичные цифры.

По осени Алан отправился в Камберленд с роскошным подарком — на свадьбу Боба, состоявшуюся 2 октября. А затем поехал в Манчестер налаживать свою новую жизнь — там, в университете его ждало место (Королевское общество еще 21 мая согласилось на выплату ему заработной платы из их гранта для Ньюмана, а 28 Алан Тьюринг отписал в университет о своей готовности принять их предложение и уволился из НФЛ). Планы Алана были расстроены, но эпоха планирования, если она когда-либо вообще существовала, теперь и сама подошла к концу.

Глава 7

Зеленое дерево

Незримые всходы, бесчисленные, скрытые верно

Подо льдом и снегом, во мраке, в каждом квадратном или кубическом дюйме,

Отборные, в самом зачатке, в нежных пленках, мельчайшие, нерожденные,

Как дети в чревах, спрятанные, спеленутые, спящие, сжавшиеся;

Биллионы биллионов и триллионы триллионов их в ожидании

(В земле и в море — вселенные их — как звезды там в небесах),

Они пробуждаются медленно, неизбежно, в бесчисленных формах,

В вечном предчувствии большего, нежели было до них.

В мае Алан Тьюринг согласился работать в Манчестерском университете, но он даже не догадывался о тех изменениях, которые произошли там с того времени. Тьюринга назначили заместителем директора "Вычислительной лаборатории королевского общества". Директором лаборатории должен был стать Ньюман, а спонсором — Королевское общество. Но к октябрю стало ясно, что Ф.К. Уильямсу не нужны ни лаборатория, ни Королевское общество.

С развитием электронного оборудования немаловажным фактором было то, что изобретательность Уильямса подкреплялась его теплыми отношениями с руководством Научно-исследовательского института дальней связи. Ему позволяли использовать оборудование института и предоставили двух ассистентов. Первым был Т. Килберн — молодой инженер, который получил диплом математического факультета в Кембридже. Через некоторое время к нему присоединился Д. Тутилл, который окончил Кембридж в тот же неспокойный военный год, что и Килберн.

Первые шаги в разработке алгоритмов принадлежат Ньюману.

Он объяснил принцип хранения чисел и программ, что по словам Уильямса заняло около получаса, и выступил в поддержку дизайна фон Неймана. В конце 1947 года планы Уильямса и его двух ассистентов начали очень быстро развиваться. Перспектива математических трудностей не пугала ученых, они, как говорил Уильямс, «действовали быстро, чтобы не было слишком много времени на раздумья». В результате у них получился крошечный компьютер, о существовании которого Алан узнал летом. Память машины состояла всего лишь из одной электронно-лучевой трубки.

Электронно-лучевая трубка имела преимущество над ртутной линией задержки хотя бы потому, что исключала эти самые задержки. В сущности, это была обычная деталь оборудования, которая не требовала даже точного машиностроения и котрую можно было купить в магазине. На практике это достоинство несколько омрачалось тем, что у большинства таких трубок было слишком много помех на мониторе, чтобы их можно было использовать. Но такая доступность все же одержала верх, и проект сдвинулся с мертвой точки.

На самом деле устройство работало не так уж и быстро — ему требовалось 10 микросекунд на чтение однозначного числа, в то время, как ACE (автоматическая вычислительная машина), использовавший линии задержки, справлялся за одну. Но такая задержка компенсировалась тем, что информация на трубках была доступна сразу и не нужно было ждать, пока линия задержки ее передаст. Алан сравнил это с листами бумаги, которые разложены на столе под лампочкой — каждое слово или символ становится видимым, если сфокусировать на нем взгляд.

Сначала электронно-лучевая трубка могла хранить 2048 ячеек памяти, периодически их регенерируя. Но потом количество снизили до 1024. Они были распределены на 32 слова, каждое из которых состояло из 32 разрядов. Каждое слово представляло собой число или команду. Вторая электронно-лучевая трубка хранила команды, которые выполнялись на данный момент, и их адреса. Третья работала как аккумулятор для арифметических операций. Это была одноадресная машина, где для каждого действия была своя отдельная команда. Порядок работы полностью отличался от того, который был разработан для ACE. Как бы то ни было, арифметика здесь была сведена к минимуму. Главным было показать, что операции копирования и вычитания вообще возможно проводить с простой системой условного ветвления. Если бы работа Национальной физической лаборатории Великобритании (НФЛ) была завершена, то устройство Хаски было бы куда более совершенным, чем это. На практике Манчестерский компьютер представлял собой ужасный беспорядок из стоек, лампочек и проводов, три экрана светились в темноте комнаты с грязной коричневой плиткой. Уильямс с восторгом называл это «поздним туалетным стилем».

Пожалуй, эти слова лучше всего описывают запоминающее устройство на основе электронно-лучевой трубки. Однако и этого было достаточно. Вот, как Уильямс описывал день своего триумфа:

«Когда приготовления закончились, мы тщательно ввели программу и нажали кнопку «Старт». Точки на дисплее тут же пустились в сумасшедший пляс. Во время первых испытаний это всегда была пляска смерти — она не приносила нам никаких полезных результатов. Но что самое страшное так это то, что не было никаких подсказок, в чем могла быть ошибка. Но однажды этот танец наконец прекратился, и перед нами засиял долгожданный ответ.

Это случилось 21 июня 1948 года. Килберн написал первую программу для ЭВМ с электронной памятью. Машина умела находить наибольший делитель для целого числа, перебирая по очереди все простые числа, которые меньше его самого.

После этого уже ничто не было таким, как прежде. Мы знали, что теперь нужны только время и силы, чтобы сделать следующую, более значительную по размерам машину. И тогда мы решили взять еще одного специалиста, чтобы удвоить наши усилия».

Как раз тогда Килберн в разговоре с Тутиллом упомянул, что «приезжает парень по имени Тьюринг, который он написал программу».

К тому моменту Уильямс уже знал про Алана, поскольку тот работал в Национальной физической лаборатории. Килберн кое-что о нем слышал, а Тутилл, который ничего не знал про Тьюринга, работал с его программой и, к своему удивлению (или самодовольству) выяснил, что она не только не была эффективна, но и содержала ошибку.

В Манчестере у них была машина, которая работала, и это значило куда больше, чем впечатляющие или даже гениальные планы. Для Алана это значило, что, пока он был в отпуске, Манчестерский университет поменял свои намерения из политических соображений. В июле сэр Генри Тизард, главный научный советник Министерства обороны, увидел машину и признал, что она имеет национальное значение. Он заявил, что нужно как можно быстрее продолжить ее развитие, чтобы страна осталась лидером по производству больших вычислительных машин, несмотря на то, что в США в подобные проекты вкладывают огромные силы и средства. Он обещал исследователям полную поддержку во всем.

Это многое значило для инженеров, но не имело ничего общего с «фундаментальными математическими исследованиями», которыми собирался заниматься Ньюман, и с грантом, который ему для этого предложило Королевское общество.

То, что Тизарда устроила такая ситуация, никого не удивило. В 1948 году он поддержал идею создания атомного оружия в Великобритании (хотя уже через год поменял свое мнение, заявив, что Британия перестала быть великой державой). Правительство потратило около 100 тысяч фунтов, и эти торопливые, почти панические движения сильно контрастировали с величественным движением науки в НФЛ. Это куда больше относилось к событиям в Берлине и Праге, чем к намерениям Королевского общества (как раз тогда, в октябре 1948 года, снос бомбоубежищ вдруг прекратился). И это точно не имело никакого отношения к Алану, который оказался пешкой в большой игре. Таким образом, в контракте не было ничего ни про Ньюмана, ни про Блэккета. Ньюманом двигал исключительно математический интерес: он с отчаянием думал о том, каких результатов можно было бы достичь, если бы таланты тех, кто работал в Блэтчли, были применены в его области.Он хотел купить машину и заниматься математикой, но в тот момент стало ясно, что это невозможно: главной задачей для всех становилось развитие оборудования. Поэтому его интерес к проекту ослаб, и он не возражал, что дальнейшая работа будет проходить без него. Блэкетт же был раздражен, тем более, что он был противником развития атомного оружия.

Но даже если не брать в расчет политические причины, Алан слишком поздно занялся работой над проектом. Без него уже успели принять важное решение о том, чтобы использовать в качестве резервного хранилища магнитный барабан, который разработали в Биркбек-колледже. Заряды располагались на дорожках вокруг барабана и считывались при помощи головки. Такое устройство могло заменить множество медленных, дешевых линий задержки, чтобы хранить информацию и команды, котрые не нужно использовать прямо сейчас. Еще одно новшество, изначально предложенное Ньюманом, заключалось в использовании «Б-трубки». Это была дополнительная электронно-лучевая трубка, с помощью которой можно было вносить изменения в команды. Ее можно было использовать, работая, например, с последовательностью чисел, и при этом избегать сложного программирования. В целом это противоречило принципам, которые Алан разрабатывал для ACE: согласно этим принципам, использование команд было предпочтительнее, чем введение дополнительного оборудования.

Если же говорить в целом, то все решения уже были приняты другими. Они называли ее малой экспериментальной машиной или «ребенком». Но это был чужой ребенок, а не его. Уильямс все переиграл. Сначала Дарвин надеялся, что Уильямс построит машину по инструкциям Тьюринга, а теперь Тьюринг должен был сделать так, чтобы машина Уильямса заработала. При всем желании тут не обошлось без конфликта, тем более, что группа инженеров не хотела, чтобы ими кто-то руководил. Граница между математиками и инженерами оказалась очень четкой, между ними опустился своего рода железный занавес. Этот компьютер никогда бы не стал компьютером Алана Тьюринга, как мог бы им стать ACE. Поэтому Алан постарался освободиться от какой-либо административной ответственности за этот проект настолько, насколько это было возможно. Но он мог помогать в его создании, а впоследствии, возможно, и пользоваться им. Кроме того, его привлекали зарплата в размере 1200 фунтов в год (в июне 1949 года ее повысили до 1400) и значительная свобода действий и перемещений.

Итак, Алан остался в Манчестерском университете уже не как заместитель директора лаборатории, а просто внештатный «профессор». Все называли его «профессор», чем, возможно, вызывали раздражение у настоящих профессоров. С одной стороны, после Кембриджа Манчестерский университет был шагом назад. Это был технический университет на Севере, который выпускал специалистов — докторов и инженеров, но здесь не появлялось абстрактных идей. С другой стороны, университет гордился своими высокими стандартами, а Ньюман создал здесь кафедру математики, которая могла потягаться с кембриджской. И хотя Алан был крупной рыбой для этого маленького пруда, но он не чувствовал себя не в своей тарелке. Безусловно, атмосфера в университете была мрачноватая: здания поздней викторианской эпохи, черные от копоти после промышленной революции. Напротив — трамвайные пути, здание Общества трезвости и пространство, изрытое бомбардировщиками. Алан обратил внимание на то, что все мужчины в городе выглядели слабыми и нездоровыми — неудивительно, если учесть, что Манчестер еще не оправился от Великой депрессии.

Как и Принстон, это было местом ссылки, только без американского гостеприимства. Нонконформистский северный средний класс оказался менее гостеприимен к инакомыслящим, чем более привелегированный Кембридж. Но в городской жизни Манчестера была искра благородства, это не было похоже на церковно-приходские отношения в обществе маленького городка. Здесь выпускали либеральную газету « *Manchester Guardian* », которую Алан читал вместе с « *The Observer* ». В общем, Тьюринг нашел свои плюсы в том, чтобы работать в индустриальной Англии, где не было красивых ритуалов кембриджской жизни.

Если бы Алан действительно не хотел застрять в этом чистилище, он мог бы уволиться и вернуться в Кингс-колледж, где он все еще занимался исследовательской работой. Были еще разговоры о том, что он может поехать работать в университет Нанси во Франции (он мог сделать это через связи Винера с местными математиками). Но это не зашло дальше шуток Нормана Рутледжа про мальчиков в Нанси. У Тьюринга были варианты в Америке, но все они противоречили его принципам. Вместо этого он выбрал лучшее для себя решение. Он остался. Для многих в Манчестере он был обузой, этаким предметом смущения, но им приходилось с ним мириться.

В марте 1949 он писал Фреду Клейтону:

> «Я привыкаю жить в этой части света, но Манчестер по-прежнему кажется мне гнилым городком. Я стараюсь не ходить туда чаще, чем это необходимо».

Вместо этого Тьюринг работал дома. Большинство работников университета жили рядом с парком Виктория, но жилье Алана располагалось дальше — в большом пансионате на Нерсери авеню в г. Хейл. («Здесь только одна большая кровать, но я думаю, тебе она покажется безопасной», — писал он Фреду, предлагая погостить). Алан жил на самом краю застроенной зоны, так что в пригороде он мог спокойно совершать свои пробежки вдали от сатанинских мельниц и гнетущей атмосферы университета. Он все еще поддерживал отношения с Уолтонским атлетическим клубом и бегал в кроссах за их команду, как например, 1 апреля 1950 года. Впрочем, все спортивные соревнования остались для него в прошлом, и он занимался бегом, чтобы не терять форму. Иногда он бегал и по Манчестеру, но чаще он ездил среди его низких построек на велосипеде. В дождливые дни он смотрелася очень комично в непромокаемом желтом плаще и шляпе. Позже он приделал к велосипеду маленький моторчик, но так никогда и не пересел на автомобиль.

«Я могу внезапно сойти с ума за рулем и попасть в аварию», — драматически заявил он Дону Бейли. В Принстоне он не очень-то хорошо управлялся с автомобилем — похоже, у него была привычка за рулем грезить наяву математикой.

Он мало заботился о том, что происходит в университете, обращая внимание лишь на то, что казалось ему важным. Для него люди делились на тех, кто, по его мнению, занимается серьезным делом, и на всех остальных. На всех остальных он не обращал внимания. При этом его убеждения не имели никакой связи с должностями и официальными позициями.

В сентябре 1947, когда Алан ушел из НФЛ, туда же пришел молодой инженер Ньюман, который разбирался в импульсной электронике и работал с воздушной радиолокационной системой H2S. Тэд Ньюман, который тоже был хорошим бегуном, бывал в Манчестере почти каждый месяц и виделся с Аланом. Они не только тренировались вместе, но могли часами спорить по поводу идеи «разумной техники». Это при том, что, если бы кто-то попытался заискивать с Аланом, тот мог бы резко оборвать разговор, даже если бы этот человек был куда более квалифицирован.

Он не давал людям второго шанса. Если они оказывались на одной волне с Тьюрингом, он мог часами напролет общаться с ними и быть к ним таким внимательным, что им могло бы стать даже неловко. Но часто бывало так, что Алану становилось неинтересно. Тогда он просто молча уходил. Его отношение к людям было как импульсы в компьютере — все или ничего. В своей ненависти к притворству он часто отталкивал тех, кто был с ним искренен, но слишком неуверен в своих действиях. В 1936 году он чувствовал, что Харди не подпускает его к себе, но теперь Алан сам стал тем человеком, который выбирает, с кем он хочет общаться и на каких условиях.

Многие бы назвали его поведение детским или мальчишеским. У него была неряшливая, но бросающаяся в глаза внешность. Многие воспринимали его как несносное чадо под крылом Ньюмана. В городе он мало с кем общался: социальная жизнь потребовала бы от него постоянно идти на компромиссы. Несколько раз он навещал Боба и его жену, которые жили в Чешире. Единственный, у кого он часто бывал, был Ньюман — его жилище было словно маленьким кембриджским островком на Севере. Они много общались и даже называли друг друга просто по именам, что для Макса Ньюмана было делом весьма необычным — на работе он славился соблюдением формальностей. Жена Ньюмана была писательницей Лин Ирвин. Она впервые столкнулась с Аланом, когда на Пасху в 1949 году он играл вместе с ними в крикет. Тогда ее поразило его пренебрежение манерами и привычка подолгу молчать. В конце концов молчание прерывалось душераздирающим заиканием и смехом, от которого становилось не по себе даже его друзьям. Ее удивило, что Алан часто не смотрит в глаза тем, с кем разговаривает, и резко выходит за дверь, не сказав ни слова благодарности.

Алан не шел ни на какие компромиссы с местным обществом и даже не стал присоединяться к небольшому гомосексуальному сообществу, которое образовалось из некоторых работников университета, манчестерского « *Guardian* » и «Би-би-си». В этом отношении его мысли по-прежнему были в Кембридже. Переезд в Манчестер означал для него разлуку с Невиллом, который изучал статистику в аспирантуре. Следующие два года Алан будет приезжать в Кембридж каждые несколько недель, чтобы увидеться с ним.

В 1949 году во время Пасхальных праздников они вместе съездили во Францию, где катались на велосипедах и осматривали пещеры Ласко (Алана привлекали доисторические рисунки). Также каждый август Алан проводил в Кингс-колледже.

Итак, Кингс-колледж по-прежнему выполнял свою защитную роль. Настоящим светлым рыцарем здесь был Робин, хотя отнюдь таким не казался — лихой, энергичный, со временем он обзавелся гигантским мощным мотоциклом и кожаной амуницией. Иногда он брал Алана с собой прокатиться по пригороду. Алан рассказал друзьям об игре в охоту за сокровищами, в которую играли в Принстоне, и несколько лет он, Робин, Ник Фурбэнк и Кит Робертс были увлечены этой игрой. Они носились по округе (Алан — на своих двоих, остальные — на велосипедах) и искали спрятанные подсказки. Однажды к игре присоединился Ноэль Аннан — он произвел настоящий фурор, снабдив подсказку со старым французским текстом про шампанское бутылкой настоящего шампанского. Все они были очень разными. Например, Кит Робертс часто беседовал с Аланом про науку и компьютеры, но ничего не понимал в некоторых областях, про которые часто беседовал Алан. Он часто не улавливал тех зашифрованных посланий, которыми они обменивались между собой. Ник Фурбэнк, в свою очередь, не имел серьезного научного образования, но его по-настоящему увлекала философия рационализма, математическая теория игр и принципы имитации.

Алан, Робин и Ник придумали новую игру с незамысловатым названием «Подарки». Один человек выходил из комнаты, а другие составляли список подарков, которые, по их мнению, он хотел бы получить. Когда ведущий возвращался, он задавал вопросы об этих подарках и должен был их выбирать. Один из подарков в тайне от ведущего назывался «Томми». Когда ведущий выбирал его, раунд заканчивался. Потом мнимые подарки переросли в нечто большее.

Манчестерским инженерам предстояло построить образец компьютера, чтобы в компании Ферранти могли использовать его как прототип. В течение всего 1949 года инженеры, которые теперь могли нанимать новых сотрудников, занимались усовершенствованием малой экспериментальной машины. К апрелю у нее появилось еще три электронно-лучевых трубки для оперативной памяти и устройство умножения, а магнитный барабан к тому времени уже был опробован. Каждое машинное слово на электронно-лучевой трубке теперь содержало 40 бит, 20 из них занимала инструкция.

Ньюман изобрел гениальное решение, как можно во всей красе продемонстрировать машину, у которой крохотная память, зато есть умножающее устройство. Решением был поиск больших простых чисел. В 1644 году французский математик Мерсенн предположил, что числа 2^{17}-1, 2^{19}-1, $2^{31} - 1$, 2^{67}-1, 2^{127}- 1, 2^{257}- 1 должны быть единственными простыми числами в своем диапазоне. В XIIX веке Эйлер доказал, что одно из них $- 231 \times 1 = 2{,}146{,}319{,}807 -$ действительно простое. Но чтобы доказать то же самое в отношении других чисел, нужна была новая теория. В 1976 году французский математик Лукас нашел способ вычислить, является ли простым 2p − 1, с помощью возведения в квадрат и избавления от остатков. Он объявил, что число 2127 − 1 было простым. В 1937 году выяснилось, что в теории Мерсенна была ошибка, поэтому число, найденное Лукасом, так и осталось самым большим простым из известных.

Метод Лукаса был как будто специально создан для компьютера, который оперирует двузначными числами. Ньюман объяснил Тутиллу и Килберну задачу, и в июне 1949 года они создали программу, которая помещалась в четыре запоминающие электронно-лучевые трубки и все еще оставляла место для вычислений до P = 353. По пути они проверили все, что успели сделать Эйлер и Лукас, но больше простых чисел не обнаружили.

В это время между инженерами и математиками был заключен нелегкий договор о союзе, две стороны разделили обязанности. Ньюман начал проявлять немного больше интереса к самой машине, а Алан взял на себя роль математика и составил список команд, которые должен выполнять компьютер, хотя инженеры в итоге этот список сократили. При этом в создании самой логической конструкции он участия не принимал — здесь все сделал Тутилл. Но у Алана был контроль над механизмом ввода и вывода, который предназначался для пользователя.

В НФЛ он занимался перфокартами, поэтому здесь взял на себя задачу создать телетайп, который потом можно будет использовать на принтере. Конечно же, он был очень хорошо знаком с системой телепринта Блэтчли и Хэнслоупа, который работал от батареи и «частенько заменял 1 на 0». Все знали, что перфоленты он взял в месте, о котором нельзя было говорить. После того, как все это было соединено вместе, 32 комбинации из нулей и единиц в ленте телетайпа стали языком Манчестерской машины.

Работа Алана заключалась в том, чтобы сделать машину удобной в использовании, однако его понятия об удобстве не всегда совпадали с понятиями окружающих. Конечно же, он раскритиковал принцип, по которому работал Уилкис: он предполагал, что аппаратура должна быть такой, чтобы пользователю было просто отслеживать команды. Так, буква

А была символом для добавления команды. Алан, напротив, считал, что удобство должна обеспечивать программа, а не оборудование. Еще в 1947-м году он говорил о вопросах удобства как о «небольших дополнительных деталях» и подчеркивал, что все можно решить «с помощью бумажной работы». Теперь, в Манчестере, он мог доказать это на практике в работе с машиной, которая не была построена так, чтобы обеспечивать удобство программисту. Как бы то ни было, к 1949 году он уже потерял интерес к такому виду работы. Ему казалось, что не стоит беспокоиться о «маленьких дополнительных деталях» при переводе из двоичной системы исчисления в десятичную. Ему было легко работать с позиционной системой счисления с основанием 32, и Алану казалось, что так же должно быть и для всех остальных.

Чтобы использовать позиционную систему счисления с основанием 32, было необходимо найти 32 символа для 32 разных «цифр». За основу он взял систему, которая уже использовалась инженерами, в ней они передавали 5-битные комбинации, согласно коду Бодо. Таким образом, цифра «двадцать два», соответствующая последовательности 10110 двоичных цифр, была бы записана, как «Р», это буква, которая в последовательности 10110 зашифрована для обычного телепринтера. Работа в этой системе означала запоминание кода Бодо и выраженной в нем таблицы умножения, что он и лишь немногие другие могли сделать с легкостью.

Официальной причиной выбора этого примитивного метода кодирования, которая влекла за собой кропотливую работу для пользователя, стало то, что благодаря электронно-лучевой трубке можно и даже нужно было проверять содержимое запоминающего устройства путем «подглядывания», как говорил Алан. Он настаивал на том, что увиденные пятна на трубке должны были цифра за цифрой соответствовать написанной программе. Для того чтобы поддержать этот принцип последовательности, было необходимо выписать позиционную систему счисления с основанием 32 в обратном порядке, так, чтобы наименее значимая цифра шла впереди. Это делалось по техническим причинам, которые также предполагали считывание электронно-лучевых трубок слева направо. Еще одна проблема возникла из-за 5-битной комбинации, которая не соответствовала никакой букве алфавита в коде Бодо. (Это была та же проблема, что и с системой Rockex). Поэтому Джефф Тутилл уже ввел дополнительные символы. Ноль в позиционной системе счисления с основанием 32 был представлен, как «/». В результате целые страницы программ были покрыты такими чертами, в Кэмбридже говорили, что это соответствовало ливням за окнами в Манчестере.

К октябрю 1949 года манчестерская машина была готова, за исключением деталей, которые должен был сделать Ферранти. Пока машина собиралась, на прототипе для экономии времени было решено написать руководство по использованию, а также основные программы, которые можно было бы использовать на компьютере (в будущем он будет называться Марк I).

Это уже было следующей задачей Алана. Наверняка, он потратил много времени на проверку каждой функции на прототипе и спорил об их эффективности с инженерами. К октябрю он написал программу ввода для того, чтобы при первом включении компьютер мог читать информацию с лент, сохранять ее в нужном месте и начать ее использовать.

Но это была работа не для него, на данном этапе Руководство Handbook7, которое он написал для программистов, содержало множество полезных и практичных советов, а также несколько новых идей. Но на самом деле, в нем не было ничего и близко напоминающего его работу в Национальной физической лаборатории Великобритании (НФЛ) с числами с плавающей точкой. Он также ничего не сделал и с подпрограммами. В манчестерском проекте существовало два вида памяти: на машине Ферранти было восемь электронно-лучевых трубок, каждая из них содержала 1280 цифр и магнитный барабан, который предполагал не менее 655360 цифр, расположенных в 256 рядах по 2560 цифр в каждом. Программирование заключалось в процессе передачи данных и программ из барабана в трубки и обратно. Предполагалось, что каждая подпрограмма будет храниться на новом ряду барабана и будет перемещаться согласно требованиям. Схема Тьюринга затрагивала эту тему, но не вдавался в подробности. В своем Руководстве он небрежно написал:

Подпрограммы любой программы могут иметь подпрограммы. Это можно сравнить с блохами. Думаю, что невозможно представить себе длину паразитарной цепи блох, если только не верить в бесконечно длинные цепи. Такова же ситуация и с подпрограммами. Одна из них в конечном счете всегда сводится к программе без подпрограмм.

Но он это оставил на совести пользователя. Его собственная «Схема А» предполагала существование лишь одного уровня подпрограмм. В Руководстве было выявлено множество проблем с коммуникацией, с которыми он столкнулся в Манчестере. Для Уильямса и других инженеров математик был тем, кто мог делать вычисления, в частности, он показал им двоичную систему в новом свете. Однако для Тьюринга их схемы с позиционной системой счисления и все остальное были лишь простыми иллюстрациями того факта, что математики были вольны использовать систему символов так, как они хотели. Для него было очевидным, что символ не имеет никакой внутренней связи с объектом, который он символизирует, поэтому в начале его Руководства был длинный абзац, объясняющий, почему существовало убеждение, согласно которому последовательность импульсов могла быть истолкована в виде цифр. Эта была более точная, а также более творческая идея, но она не была понятна человеку, который никогда раньше не знал, что цифры могут быть выражены не только в порядке от 1 до 10. Не то, чтобы Алан презирал рутину и детальную работу с системой символов, как этого требовала манчестерская машина: в своем докладе он склонялся от абстрактного к детальному таким образом, что это имело смысл только для него. Создание языков программирования, которое он назвал «очевидным» в 1947 году, могло бы поглотить и его свободное понимание системы символов, а также готовность к простой работе, когда это необходимо. Но это именно то, чего он не сделал, и таким образом он не использовал то преимущество, которое давало ему понимание абстрактной математики.

С октября 1949 года у него появились два ассистента. Одним из них был аспирант Одри Бэйтс. Другой была Сесили Попплвелл, с которой он провел собеседование летом 1949 года. Она была выпускницей Кэмбриджа с опытом работы с перфокартами. Они работали в офисе главного здания университета викторианской эпохи и ждали пока не закончится строительство новой лаборатории, где планировалось использовать машину Ферранти. Но это было не самое удачное сотрудничество, так как он никогда не признавал их права на существование. В первый день Сесили он объявил: «Время ланча!» и вышел из комнаты, так и не показав, где можно поесть. Он охотно разговаривал со всеми, кто заходил в их офис, но ужасно раздражался, если его ассистенты участвовали в разговоре. Иногда ситуация накалялась, однажды в его сторону полетели насмешки, когда Алан пришел в офис в одном лишь пальто. В другой раз он занял десять шиллингов и прикрепил их к шортам по дороге домой. Обычно они были рады, когда он не приходил, а такое случалось довольно часто.

Работа с прототипом проходила не так гладко. Согласно Сесили Попплвелл, это требовало огромной физической подготовки. В начале работы ты должен был предупредить инженеров и включить ручные переключатели, чтобы ввести входную программу. Светлая полоса на контрольной электронно-лучевой трубке показывала, что цикл ожидания запущен. Когда цель была достигнута, нужно было бежать наверх, чтобы вставить ленту в устройство считывания, а потом вернуться к машине. Если все шло по плану, ты должен был позвонить инженерам, чтобы они включили ток записи и очистили аккумулятор. Если все сложилось удачно, то лента считывалась. Как только рисунок на мониторе показывал, что процесс окончен, инженеры переключали ток записи на барабан. Как и любое устройство, машина была потенциальным источником ложных показаний, кроме этого было сложно вставить ленту с первого раза, каждый раз нужно было бежать в другую комнату.

На самом деле, на прототипе запись с трубок на магнитный барабан была практически невозможной. Алан писал:

Если судить с точки зрения программиста, наименее надежной частью машины являются магнитные объекты письма. Неизвестно, насколько записи были неправильными, как и их чтение. Последствия неправильных записей были куда более катастрофическими, нежели другие ошибки, совершенные машиной. Автоматические записи практически никогда не делались. Другими источниками ошибок было неправильное хранение трубок и множительного устройства.

Джеф Тутилл был заинтересован в идеях Тьюринга, но некоторые из них были особенно непрактичны с точки зрения ограниченного времени и отсутствия доступных средств. Например, была схема, которую он придумал для распознавания символов на компьютере. Она предполагала сложную систему с телевизионной камерой, чтобы передавать визуальное изображение в электронно-лучевые трубки и уменьшать его до стандартных размеров. Возможно, Джеф Тутилл был самым терпеливым к такого рода мечтам, но для него, как и для инженеров, Алан Тьюринг был блестящим математиком, но совершенно посредственным инженером. В 1949 году все его попытки стать инженером закончились.

Между тем теоретическая сторона развития компьютерной техники стала общественным достоянием. В 1948 году Норберт Винер опубликовал книгу под названием «Кибернетика», определяя это слово, как «наука о связи, управлении и контроле в машинах и живых организмах». То есть он описывал мир, в котором информация и логика были превыше энергии или состава материалов. Винер и фон Нейман проводили конференцию зимой 1943—1944 годов на тему «кибернетических» идей, однако книга Винера ознаменовала существование темы за пределами узкого понимания этой проблемы на бумаге. На самом деле Кибернетика была очень техническим термином, непонятным, но общественность ухватилась за него как за ключ, который может открыть завесу тайны и ответить на вопрос, что же случилось с миров за последнее десятилетие.

Винер считал Алана кибернетиком. Правда, что «кибернетика» была близка к тем проблемам, которые долго его мучили, и которые не вписывались ни в одну академическую категорию. Весной 1947 года по дороге к Нэнси, Винеру удалось «поговорить о фундаментальных идеях кибернетики с Тьюрингом», объяснил он в предисловии к своей книге.

К 1949 году американское превосходство в науке и в других областях никого не удивляло, а 24 февраля 1949 года стало знамением времени. Тогда известный журнал News Review представил дайджест, в котором с гордостью было рассказано, как британские ученые сумели предоставить «ценные данные» американскому профессору.

На самом деле Алан и Винер придерживались схожих интересов, однако у них были разные перспективы. У Винера была тенденция, при которой практически все области человеческой деятельности представлены в отрасли кибернетики. Другим их отличием было абсолютное отсутствие чувства юмора у Винера. В то время, как Алан пытался донести свои идеи с легким английским юмором, Винер говорил с удивительной серьезностью о некоторых весьма спорных вопросах.

Например, в кибернетике решили проблему, как происходит визуальное распознавание образов в мозгу. Одна из историй, которая оказалась ложной, но которая нашла отражение в серьезной литературе, гласит, что эксперимент был предназначен для проверки памяти каменщиков путем гипноза. Их спрашивали: «Какой формы была трещина в пятнадцатом кирпиче на четвертом ряду в таком-то и таком-то доме?». Алану этот эксперимент показался забавным.

Еще одним различием стал тот факт, что Винер был открыто обеспокоен экономическими последствиями кибернетических технологий. Война не изменила его мнения, что машины должны создаваться для службы человеку, а не наоборот. Его комментарии и высказывания отнесли его к крайне левым партиям в 1948 году.

Но научные дебаты по поводу кибернетики в Британии не затрагивали тему использования компьютеров или освоения технологий военного времени для мирных и конструктивных целей или преимущества сотрудничества и конкуренции. Когда журнал News Review назвал кибернетику «пугающей наукой», имелись в виду не экономические последствия, а угроза привычным представлениям. Послевоенная реакция на планирование и меры жесткой экономии нашла отражение в способе мыслить, который был также принят интеллигенцией. То же можно было сказать и о Алане

Тьюринге, это напоминало его собственную борьбу в 30-х годах с проблемами мысли и чувства. Времена изменились, и теперь уже не епископ, а нейрохирург вел британскую интеллигенцию к идее, что машины могут мыслить.

Сэр Джеффри Джефферсон возглавлял кафедру нейрохирургии в Манчестерском университете и знал о манчестерском компьютере из разговоров с Уильямсом. Но Винер оказал большее влияние на его представления, так как он настаивал на схожести нервных клеток мозга с компонентами компьютера. На этом уровне данная аналогия почти не была подкреплена фактами, Винер оперировал лишь сравнениями между сбоями компьютера и нервными заболеваниями. Некоторые из его утверждений было довольно легко оспорить, но у Джефферсона были свои козыри:

> Нельзя объяснить поведение человека или животного, изучая лишь нервные механизмы. Ведь организм — это сложный механизм благодаря эндокринной системе, а благодаря эмоциям мысли обладают разными оттенками. Половые гормоны определяют особенности поведения, которые обычно невозможно объяснить, а иногда просто впечатляют (как у мигрирующих рыб).

Вообще, Джефферсону нравилось говорить о сексе. В одном из его часто цитируемых отрывков говорилось:

> До тех пор, пока машина не научится писать сонеты, сочинять концерты, в которых чувствуются мысли и эмоции, мы не сможем утверждать, что машина и мозг равны. То есть машина не только должна написать, но и понять, что она это сделала. Ни один механизм не может почувствовать удовольствия от успеха, тепло от лести, жалость из-за совершенных ошибок, злость, когда она не может получить, что хочет.

Джефферсон ставил себя в один ряд с гуманистом Шекспиром, вспоминая строки из Гамлета: «Какое образцовое создание человек! Как благороден разумом! Как безграничен способностями!» и т.д. Имя Шекспира часто фигурировало в такого рода обсуждениях, и это было доказательством того, что говорящий был знатоком человеческих чувств. На счету Джефферсона было немало благих дел: он лечил людей после двух мировых войн, а в конце 30-х годов провел фронтальную лоботомию.

Аргументы опирались на предположении, что машина из-за своих не биологических компонентов была неспособна на творческое мышление. «Когда мы слышим, что беспроводные лампы умеют думать, то можно потерять веру в язык», — говорил Джефферсон. Но ни один кибернетик не утверждал, что лампочки могут думать, точно так же, как и никто не утверждал, что нервные клетки могут думать. Отсюда появлялась путаница. По мнению Алана, думала система в целом, и это было возможным не из-за физического воплощения, а благодаря ее логической структуре.

Джефферсон признал, что машина может решать логические проблемы, так как логика и математика очень близки.

Однажды в Манчстер позвонил репортер и Алан, проглотив наживку, говорил без остановки:

Это лишь предвкушение того, что грядет и лишь тень того, что будет. Нам необходимо поработать с машиной, чтобы узнать все ее возможности. На это могут уйти годы, но я не вижу причин, почему она не может войти в области, которыми управляет человеческий интеллект, и в конечном счете конкурировать с ним на равных.

Я не думаю, что можно будет даже отличить сонеты, написанные человеком и машиной, хотя это сравнение нечестное, так как сонет, написанный машиной, будет оценен лучше другой машиной.

Тьюринг добавил, что университет был по-настоящему заинтересован в поиске возможностей машин. Работа университета была направлена на поиски уровня интеллекта машины, они хотели понять, до какой степени она будет способна думать за себя.

Ниже представлено постыдное определение того, в чем на самом деле был заинтересован университет, которое вызвало негодование у католической школы:

«Судя по речи профессора Джефферсона... ответственные ученые быстро разорвут все связи между этой программой и своим именем. Мы все должны это учесть. Даже наши диалектические материалисты будут чувствовать необходимость огородить себя возможной враждебности машин как в «Эдгине» Сэмюэла Батлера. И те, кто не только говорят, но и по-настоящему верят, что люди свободны, должны задаться вопросом, насколько позиция Тьюринга разделяется, и может ли ее разделить правительство нашей страны».

С уважением, Илтид Третован.

Власти Великобритании не разглашали своего мнения. Но Макс Ньюман написал The Times, чтобы исправить впечатление от слов Алана, которые только запутывали кропотливым объяснением чисел Мерсенна. Джефферсон оказался отличным рекламным агентом манчестерского университета, фотографии машины появились сначала в The Times, а потом 25 июня и в Illustrated London News. Таким образом, создание машины EDSAC в Кембридже отодвинулось на второй план.

Команда Уилкса добилась значительного прогресса и уже закончила сборку компьютера по типу EDSAC с памятью из ртутных ультразвуковых линий задержки, опередив тем самым американцев. Память компьютера состояла лишь из 32 ртутных ультразвуковых линий задержки, цифровой интервал составлял 2 микросекунды, что вдвое больше, чем планировалось в ACE. Но устройство работало, и если манчестерская машина была первым рабочим компьютером с элетронной памятью, то EDSAC стал первой машиной, способной на серьезную математическую работу.

Алан посетил учредительную конференцию и выступил с речью 24 июня 1949 года. Он описал сложную процедуру для длинных программ, в которой можно было легко упустить цифры в памяти компьютера. Иллюстрируя свою позицию, он написал на доске несколько, начав писать цифры в обратном направлении, как он это делал в Манчестере. «Не думаю, что он таким образом пошутил или пытался поставить себя выше других», — писал Уилкис: «Он просто не мог понять, что такие мелочи могут тем или иным образом нарушить понимание людей». Это была маленькая деталь, которая, пожалуй, скрыла иронию. Ведь люди, работающие над EDSAC, начали писать программы лишь в мае 1949 года, а Алан работал над этим уже в течение многих лет.

Между тем работа над ACE продолжалась. Алан ушел в отставку. Потом ушел и Томас, который отвечал за электронику, а у его преемника Ф.М. Коулбрука оказалась совершенно иная позиция. После ухода Томаса математики переехали в здание к инженерам. Благодаря Коулбруку у них воцарилось спокойствие, и две группы начали работать вместе. Скорость достигнутого прогресса можно было сравнить с той, что первоначально представлял себе Алан. К середине 49-ого года у них функционировала линия задержки, а в октябре они закончили работу с проводами. Машина «Pilot ACE» основывалась на машине Тьюринга «версии V», как и в попытках Хаски. Она имела распределенную обработку данных, что отличало ее от системы фон Неймана, которая использовала аккумулятор. Они также сохранили скорость в миллион циклов в секунду, что сделало эту машину самой быстрой в мире. Между тем, в 1949 году ушел в отставку сэр Чарльз Дарвин. Макс Ньюман выразил мнение, что сослужил хорошую службу Дарвину, убрав Алана из проекта. Алан бы с этим согласился. Когда он пришел на официальное открытие Pilot ACE в ноябре 1950 года, он сказал Джиму Уилксу, что все сложилось лучше, чем если бы он остался. Безусловно, существование Pilot ACE было бы невозможным, если бы Алан не ушел. Он, должно быть, также знал, что эта версия лишь отдаленно напоминала его оригинальную.

Вомерсли удалось переписать историю проекта ACE после того, как ушел Алан. Именно этот рассказ Коулбрук представил на заседании Исполнительного комитета 13 ноября 1949 года:

Работа над машиной основывалась на записях Тьюринга... Вомерсли начал думать о логическом дизайне в 1938 году после прочтения доклада Тьюринга и после его обсуждений с профессором Хартри. Вомерсли посетил Лабораторию в 1944 году, а в следующем году поехал в Соединенные штаты, чтобы увидеть Гарвард и компьютер ЭНИАК. Профессор Ньюман приехал к Вомерсли в 1945 году и представил ему доктора Тьюринга, который в скором времени присоединился к составу Лаборатории.

Это было единственное упоминание того, что Алан был частью проекта.

В 1946 году началась работа над двигателем, управляемым ЭВМ.

В своем рассказе Коулбрук умело пропустил период работы над ним Томаса и описал прогресс в 1948 и 1949 годах. Потом он противопоставил Pilot ACE машине, которая была первоначальной.

Фактический размер ACE стал результатом долгих раздумий Вомерсли и профессора фон Неймана во время визита Вомерсли в США.

Уже к 1950 году Тьюринг стал изгоем, эдаким Троцким компьютерной революции.

Но после принятия какого-либо решения он никогда не жаловался. Во многом его позиция в Манчестере напоминала Ханслоп, с точки зрения статуса, класса и борьбы за оборудование. Одним из отличиев была суровая атмосфера Манчестера, которая только усугубляла резкость Алана.

На тот момент ему было достаточно результатов прошлых работ, которые подтверждали мощь его универсальной машины. Первое, что он сделал, это возродил расчет дзета-функций. Но все пошло не по плану, отчасти это была вина машин, отчасти — его собственная ошибка.

В июне 1950 года прототип электронно-вычислительного компьютера Манчестерского университета был использован для вычислений дзета-функций. Нужно было определить, существуют ли нули не на критической линии в некоторых конкретных интервалах. Вычисления планировались заранее, но осуществлялись в большой спешке. Если бы не тот факт, что компьютер оставался в исправном состоянии в течение длительного отрезка времени с 3 часов дня до 8 часов утра, возможно, что вычисления вообще бы никогда не сделали. Тогда рассматривался интервал $2\pi.632 < t < 2\pi.642$, но мало что удалось выяснить.

Также рассматривался и проверялся интервал $1414 < t < 1608$, но к сожалению, к тому моменту машина сломалась и работа остановилась. Кроме того, было обнаружено, что данный интервал был запущен с неправильным значением, и можно было утверждать лишь то, что нули лежат на критической линии до значения $t = 1540$, Тичмарш же исследовал значения до 1468...

Как-то Килберн настоял на необычном упражнении. Алан держал ленту на выходе телепринтера и читал на свету:

Данные в основном состояли из цифр, максимальной из которых была 32. Наиболее значимые цифры были написаны справа. Традиционно используется шкала от 1 до 10, но это бы потребовало дополнительного конвертирования.

Примерно в это же время окупилась и работа над Энигмой:

«Я создал на манчестерском компьютере небольшую программу, используя лишь 1000 единиц памяти».

Другими словами, он разработал шифр, который считал неприступным, даже со знанием текста.

Были и другие намеки на его постоянный интерес к криптографии. Интерес к этой теме наблюдался в обсуждениях с молодым американцем Дэвидом Сайром. Он закончил Массачусетский технологический институт, а теперь учился в Оксфорде на факультете молекулярной биологии с Дороти Ходжкин. Поработав с Уильямсом во время войны, он приехал в Манчестер, чтобы посмотреть на компьютер. Он объяснил свой визит тем, что машина могла бы помочь в рентгеновской кристаллографии. Уильямс оставил его на попечении Алана, который проявил необычайную доброту и сердечность и подружился с Сайром. Они разговаривали два с половиной дня подряд, их прерывал лишь телефонный звонок, во время которого сообщалось, что машина свободна на несколько минут. Тогда он собирал бумагу, ленты и ненадолго исчезал.

Дэвид Сайр смог догадаться, что Алан работал над криптологическими проблемами во время войны. Дело в том, что рентгеновская кристаллография, которая применялась в изучении структуры белков, была очень похожа по природе на криптоанализ. Рентгеновские лучи оставляли дифракционную картину, которую можно было расценивать как шифровку молекулярной структуры. Выполнение процесса дешифровки напоминало распознавание обычного текста, если был известен лишь шифр. Результатом аналогии стало следующее:

«... Прежде, чем мы закончили работу, он сам для себя выявил методы, которыми занимались кристаллографы. Для этого он обладал знаниями, которые во многом превосходили знания любого кристаллографа, которого я когда-либо знал и я уверен, что если бы в то время он взялся за эту область, то добился бы значительных результатов».

Алан рассказал ему о теореме Шеннона, которую он использовал в шифраторе речи Delilah, Сайр воспользовался ей и начал заниматься теорией. Но Алан решил не работать серьезно в этой области, хотя и призывал молодого Сайра вернуться в Манчестер, чтобы использовать машину для вычислений; это была отрасль науки, в которой делались необычайные открытия, но для него это, возможно, было делом прошлого или же он просто не хотел конкуренции. Алан всегда хотел чего-то независимого.

Первыми законченными американскими компьютерами стали BINAC Эккерта и Мокли в августе 1950 года, который использовался в авиастроении, а потом криптоаналитический ATLAS в декабре 1950 года. В конце сентября 1949 года Советский Союз испытал свою атомную бомбу, что сподвигло американцев в начале 50-х годов на создание термоядерного оружия. Затем продвигали IAS-машинѕ и ее копию MANIAC в Лос-Аламосе, хотя работа над ними была закончена лишь в 1952 году.

Но что же делал Алан? Каков был его план на ближайшее будущее? Это был уместный вопрос, так как возможности Манчестерского компьютера не соответствовали бы амбициям, изложенным Аланом еще в 1948 году: «обучение», «изучение» и «поиск». Он должен был смириться с тем, что его идеи были мечтами на границе с реальностью. Ему нужно было искать новые пути.

Между тем кибернетика привлекла внимание более весомых философов, чем Джефферсон, а Алан был вновь вынужден выступать в защиту своих интересов. Движущей силой стал Майкл Поланьи, венгерский эмигрант, который был деканом факультета физической химии в манчестерском университете с 1933 по 1948 года, а после стал председателем «социальных исследований», которые были специально созданы, чтобы осуществить его философские амбиции.

Поланьи давно был в оппозиции с плановыми науками. Даже во время войны он основал «общество свободы в науке», а после попытался соединить политическую и научную философии, высказывая аргументы против различных видов детерминизма. В частности, он ухватился за теорему Геделя и хотел доказать, что разум способен на нечто большее, чем машина. Именно эта тема привлекла Алана и Поланьи к обсуждениям. Алан приходил домой к Поланьи, который жил не так далеко от его жилища в Хейле. (Однажды Поланьи зашел к Алану и увидел того, играющего на скрипке в жутком холоде, потому что тот не имел смелости поднять этот вопрос с хозяйкой). У Поланьи было много своих доводов. Он отклонил довод Эддингтона по поводу свободной воли. Но в отличие от Эддингтона, он считал, что разум может влиять на движение молекул, что «некоторые законы природы могут осуществить принципы деятельности благодаря сознанию», и что разум может «использовать власть над телом путем отбора случайных импульсов теплового движения окружающей среды».

Карл Поппер, придерживающийся похожих взглядов, заявил в 1950 году, что «только человеческий мозг может придать значение бессмысленным полномочиям вычислительной машины». Поппер и Поланьи считали, что у людей есть неотделимая «ответственность» и что наука существует только в силу сознательных и ответственных решений. Поланьи утверждал, что наука должна существовать на нравственной основе. Было что-то воспитательное в слове «ответственность», оно отличалось от видения Эддингтона, как разум воспринимает духовный мир. В нем также чувствовалась связь с Холодной войной. Поланьи нападал на изображение Лапласа, так как «оно склоняет к тому, что материальное благополучие…является высшим благом» и что «политические действия формируются силой». Эти доктрины он в большей степени связывал с Советским правительством, нежели с другими великими державами..

Это было основной темой формальной дискуссии на тему «Разум и вычислительная техника», которая проходила на факультете философии в манчестерсокм университете 27 октября 1949 года. Все началось со спора Ньюмана и Поланьи о значимости теоремы Геделя, а закончилось обсуждением клеток мозга между Аланом и физиологом Д.З. Янгом. Философ Дороти Эммет сказала: «Важным отличием, кажется, является отсутствие сознания у машин».

Но эти слова не могли удовлетворить Алана. Он написал свое мнение в статье, которая вышла в философском журнале в октябре 1950 года. Типично, что стиль его статьи в журнале мало чем отличался от его разговора с друзьями. Таким образом, он ввел идею определения «мышления» или «ума», или «сознания» посредством сексуальной игры в догадки.

Он придумал игру, в которой допрашивающий должен решить на основании лишь письменных показаний, кто из двух людей в другой комнате был мужчиной, а кто женщиной. Мужчина должен был обмануть допрашивающего, а женщина — убедить его, так, чтобы они вдвоем делали одинаковые заявления: «Я женщина, не слушайте его!».

Вся суть игры заключалась в успешной имитации мужчиной ответов женщины, что ровным счетом ничего не доказывало. Пол зависел от фактов, которые нельзя было свести к последовательности символов. В отличие от этого он хотел доказать, что принцип имитации применялся в «мышлении» и «уме». Если компьютер на основе написанных ответов на вопросы не мог различить людей, тогда можно сказать, что он может думать.

Без сравнения нельзя говорить о мышлении или сознании другого человека, и он не видел причин относиться к компьютерам по-другому.

В этой статье было много информации из его отчета НФЛ, который, конечно же, так и не был опубликован. Но также в ней можно было найти новые открытия, хотя и не очень значительные. Он рассказал шутку, в которой гордый атеист отказывается быть ответственным ученым. Он насмехается над так называемыми "Богословскими возражениями" против наличия интеллекта у машин. Еще более двусмысленным стал его ответ на "экстрасенсорное восприятие". Он писал:

Эти тревожные феномены, похоже, противоречат всем привычным научным представлениям. О, как нам хотелось бы опровергнуть их! К сожалению, статистических доказательств в пользу, скажем, телепатии набралось немало. Непросто так перестроить мышление, чтобы принять подобные новые факты. Приняв их, легко дойти и до веры в привидения, или домовых. А первой будет отринута мысль о том, что наши тела движутся, попросту подчиняясь законам физики, и аналогичным, пусть еще не открытым закономерностям.

Читатель, наверное, задумался, а в самом ли деле доказательств достаточно много и не играют ли с ним некую шутку. Дело в том, что Алан определенно остался тогда под впечатлением от утверждении Д.Б. Райна о наличии экспериментальных доказательств в пользу экстрасенсорного восприятия. Возможно, интерес нашел отражение в его увлечении снами, пророчествами и совпадениями, как бы то ни было, для себя ученый ставил во главу угла широту мышления и открытость новым идеям: имеющие место факты всегда важнее того, о чем удобнее думать. С другой стороны, не мог пролить свет, подобно менее осведомленным людям, на противоречивость данных идей с помощью принципа причинности, воплощенного в существующих законах физики и прекрасно подтвержденного экспериментами.

Мысль об «обучении» машины также получила развитие с 1948 года. К тому моменту Тьюринг, вероятно, методом проб и ошибок понял, что метод кнута и пряника работает удручающе медленно, а также осознал, отчего так происходит:

Применение наказания и поощрения, в лучшем случае, может являться лишь частью процесса обучения. Грубо говоря, если наставник не располагает иными средствами общения с учеником, то количество информации, которую возможно передать, не превышает числа примененных поощрений и наказаний. К тому моменту, когда ребенок научится повторять «Касабланку», сидеть ему будет трудновато, если текст можно открывать лишь с помощью техники «двадцати вопросов», а каждое «НЕТ» выльется в удар. В силу вышесказанного крайне важно иметь другие, «не эмоциональные» каналы коммуникации. С их помощью можно обучать машину, применяя поощрение и наказание, научить ее выполнять приказы, отданные на каком-либо языке, например, языке символов. Приказы следует передавать через «не эмоциональные» каналы. Применение данного языка существенно сократит число потребных вознаграждений и наказаний.

В самом деле, мальчик на горящей палубе бездумно выполнял приказы, чем уподобился компьютеру. Тьюринг предполагает, что обучающаяся машина способна достигать «сверхкритического состояния», когда, по аналогии с радиоактивными веществами по достижении критической массы машина начнет производить больше мыслей, чем в нее вложено. По сути, так выглядела картина его собственного развития, описанная несколько более серьезно, чем в 1948 году, вместе с утверждением, что и его собственная самобытность была, в какой-то степени предопределена. Возможно, он думал о последовательностях функции арктангенса или о законе движения в условиях общей теории относительности, когда впервые начал складывать в уме данные идеи. Мысль, опять же, была не нова. Бернард Шоу в «Назад к Мафусаилу», так осветил вопрос, когда Пигмалион произвел свое устройство:

ЭКРАСИЯ: Он что не способен сделать что-нибудь свое?

ПИГМАЛИОН: Нет. Но, знаешь ли, я не сказал бы, что кто-нибудь из нас способен сотворить нечто поистине свое, хотя Марцелл и думает, что можем.

АКИД: А на вопрос он может дать ответ?

ПИГМАЛИОН: О, да. Вопрос, ведь, побуждает, как тебе известно. Спроси его.

Многое из написанного Аланом представляло собой обоснование доводов Пигмалиона, которые высмеивал Шоу, сторонник теории о Жизненной Силе.

На этот раз он также предложил тщательно сформулированное пророчество, взвешенное и нацеленное отнюдь не на газетных репортеров.

«Я полагаю, что через пятьдесят лет станет возможно программировать компьютеры, способные хранить примерно 10^9 единиц информации. Будет возможно так хорошо научить их играть в имитацию, что средний «допрашивающий» не преуспеет более чем в 70 процентах случаев в выявлении машины после пяти минут разговора. Изначальный вопрос «способна ли машина мыслить» я считаю бессмысленным и не заслуживающим обсуждения. Тем не менее я считаю, что к концу века использование слов и общие представления настолько переменятся, что можно будет говорить о мышлении машин, не ожидая встретить противоречие.»

Данные условия («средний», «пять минут», «70 процентов») не представляются особо строгими. Гораздо важнее, что «игра в подражание» позволяет задавать вопросы о чём угодно, а не только из области математики, или шахмат.

Здесь отразился интеллектуальный вызов по принципу «всё или ничего», который был брошен в самый подходящий момент. Поколение первопроходцев в новых науках информатики и коммуникаций — такие люди, как фон Ньюман, Винер, Шэнон и сам Тьюринг, объединившие широкий взгляд на науку и философию с опытом Второй Мировой Войны, уступало место второму поколению, которое обладало административными и техническими навыками для создания собственно машин. Широкий взгляд и направленные на краткосрочную перспективу технические навыки имеют мало общего — в этом заключалась одна из проблем Алана. Данная работа стала своего рода лебединой песней, отразившей основополагающее стремление и восторг первооткрывателя, которые не успели погрязнуть в заурядных технических подробностях. Иными словами работа являлась образцом классической британской научной традиции. Она стала мягким ответом Норберту Винеру, а также «реакционным» тенденциям в культуре Британии 1940-х годов. Ей восхищался Бертран Рассел, а его друг Руперт Кроушей-Уильямс даже написал Алану, насколько им с Расселом понравилась работа.

С философской точки зрения можно сказать, что она соотносится с «Концепциями разума» Гилберта Райля, увидевшими свет в 1949 году, где выдвигалась мысль о разуме, как чемто добавленном к мозгу в качестве описания мира. Впрочем, труд Алана предлагал конкретный вид описания, а именно: машину дискретных состояний. К тому же Тьюринг был больше ученым, чем философом. Суть его подхода, как подчеркивал Тьюринг в своей работе, заключается не в абстрактных размышлениях, а в испытаниях тех, или иных идей с тем, чтобы увидеть, многого ли можно достичь. В этом он стал своего рода Галилеем новой науки. Галилей пошел путем практики, опираясь на абстрактную модель мира под названием физика. Алан Тьюринг отталкивался от модели логической машины.

Самому Алану сравнение пришлось бы по душе: в своей статье он ссылался на Галилея, вспоминая о недовольстве церкви и о том, что его «Возражения» и «Опровержения» носят характер судебного процесса. Около года спустя он выступал по данной теме с докладом с подзаголовком «Еретическая теория». Тьюринг любил произносить что-нибудь вроде: «Когда-нибудь дамы станут брать свои компьютеры на прогулку в парк и хвастать: «Сегодня утром мой компьютер сказал презабавную вещь!». Тем самым он отвергал ханжеские обращения к «высшим материям». Или, когда его спросили, как заставить компьютер сказать нечто удивительное, Тьюринг отвечал: «Дайте ему поговорить с епископом». Вряд ли в 1950 ему угрожал суд за еретические мысли, однако он, безусловно, ощущал, что противостоит иррациональной и суеверной преграде, чувствуя необходимость противоречить ей. Тьюринг продолжал:

«Я также полагаю, что нет пользы в сокрытии подобных убеждений.

Распространенное представление о том, что ученые неизменно продвигаются от одного доказанного факта к другому, не попадая под влияние догадок и гипотез, весьма ошибочно. Достаточно лишь явно отделить доказанные факты от предположений. Гипотезы имеют огромное значение, так как позволяют наметить продуктивные направления исследований».

Для Алана Тьюринга наука подразумевала самостоятельное мышление. Так, незапятнанная пробами и ошибками, связанными с реальными компьютерными установками, зародилась гипотеза, предположение о том, что к концу тысячелетия возникнет нечто, приближающееся к искусственному разуму, мысль давным давно отраженная в истории Пигмалиона. Плодом данной мысли стали возникшие после 1935 года концепции о машинной модели на основе дискретных состояний, об универсальности, о применении принципа имитации для того, чтобы «сконструировать мозг».

Однако под поверхностью напористой и позитивистской научной работы лежали будоражащие и дразнящие вопросы, требовавшие углубленного изучения. В отличие от многих ученых, Алан Тьюринг не страдал зашоренностью и узостью восприятия, что наложило отпечаток на его работы и мысли. Он проницательно отмечал особые модели, применяемые в различных областях научного знания, и подчеркивал, насколько важно разделять их. Однако на суть вопроса указал еще Эдуард Карепентер задолго до Тьюринга:

«Научный метод не отличается от методов иных областей земного знания, он состоит в отсечении невежества. Представ перед величием беспредельного единства Природы, мы можем осмыслить её, лишь выделяя те, или иные детали и рассматривая их (будь то осознанно, или нет) изолированно.»

Построение модели работы мозга в виде «дискретной контролирующей машины» — вот хороший пример «выделения тех, или иных деталей», так как, при желании, можно найти множество иных способов описать работу мозга. Однако утверждение Тьюринга заключалось в том, что подобная модель подходит для описания того, что мы называем «мышлением». Как он отметил несколько позднее, пародируя доводы Джефферсона: «Нас не интересует тот факт, что мозг своей консистенцией напоминает холодную овсянку. Мы не собираемся утверждать, что данная машина слишком плотная, чтобы походить на мозг, а следовательно, она не способна мыслить.» Или, как он указал в своей работе: «Мы не ставим машине в упрек тот факт, что она не блещет на конкурсах красоты, равно как и не упрекаем человека в том, что тот не способен обогнать аэроплан. Благодаря условиям нашей игры данные ограничения становятся несущественными. «Свидетели» могут, если сочтут такое поведение уместным, сколько угодно бахвалиться своим очарованием, физической силой или героизмом, однако задающий вопросы не имеет права потребовать фактической демонстрации.»

Оспорить его доводы в рамках данной модели не представляется возможным, впрочем можно привести аргументы против самой модели. Аргументы теоремы Гёделя является прекрасным примером принятия модели системы, основанной на логике. Однако Тьюринг, понимая философию науки, оспаривал правомочность самой модели. В частности, факт остается фактом: ни одна машина не способна быть подлинно «дискретной». В строгом смысле подобных машин не существует. В действительности все процессы происходят непрерывно, однако многие машины удобно рассматривать как дискретные. К примеру, рассматривая систему освещения, удобно полагать, что каждый из выключателей находится однозначно либо в положении «включено», либо «выключено». Промежуточные положения должны существовать, тем не менее для своих целей мы можем ими пренебречь.

Именно пренебрегая ими, мы и выделяем те самые важные детали, необходимые для научного метода. Он признавал, что по своей природе нервная система является непрерывной, а следовательно не представляет из себя машину дискретных состояний. Незначительная ошибка в информации о силе нервного импульса, воздействующего на нейрон, приводит к значительному изменению силы исходящего импульса. Принимая это во внимание, можно прийти к выводу, что имитировать нервную систему с помощью системы, основанной на дискретных состояниях, не представляется возможным.

Несмотря на это Тьюринг полагает, что какие бы непрерывные и случайные элементы не принимали участие в функционировании системы, до тех пор пока мозг работает каким-либо единственным определенным образом, его работу возможно имитировать сколь угодно правдоподобно с помощью дискретной машины. Подход видится разумным, так как он предполагает тот же метод аппроксимации, что используется в прикладной математике, и при замене аналоговых устройств цифровыми.

«Чудеса природы» начинались с вопроса, что общего у меня с иными живыми существами, чем я от них отличаюсь. Теперь Алан Тьюринг задал вопрос, что общего между ним и компьютером и в чем заключаются их отличия. Помимо характерных свойств «последовательного» и «дискретного» следовало учесть и понятия «контролирующего» и «активного». Здесь он столкнулся с вопросом, важны ли его чувства восприятия, мышечная деятельность и биохимические процессы в теле для мышления или же, по меньшей мере, их можно включить в модель, основанную исключительно на «контроле», в которой все эти физические процессы не будут иметь значения. Рассуждая о данной проблеме, он написал:

«При обучении машины невозможно следовать в точности тому же процессу, что и в обучении ребенка. Так у машины отсутствуют ноги, следовательно, её не удастся попросить пойти и наполнить ведерко для угля. Возможно, у неё не будет и глаз. Тем не менее, все эти отличия можно преодолеть с помощью инженерных ухищрений, и всё же машину не отправишь в школу, по меньшей мере, её засмеют другие дети. Однако её необходимо обучать. Не следует слишком беспокоиться о ногах, глазах и прочем. Пример мисс Хелен Келлер демонстрирует, что процесс обучения возможен при условии наличия двусторонней коммуникации между учителем и учеником.»

Он не придерживался догматичного подхода в своих рассуждениях. В заключение он написал (вероятно, на всякий случай):

«Можно также утверждать, что оптимальным путем станет обеспечение машины наилучшими из возможных органами чувств, а затем обучение её английскому языку. Данный процесс может напоминать обучение обычного ребенка: учитель показывает предмет и называет его. Как бы то ни было, мне не известен верный ответ, я полагаю, что стоит опробовать оба подхода.»

Однако сам Тьюринг делал ставку на нечто иное. Позже он скажет:

«...Я, безусловно, надеюсь и полагаю, что машинам не станут всеми силами придавать подобие с человеком в областях, не имеющих отношение к интеллекту, таких как форма тела. Подобные попытки видятся мне тщетными, а их результаты будут своей неестественностью походить на искусственные цветы. Попытки создания мыслящей машины, по моему мнению, относятся к иной категории.»

Отбирая в 1948 году области, предложенные к автоматизации, он останавливался именно на тех, что не «предполагали контакта с окружающим миром». Игра в шахматы, по большей части, не включает иных фактов, кроме положения на доске и состояния разума игроков. То же самое можно сказать и о математике, действительно, основанной исключительно на символах системе, предполагающей сугубо технические вопросы, то есть вопросы техники вычислений. Сам Тьюринг включал сюда и криптоанализ, однако сомнения у него вызывали переводы с одного языка на другой. Тем не менее в публикации для журнала *"Mind"* он смело включил в область деятельности «интеллектуальных машин» и разговор. Тем самым Тьюринг попал под собственную критику, так как участие в повседневном разговоре требовало бы от машины «контакта с окружающим миром».

Он не решил проблемы, состоявший в том, что подлинный разговор подразумевает действия, а не исчерпывается лишь последовательностью символов. Слова произносятся с целью произвести изменения в мире, изменения неизбежно связанные со смыслом высказывания. Размышления о значении и смысле завели ученого в область нематериальных и религиозных коннотаций, однако нет ничего сверхъестественного в том обыденном факте, что человеческий мозг соединен с окружающим миром устройствами, отличными от телетайпа. Предполагалось, что «контролирующая машина» будет иметь сколь угодно малые физические проявления, однако для того, чтобы речь была услышана и понята, она должна иметь выраженное физическое воздействие, связанное со структурой окружающего мира. Согласно модели Тьюринга данный факт не являлся существенным, им следовало пренебречь при выборе конкретных деталей к рассмотрению, однако аргументы в поддержку такого подхода оказались довольно слабы.

Если, как предполагал и сам Тьюринг, знания и интеллект человека проистекают из взаимодействия с окружающим миром, то, следовательно, знания сохраняются в мозгу человека неким образом, зависящим от природы породившего его взаимодействия. Слова, сохраненные в мозге, должны самой его структурой связываться с обстоятельствами применения данных слов, со страхом, смущением и слезами, которые ассоциируются с ними, или которые они замещают. Могут ли такие слова храниться в целях «интеллектуального» применения в машине дискретных состояний, моделирующей мозг, если данную модель не снабдить периферическими моторными, сенсорными и химическими системами, присущими мозгу? Возможен ли интеллект вне жизни? Существует ли сознание вне коммуникации? Есть ли язык без бытия? Отделима ли мысль от переживания? Такие вопросы задавал Алан Тьюринг. Вопросы тесно перекликающиеся с проблематикой, волновавшей Витгенштейна. Является ли язык лишь игрой, или же он непременно связан с реальной жизнью? В отношении шахматного мышления,

математического мышления, да и любого чисто технического мышления, применяемого при исключительно символьном решении проблем, существуют мощные аргументы
в поддержку точки зрения Тьюринга. Однако, рассматривая
область человеческой коммуникации во всей широте, не
удается не только разрешить данные вопросы, но даже
должным образом поставить их.

Безусловно, наиболее явно все эти вопросы проявились
в докладе 1948 года при выборе видов деятельности, подходящей для мозга «лишенного тела». Тьюринг свел их к действи-
ям, не требующим «органов чувств, или движения». Но даже
тогда, выбрав криптоанализ в качестве области пригодной для
разумных машин, он намеренно не акцентировал внимания на
тех сложностях, которые возникают из взаимодействия между
людьми. Взгляд на криптоанализ как на работу исключительно
с символами явно перекликался с тем, как в «Hut 8» в целом
рассматривали войну вне политических и собственно военных
процессов, стремясь действовать автономно и изолированно,
вне влияния окружающего мира. Герой фильма «Маленькая
задняя комната» довольно иронично отметил:

«Как жаль, если задуматься, что мы не можем упразднить
ВМФ, армию и ВВС и дальше побеждать в войне без них.»

Однако без армии обойтись было невозможно. Требовалось взаимодействие с разведкой и другими подразделениями,
иначе в Блетчли не было бы никакого смысла. По сути, руководство пыталось провести разделительную черту там, где её
не существовало. Аналитики из разведки работали и с отделом
оценки обстановки. Оценка обстановки сказывалась на эффективности операций, которая, в свою очередь, отражалась
на успехе криптоанализа. При этом операции происходили
в реальном мире, где шла война и тонули корабли, тогда как
в «Hut 8» война казалась отдаленным сном, хотя, на самом деле, они принимали в ней самое непосредственное участие.

Математиков привлекает возможность рассматривать
машины и информацию на бумаге исключительно как символы. Однако факт остается фактом, для тех, кто понимает,
что в знании заключена власть, их проявления в реальном
мире имеют важнейшее значение. Подлинная тайна Блетчли

состояла в том, как удалось интегрировать совершенно разные, по сути, направления деятельности, её логические, политические, экономические и социальные аспекты. Происходившие процессы были настолько сложны, причем не только в рамках одной системы, но и во взаимодействии многих систем, что объяснить их успешную работу можно, пожалуй, только тем «британским духом», о котором говорил Черчилль. Как бы то ни было, Тьюринг всегда склонялся к тому, чтобы работать автономно, рассматривать свою деятельность как техническую головоломку. Он всегда сопротивлялся административному вмешательству. В своей работе на Великобританию он столкнулся с той же самой проблемой, что и в своей модели мозга. Та же проблема проявилась и в судьбе «АСЕ». Разработав крайне разумный план, Алан был склонен предполагать, что политические механизмы заработают как по мановению волшебной палочки и воплотят его в жизнь. Он никогда не учитывал тех взаимодействий и контактов, которые необходимы для претворения планов в жизнь в реальном мире.

Именно этот довод лежал в основе замечаний Джеффесона, порой несколько путанных. Нельзя сказать, что Тьюринг полностью избегал данной темы, он даже пошел на следующую уступку:

«Следует, тем не менее, отметить ряд уже упомянутых физических ограничений. Неспособность насладиться клубникой со сливками может показаться читателю пустячной. Не исключено, что возможно добиться того, чтобы машина получила удовольствие от вкуса блюда, но попытки добиться этого будут ничем иным, как идиотизмом. Однако данное ограничение вносит свой вклад в иные ограничения, скажем сложность установления дружественной связи между человеком и машиной, подобно той, что возникает между белым человеком и белым человеком, или темнокожим и темнокожим.»

Хотя данная уступка не являлась особенной, она была крайне существенной и открывала вопрос о том, какую роль играют подобные свойства человека в «разумном» использовании языка. Данный вопрос Тьюринг не изучал.

Аналогично, он не избегал прямого ответа на возражение Джефферсона о том, что машина не способна оценить по достоинству сонет «из-за эмоций, переживаемых подлинно». Сонеты Джефферсона походили на совет Черчилля Р.В. Джонсу: «Хвали гуманитарные науки, мальчик мой. Все будут думать, что ты мыслишь широко!» Аналогично и Тьюринг уцепился за пустую, по сути, культуру восхваления Шекспира, возможно, несколько грубовато. В своих аргументах он опирался на принцип имитации. Если машина сможет приводить доводы так же подлинно, как и человеческое существо, то как можно отказывать ей в существовании чувств, которые мы приписали бы собеседнику-человеку? Для иллюстрации своих размышлений Тьюринг приводит модель диалога:

СПРАШИВАЮЩИЙ: В первой строчке сонета говорится «сравню ли с летним днем твои черты», как вы считаете, если сказать «весенний день» что-то измениться, может, станет лучше?

ОТВЕЧАЮЩИЙ: Не укладывается ритм.

СПРАШИВАЮЩИЙ: А если «зимним днем»? Тогда укладывается неплохо.

ОТВЕЧАЮЩИЙ: Да, но кому понравится сравнение с зимним днем.

СПРАШИВАЮЩИЙ: А можно сказать, что господин Пиквик Вам напоминает о Рождестве?

ОТВЕЧАЮЩИЙ: В какой-то мере.

СПРАШИВАЮЩИЙ: Но Рождество — это зимний день. Вряд ли Пиквик станет возражать, если его уподобить Рождественскому дню.

ОТВЕЧАЮЩИЙ: По-моему, Вы говорите несерьезно. Говоря о зимнем дне, Вы подразумеваете некий ничем не примечательный, обычный день, а Рождество — особенный день.

Однако ответ на возражение рождает тот же вопрос о роли взаимодействия с окружающим миром в «интеллекте». Подобная игра со словами из области литературной критики — это уже клубника со сливками, а отнюдь не хлеб, или мясо. Она выражала взгляд на сонеты на задней парте урока английского языка Росса! А где же скрывается то самое «подлинное чувство»? Скорее Джефферсон подразумевал нечто более близкое к понятию интеллектуальной целостности, нежели к выставлению оценок на экзамене: искренность, или правдивость, указывающие на некую связь между словами и восприятием мира. При этом подобная целостность, последовательность в словах и действиях недоступна машине, основанной лишь на дискретных действиях. Проблема возникнет особенно явно, если поставить машину перед вопросом «Испытываете ли Вы...», «Были ли Вы когда-либо...», или «Что Вы делали во время войны». Либо же, оставаясь в рамках игры с угадыванием полов, попросить истолковать некоторые из наиболее неоднозначных сонетов Шекспира. Можно также предложить обсудить изменения, которые внес в работы Шекспира доктор Баудлер. Показательной темой для разговора станет и «кто любит со мной работать». Вопросы, касающиеся пола, общества, политики, или тайн проявят тот факт, что слова, которые человек способен произнести, могут оказаться ограничены вовсе не интеллектом, отвечающим за разгадывание головоломок, но, скорее, пределами того, что возможно сделать. Тем не менее, такого рода вопросы не сыграли роли в дискурсе.

Тьюринг избегал проповедей и претенциозности, используя легкий стиль и доступные метафоры для того, чтобы донести серьезные мысли, — подход характерный для апостольских преданий, Сэмюэла Батлера и Бернарда Шоу. При этом примеры «разума» от Тьюринга, равно как и от указанных писателей, можно уличить в налете лести, в противоречивости ради самого противоречия, в заумности и дискуссионности. Он наслаждался игрой с идеями — но логического поединка с Богом и Гёделем, с Львом и Единорогом, конфликта между свободой воли и детерминизмом было недостаточно.

Для того чтобы подойти к вопросам «мышления» и «сознания» по иному, нет нужды ни в туманности, ни в претенциозности. Именно в 1949 году свет увидела книга «1984», которая так впечатлила Алана. Именно она подтолкнула его к несвойственному высказыванию о политике в беседе с Робином Гэнди: «Я нахожу это крайне удручающим... Полагаю, абсолютно единственная надежда скрыта в этих работягах.»

Рассуждения Оруэлла о способности политической структуры определять язык, а языка, в свою очередь, придавать форму мыслям, имели непосредственное отношение к доводам Тьюринга. Не исключено, что и Оруэлл вдохновлялся идеей о компьютере Тьюринга, который пишет сонеты, когда описывал свои «стихоплеты» — устройства, создающие популярные песни.

Всё же данный вопрос не занимал центрального места, так как Оруэлл оставил людям труд, приносящий интеллектуальное удовлетворение: переписывать историю в Министерстве правды. Свое внимание он направил на интеллектуальную целостность — сохранение целостности рассудка и контакта с внешней реальностью.

«Надлежит избавиться от идей девятнадцатого века о законах Природы», — говорил О'Брайен Винстону Смиту. — «Мы создаем законы природы... Ничто не существует вне сознания человека». Вот чего боялся Орлл, в противовес он ухватился за научный факт в качестве внешней реальности, которая не подвержена отрицанию со стороны политической власти: «Свобода — это свобода сказать, что два и два составляют четыре.» Он добавил неизменное прошлое и спонтанность полового поведения как нечто, что существовало вне зависимости от того, что говорится. Наука и секс! — именно они позволили Алану Тьюрингу выйти за рамки привычной социальной системы. А что же машина, машина, основанная на чисто дискретных состояниях, ведь она не может получить ни того, ни другого. Её вселенная будет пуста. В ней не будет ничего, кроме мира её наставника. Ей можно сказать, что заблагорассудится: что в пространстве пять измерений, что два и два в сумме дают пять, — все что решит Большой Брат. Как машина станет думать «за себя», как того требует Тьюринг?

Как могут сказать в «Мозговом Тресте», все зависит от того, что мы понимаем под разумом. Когда Тьюринг впервые употребил данное слово, речь шла об игре в шахматы и прочих типах решения головоломок. Такое понимание слова хорошо соответствовало военному времени и послевоенным настроениям, когда под разумом понималось нечто, чем обладал «Hut 8», и чего не было у Адмиралтейства. Однако слово всегда употреблялось в более широком смысле, подразумевая скорее некую степень понимания реальности, нежели способность достигать цели, решать головоломки и ломать шифры. В работе «Вычислительные машины и разум» данные рассуждения отсутствовали. Остался только проходящий комментарий Тьюринга о Хелен Келлер, как аргумент в пользу утверждения, что средства коммуникации, как посредник между мозгом и миром, являются несущественными для приобретения разума. Принимая во внимание масштабность вопроса, данный аргумент видится незначительным. Даже Бернард Шоу, в своей иррациональной манере, указывал на проблему, которой избегал Алан:

ПИГМАЛИОН. Но в них есть сознание. Я обучил их чтению и письму, а теперь они лгут. Как же это походит на жизнь.

МАРЦЕЛЛ. Вовсе нет. Будь они живыми, они говорили бы правду.

Безусловно, Тьюринг выбирал, на чем сконцентрировать внимание, исходя из своего происхождения и жизненного опыта. Как математика его занимал мир символов. Более того мощный толчок развитию Тьюринга дала школа формализма, которая предполагала подход к математике как к шахматной партии, не требуя связи с внешним миром. То есть тот самый вопрос оставляли решать кому-то другому. Близость формалистического подхода к играм по своему характеру проявилась и в настоящей дискуссии, в силу чего данные «допросы» приобрели налет разговоров Алисы в Зазеркалье. По сути, можно сказать, что описанное Тьюрингом поведение машины: поведение без относительно действия, — походит не столько на способность мыслить, сколько на способность видеть сны.

Машина дискретных состояний, которая осуществляет коммуникацию только лишь посредством телетайпа, сродни идеальной жизни Тьюринга, где его оставят в покое в собственной комнате, а все контакты с окружающим миром будут строиться исключительно на основе рациональных аргументов. Своего рода воплощение идеального либерала по Д.С.

Миллю, сконцентрированного на свободной воле и свободе слова индивидуума. С такой точки зрения его модель стала естественным продолжением определения «вычислимого», выведенного в 1936, в котором предполагалось, что машина Тьюринга должна подражать всему, что отдельно взятый разум выведет, работая на бумаге.

С другой стороны, Тьюринг не настолько прост, чтобы забыть, что его сила лежит в здравом и серьезном подходе к реальному применению, нежели в искусном решении головоломок. В 1938 году в своей работе «Ординальная логика» Тьюринг прокомментировал: «Мы оставляем вне внимания способность, которая позволяет отделять одни темы, представляющие интерес, от других. По сути, мы ограничиваем функцию математика лишь установлением истинности либо ложности той или иной предпосылки.» Сам Тьюринг тщательно отбирал темы, представляющие интерес, чтобы затем направить на них свой разум, он отбирал темы значимые. Данная основополагающая способность отсутствовала в машине, основанной на дискретных состояниях, так как она опирается ни на что иное, как на контакт с реальностью. Более того, ему приходилось существовать в мире и осуществлять коммуникацию, как и всем окружающим. Увлеченность Тьюринга компьютерами дополнительно окрашивалась грузом социальных правил и конвенций. С детства недоумевающий по поводу «очевидных обязательств», он был вдвойне оторван от притворных игр социальной жизни, будучи ученым в чистом виде и гомосексуалистом. Манеры поведения, комитеты, допросы и смотры, немецкие коды и жесткие нравственные нормы, — все это ставило под угрозу его свободу. Что-то он примет с удовольствием или без, что-то — отвергнет, как бы то ни было Тьюринг всегда будет чрезмерно задумываться, иногда вплоть до неловкости, о вещах, которые другие люди принимают «не рассуждая». В свете сказанного он получал удовольствие, описывая формализованные последовательности действий для своего компьютера, равно как и от творчества Джейн Остин и Тролоппа, писателей , сознающих социальные обязательства и иерархию. Ему нравилось сводить жизнь к игре, пантомиме.

Так он всеми силами старался представить Вторую Мировую Войну в виде игры. Вновь это нашло выражение в его рассуждениях о вычислимости в 1936 году, согласно которым машина Тьюринга должна выполнять любые типичные действия, действия, для которых установлены правила.

Свободный индивид, порой работающий вместе с социальными механизмами, чаще — против них, обучающийся через «вмешательства» извне, при этом отвергающий подобные вмешательства: взаимодействие между разумом и долгом, взаимодействие с окружающим миром, которое несет дискомфорт, но и стимулирует, — такой была его жизнь. Несмотря на то, что все эти элементы нашли отражение в его мыслях об искусственном разуме, далеко не все из них удалось удовлетворительно объединить. Тьюринг не решил вопрос каналов коммуникации, не изучил физические проявления разума в социальном и политическом мире. Он легкомысленно отметал эти вопросы в сторону. Впрочем, не всегда, однажды в письме миссис Морком о том, как мы могли бы существовать как свободные духи и общаться в таком состоянии, он отметил: «Но в таком случае, не будет хоть каких бы то ни было действий.» Мышление и действия, логическое и физическое, — вот проблематика его теории и его жизни.

Летом 1950 года он решил порвать со своей жизнью портфелей, домовладелиц и их фарфора. Тьюринг покупает дом в Вилмслоу — районе жилья для среднего класса в городе Чешире, что в десяти милях к югу от Манчестера. Дом был в викторианском стиле с общей стеной и располагался в районе близ деревеньки Дин Роу. Прямо за ней расстилались холмы и поля района Пик. Здесь, по крайней мере, он обрел свободу. Невилл полагал, что Тьюрингу не стоит жить одному, однако наедине с собой тот вряд ли был более одинок, чем среди сводящей с ума толпы. Сам Невилл окончил курс статистики в Кембридже и устроился на работу в компании, занимавшейся электроникой, недалеко от Ридинга, куда он и переехал в дом своей матери. Теперь им стало гораздо сложнее видеться, что ознаменовало еще одну перемену в жизни Алана.

Дом «Холимид» был существенно больше необходимого ему: несколько эгоистично, принимая во внимание жилищный кризис 1950 года. Несмотря на то, что Тьюринг обставил дом весьма неплохой мебелью, тут осталась атмосфера пустоты и некий налет временного жилища. Его представления о том, как жить, явно не соответствовали представлениям респектабельных соседей. В одном ученому повезло — его соседи по дому, с которыми он делил стену, семья Веббов, были весьма расположены к Тьюрингу. Оказалось, что Рой Вебб жил в Шербёрне почти одновременно с Аланом, а теперь работал адвокатом в Манчестере. Семья приглашала Алана на чай, а порой на ужин. Он пользовался их телефоном, так как своего не имел. Даже сад был общий, и Веббы ухаживали за частью, принадлежавшей Алану. Тот отметил садоводство, шахматы и бег на длинные дистанции как свой досуг в «Кто есть кто». Однако речь, скорее, шла о том, чтобы предаваться безделью на лоне природы, а не об уходе за лужайками предместий. «Зимой ничего не растет», — объяснял он Рою Веббу свое попустительское отношение к растительному миру. Веббы привыкли видеть его в любое время года в жилете и шортах и даже временами оставляли с Аланом своего сына Роба, родившегося в 1948 году. Тьюрингу занятие пришлось по душе — наблюдения за пробуждением разума и зарождением сознательной речи вызывали в нем интеллектуальный интерес, не говоря уже об удовольствии от общения, которое разделял и мальчик. Позже они часто сиживали с Веббами на крыше гаража, и однажды было слышно, как они горячо обсуждают, простудился бы Бог, посиди он на земле.

Собственный дом предоставил Тьюрингу еще больше возможностей поиграть в игру с пустынным островом, используя смекалку, чтобы создавать то, в чем он нуждался. Ему захотелось выложить кирпичную дорогу, и поначалу Алан вознамерился обжечь глину самостоятельно, подобно шахматному набору в Блетчли, но в итоге он решил удовлетвориться заказным кирпичом, задумав, впрочем, выложить дорожку своими руками. Однако ученый существенно недооценил потребные затраты, и в итоге дорога так и осталась незавершенной. Как и во время войны, подобные истории помогали окружающим мириться с более отталкивающими сторонами его личности, и, как и во времена войны, спартанская и беспорядочная обстановка, в которой жил Тьюринг, производила большое впечатление на тех, кто не был знаком с образом жизни преподавателей Кембриджа, приводя в замешательство полагавших, что выходец из среднего класса не способен что-либо сделать своими руками.

Впрочем Алану не удалось достичь самообеспечения: он полагался на услуги миссис С., которая покупала для него продукты и прибиралась четырежды в неделю. Кому-то он мог показаться бездельником, раз уж требовалась помощь в создании домашнего уюта, который он не мог или не желал обеспечивать себе сам. Он не возражал против некоторой доли комфорта, но не стремился связываться с беспокойством и помехами, которые создавал быт. Простая жизнь семьи Веббов по соседству помогала ученому поддерживать связь с тем, чего ему не доставало. Готовить он так и не научился, так что миссис Вебб приходилось не только объяснять, как сушить носки, но и пояснять науку приготовления бисквитного торта. Алан с удовольствием демонстрировал гостям новые умения, не имеющие отношения к ученой жизни, но такие близкие к его экспериментам мальчишкой.

Гостей приходило не много. Порой приглашались молодые инженеры, собиравшие по пути яблоки, несколько раз заходили Боб с женой. Тьюринга регулярно навещал Робин Гэнди. По меньшей мере раз в семестр он заезжал на выходные из Лейчестера, где с октября 1949 вел лекции в университете. К тому времени Алан стал его курирующим профессором. В основном они обсуждали философию науки, хотя интерес Робина все больше склонялся к вопросам математической логики, нежели общей логики наук. Так его работы пересекались с работами Тьюринга. Подобно Белому Рыцарю, которого занимали песни и их имена, Робина увлекла теория типов, что возродило интерес Алана к данной теме. Порой они вместе занимались работой по дому или в саду, а после за ужином угощались бутылочкой вина, которое Алан по обыкновению подогревал в теплой воде. Это было непреложным правилом, как и то, что пробка после еды возвращалась в бутылку, даже если Робин был не прочь допить её до конца. После трапезы во время мытья посуды следовали умственные упражнения, например, рассуждения о том, как деревьям удается поднимать воду на высоту более тридцати футов.

Не исключено, что в его жизни, если не в доме, случались и гости иного рода. Рядом жила другая Англия. Англия улочек и поездов, пабов, парков, туалетов, музеев, бань, автобусных остановок, магазинных витрин. Англия, которую можно увидеть, обернувшись, если знать, куда смотреть. Сеть бесчисленных разговоров и взглядов, отделенных от выхолощенной культуры Британии, но частью которой был и Тьюринг. До войны он был слишком робок, но к 1950 Алан сделал для себя ряд открытий. Традиционно для гомосексуалиста из среднего класса существовал Париж. Поездка за рубеж позволяла совершить двойной побег: от английских законов и от классовой системы, которая поглощала британца, стоило тому открыть рот. Впрочем и в Англии оставались возможности. Приезжая в Лондон, Алан всегда останавливался в Ассоциации молодых христиан, хотя бы потому, что ему никогда и не пришло бы в голову искать более шикарный ночлег. А так же здесь был бассейн, где он мог свободно наблюдать за молодыми людьми. Манчестер же — это совсем иная история.

По пути к центру города от Университета Виктории находилось место, где Оксфордская дорога становилась Оксфордской улицей, сразу за железнодорожным мостом. Здесь вдали от мечтательных шпилей, на другом конце дороги A34, расположились несколько кинотеатров, увеселительные заведения, паб — таверна Юнион — и ранний образец кафе-молочной. На этом отрезке улицы от общественного туалета до кинотеатра. Возможно, по этим улицам прошел и Людвиг Витгенштейн в 1908 году. Подобные неофициальные места существовали так же, как и более респектабельные заведения. Сюда шел разношерстный поток, в котором затерялся и Алан Тьюринг. Жесткое разделение между людьми отсутствовало. Без денег не обходилось, но не более, чем в виде «чаевых», которые неизбежно меняли владельца при встрече различных классов, что, впрочем, мало отличалось от того, как мужчины общались и обходились с женщинам. Отдельные отношения строились по принципу *quid pro quo*, тогда речь шла скорее о грошах, нежели о фунтах. Так обстояли дела в Англии 1950 года вне привилегированных кругов, как, например, в Кембридже, или Оксфорде. Дело в том, что для молодежи, особенно для тех, кто не был способен обеспечить приватное пространство, гомосексуальные желания означали жизнь на улице. Секс как на пустынном острове, требующий минимальных социальных ресурсов и привлекавший внимание только если что-то пошло не так, не считался приемлемым для респектабельного мужчины, однако Алан был выше респектабельности.

Кандид вернулся в свой сад, сад на заднем дворе науки. Но в чем состоял его план на ближайшее будущее? Последние два года принесли отблески успеха ранних лет. Обычный ученый стал бы развивать эти успехи, стремясь выжать из них всё возможное. Такой путь был не для него. Нужно было найти нечто новое, что позволило бы двигаться дальше. Тогда Алан обратился к теме, которая существовала всегда, но лишь теперь стала выходить на свет. Словно длинная подпрограмма, которая началась с Кристофером Моркомом, прошла через Эддингтона и фон Ньюмана, Гилберта и Гёделя, через «О вычисляемых числах», через его военные машины и механические процессы, через реле, электронику и «АСЕ», через программирование компьютеров и стремление к разумным машинам, — весь этот поток научных изысканий сошелся в одну точку и позволил Тьюрингу продолжить с того места, где его прервало обучение.

Намек содержался уже в «Разумных машинах», слова в адрес сэра Чарльза Дарвина:

«Представление коры головного мозга как неорганизованной машины крайне удовлетворительно с точки зрения эволюции и генетики. Очевидно, нет нужды в сложных системах генов для того, чтобы произвести на свет нечто подобное... неорганизованной машине. В самом деле, это видится гораздо более простой задачей, нежели создание чего-то столь сложного, как, скажем, дыхательный центр...»

Каким-то образом мозг справился с этой задачей. Каким-то образом мозги появляются на свет ежедневно, не требуя всех хлопот и забот, связанных с ограниченной начинкой «АСЕ». Существуют две возможности: либо мозг обучается мыслить, когда на него накладывают отпечаток взаимодействия с окружающим миром, либо же нечто записано в нем от рождения — то есть запрограммировано — генами. Поначалу мозг представлял из себя слишком сложный объект для изучения. Откуда все его элементы знают, как расти? Вот вопрос, который может задать любой ребенок. Вопрос, который лежит в самом центре «Чудес природы, о которых должен знать любой ребенок». Развивая деликатную тему о том, «из чего сделаны мальчики и девочки», Э.Т. Брюстер решил описать развитие морской звезды, начиная от яйца, в котором нет и признака растущего внутри существа. Логично было бы ожидать, что яйцо, представляющее собой смесь масла и желе, постепенно разовьется во взрослую звезду, но не тут-то было. Этот шарик разделяется ровно пополам на две одинаковых сферы, лежащие бок о бок... Через полчаса каждый из пузырьков, которые стали называть «клетками», вновь делится и их становится четыре. Из четырех происходит восемь, затем — шестнадцать. По прошествии нескольких часов пузырьков уже сотни, все они крошечные и напоминают кучку мыльных пузырьков, как те, что получаются, если через соломинку подуть в мыльную воду.

«Именно из этой сферы клеток, — объясняет Брюстер — и сформируется животное».

Если оно подобно нам, то строительные элементы для тела до того, как превратиться в тело, походят на круглый мячик. Там, где будет спина, возникает борозда, которая развивается в спинной мозг. Снизу прикрепляется трубка, которая становится хребтом. Один из концов спинного мозга растет быстрее остальной его части и развивается в мозг. От мозга отпочковываются глаза. Внешняя поверхность тела, которая еще не превратилась в кожу, втягивается внутрь и образует ухо. Со лба спускаются четыре нароста и образуют лицо. Конечности поначалу представляют из себя бесформенные выпуклости, которые вырастают в руки и ноги.

Алан постоянно размышлял об эмбриологии. Его завораживал тот факт, что подобное развитие определяет нечто, что «никто еще даже не начал изучать». Со времен «Развития и формы» — классической работы 1917 года, с которой он познакомился до войны — не было сделано значительных открытий. После 1920-х стало возможно сослаться на Принцип Неопределенности и утверждать, что жизнь по своей природе является непознаваемой, подобно тому, как невозможно одновременно измерить скорость элементарной частицы и узнать ее место положения в квантовой механике. Подобно теме разума, этот вопрос окружал флёр религиозности и волшебства, что привлекало внимание Тьюринга и вызывало скепсис. Это было нетронутое поле. Работа С.Х. Уэддингтона по эмбриологии, опубликованная в 1940 году, содержала лишь описание экспериментов по выращиванию тканей, которые показывали, в каких обстоятельствах ткани были способны продолжить свое развитие.

Главная загадка состояла в том, как биологической материи удается формировать настолько сложные структуры, существенно превышающие размеры самих клеток. Откуда группе клеток «знать», что им следует образовать структуру на основе лучевой симметрии, чтобы в итоге создать морскую звезду? Как миллионы клеток обмениваются информацией о данной симметрии? Как кроне ели удается гармонично соблюдать последовательность Фибоначчи по мере роста растения на всем своем протяжении? Как материи удается принимать форму, или, как сказали бы греки, в чем секрет морфогенеза? Биологи прибегали к неоднозначным определениям, таким как «морфогенетическое поле» или туманным концепциям Жизненной Силы для того, чтобы объяснить тот факт, что в ткани эмбриона, похоже, заложен невидимый шаблон, который последовательно направляет его гармоничное развитие. Выдвигались предположения, что данные «поля» можно описать в терминах химии, однако теории так и не было создано. Тьюринг был убежден, что нет иного объяснения, кроме как направляющий *esprit de corps*. Он выдвигал необъяснимость формы эмбриона в качестве одного из аргументов против детерминизма. С другой стороны, Алан говорил Робину, что его идеи направлены на то, чтобы «победить аргументы сторонников Замысла».

Тьюринг был знаком с лекциями Шредингера 1943 года «Что такое жизнь», в которых путем логического рассуждения выводился постулат о том, что генетическая информация должна храниться на молекулярном уровне и что квантовая теория молекулярных связей способна объяснить, как данная информация сохраняется на протяжении тысяч миллионов лет. В Кембридже Ватсон и Крик, стремясь опередить конкурентов, пытались установить верность гипотезы и суть происходящих процессов. Однако проблема Тьюринга состояла не в том, чтобы последовать за рассуждениями Шредингера, а в том, чтобы найти параллельное объяснение тому, как химический «бульон», при условии, что гены в самом деле производят молекулы, способен породить биологическую систему. Он задавался вопросом, как информация из генов переводится в действия. Подобно вкладу Шредингера, изыскания Тьюринга основывались на принципах математики и физики, а не на эксперименте — это была работа ученого ума.

В литературе встречались и иные предположения о природе «морфогенетического поля», однако в определенный момент Алан решил принять гипотезу о том, что оно определяется некими вариациями в концентрации химических веществ, и посмотреть, как далеко ему удастся продвинуться, отталкиваясь от данной мысли. Он вернулся во времена йодидов и сульфитов, во времена математики химических реакций. Однако теперь Тьюринг столкнулся с проблемой иного порядка. Недостаточно было изучать, как вещество А превращается в вещество Б, требовалось открыть условия, при которых смесь растворов веществ, реагирующих друг с другом, способна образовать систему, пульсирующий узор химических волн, волн концентрации, которые направят формирующиеся ткани, волн, которые захватят миллионы клеток и организуют их в симметричную систему, масштабы которой будут на многие порядки больше. В основу легла параллельная рассуждениям Шредингера мысль о том, что химический «бульон» способен содержать информацию, необходимую для описания крупномасштабной химической системы в пространстве.

Имела место центральная и фундаментальная трудность, примером и объяснением которой служит феномен гаструляции. Этот процесс описан и проиллюстрирован в «Чудесах света». В ходе него идеальная сфера из клеток неожиданно образует желоб, который и определяет, где будет находится голова и хвост зарождающегося животного. Суть проблемы описывается так:

если сфера симметрична и химические реакции симметричны и отсутствует информация о направлениях влево, вправо, вверх и вниз, то откуда проистекает решение о выборе направления? Именно данный феномен приводит Тьюринга к мысли, что имеет место воздействие некоей нематериальной силы.

В определенный момент каким-то неведомым путем создается информация, что противоречит ожидаемому протеканию процесса. При растворении кубика сахара в чае не остается никакой информации о том, где он был. В ходе других процессов, таких как кристаллизация, происходит обратный процесс. Структура создается, а не разрушается. Объяснение кроется на стыке нескольких уровней научного знания. При описании процессов с точки зрения химии, когда рассматривается только средние концентрации и давление, какое-либо предпочтительное направление отсутствует. Однако на более глубоком Лаплассовом уровне движения отдельных молекул окажутся не идеально симметричными и, при определенных условиях, в кристаллизующемся растворе, например, этот феномен приведет к тому, что одно из направлений в пространстве окажется предпочтительнее прочих. Пример, выбранный Аланом в качестве иллюстрации, он почерпнул из своего опыта работы с электричеством:

Ситуация напоминает происходящее при подключении электрических осцилляторов. Обычно не составляет труда понять, как работает осциллятор после запуска. Но при первом знакомстве с устройством не очевидно, как начинаются осцилляции. Объяснение заключается в том, что в любом контуре всегда присутствуют случайные возмущения. Любое возмущение, частота которого совпадет с частотой осциллятора, запускает прибор. Окончательным состоянием системы является поддержание колебаний должной частоты, амплитуды (и формы волны), которые также определяются свойствами контура. Фаза колебаний определяется возмущениями в контуре.

Тьюринг установил в своем кабинете систему колебательных контуров и демонстрировал, как постепенно осцилляторы входят в резонанс друг с другом.

Подобного рода процессы, то есть кристаллизация, или скатывание, можно описать как разрешение неустойчивого равновесия. В случае сферы из развивающихся клеток требуется доказать, что некоторым образом, например, за счет изменения температуры или присутствия катализатора устойчивое химическое равновесие становится неустойчивым — своего рода химический эквивалент последней соломинки, ломающей спину верблюду. Сам Алан в качестве аналогии приводил мышь, взбирающуюся на маятник.

Здесь крылась мысль, способная объяснить, как информация в генах переводится на уровень физиологии. Проблема роста в целом является куда более сложной, тем не менее анализ данного момента роста способен принести разгадку того, как из ничего вдруг словно по мановению волшебной палочки возникает гармония и симметрия биологических структур.

Для того чтобы изучить данный критический момент с точки зрения математики, требуется ряд аппроксимаций. Необходимо пренебречь внутренней структурой клеток и закрыть глаза на то, что сами клетки станут перемещаться и делиться по мере образования структуры. Существовали и очевидные ограничения химической модели. Почему, например, сердце человека всегда расположено со стороны левой руки? Если момент нарушения симметрии изначальной сферы определяется случайным образом, тогда сердца у людей располагались бы в равной мере как слева, так и справа. Тьюрингу пришлось отложить решение данной проблемы. Он предположил, что в определенный момент начинает играть роль несимметричность самих молекул.

Принимая во внимание все оговорки, Тьюринг решил испытать модель. Его слова являются классическим примером научного подхода:

> «... будет описана математическая модель роста эмбриона. Настоящая модель представляет собой упрощение и идеализацию, а следовательно является искажением действительности. Стоит надеяться, что избранные для обсуждения свойства данной модели являются наиболее существенными, учитывая текущий уровень знаний.»

Результатом его работы стала прикладная математика высшей пробы. Подобно тому, как простая идея о машине Тьюринга вывела его в области за границами кембриджской математики, теперь новая простая мысль о физической химии открыла перед ученым неизведанные регионы математических проблем. По крайней мере, на этот раз работа была только его и ничья больше. Некому было в ней напортачить, кроме самого Тьюринга.

Даже после неимоверных упрощений математические уравнения, описывающие «бульон» лишь из четырех взаимодействующих растворов, не поддавались решению. Трудность состояла в том, что химические реакции носили нелинейный характер. Уравнения электричества и магнетизма являются линейными, то есть при суперпозиции двух электромагнитных систем (например, если одновременно начнут излучать два радиопередатчика) их воздействие попросту складывается. Передатчики не влияют друг на друга. Однако в мире химии все обстоит иначе. Удвойте количество реагентов и реакция может начать протекать вчетверо быстрее. При суперпозиции растворов может произойти всё что угодно! Подобные нелинейные задачи приходится решать целиком — математические методы, знакомые из электромагнитной теории, когда система описывается как сумма небольших ее элементов, оказываются непригодными.

И всё же та самая критическая точка, когда возникают бугорки, когда нестабильная система кристаллизуется в структуру, может рассматриваться как линейный процесс — с этим фактом знакомы занимающиеся прикладной математикой — это и дало Тьюрингу отправную точку для того, чтобы подойти к проблеме роста.

Так Алан приложил руку к еще одной основополагающей проблеме жизни, на этот раз не из области разума, но из области тела, хотя обе проблемы и относились к мозгу. Причем, приложил руку в буквальном смысле: Тьюрингу всегда было интересно изучать растения во время прогулок и пробежек, а теперь он начал всерьез коллекционировать дикие цветы Чешира, каталогизируя согласно потрепанному изданию «Флоры Британии», он раскладывал их по альбомам и помечал места произрастания на карте. Природный мир оказался полон примеров структур. Работа напоминала взлом кода — миллионы сообщений требовали дешифрирования. Поле работы не ограничено ничем. Химическая модель вооружила ученого единственным инструментом. Но с этого все только начиналось.

Миссис Вебб только что выслушала лекцию о спиральной последовательности Фибоначчи, которая проявляется в кроне ели, та же структура наблюдается и в расположении семян подсолнуха, и во взаимном расположении листьев других растений. Тьюринг поставил перед собой задачу объяснить, почему в природе возникают проявления данной последовательности. Требовался анализ двухмерной поверхности, поэтому он решил отложить рассмотрение загадки, а сперва заняться изучением более простых случаев.

В главе «Природная мастерская» Брюстер освещает процесс регенерации гидр — небольших червей, живущих в пресной воде — которые способны отрастить новый хвост или даже голову в замен утерянных. Алан взял гидру, которая выглядит как простая трубка, и упростил её еще дальше, решив пренебречь длиной. Он сфокусировался на кольце клеток. Оказалось, что, используя модель с двумя взаимодействующими химическими веществами, которые реагируют и смешиваются вокруг данного кольца, возможно произвести теоретический анализ всех возможных моментов образования «почек».

Концепция, пусть и до предела упрощенная и гипотетическая, работала. Выходило, что при определенных условиях химические вещества образуют стационарные волны концентрации, которые и определяют число выступов на кольце. Легко представить, что возникшие лепестки станут основой структуры щупальцев организма. Анализ также показал, что волны способны собираться в несимметричные области концентрации, которые напомнили Тьюрингу беспорядочные пятна и полосы на звериных шкурах. Опираясь на эту мысль, он провел экспериментальные расчеты. К концу 1950 года прототип компьютера прекратил работу и ученые Университета ожидали, когда прибудет замена из Ферранти, поэтому Алану пришлось совершать вычисления на настольном калькуляторе. Он получил пёстрые узоры, напоминающие окрас коров джерсийской породы. Вновь Тьюринг оказался вовлечен в значимую работу.

В Рождество 1950 года Тьюринг вновь встретился с Д.З. Янгом и продолжил обсуждение мозговых клеток, начатое во время их встречи в октябре 1949 года. Янг недавно закончил вести цикл ежегодных лекций Рейта1950 года, в которых представил ряд довольно смелых утверждений из области нейрофизиологии касательно объяснения поведения. Позже Янг вспоминал, что Алан «... мягкостью напоминал плюшевого медведя, когда пытался разъяснить другим мысли, которые еще не закончили формироваться в его сознании. Мне, не математику, порой было нелегко следовать за его доводами, которые он сопровождал забавными диаграммами на своей доске, а обобщая, он словно стремился впечатать свои мысли в меня. И как забыть его несколько пугающее пристальное внимание к каждому вашему слову. Часто он раздумывал над значением услышанного многие часы и дни после разговора. Иногда эта его черта заставляла меня гадать: а правы ли мы, говоря ему что-либо, ведь он так серьезно воспринимает все произнесенные слова.»

Обсуждались физиологические основы памяти и распознавания образов. Янг писал:

«Уважаемый Тьюринг,

Я продолжил размышлять над Вашими умозаключениями. Надеюсь, мне удалось уловить, к чему Вы стремитесь прийти. Несмотря на то, что мои знания о предмете ограничены, я полагаю, что результат приносит тождественный процесс. Вы, определенно, заблуждаетесь, полагая, что для того чтобы определить название для автобуса, его необходимо сопоставить со всем на свете, начиная от чайника и заканчивая облаками. Без сомнения, в мозгу присутствуют механизмы для упрощения процесса. Насколько я понял, Вы называете такой процесс абстрагированием. Наша слабость в том, что мы располагаем крайне ограниченными представлениями о метках и коде, которые применяет мозг. Суть моего предположения заключается в том, что разнообразные объекты распознаются при помощи относительно ограниченного числа моделей. Без сомнения, процесс носит ступенчатый характер, возможно, на каждом этапе происходит отсев на основании распознанных признаков, а затем цикл повторяется.

Возможно, мое предположение не имеет большого смысла в строгих терминах, а его единственным доказательством служит тот факт, что люди, действительно, группируют реакции вокруг относительно простых моделей: круг, бог, отец, машина, состояние и т.д.

Придем ли мы к чему-нибудь, установив, что объем памяти 10^{10} нейронов организован определенным образом, и предположив, что проходимость нейронных путей тем выше, чем чаще они используются? Существует ли конечное число структур такой системы? Например, имея 100 возможных выходов вовне, структура организуется а) в целом случайным образом или б) с понижающейся с расстоянием частотой? Принимая во внимание любой конкретный план обратной связи, можно ли сравнить объем памяти каждого из этих планов, предположив, к примеру, что вероятность повторного использования того или иного нейронного пути возрастает с каждым использованием на заданную величину?

Всё это крайне общо. Если у Вас возникли мысли по поводу того, какие важные вопросы мы должны задать себе дальше, дайте мне знать. Поможет ли, если мы сможем составить своего рода спецификацию направлений импульсов (в коре) от каждой клетки? По моему разумению, нам по силу распутать этот узел.

Искренне Ваш,
Джон Янг.»

Ответ Алана дает ясно понять, в чем заключается его интерес в отношении логического и физического устройства мозга:

8 февраля 1951
«Уважаемый Янг,
Весьма вероятно, что наши разногласия, в основном, касаются использования терминов. Я, разумеется, пре-

красно сознаю, что мозг не сравнивает всё со всем от чайника до облака и что процесс идентификации разбит на несколько этапов, однако распространять этот метод настолько широко я бы не стал, равно, как называть итоговый процесс «сопоставлением».

Указанная Вами проблема объема памяти, содержащегося в N (допустим, 10^{10}) нейронах, имеющих M (допустим, 100) выходов, имеет решение, обладающее достаточной для такой постановки проблемы точностью. Если я правильно понял, мысль заключается в том, что с помощью различных подходов к обучению эффективность работы одних путей можно повысить, а других — свести к минимуму. При таком положении, какой объем информации способен удержать мозг? Ответ прост — MN двоичных чисел, так как имеется MN путей, каждый из которых способен принимать два состояния. Если допустить, что каждый путь имеет восемь возможных состояний (что бы это не значило), Вы получите 3MN. ...

Боюсь что я очень далек от того этапа, когда мне потребуется задавать какие-либо вопросы, касающиеся анатомии. Согласно моим представлениям о подходе к этой проблеме, такая необходимость возникнет на более поздних этапах исследования, когда у меня будет достаточно определенная теория о происходящих процессах.

Сейчас же я не работаю над этой задачей, а размышляю над своей теорий эмбриологии, которую я Вам как-нибудь расскажу. Она принесет плоды в лечении и пока что даст удовлетворительные объяснения :

Гаструляции
Полигональных симметричных структур, таких как морские звезды, цветы.

Расположению листьев, в частности по образу рядов Фибоначчи (0,1,1,2,3,5,8,13. ...), которые там проявляются

Окраска животных, например, полосы и пятна.

Паттерны на таких сфероподобных структурах, как на радиоляриях, но это более сложно и спорно.

Я занимаюсь сейчас этим, потому что это приносит плоды в сфере лечения. Я думаю, это частично связанно с другими проблемами. Должно быть, структура мозга можно получить из генетического эмбриологического механизма, и я надеюсь, что эта теория, над которой я сейчас работаю, может ясно показать ограничения с которыми можно столкнуться. То, что ты сказал мне о росте нейронов под стимулирующим воздействием, показалось мне очень интересным. Это подразумевает способ, при котором нейроны могли расти так, чтобы они формировали определенную цепь, а не рост нейронов до определенного места.

Искренне ваш, А.М. Тьюринг.

Через несколько дней, компьютер Ферранти Марк I был доставлен в Манчестерский университет, в котором была недавно построена вычислительная лаборатория. Алан написал Майку Вуджеру назад в НФЛ:

«Нашу новую машину доставят в понедельник [12 февраля 1951]. Я надеюсь, что одной из первых моих работ на ней станет исследование по «химической эмбриологии». В частности, я думаю, что можно объяснить появление связи чисел Фибоначчи с еловыми шишками.»

Уже прошел двадцать один год, и компьютер достиг совершеннолетия. Было такое чувство, как будто все, что он сделал, и все, что мир с ним сделал, было для того, чтобы обеспечить его универсальной электронной машиной, с которой можно думать о тайне жизни.

Большая часть установки компьютера, как он представлял ее себе для ACE, теперь стала реальностью; люди вскоре стали приходить к ним со своими проблемами; «мастера» программировали его, а «слуги» проводили обслуживание. Они действительно создали библиотеку программ. (На самом деле, речь шла именно о последнем вкладе Алана в вычислительную систему Манчестера, — он заложил способ написания и заполнения формального описания программ, предназначенных для общего пользования). У него была собственная комната в новом здании компьютерного центра, и он был, по крайней мере в теории, главным «мастером». Инженеры перешли на проектирование второй, более быстрой машины (к которой он не испытывал никакого интереса), и он вполне мог взять на себя ответственность за использование первой.

Возможности проведения семинаров и публикаций были безграничными, поскольку это был первый коммерчески доступный электронный компьютер в мире, опередивший на несколько месяцев UNIVAC, сделанный фирмой Экерта и Мокли. Он также пользовался решительной поддержкой британского правительства, чья Национальная Корпорация Развития Исследований под председательством администратора Лорда Хоулсбери, управляла инвестициями, продажами и защитой патента после 1949 года. На самом деле они смогли даже продать восемь копий Mark I.

Большая учредительная конференция была запланирована на июль, но эта работа была сделана исключительно за счет инженеров и компании Ферранти. Нельзя сказать, что Алан сбежал; он просто хотел избежать участия. Никто не мог предположить, что официально ему платили за должность директора лаборатории. Весной 1951 г. он нашел способ переложить свои оставшиеся обязанности на Р. А. Брукера из Кембриджского EDSAC.

Некая отчужденность Алана раздражала инженеров, которые считали, что их достижение не получает должного внимания и признания, которого они заслуживают в математическом и научном мире. Во многом вычислительная лаборатория, как и Hut 8, осталась в тени. Признание тем не менее, пришло к Алану Тьюрингу. В 1951 году, на выборах, которые состоялись 15 марта, он стал членом Королевского общества. Тогда упоминались его работы на вычислимых числах, которые были сделаны пятнадцать лет назад. Алана это позабавило, и он написал Дону Бейли (который послал ему свои поздравления), что они действительно не могли сделать его членом Королевского общества, когда ему было двадцать четыре. Авторами идеи были Макс Ньюман и Бертран Рассел. Ньюман потерял всякий интерес к компьютерам и был лишь благодарен, что Алан сумел регенерировать его идею с морфогенетической теорией.

Джефферсон, сам будучи членом Королевского общества с 1947 года, также направил поздравительное письмо Алану: «Я так рад; и я искренне надеюсь, что все ваши лампы светятся от удовлетворения и передают сообщения, которые для вас означают удовольствие и гордость! (но вы не верьте этому!)». Джефферсон нашел меткое описание Алана, как «своего рода Шелли в науке».

Г-жа Тьюринг была очень горда получением титула, который поднял Алана до высоты Джорджа Джонстона Стоуни, и устроила вечеринку в Гилфорде. Его мать с трудом преодолела изумление от того, что важные персоны вполне могут лестно отзываться об ее Алане. Хотя Алан жаловался друзьям на ее покровительственную суетливость и религиозность, оставалось фактом то, что она была одной из тех немногих людей, кто проявлял интерес к его делам. В основном это выливалось в ее усилия по устройству личной жизни Алана, с указанием на правильный и неправильный способы выполнять рутинные обязанности.

Но их встречи были не частыми; Алан посещал Гилфорд два раза в год, раздражая и мать, и брата объявлением о скором прибытие телеграммой или открыткой и не более того. Каждое лето его мать ездила в Уилмслоу. Иногда Алан звонил; однажды он узнал, например, что они оба очень любят рассказы на «Детском часу», и сообщал ей, когда выходил хороший рассказ. Но г-жа Тьюринг хотела, чувствовать вовлеченность в работу Алана, она любила биологию больше, чем компьютеры. Не имея понятия о том, что он делал в Манчестере, она помогала с дикими цветами и картами. С ее оптимизмом она измеряла все в терминах полезности для человечества и подталкивала его ближе к Пастеру, который ей однажды приснился. Может быть, мечтала она, это может привести к излечению от рака! Но Алан этого не хотел. Не было способа узнать, куда фаустовские поиски могут привести на этот раз. Даже если его практические методы имели что-то общее с наивной естественной историей прошлого века, и даже если это означало возвращение к детским увлечениям, его работа укладывалась в крупную сферу модернизации биологии, в которой большие технические достижения 1930-х годов увенчались применением количественного анализа, столь триумфального в физике и химии.

Оценки в Вычислительной Лаборатории были более приземленными. Там все началось в 1951 году, и ни один из тех, кто был связан с компьютером, не знал о «вычислимых числах». Национальная Физическая Лаборатория имела тесные связи с Кембриджскими математиками и с Королевским обществом; новые хозяева Марк I были весьма разношерстным коллективом и не интересовались его прошлым. Да и Алан не пытался им объяснять. Студент, занимавшийся прикладными исследованиями по математике, Н. И. Хоскин, недавно начавший использовать новый компьютер, как-то раз сказал за чашкой кофе: «Никогда не думал о вас, как о члене Королевского общества», Алан просто рассмеялся — своим вызывающие дрожащим, механизированным смехом.

Он выглядел молодо для Королевского общества, хотя в свои тридцать восемь он не был самым молодым его членом. Харди был избран в тридцать три года, а индийский математик-самоучка Рамануджан — в тридцать. Морис Прайс также был избран в 1951 году, так что в этом отношении Алан догнал математического физика, которого он не встречал после войны. В письме Филипу Холлу в Кингс-колледж, который также поздравил его, он сказал, что было очень приятно присоединиться к олимпийцам. После математического описания его «волн на коровах» и «волн на леопардах», он добавил: «Я рад увидеть Мориса Прайса в списке. Я встретил его впервые на экзамене для стипендиатов в 1929 году, но узнал его гораздо лучше в Принстоне. Он был моим начальником и разжигал во мне научный интерес». Там же он написал шутку: «Я надеюсь, что меня не называют «выдающимся работником, который занят решением неразрешимых проблем».

В момент его ухода из лаборатории на Алана обрушилась информация, что новый компьютер был использован для выполнения вычислений для британской атомной бомбы. Занимался этим в манчестерском университете молодой ученый, А.И.Гленни. Он иногда общался с Аланом о математических методах, хотя и говорил лишь в общих чертах. Однако однажды Алек Гленни стал помощником Алана, когда тот искал «посредственного игрока», на котором можно опробовать свою нынешнюю шахматную программу. Они пришли в комнату Алана, где хранились все правила, написанные им на бумажках, и в течение трех часов после обеда Алан разрывался между выполнением шагов, которых требовал его алгоритм и тем, что было, очевидно, лучшим ходом в конкретной ситуации. В комнате царило долгое молчание, пока он складывал баллы и выбирал минимаксную стратегию, или недовольство, когда он видел, что упускает что-то. Как это ни парадоксально, но не смотря на все события последних десяти лет, он был немного ближе к действительности, пытаясь серьезно играть в шахматы с машиной — тогдашние компьютеры не имели ни скорости, ни объема памяти для таких задач

Алек Гленни иногда сравнивал Алана с Калибаном из-за его мрачного настроения, иногда он проявлял радость, иногда был обижен, а в лабораторию он заходил, казалось, на случайной основе. Он мог быть до смешного наивен, как например, когда его распирало от смеха над каламбуром из имени, который Гленни выдумал для выходной рутины: RITE. Для Сесили Попплевелл он был ужасным начальником, но с другой стороны, не было необходимости быть вежливой или притворяться с ним — это было попросту невозможно. Он считался "важной шишкой" в исследованиях математических методов; те, кто хотел найти решение, просто спрашивали у него, и если они могли удержать его интерес и внимание, они могли получить ценную подсказку. Алек Гленни был весьма удивлен его знаниями гидродинамики. И все же, он не был стандартным математиком, и профессиональные математики чаще удивлялись не тем, какими знаниями он обладал, а тем, чего он не знал. Он никогда не стремился к такому же статусу, как у фон Неймана, и не демонстрировал широту своих знаний. С 1938 года он вообще читал очень мало статей по математике.

В апреле 1951 он еще раз взглянул на проблему тождества для групп и пришел к результату, который Дж. Г. К. Уайтхед в Оксфорде признал "сенсационным", — но он никогда не был опуликован. Макс Ньюман поддерживал его интерес к топологии и ходил на семинары. Но тенденция послевоенной математики отходит от его интересов. Математика расцвела через все большую и большую абстракцию ради себя самой, а Калибан на своем острове оставался где-то между абстрактным и физическим. Не стремился он и на конференции, ненавидя академическую болтовню, однако он пошел на Британский Математический Коллоквиум, который помогал организовывать Макс Ньюман. Весной 1951 они с Робином отправились к одному математику в Бристоль, который заинтересовал его в обсуждении топологии, Виктору Гуггенхайму. Но это были только единичные вылазки.

Еще одна подобная вылазка была предложена БиБиСи. Они хотели сделать серию из пяти разговоров о компьютерах. В одном выпуске появился Алан, а в остальных: Ньюман, Уилкс, Уилльямс и Хартри. Передача с Аланом вышла 15 мая 1951 года и называлась «Могут ли Цифровые компьютеры думать?». Во многом она была посвящена основам универсальной машины и принципам имитации. Были там и некоторые ссылки на «вековой спор» о «свободной воле и детерминизме», который вспомнили в связи с мнением Эддингтона о неопределенности квантовой механики и с некоторыми предложениями о том, как включить элемент «свободной воли» в машине. Это может быть сделано либо с помощью «чего-то вроде рулетки или с помощью радия» — то есть, по типу генератора случайных чисел, который работал бы как генератор ленты «Rockex» от случайного шума — либо с помощью машин «чье поведение представляется вполне случайным для тех, кто не знает, детали их конструкции». Его слушатели с трудом могли представить себе секреты, которые лежат за этим высказыванием! Он закончил с собственным обоснованием для исследования искусственного интеллекта:

Весь процесс мышления все еще остается для нас загадкой, но я считаю, что попытка сделать мыслящую машину поможет нам лучше изучить то, как мы думаем сами.

Этот короткий разговор не включал какие-либо подробности о том, как он предложил запрограммировать машину, чтобы она могла думать, за исключением того, что «это должно быть похоже на обучение». Этот комментарий вызвал немедленную реакцию у Кристофера Стрейчи, сына Рэя и Оливера Стрейчи.

Хотя он вырос в семье отца — дешифровщика и матери — математика, Кристофер Стрейчи особенно не выделялся как студент, изучающий математику в Кингс-колледже с 1935 по 1938. После войны, когда он работал на радаре, он пошел преподавать в школу Херроу. Но идея искусственного интеллекта зацепила его внимание, как когда-то произошло и с Аланоми. В 1951 общий друг свел его с Майком Вуджером в Национальной Физической Лаборатории, и он приступил к написанию программы управления тягой для нового Pilote ACE. К маю он также работает с Руководством для программистов от Тьюринга, чтобы уметь пользоваться Манчестерской машиной. Вечером после трансляции передачи он написал длинное письмо Алану, с амбициозными планами:

> ... Существенным шагом будет, во-первых, научить машину саму программировать себя, исходя из очень простых и общих входных данных. ... Будет очень удобно, если сообщения будут понятны ... как только будет выведен подходящий вариант решения, все, что необходимо сделать — ввести немного обычных математических коэффициентов и символов и запустить специальную процедуру, скажем, «Программа», которая будет преобразовать все это в код, чтобы машина выполнила указанные операции. Это может показаться довольно утопично, но я думаю, что это, или нечто подобное, может стать возможным, и я думаю, что это откроет путь к созданию простой обучаемой программы. Я не думал об этом очень серьезно и долго, но как только я закончу программу Управления Тягой, намерен заняться этим всерьез.

Он думал о процессе обучения не только в аудиториях школы Хэрроу, но, играя в логическую игру «Ним» с другом нематематиком. Большинство математиков знали из старых «Математических Рекреаций» Роуз Болла, что существовало безошибочное правило для выигрышной стратегии, основанное на выражении количества совпадений в каждой области памяти в двоичной системе счисления. Мало кто, скорее всего, вывел это правило посредством игры, но друг Стрейчи заметил, что игрок, который смог добиться положения (N, N, 0) победил, оставалось лишь скопировать движения противника, чтобы уменьшить до (0,0,0). Это был элемент абстракции, достигнутый за счет человеческого ума, — вот что заинтересовало Стрейчи. Он разработал программу, которая может вести учет по выигрышным позициям и тем самым улучшить свою игру за счет опыта, но она могла хранить их только в индивидуальном порядке, таком как (1,1,0), (2,2,0) и так далее. Это ограничение вскоре позволило его другу победить программу. Стрейчи писал:

> Мне кажется, что это ясно показывает то, что одной из самых важных особенностей мышления является способность замечать что-то новое, когда работаешь в незнакомой области. ...

И его утопическая «Программа» была преподнесена, как один из «проблесков идеи, как сделать так, чтобы на это была способна машина».

Интересы Алана были уже сосредоточены на биологии, но он все еще был заинтересован в разработке таких спекулятивных идей о механическом мышлении. В обсуждения в этот период времени были включены некоторые предложения, которые вылились в офисные системы регистрации или, что было более важно, в системы разведки « Hut 4»:

> Машина будет обладать памятью. ... Это будет просто список всех утверждений, которые были внесены в нее, или внесены ей самой, и все ходы, которые она совершила. Они будут перечислены в хронологическом порядке. Кроме этой простой памяти будет ряд «индексов опыта». Чтобы объяснить эту идею, я предлагаю форму, которую один из таких индексов сможет принять. Это, например, может быть алфавитный указатель слов, которые были использованы, ... так что они могут быть рассмотрены в памяти. Другой такой индекс может содержать шаблоны мужчин на доске «Ход», которые имели место быть.

При сравнительно поздних стадиях, память может быть расширена, чтобы включить важные части конфигурации машины в каждый момент, или, другими словами, она начнет запоминать, какими были мысли. Это привело бы к появлению новых форм индексации. Новые формы индекса могут быть внесены в качестве специальных особенностей, наблюдаемых в уже использованных индексах. ...

Во многом то, что он делал — было выработкой своей собственной теории психологии с машиной (в основном воображаемой) в качестве платформы, на которой эта теория могла бы работать.

Учредительная Конференция По Манчестерскому компьютеру, (с 9 до 12 июля 1951 года), к которой Алан вернулся после отдыха за рубежом, была более приземленным случаем.

Эта конференция была последним появлением Алана, где он внес какой-либо вклад в программирование или в работу с компьютерами, и уже тогда он превращался в легенду или призрака из прошлого науки. Неопрятный и эксцентричный, он выжил в Кембридже 1930-х годов, здесь о нем узнали, но мало кто мог его понять.

Майк Вуджер выступил с докладом о сравнительной эффективности кодов машинных программ Манчестера и Национальной Физической Лаборатории. Алан пригласил его остаться в Холлимиде на неделю конференции. Его гость мог бы испугаться, если бы он знал, что Алан гомосексуалист, но он оставался в неведении. То, что он увидел на встрече, его не мало удивило. Это был хаос из горшков и кастрюль, полных сорняков и вонючих смесей, в которых Алан, в качестве своего хобби, выяснял, какие химические вещества можно сделать из природных материалов, и, в частности, проводил некоторые электролитические эксперименты. Майк Вуджер поначалу восхищался методом перевязки кирпичных плит, но затем не проявил полного понимания, когда Алан пытался объяснить свой прогресс в морфогенезе.

Это была биологическая теория, а не имитация или игра, и это была его любимая тема на тот момент. Наконец-то появилось что-то еще, в чем он был серьезно заинтересован, и о чем мог также рассказать. Как только новый компьютер был установлен и заработал, была создана имитация химических волн на идеализированном кольце клеток, «Гидра Тьюринга». После долгой работы он собрал набор гипотетических реакций, которые, при включении условий работы в первоначальном однородном "супе" будут иметь эффект создания стационарного пространственного распределения волн концентрации химического вещества. Это может происходить с разной скоростью с разными результатами: «быстрого приготовления» и «медленного приготовления», как назвал он их. Он также пытался решить проблему гаструляции, показывая, как случайные помехи в сфере могут привести к выбору определенной оси.

В этой работе он выработал уникальное чувство взаимодействия с тем, что было, в сущности, персональным компьютером. Это было похоже на диалог с Колоссом, хотя Рой Даффи, новый инженер по техническому обслуживанию, называл это «игрой на органе», когда он смотрел как Алан сидел за консолью и использовать ручное управление. Каждому, кто пользовался машиной, пришлось разбираться, как она на самом деле работает, потому, что когда магнитный барабан или электронно-лучевые трубки выходили из строя, нужно было вносить изменения в программу. В такой ситуации он мог просто наблюдать за «процессом готовки». Кроме того, у пользователя был полный контроль над работой машины и ее режимом вывода, и Алан иногда отображал биологические образцы на мониторах электронно-лучевых трубок или распечатывал контурные карты методами, разработанными к тому времени на кристаллографах.

Он любил работать по ночам — обычно во вторник и четверг. Но его работа не ограничивалась биологией. В частности, у него была программа «колокольный звон». Колокольный звон? Работа со всеми возможными комбинациями? По ком звонит колокол? Даже не спрашивайте. ... Но, как правило, он мог встретить людей, приходящих утром, бегая вокруг них с распечатками — «пятен жирафа», «ананасов» или чего угодно, — а затем возвращался домой и спал до полудня. Это работа в ночное время отразилась в том, что появилась самая прогрессивная часть его Руководства, в которой он объяснил, как настроить машину так, чтобы она работала секретарем для самой себя и следила за всеми экспериментами и модификациями. Даже в этой, казалось бы, чисто технической книге, присутствовала научная игра с "правилами" и "описаниями": программисту было разрешено работать с машиной логически, инженеру — физически, а также был «формальный режим», по его словам, благодаря этому режиму можно было распечатать описание операций, которые совершались на более высоком уровнек.

Помимо таких сопутствующих исследований в его работе (которая в данном случае предвосхитила появление понятия «операционная система») никто не знал, что именно он делал с машиной, а с осени 1951 года все контакты с остальными пользователями машины и вовсе прекратились.

В августе 1951 года Алан, как обычно, работал в Кембридже. Оттуда он в компании Робина, Ника Фербанка, Кита Робертса и друга Робина Кристофера Беннетта, отправился на поезде в Лондон на Фестиваль Британии. Они посетили Музей Науки на юге Кенсингтона, где и проходили научные и ай-ти выставки. Были представлены кибернетические черепахи Грея Уолтера, казалось, что они ходят по кругу, и Робин сказал, что у них прогрессивный паралич. Однако потом они заметили одну важную и неожиданную деталь: роботы-черепахи двигались перед зеркалом. Затем они прошли мимо выставки Ферранти «Нимрод». Электронная машина играла с человеком, все очень обрадовались, увидев Алана, и тут же предложили ему сыграть партию. Разумеется, Алан согласился, обыграл машину, та написала светящимися лампочками «ты выиграл», а потом резко поменяла на мигающую надпись «нет, я выиграл». Алану очень понравилось, что машина отреагировала по-человечески.

После того как они воочию убедились, что Наука Великобритании поднимается с колен, то решили отправиться в парк аттракционов Баттерси. Алан был в приподнятом настроении и даже нарушил правило его отца и поехал на такси, а не автобусе. На американских горках Алан не катался, потому что боялся, что его укачает. Но они все вместе зашли в комнату смеха, где разглядывали друг друга в ультрафиолете.

Уже в Манчестере Тони Брукер сразу после прибытия начал переделывать старую систему и написал новые и более эффективные схемы для ввода и вывода, которые допускали десятичную систему счисления, а также улучшенную связь между подпрограммами. Алан был не против, но действовал по своей собственной схеме, которая его вполне устраивала. Его воображение позволяло ему представлять лепестки роз в формате телетайпа. Между тем в Манчестер приехал Кристофер Стречи, он хотел попробовать поработать с программой, продолжительность которой впечатляла. Она была написана с помощью руководства и небольшой консультации с Сесили Поппелвелл. Предполагалось, что это поможет решить проблему, которую перед ним поставил Алан — создать машину, которая бы сама определяла свое поведение таким образом, что на ней можно было проверять работу других программ. Собравшись в лаборатории, они слегка умерили свой пыл, поскольку понимали, что с первой попытки вряд ли выйдет что-то путное. Однако программу удалось написать и ее решили тут же протестировать. Алан показал ему, как пользоваться машиной, провел краткий инструктаж, а затем дал Стречи полную свободу действий. Обычно Алан очень нетерпелив по отношению к работе других, особенно если они медлительны, но в этот раз он проявил небывалое терпение. За ночь Стречи удалось запустить программу, а также научить новому — ко всеобщему удивлению машина исполнила God Save the King. По совету Алана Лорд Хэлбери незамедлительно предложил Стрейчи работу в университете с очень хорошей зарплатой. Дни, когда Алан был у руля прогресса, подходили к концу. Он передал пальму первенства.

В начале ноября его работа по морфогенетической теории была завершена. Он решил отправить ее в Королевское научное общество, где ее получили 9 ноября. Что привело к некоторому математическому спору. Как он отметил, мало кто знал что-либо о дифференциальном уравнении, физической химии и физиологии. Биологи лучше разбирались в переводе терминов с греческого языка, нежели в математике. Математики, с другой стороны, ни капли не разбирались в науке о живой природе, хотя Лайтхиллу очень понравилась работа

Алана. Это был очередной случай того, когда его труды не находили равного понимания среди современников. Химическое отделение предложило компромисс, и 11 декабря 1951 года Алан провел там семинар.

Приближалось Рождество, а с ним и тяжелая обязанность — покупка подарков. Алан всегда ответственно подходил к этому делу. Его личная щедрость не знала границ. Он помог своей любимой тетушке Сибил, которая потеряла зрение в Индии, где она работала миссионером. Он купил для нее — комплект шрифта Брайля. Он помогал своему другу детства Хейзелу Ворду вернуться к миссионерству. К большому удивлению Робина, который часто слушал его школьные истории, он подписался на Шерборнское 400-летие в 1950 году. В это Рождество, однако, он понял, что заслужил подарок. Ведь после того, как он дописал работу, которая установила новые стандарты, открыла новые горизонты и по весу сравнима с Вычислимыми числами — Алан понял, что теперь перед ним абсолютно новый мир, который он готов покорять.

Позднее Алан написал короткий рассказ в новом, «откровенном», скорее даже желчном, стиле с нотками социальной ответственности как у Энгуса Уилсона, собственно в традициях Э.М.Форстера. Рассказ начинался так:

«Алек Прайс покупал подарки на Рождество очень [*далее неразборчиво*]. Его подход можно назвать слегка нетрадиционным. Он долго и упорно гулял по магазинам в Лондоне или Манчестере до тех пор, пока какая-нибудь вещица не привлекала его внимание. Только тогда он начинал подбирать, кому бы из друзей этот подарок подошел и понравился. Сам того не осознавая, он перенёс свой метод работы в реальность. Это была своего рода аллегория на то, как он ищет вдохновение.

Этот метод, как в работе, так и в предпраздничных покупках, вызывал множество неоднозначных эмоций. Сначала это были бесконечные походы по магазинам и почти отчаянное разглядывание витрин, затем, спустя примерно полчаса, внезапно (вместе с проблеском надежды) вырисовывалось что-то очень даже приличное. Сегодня утром Алек провел так добрых два часа, пока не нашел деревянную корзинку для фруктов, она идеально подойдет для Миссис Бьюли, которая, наверняка, оценит такой подарок. Алек также купил электроодеяло с подогревом для своей матери, так как у нее проблемы с кровоснабжением. Стоило такое удовольствие намного дороже, чем он рассчитывал, но ей определенно было нужно именно это одеяло и ничто иное, поскольку сама себе она его никогда не купит. Еще один или два маленьких гостинца, а затем пришло время для ланча, и Алек отправился к университету в поисках достойного места для дневной трапезы.

За две-три недели до этого Алек очень много работал. Над межпланетными путешествиями. Ему всегда больше нравились такие чокнутые идеи, и он намного больше хотел бы масштабно поразглагольствовать о них в каком-нибудь журнале или на передаче, однако когда он писал для технически подкованной аудитории, его работы всегда были громкими, как минимум в ранние годы. Его последняя статья была особенно хороша, одна из лучших, которые он написал за долгое время (примерно с тех пор как ему перевалило за 20 — тогда он открыл явление, известное как «Буй Прайса»). Алек всегда испытывал особое чувство гордости, когда это понятие использовалось. Также ему нравилась игра слов в этой фразе: поскольку Алек всегда открыто и громко заявлял о своей ориентации (он был гомосексуалист), то в подходящей компании он шутил, что если поменять всего одну букву в этой фразе, то получится. У Алека уже давно никого не было, последним избранником стал «*уй Прайса» солдат в Париже прошлым летом. Сейчас, когда статья дописана, он может с полной уверенностью сказать себе, что заслужил очередного гей-партнера. И он прекрасно знал, где подыскать подходящего.

Алек продолжал гулять, и уже подходя к Оксфорд Стрит, притворяясь, что разглядывает афиши в кинотеатре Регаль, на самом деле начал присматриваться к одному молодому человеку.

Арнольд Мюррей, ему было 19, по виду — сошел со страниц «Дороги на причал Уиган Пир». То есть в лучшем случае он пробовал хлеб с маргарином. Его отец, бетоноукладчик, частенько поколачивал матушку. Истощённый от голода, стресса и ужаса, Арнольд попал в лагерь для мальчиков в Чешире. Он очень гордился собой: учился лучше всех в классе, стремился расти, любил конкуренцию. Ребята не могли дождаться, когда настанет День-Д, день Икс, Последний звонок — кто как его называл. Для Арнольда же это означало только одно. Ему придется вернуться в Манчестер, в эту дыру к отцу. Через полгода, когда Арнольд еще учился в техникуме, отец выгнал его на работу. Их приходилось часто менять, самой продолжительной оказалась работа в мастерской по оправе очков, после того как в 1948 году появилась Национальная служба здравоохранения Великобритании (Именно торговля стала главной жертвой Корейской войны, для бюджета Гейтскелла в 1950, что привело к массовому перевооружению нового десятилетия, а также бесплатным очкам). Так, в июле 1951 Арнольд вырвался из своего тленного существования, перебравшись в Лондон, где попал на знаменитый Фестиваль Британии. Но там его поймали на мелком воровстве и выслали обратно в Манчестер с условным сроком. Арнольд по-прежнему жил с семьей, в Визеншо, сидел без работы и совсем без денег.

Арнольд пытался найти своё место под солнцем, он был уверен, что мир приготовил для него нечто большее, чем жизнь на самом дне. Он пытался пойти в науку: в 14 лет он взорвал окна в лаборатории, на уроке химии. Примерно в том же возрасте он начал заниматься сексом. Оказалось, его желания были непостоянны: ему то хотелось свободы, то наоборот. Он мечтал об идеальной женщине и стабильных отношениях, но, с другой стороны, ему нравилось, что наедине с мужчинами не нужно притворяться и строить из себя невесть что. К тому же, он знал, что его все называют «Мэри Энн» — за чувствительность и разум. Мужчины (представтели среднего класса) обращались с ним очень интеллигентно, научили манерам и культурному общению, на тот момент его жизни гомосексуализм казался Арнольду чем-то элитным, к чему он как раз стремился. Он смотрел свысока на тех, кто отдавался просто за деньги. Алан же сделал очень щедрое предложение, но и это далеко не все — у него был очень свежий вид, наполненный энергией — что очень выделяло его в закоулках Оксфорд Стрит.

Алан спросил Арнольда, куда тот направляется, на что Арнольд ответил «да никуда». Алан пригласил Арнольда на ланч в ресторанчик через дорогу. Красивый, с голубыми глазами, слегка худоват и с первыми признаками выпадения волос, с отчаянной надеждой на лучшую жизнь и открытый миру (причем больше чем многие образованные люди). Арнольд сразу чем-то зацепил Алана. У него был очень живой характер, отличное чувство юмора, которое не раз выручало его в крайне тяжелых и щекотливых ситуациях. Алан сказал, что Арнольд может вернуться в университет, поскольку он там работает преподавателем — читает лекции, например, на тему — Электронный Разум. Арнольд был очарован. Алан пригласил его к себе домой на выходные, в Уилмслоу. Только этим Алан уже сделал предложение намного выгоднее, чем того заслуживали съем на улице. Там гораздо привычнее предложения вроде «пойдем в ту арку», «давай по-быстрому» или «как насчет 5-минутки в туалете». Арнольд принял приглашение, но в назначенное время не смог явиться.

Совершенно логично, что это должно было стать завершением истории, однако Алан снова встретился с Арнольдом там же, на Оксфорд Стрит, днем в понедельник. Арнольд привел довольно жалкое оправдание своему нарушенному слову, и в этот раз Алан пригласил его к себе прямо сейчас. Арнольд пошел, остался у Алана до позднего вечера и согласился заглянуть еще раз 12 января. Алан подарил ему перочинный ножик на Рождество.

Третий канал ВВС теперь акцентировал свои программы на так называемых «мозговых трестах», то есть дискуссиях, вокруг темы о том, возможен ли искусственный интеллект. Примерно на Рождество 1951 года Алан навести Дэвида Чемпернауна в Оксфорде. У того был один из первых диктофонов и они записали свою юмористическую версию такой дискуссии: Чемп, голосом робота, пытался говорить о высоком, что искусственный интеллект никогда не поймет красоту и прочие душевные ценности. Позднее зашел Фред Клейтон и его очень просто провели. Он, между тем, женился, как и обещал, и довольно успешно работал в Колледже Эксетер при Университете — ему предложили читать лекции по классической литературе. Он был настолько увлечен разработкой тезиса о связи между классической и английской литературой, что даже консультировался у Алана по поводу такой статистической вероятности. Он также увлекался изучением значения астрология в классике, даже выбрал мозг Алана для изучения элементарной астрономии.

Настоящая дискуссия состоялась в студии ВВС 10 января 1952 года, в Манчестере. Нейрохирург должен был объяснить природу сознания, его оппонентом выступил Алан, Макс Ньюман и Ричард Брейсвейт (Королевский научный философ) — в роли судей.

Всё это преподнесли в довольно юморной форме. «Конечно, — писал Алан матери, которая слушала трансляцию, — большинство вопросов были написаны с шутками. Брейсвейт начал с очень характерного для таких «мозговых трестов» выпада, что «все упирается в то, как мы определим понятие «мышления». Алан сравнил происходящее с самим критерием «мышления». То есть один говорит мысль, остальные бросаются ее опровергать. «Вопросы уже должны содержать в себе умозаключения, — заявил Брейсвейт, — или я просто могу спросить, что он ел на завтрак?». «О да, все что угодно, — ответил Алан, — и необязательно, чтобы это были именно вопросы, не больше чем выступления сторон в суде. Ну, вы понимаете, о чем я». Они обсуждали обучение и преподавание, Брейсвейт утверждал, что человеческая тяга и способность к образованию объясняется «потребностями, желаниями, энергией, инстинктами, то есть эта машина должна быть тоже снабжена чем-то схожим с человеческим набором потребностей».

Ньюман вернул беседу в более безопасное русло — к математике, указывая на то, что для такой машины необходима длинная цепочка «действительных чисел», и с такой системой отсчета, где можно «провести аналогии между вещами, которых прежде в системе не было... Можем ли мы хотя бы представить, что машина может изобретать такие связи с помощью программы, написанной человеком, причем у которого не было в голове таких связей, которые придумала машина?». Алан, вообще-то, мог представить, это к тому же именно то, о чем он уже долгое время размышлял:

«Я думаю, что можно сделать машину и встроить в нее аналогии, своего рода пути. И кстати, это очень хороший пример того, как можно создать машину и научить ее тому, что считается обычно исключительно человеческой прерогативой. Допустим, кто-то пытается объяснить мне суть двойного отрицания. Например, что если вещь «не незеленая» — то она все-таки зеленая, а я в упор не понимаю сути. Он может сказать: «Что ж, это как перейти дорогу. Ты перешел дорогу, потом снова перешел ее и вернулся туда, откуда начал». Вот это пояснение уже намного лучше доносит смысл. Это одна из тех вещей, с которыми машины, скорее всего, смогут работать. Я полагаю, что путь аналогий, который работает в нашем мозге, и есть такой. Когда один или два блока идей используют один и тот же путь решений и логических связей, то мозг очень даже может ради экономии использовать именно эти пути (уже созданные из аналогичных ситуаций) для решения похожей проблемы. Кто-то скажет, что какая-то часть моего мозга участвовала дважды в решении задачи, то есть первый раз — в случае понятия двойного отрицания, а затем для примера перехода дороги в одну и в другую сторону. Предполагается, что я должен понимать обе эти ситуации, но до меня никак не дойдет, к чему клонит объясняющий мне это человек, говоря об этих «не незеленых», но при этом зеленых вещах. Мозг не обрабатывает информацию. Зато когда он приводит пример с переходом дороги, меня словно осеняет! Правда, немного по-другому, та же часть мозга, но с иного захода. То есть если есть чисто механическое объяснение тому, как аналогии протекают в человеческом мозге, то можно создать цифровую версию подобных аналоговых путей и в компьютере.

Витгенштейн рассуждал о двойном отрицании в 1939 году, но Джефферсон снова поднял этот вопрос уже в ключе потребностей. «Если мы действительно хотим приблизиться к чему-то, что можно назвать истинным «мышлением», то ни в коем случае нельзя исключать фактор внешних стимулов... Видите ли, у машины нет окружающего ее мира, а человек находится в постоянном беспрерывном взаимодействии с внешним миром, который отвечает на его поступки и решения... Человек в своей природе — это химическая машина, он очень сильно зависит от голода, состояния здоровья и сексуальных потребностей». Увы, все эти потребности напрямую связаны с мышлением. И это очень сильный аргумент. Но Джефферсон вновь нарушил собственную теорию тем, что заявил о сложности центральной нервной системы (и не важно, что универсальная машина с учетом необходимого устройства может дать фору любой по сложности системе). В более риторической форме он продолжил: «У ваших машин нет генов, нет генеалогии. Законы Менделя ничего не значат для беспроводных ламп и прочего». Джефферсон хотел сказать, что не поверит, что у вычислительных машин может быть разум, пока не увидит, что одна из таких машин погладит по ноге другую машину женского пола. Но это было вырезано из эфира, потому что (как сказал Брейсвейт) мало кто назовет такое поведение мышлением. Брейсвейт полагал, что компьютеру надо обязательно внедрить «эмоциональную составляющую», чтобы тот был способен мыслить, но это уже не их задача решать, к чему это может привести. И вот так, самая острая тема повисла в воздухе, а Джефферсон завершил дискуссию, убеждая британскую разведку, что это были просто бредни старика, который продолжит фантазировать в этой области и дальше, но без оснований.

В эфир передача вышла 14 января, к этому времени Арнольд уже дважды побывал у Алана дома, и события принимали серьезный оборот. Алан все так провернул, что теперь их отношения назывались «романом». Это значило, что Арнольд приходил на ужин в качестве гостя, и оставался с ночевкой. Арнольд очень тепло воспринял преобразования в его жизни или, так сказать, последствия роскошного пребывания в Холлимиде, так например, его приятно шокировал тот факт, что у Алана была домработница. Наконец-то Арнольд был на другом уровне, на равных с господами, а не в прислуге.

У них было мало общего, было не о чем особо говорить, но они находили какие-то темы. К примеру, Арнольд прекрасно знал о потребности Алана общаться и искать свежий разум. Они не рассуждали о вмешательстве США и Великобритании в попытку свергнуть Моссадыка в Иране. Арнольд был большим патриотом, и ему не нравилось, что части ВВС США до сих пор располагались в Чешире. Помимо дел насущных Алан интересовался астрономией, играл на скрипке и даже давал Арнольду попробовать. После ужина и пары бокалов вина, когда они валялись на ковре у камина, Арнольд начинал рассказывать Алану о своей мечте детства или наоборот, о самом страшном кошмаре. Ему снилось, что он застрял в абсолютной пустоте, и тут к нему приближается непонятный шум, он нарастает и нарастает, а потом Арнольд проснулся в холодном поту. Алан спросил, на что похож тот шум, но Арнольд не мог его описать. Думая о бесконечности пространства, Алан представил старый ангар недалеко от одной из частей ВВС Великобритании и начал придумывать научно-фантастическую историю (с небольшими отступлениями про Г.Б. Уэллса). По сюжету этот ангар и был «мозгом», запрограммированным так, что для всех он работает как обычный ангар, но для *него* и только для *него* — это была ловушка. Если Он войдет в этот ангар, двери за ним тут же захлопнутся, и ему придется сражаться с машиной в шахматном бое. Три игры. Машина просчитывает ходы молниеносно, и чтобы хоть как-то оттянуть время, Ему приходится отвлекать компьютер беседами. Сначала «ангар» злится из-за этого, а потом надувается от самодовольства, когда Он делает глупый ход.

«Ты можешь ДУМАТЬ о моих ЧУВСТВАХ? Ты можешь ПОЧУВСТВОВАТЬ, что я ДУМАЮ?» — воскликнул он с внушительным ударением на эти знаковые слова. Все больше погружаясь в свою историю, он буквально пригвоздил Арнольда к месту. Взяв кусочек мела, он начал рассуждать, как можно было бы обыграть машину с помощью сверхмедленной арифметики, такой глупой и нерасторопной, что компьютер от безысходности совершит самоубийство.

Арнольд тоже пытался делится своими идеями, и Алан терпеливо их выслушивал, хотя мог в мгновение ока разнести их в пух и прах, но реагировал он в духе Сократа: «Все, о чем ты можешь подумать — существует». Для Арнольда эта идея была на вес золота, поскольку он мечтал, что его мысли рано или поздно материализуются. Алана напрягало, что он не может до конца донести свои мысли до Арнольда.

«Должно быть что-то глубже такого уровня! — кричал он Арнольду почти в праведном гневе, — Я должен НАУЧИТЬ тебя, вытащить с этого дна невежства!».

Дорогие товарищи по любви! В 1891 году Эдвард Карпентер встретил своего Джорджа Меррилла, рабочего в возрасте 20 лет. Все началось примерно также, но продолжалось почти 30 лет. Алан дал четко понять, что теперь они — любовники. Так и было. По утрам Алан просыпался и делал завтрак, после чего они беседовали, курили и наслаждались полуденной негой вплоть до самого вечера. И так до новой встречи, которая была запланирована через две недели. Однако был один камень преткновения. Вопрос денег. Бросалось в глаза, что у Арнольда их тотальный дефицит, при этом у Алана их было чересчур много. Алан собирался поступить, как того требовала ситуация, и был очень удивлен, получив отказ от Арнольда. Подводным камнем было то, что Арнольд развернул прямую оплату его «услуг», заявив, что тогда его официально «сняли». Алан, с другой стороны, чувствовал себя очень некомфортно в таких социальных конфликтах. Более того, его потрясло до глубины души, когда на следующий день он обнаружил, что из его кошелька пропали деньги. При этом единственным подозреваемым был, конечно, Арнольд, который мог достать их, пока Алан готовил завтрак. Он написал Арнольду письмо и порвал все отношения с ним. Однако спустя несколько дней Арнольд объявился на пороге его дома, требуя объяснений. Арнольд твердил, что не имеет никакого отношения к пропаже денег. Алан уже даже «почти поверил». Арнольд привел аргумент, что он задолжал 10 фунтов одному портному, за костюм, и одолжил тогда у Алана 3 фунта. Алан выдал ему деньги со словами, что это подарок, а также заново его пригласил к себе. Арнольд поблагодарил его, но попросил еще 7 фунтов в долг. В ответ Алан попросил назвать контору, в которой тот шил костюм, скорее даже не ради денег, а чтобы докопаться до правды. 21 числа Арнольд снова явился в Холлимид с жалостливыми протестами о недостойном отношении, недоверии и покинул дом Алана с чеком на 7 фунтов. Он собирался устроиться на работу в типографию в Манчестере и с первой зарплаты пообещал выплатить долг.

Тем временем Робин заехал на выходные, их они посвятили обсуждению его нового эссе на тему «Фундаментальная теория» физики Эддингтона. Так вот это эссе Алан оценил намного выше, чем все предыдущие работы Робина. Такая сухая и лаконичная похвала для Робина была ценнее всех наград, ведь его диссертацию в 1949 (которую он писал на королевский грант) Алан так жестко раскритиковал, что что Робин от обиды расплакался.

Эддингтон умер в 1944 году, так и не завершив работу по развитию теории физики только на основе логических умозаключений. Такое исследование а-ля Тьюринг, что встретило много симпатии со стороны Алана, но он уже давно решил для себя, что Эддингтон — «старый пень», поэтому не мог дождаться, когда «Фундаментальную теорию» опровергнут. Робин, который и не догадывался, какое значение имел труд Эддингтона 20 лет назад, нашёл несколько ошибок в его работах, включая ошибку в логических типах. Такая приятная встреча логики и физики.

В общем, жизнь продолжалась. Сибил, тетя Алана, умерла 6 января и оставила ему в наследство 500 фунтов. Будучи последним представителем поколения его отца, она буквально сколотила состояние Тьюрингов. Она оставила 5 тысяч фунтов Миссис Тьюринг, после чего Алан перестал высылать ей по 50 фунтов в год (что он делал с 1949 года).

Когда он слушал трансляцию программы, он решил, что его голос «намного меньше слушает, чем прежде». В среду, 23 января, передачу повторяли. И как тогда выразился Джефферсон, окружающий мир ответил сполна. По прибытии домой Алан обнаружил, что его дом обчистили. На следующий день Алан написал Фреду Клейтону о влиянии астрономии Древнего Мира. Объясняя значение знаков зодиака, он написал:

«Только что мой дом ограбили, а я до сих пор, буквально каждый час, вижу, что пропало что-то еще. К счастью, я застрахован, и из особо ценного ничего не украли. Но в целом ситуация очень тревожная, особенно учитывая, что меня недавно обокрали в Университете. Я уже каждую секунду жду, что мне вот-вот свалится кирпич на голову или еще что случится не менее «приятное».

Украли, впрочем, довольно жалкие предметы — рубашку, столовый нож, пару брюк, туфли какие-то, бритву и компас — даже открытую бутылку шерри. В общей сложности на 50 фунтов. Он написал заявление в полицию, и двое сотрудников приехали снять отпечатки в доме. Алан решил, что это может быть как-то связано с Арнольдом. Обсудив ситуацию с адвокатом, которого посоветовал сосед Рой Уэбб, 1 февраля он написал Арнольду. В письме он напомнил о ситуации с кошельком, и что, вне зависимости от того, правду тот сказал или нет, им лучше прекратить встречи и вообще какое-либо общение. И в каком-то даже детском тоне предъявил Арнольду должок в 7 фунтов. А также добавил, что не пустит на порог своего дома.

Но когда Арнольд на следующий же день 2 февраля позвонил ему, то Алан тут же сменил гнев на милость и принял его у себя. Арнольд долго и упорно доказывал свою непричастность к произошедшему, а потом воскликнул, что пойдет в полицию и ВСЕ РАССКАЖЕТ. Алан продолжил его провоцировать и сказал «делай что угодно», но это была пустая угроза, поскольку положение Алана делала его практически неуязвимым. Особенно по сравнению с положением Арнольда. Выплеснув злость, они продолжили общаться и между ними что-то промелькнуло. Наливая бокал Арнольду, Алан упомянул взлом, и у Арнольда был ответ на это. Он не знал, когда именно это произошло, но точно знал, кто мог это сделать. Поскольку однажды он рассказал своему приятелю Гарри о знакомстве с Аланом, тот (будучи в 21 год уволенным из национального флота) внимательно выслушал Арнольда, пропуская по бокальчику в кафе на Оксфорд Стрит. Общение было довольно бурное и шумное, в ходе которого Гарри предложил обнести дом Алана. И хотя Арнольд наотрез отказался в этом участвовать, он знал, что те не отступят.

По итогу, между Аланом и Арнольдом вновь вспыхнула дружба, очень даже эротического характера. Арнольд опять переспал с Аланом, хотя последнего ночью терзали сомнения:

он хотел спуститься вниз и взять бокал Алана, чтобы занести в полицию стакан и сравнить с отпечатками пальцев взломщиков. На утро они вместе отправились в Уилмслоу, и Арнольд ждал снаружи, пока Алан зашел в отделение полиции, где поведал историю о возможных грабителях (ее они сочинили на ходу в отделение, чтобы не подставить Арнольда). Алан не требовал незамедлительного правосудия, но в соответствии с его внутренними принципами, оставить без внимания такую информацию было равносильно пойти на шантаж.

Арнольд со своей стороны пообещал сделать все возможное, чтобы разыскать украденное. И в самом деле, ему это удалось. Спустя несколько дней он написал письмо с информацией о местонахождении вещей Алана, но к этому моменту ситуация в корне поменялась. Во-первых, в Манчестере прогремели траурные колокола — умер Георг VI, в четверг из Кении прибыла новая королева — Елизавета. В аэропорту Ее Величество встречал Уинстон Черчилль, вновь назначенный премьер-министром. Именно в тот вечер, когда начиналась эпоха Елизаветы, детективы кое-что откопали на Алана Тьюринга. *Ни один человек не остров*. Теперь он по-настоящему влип.

Глава 8

Честь мундира

На дорогах нехоженых,

В тростнике над озерными водами

Я, сбежавший от показной жизни,

От общепринятых норм, развлечений, прибылей, правоверностей —

Ими я слишком долго пытался питать мою душу, —

Ясно увидел я нормы не общепринятые, ясно мне, что моя душа,

Что душа говорящего моими устами мужчины ликует в товарищах, -

Здесь, в одиночестве, вдалеке от бряцания мира,

В соответствии и беседе с пахучими травами,

Естественный (ибо в этом укромном месте могу я раскрыться, как не осмелюсь нигде),

Глубоко ощутил я жизнь, непоказную, объемлющую весь мир,

И, решаясь, отныне пою лишь мужскую дружбу

И направляю песни в эту необходимую жизнь,

Завеща выносливую, мускулистую любовь, —

В полдень девятого месяца моего сорок первого года

Всем, кто молод и кто был молод,

Я открываю тайну ночей и дней моих,

Я ликую, что не могу без товарищей.

Полиции понадобилось немного времени, чтобы вычислить преступление Алана Тьюринга. Это было неизбежно после того, как он сообщил об ограблении. Полиции удалось найти отпечатки Гарри. Он уже был фигурантом другого дела и сделал заявление, которое отсылало к словам Арнольда о том, что у них с Аланом были «дела» у него дома. Поэтому Тьюринг решил сам во всем сознаться. На допросе присутствовали два детектива Уиллс и Риммер, сам того не ведая,

Алан сказал, что специально скрывал личность Арнольда, так как у него с ним была интрижка.

Алан заявил детективам, что Королевская комиссия собирается «легализовать» гомосексуализм. Однако он был не прав. Он даже не понял того, что теперь обвиняемым будет он. Масло в огонь подлило еще и то, как он говорил о своих «пристрастиях», будто он делает правильные вещи.

Детективы не стали интересоваться всей его прошлой жизнью, они лишь сняли его отпечатки пальцев и сфотографировали его, чтобы проверить на наличие судимостей.

В субботу утром Уиллс арестовал Арнольда в Манчестере и в полицейском участке показал ему показания Алана.

Спустя три недели 27 февраля Алан и Арнольд предстали на слушании их дела. Уиллс зачитал обстоятельства ареста и их показания. Перекрестный допрос проводить не стали. Адвокат Алана добился его освобождения под залог, а Арнольд остался под стражей до суда.

Данная ситуации не особо освещалась в прессе, поэтому у Алана была возможность рассказать правду своим друзьям и семье самому.

В итоге Тьюрингу было предъявлено обвинение в непристойном поведении в соответствии с поправкой Лабушера. Ему предложили выбор: сесть в тюрьму или гормональную терапию. Алан выбрал инъекции гормонов, которые должны были подавить его либидо.

Летом 1952 года Алан отправился на каникулы в Норвегию, которые оказались сплошным разочарованием. Но он встретил несколько скандинавов, пять или шесть из которых дали ему свои адреса, один молодой человек по имени Чель просто поразил его. Потом он показал его фотографию Робину. Чель был кокетливым, но Алан показал свою волю и между ними толком ничего не произошло.

Его работа над биологическими теориями продолжилась и даже приняла новые масштабы. Он занимался решением проблем, которые он затронул в своей первой статье. В частности, он пытался решить на компьютере очень сложное дифференциальное уравнение. Это была экспериментальная работа, в которой он пробовал различные начальные условия, чтобы посмотреть, что случится дальше. Но это также требовала применение сложной прикладной математики. Был важен численный анализ, чтобы решить, как приблизить уравнения к целям расчета. Это было похоже на частную атомную бомбу, в обоих случаях компьютер следовал развитию взаимодействующих волн.

Робин убедил Алана поехать с ним на Британский математический коллоквиум весной 1952 года. Он проходил в Королевском военно-морском колледже в Гринвиче, а это значило, что у них был повод прокатиться на пароходе по Темзе. В Гринвиче Алан нашел интересные дикие цветы, там же в одном из баров произошел забавный случай. Когда Алан увидел направляющегося в его сторону скучного логика, он проскользнул в противоположную дверь и скрылся. К этому времени он уже обретал известность как автор «Вычислимых чисел». Ему нравилось, когда говорили о его машине, но он не хотел, чтобы его везде останавливали для разговора.

Он больше любил разговаривать с Кристофером Стречи, который привнес глоток свежего воздуха в манчестерскую лабораторию из Кингс-колледжа. У него были похожие взгляды и одинаковое чувство юмора. Он разработал программу для игры в шашки, в которую играл все лето 1952 года. Это была первая автоматическая игра, которая реально была опробована. Они с Аланом также использовали программы, чтобы писать «любовные письма». Например:

Дорогой,
Моя любовь льнет к твоим страстным желаниям. Моя симпатия жаждет твоего сердца. Ты моя симпатия и нежное пристрастие.
Твоя манчестерская машина.

Тони Брукер написал программу, которая интерпретировала арифметику с плавающей точкой. Алан думал над этой программой в 1945, но так и не стал ее разрабатывать для Манчестера. Эта программа была основана на похожей работе, которую он выполнял в Кембридже над EDSAC. В 1952 году Алик Гленни пошел еще дальше и создал АВТОКОД, который, по сути, стал первым рабочим языком программирования на высоком уровне. Кристофер Стречи был очень воодушевлен этим проектом, так как он коррелировал с его идеями. Но Алана это не заинтересовало. Ему было бы интереснее, если бы программа могла делать алгебру, а не интерпретировать ее.

Индустрия компьютеров теперь была в состоянии вырасти за пределы интересов маленькой группы хорошо подготовленных профессионалов, языки программирования открыли возможности универсальных машин более широкому кругу клиентов. АВТОКОД не сыграл в этом ключевой роли и был мало известен за пределами Манчестера. Американский ФОРТРАН не отставал со своей цепочкой разработчиков, в которой Алан Тьюринг принимал участие.

К 1952 году инженеры из Манчестера имели в распоряжении не только машину Марк 2, но и начали разработку прототипа маленького размера на транзисторах. Никто не мог предположить, что при полном отсутствии участия в этих разработках Алан Тьюринг был крайне заинтересован в последних технологических достижениях и нарушил пару неписанных правил для того, чтобы самому пользоваться ими. Это все прекратилось в 1949 году, когда стало окончательно ясно, что мировое сообщество считало подобные изыскания нонсенсом. Не было никаких упоминаний о его попытках внести практический вклад в развитие компьютеров в книге «Быстрее мысли», в которой рассказывалось о британских компьютерах 1951—1952 годов. Там он был представлен как автор части главы « Цифровые компьютеры в играх», он написал свою шахматную программу вместе с Аликом Глинни, помог замечаниями по поводу игры Хью Александру. Помимо этого был кратко упомянут как автор «Вычислимых Чисел» и как один из помощников Вомерсли, в глоссарии была такая запись:

Машина Тьюринга (*Türing Machine*). В 1936 доктор Тьюринг написал статью об архитектуре и ограничениях вычислительных машин. Из-за этого они иногда носят его имя. Умлаут является бесполезным и нежелательным дополнением, по-видимому, потому, что все настолько непонятное должно иметь Тевтонские корни.

Мир в 1945 году был так же далек от него как и 1942.

Робин сохранял его заинтересованность в теории видов и некоторые полученные результаты мотивировали Алана найти статью, которую он написал во время войны, но так и не опубликовал. В ней он призывал математиков к более осторожному использованию «существительных» и «прилагательных». Снова предложение о «Реформе Математических Записей», как и называлось его эссе, касалось проблемы развития послевоенной математики. Путаница, против которой боролся Алан, разрешилась другими средствами.

Алан упомянул о своей предложенной «реформе» Дону Бейли, когда навестил его и его жену в Вобурн Сэндс, вблизи Блетчли, тем летом. Он оказал Дону помощь в области математики, но главной целью встречи в тот уикенд была попытка вернуть серебряные слитки. На этот раз Дон взял коммерческий детектор металла, и они отправились на его машине к мосту рядом с Шенли.

Алан сказал: « Все выглядит немного иначе», пока снимал свои носки о обувь и наступил в грязь. «Боже, ты знаешь что произошло? Они перестроили мост и зацементировали русло реки под мостом!» Они попытались искать другое место в лесу и нашли коляску, в которой они прикатили слитки в 1940, но это никак не помогло найти необходимое место. Они нашли гвозди и фурнитуру, которую нашел Алан во время прошлой попытки вернуть слитки вместе с Дональдом Мичи. Считая оба места навсегда потерянными, они направились в Краун Инн у Шенли Брук Энда, чтобы перекусить хлебом с сыром. Они не сильно разочаровались, учитывая теплый прием, оказанный ему г-жой Рамши, его арендодателем в военное время.

Когда Дон Бейли встретил его на станции Блетчли, он заметил что у Алана была книга по норвежской грамматике. Алан объяснил, что только что вернулся из Норвегии и его заинтересовал язык. Хотя тогда его знания языка были невпечатляющие, он серьезно продвинулся в изучении норвежского и датского для того, чтобы читать сказки Ганса Христиана Андерсена своей матери в следующем году. Дон не догадывался, что норвежская поездка могла иметь под собой особый мотив, хотя Алан и объяснял, что поедет заграницу ради развлечений. Он написал Дону о переменах и судебном разбирательстве, как и другим своим друзьям, а во время встречи говорил со своей легкомысленной бравадой по поводу будущего. Также он ссылался на письмо, которое он написал титулованной даме, вовлеченной в политику, прося ее внести изменения в законодательство. Это не было похоже на мольбы Оскара Уайлда, утверждавшего, что гомосексуализм не преступление, а болезнь. Он привлек внимания к гомосексуальности сына одного из политиков. В ответ он лишь получил бесцеремонный ответ от ее секретаря.

В октябре 1952 Дон Бейли и Робин вместе отправились на уикенд в Вилмслоу, курорт у Ханслоуп. Дон прибыл первым, и они с Аланом ждали вместе Робина на станции. Алан указал Дону на узор получаемый дифракцией света при взгляде на станционные фонари через платок. Во время летнего визита Алан получал удовольствие от заботы и домашней обстановки в доме Бейли, а Дон был удивлен контрастирующими спартанскими условиями и беспорядком в доме профессора. Алан указал на гору писем со всего света о логике, но заметил, что он не утруждал себя в то время появлением в университете и работал дома. Он объяснил, что у него был ассистент, занимающийся организацией работы компьютера. Дон посоветовал приглядывать за этим ассистентом, а не то он занял бы его место. На это Алан ответил: «Чепуха, это меня не волнует».

Но если дни работы над компьютером закончились, это не значило, что у него пропал интерес к человеческому разуму. Октябрь 1952 показал превосходство Поланьи и департамента философии в Манчестере над департаментом психологии, и они пригласили швейцарского психолога Жана Пиаже дать курс лекций, которые посетил Алан. Они касались механизма обучения детей логическим концепциям и совмещали символическую логику с реальными психологическими наблюдениями. Так, возможно, впервые Алан прислушивался к идеям обучения и преподавания, которые были взяты не из его собственного опыта и включали современные теории обучения, неизвестные никому в Шерборне. Примерно в то же время его самодостаточность была нарушена и в другой сфере. Он начал ходить к психоаналитику школы Юнга, Францу Гринбауму.

Сначала такой шаг сопровождался сомнением и сопротивлением, ведь в этом случае он признавал, что с ним что-то не так, в частности, что ему нужно было отказаться от гомосексуализма. Действительно, в 1950 годах мир увидел возвращение психоанализа, было много заявлений о том, что новые техники могут истребить гомосексуальные предпочтения. Но Гринбаум не придерживался таких взглядов, гомосексуализм для него не являлся проблемой. Он принял естественную гомосексуальность Алана, и как последователь юнгинианской школы, он не рассматривал поведение человека как продукт неудовлетворенной или подсознательной сексуальности. Будучи беженцем из Германии (1939) с отцом иудеем и матерью католичкой, он вообще больше всего интересовался психологией религии. Как и сам Юнг Гринбаум ценил человеческий интеллект. Он уважал Алана как изобретателя компьютера и исследователя природы жизни. Как и Юнг он объединял мысли и чувства в своей работе. Применить интеллект в отношении самого себя, взглянуть на себя изнутри, как это сделал Гедель, сломать свой собственный код — таковы были необходимые потребности Алана в психологии, интерес к которой рос давно. Поворотный момент наступил 23 ноября 1952, когда он написал Робину письмо в связи с уже завершенной докторской работой и добавил:

> «Решился еще на один визит к психиатру, на этот раз постараюсь пойти навстречу. Если ему удастся погрузить меня в более отстраненное состояние — это будет что-то.»

После этого Франц Гринбаум попросил записывать Алана все его сны, и он исписал ими три записные книжки. Их отношения вскоре начали больше походить на дружбу, чем на отношения врача и пациента. Но официальный статус их отношений позволял Алану найти оправдание всем тем вещам, которым он не находил места в серьезном мужском деле размышлений. Как и с войной, он сам был ответственен за ситуацию, в которой оказался.

При анализе своих снов, он был удивлен, что многое непосредственным образом касалось или же относилось к матери и их враждебным отношениям. В реальной жизни их отношения становились все теплее. Она восприняла новости о суде очень серьезно. Таким образом, на своем семидесятом году жизни она стала одним из немногих друзей Алана. К этому моменту она осознала, что он навсегда останется «интеллектуальным чудаком», чего она очень боялась. А он знал, что она не перестанет волноваться и всегда будет искать столовый нож для рыбы, будто она является хозяйкой званого обеда. Нежные споры «Алан, ну, серьезно!» и ответ сына «Мама, не глупи» характеризовали его визиты. К этому времени он, возможно, стал ценить некоторые ее беспокойства и проблемы, а она, в свою очередь, прошла долгий путь от закрытой девочки из Дублина и, возможно, поняла, что живость Алана позволила ей вкусить более интересную жизнь, в которой ей отказывали. Она всю жизнь стремилась к большему в церкви, в различных институтах, к титулам и званиям, и этого большего в какой-то степени удалось достигнуть ее сыну. В течение сорока лет она не могла найти с ним общий язык, так как считала, что он делает все неправильно, но она нашла в себе силы измениться. И Алан перестал полностью отвергать ее заботу.

Возможно, он противопоставлял себя отцу, который не проявлял качеств своего сына. Может быть, он был расстроен тем, что его отец никогда и не пытался вникнуть в его проблемы, как делала мать, хоть и в раздражающей форме. Если его друзья слышали пренебрежительные слова в адрес матери, то об отце они не слышали ни слова. Но одно дело разобраться со своими внутренними переживаниями, а справиться с ними в реальном мире 1952 года было совсем другим, и в этом плане психоанализ имел такие же ограничения, как и его игра в имитацию — это был мир несбыточных мечт. Последовательности и полноты его ума было недостаточно, что-то нужно было делать.

Он написал одному политику о состоянии законодательства, но человек не мог сделать больше, только высказать свое недовольство. Проблема лежала не на индивидуальном уровне, где единственным «решением» вопроса было его «отклонение». Его обвинили не в том, что он нанес вред другому лицу, а в том, что он стал нарушителем общественного порядка.

Защита кандидатской диссертации Робина на тему логических основ физика была отложена, так как физик Стивен Тулмин решил, что не будет его научным руководителем. В начале 1953 года Алан написал Робину:

> Наконец-то тебе нашли руководителя, им станет Брейтуэйт. Думаю, будет лучше устроить устный экзамен в Кембридже, я пишу Брейтуэйту об этом. Отправь свое эссе в журнал (это эссе по той же теме Робин отправил в журнал «Единство науки»).
>
> Мне кажется, повторяющиеся типы могут быть очень важными в твоей работе. Не отвечают ли они на вопрос «Что есть время?». Сначала меня позабавила «непроницаемость». Я думал, что это отсылка на Зазеркалье, где Шалтай-Болтай говорит об этом. Но потом подумал, что, может быть, и нет.»

Это письмо было распечатано, хотя и не очень хорошо. Алан предложил назначить устный экзамен на март, но Робину это было неудобно, так как он хотел поехать покататься на лыжах в Австрию. Алан писал:

> Извини, но провести экзамен раньше нельзя. Брейтуэйт прочитает твою работу не раньше конца марта. Если ты уедешь, то можно перенести его на апрель или май, хотя я могу об этом и забыть потом.
>
> Из-за «кризиса» я обратил внимание лишь на самую главную часть о теории восприятия в твоем последнем письме.

Суть этого «кризиса» он частично описал в другом письме от 11 марта 1953 года:

> Мой дорогой Робин,
>
> Я попытаюсь остановить тебя от поездки в Австрию, информируя иммиграционные власти о следующем:
>
> (1) Хотя у тебя и есть разрешение твоей матери, подпись мэра Лестера является подделкой одного из пациентов Штрауса.

(2) Лыжная экспедиция — всего лишь уловка, в действительности тебя экспортируют, чтобы удовлетворить желание графини Аддис Аббабиски, которая влюбилась в тебя во время оперы в Неаполе.

(3) Ты еретик и приверженец принстонской церкви.

Даже одной из этих причин будет достаточно. Если же тебя пропустят через границу, то надеюсь, ты хорошо отдохнешь. Тогда пусть Брейтуэйт начинает готовиться к твоей защите. В любом случае в конце марта я собираюсь в Кембридж.

Алан упоминал о «кризисе» в компьютерной лаборатории Норману Рутледжу и Нику Фербанку, с кем он в конце марта приехал на конференцию в НФЛ. Но он никогда не рассказывал всю историю, он говорил, что это было очередное безумие со стороны полиции, при котором его дом находился под наблюдением. А им даже в голову не пришло, что произошедшему может быть другое объяснение. В письме Робину он больше ничего не сказал и перешел на другие темы:

Сейчас у меня появилась шокирующая тенденция, тратить время на все, кроме того, что я должен делать. Я думал, что нашел причину такому поведению, но это не помогло. Я превратил комнату рядом с ванной в электрическую лабораторию.

В этой «лаборатории» он проводил опыты электролитического характера, используя ток от электросети. Он использовал кокс в качестве электрода, заявляя, что углеродные палочки из старых батареек не подходили, и сок травы как источник кислорода. Ему нравилось видеть, сколько химических веществ он может создать, используя такие простые вещества, как соль. Эта комната представляла собой маленькое пространство посреди его жилища. Он называл ее «комнатой кошмаров», так как его мать боялась несчастного случая.

В его письме также говорилось о том, что он ездил в Шерборн, чтобы прочитать лекции некоторым молодым людям о компьютерах. Это было настоящим удовольствием во многих отношениях. Они были настолько привлекательные, хорошо воспитанные, в них присутствовала небольшая дерзость. Эти дни казались беззаботными и безопасными, в отличие от мира, от которого он ждал очередных палок в колеса. 9 марта в своем обращении к научному сообществу Тьюринг провел четкую аналогию между глупым клерком с его механическим вычислительным устройством, бумагой для работы и инструкциями и электронным мозгом, который все это содержал в себе. Нужно было всего лишь поместить туда программу и тогда масса из проводов, лампочек, резисторов, конденсаторов и дросселей делала все остальное, а ответ появлялся на другой ленте...

Хотя он и признал, что тратил время впустую, он не торопился с головой окунаться в работу. Как обычно он придумал игру и делился с друзьями, в частности с Робином и Кристофером Беннетом, историями, которые он называл «роман» и «роман-чик».

«Роман» представлял собой масштабную историю (как в случае с Арнольдом), а «роман-чик» не предполагал полного раскрытия всех чувств. Алан рассказал одну такую историю, которая произошла в Париже. Алан встретил молодого человека и настоял на том, чтобы тот пошел с ним до его отеля пешком. Алан был удивлен тем, что «он видел Париж как Риманову поверхность». Он знал лишь местность у входа в метро и не мог дойти пешком от одной станции до другой! В номере молодой человек торжественно поднял матрас и положил туда свои брюки, чтобы сохранить складки. Это тоже удивило Алана, так как у него на брюках никогда не было складок. Потом молодой человек выдумал историю, чтобы обменяться часами в знак доверия до их следующей встречи. Алан выразил свое доверие, но часы свои так и не получил, но он посчитал, что это была стоящая жертва. Алан и Робин отмечали на улицах тех, кто их привлекал. «Это ее ты называешь красивой девушкой?» — однажды спросил Алан в угоду тому, что ему, возможно, пора расширять свои собственные интересы. Однажды Алана убедили, что самокопание и самораскрытие были достойными целями, и он последовал этому бескомпромиссно. Например, в компьютерную лабораторию однажды приехал очень привлекательный, по мнению Алана, молодой человек из Лондона. «Кто этот прекрасный молодой человек?» — поинтересовался он у Тони Брукера. Затем последовало незамедлительное приглашение на ужин, но неожиданно сам для себя Алан отделался невнятным предлогом, якобы навестить свою больную тетю.

У Франца Гринбаума была теория, что внимание Алана привлекали те, кто в какой-то степени напоминали ему самого себя или же те, на которых бы он хотел быть похожим. Это довольно банальное наблюдение психоаналитического рода, где каждое исключение может доказать правило. Такая идея заинтриговала Алана, который никогда об этом не задумывался. Лин Ньюман была одной из тех, кто поддерживал Алана в этом и она стала одной из немногих, кому Алан мог доверять. В его письмах к ней (иногда он писал на французском) чувствовалась игривость, которая на самом деле означала раскрытие его оболочки. В мае он написал Лин Ньюман, что «за последние несколько недель Гринбаум добился больших успехов. Кажется, мы близки к корню проблемы».

К весне 1953 года Алана время от времени приглашали погостить в дом Гринбаума. Сам же Франц Гринбаум, которого интеллектуальные круги Манчестера не считали уважаемой фигурой, не разделял строгих фрейдистских взглядов по поводу отношений между терапевтом и пациентом. Алан не мог найти общий язык с г-жой Гринбаум, однако с удовольствием играл с их дочкой Марией. Ее покорила коробка конфет, которую подарил ей Алан со словами, что эта коробочка для левшей сделана специально для нее. Один раз он не смог скрыть своего волнения, увидев молодого человека на соседнем участке, это поразило г-жу Гринбаум, так как он показался ей совершенно не привлекательным. Она подумала, что Алан «помешан на сексе».

Его испытательный срок закончился в апреле 1953 года. Последние три месяца ему не давали таблеток, а вживили гормоны в бедро. Подозревая, что эффект от этого продлится больше трех месяцев, он попросил избавиться от них. Потом он был свободен, а в Манчестере ему предложили новую должность. 15 мая 1953 года университетский совет путем голосования назначил его лектором по теории вычислений, курс, который организовали специально для него после того, как закончился пятилетний срок его прошлой позиции 29 сентября. На этой же позиции он мог оставаться 10 лет, если бы пожелал. В этом отношении его беззаботное «Уф!» в адрес Дона Бейли было оправдано: ему немного подняли зарплату и разрешили работать так, как он сам захочет.

10 мая Алан отправил письмо Марии Гринбаум:

> Я надеюсь, вы проводите отличный отдых в Швейцарии. Я буду недалеко от отеля Club Mediterranée, Корфу, Греция.
>
> Искренне ваш, Алан Тьюринг.

На берегу Корфу, с которого виднелись темные горы Албании, он мог наблюдать и за водорослями, и за молодыми людьми. Сталин был мертв, и теперь над новой Европой снова восходило солнце. Даже холодная невзрачность британской культуры не была застрахована от перемен, спустя более десяти лет продовольственных карточек, в стране появлялась атмосфера 50-х, которую никто не ждал. Телевидение, развитие которого остановилось в 1939 году, оставило неизгладимое впечатление после коронации. В непростой Великобритании границы официальных и неофициальных идей становились все менее заметными. Изгой, интеллектуальный битник, Алан Тьюринг мог вздохнуть свободнее.

Помимо раскрепощения нравов остро ощущалось многообразие жизни, особенно в вопросах секса. Как и в 1890-е, чем больше приходило осознание сексуальности, тем большей откровенностью со стороны людей оно сопровождалось. Особенно это можно было заметить в Америке, так как этот процесс там начался раньше, чем в Великобритании. Один конкретный пример — американский роман «Финистер», который появился в 1951 году и полюбился Аланом.

В книге описываются отношения между 15-летним мальчиком и его учителем. Однако эти отношения сильно отличались от представлений Фреда Клейтона. В прошлом Алан часто дразнил Фреда, шокируя его заявлениями о распространении гомосексуальной активности, а эта книга затронула серьезную тему — желание бросить вызов стереотипам и говорить о сексе совершенно свободно. Между тем в «Финистере» также затрагивалась тема «социальных табу». В конце автор приходит к безнадежной обреченности, будто гомосексуальная жизнь противоречила сама себе и была обречена: «на песке виднеются отчетливые следы, которые ведут в темную воду». В трагическом финале происходит самоубийство на символическом «краю земли», что сопровождается постоянным стремлениям мальчика найти друга-мужчину и распадом брака его родителей. К 1953 году стало ясно, что гомосексуалисты могут жить также, как и все остальные. Таким образом в английском романе «Сердце в изгнании» описываются постепенное исчезновение табу среди среднего класса и новая одержимость психологическими объяснениями. Автор отвергает привычную концовку и утверждает, что «борьба должна продолжаться». Мрачная, черная комедия «Болиголов и после» Ангуса Уилсона о классах и их поведении была близка к тому отношению к сексу, которую выражал сам Алан. Это была очередная книга, которую он обсудил с Робином. Она доказала, что не только бюрократизм и клинический менеджмент стали наследием Второй мировой войны. Но Алан оказался не таким свободным, как казался. Год спустя, вечером 7 июня 1954 года он покончил жизнь самоубийством.

Смерть Алана стала потрясением для всех, кто его знал. Ничего не было ясно: не было никаких предупреждений, записок с объяснением. Это выглядело как изолированный акт самоуничтожения. Было очевидно, что он был несчастным человеком, которому помогал психиатр и который перенес сильнейшее потрясение. Но со времени судебного процесса прошло два года, гормональное лечение прекратилось год назад и казалось, что он оправился от всего этого. Никто не мог поверить, что он мертв. Он просто не мог этого сделать. Но те, кто проводил связь между судом в 1952 году и самоубийством в 1954 году, возможно, забыли, что это не всегда происходит из-за слабости или стыда. В 1941 году Алан цитировал слова Оскара Уайльда о том, что самоубийство может совершить и смелый человек с мечом в руках.

10 июня расследование показало, что это действительно было самоубийство. Доказательства были довольно поверхностными — считалось, что ситуация была просто очевидной. Он был найден аккуратно лежащим в своей кровати. Тело об-

наружила г-жа К-, когда она зашла к нему в 5 часов 8 июня. Обычно она приходила по понедельникам, но в тот день был ее выходной. Вокруг его рта была пена, во время вскрытия патологоанатом легко определил причину смерти, это было отравление цианидом. В доме нашли банку цианистого калия и консервную банку с раствором цианида. Около кровати лежало надкусанное яблоко. Не было никакой экспертизы, поэтому официально не была установлена совершенно очевидная вещь: что он окунул яблоко в цианид и откусил его.

В дознании принял участие Джон Тьюринг, там же он встретил Франца Гринбаума и Макса Ньюмана. Г-жа Тьюринг в то время находилась в Италии и возвращалась обратно, когда узнала о смерти сына. Джон уже решил, что оспаривать вердикт о самоубийстве будет ошибкой. Свидетельства ограничивались лишь причиной смерти, здоровьем Алана и его финансовой стабильностью. Не было ни намека на его сексуальную жизнь, суд, шантаж или что-либо подобное. Следователь дела заявил: «Я вынужден прийти к заключению, что это был преднамеренный поступок. Он был таким человеком, что никто никогда не знал, что произойдет в его голове в следующую минуту». Причиной смерти было названо самоубийство, «состояние его рассудка было нарушено». В прессе о смерти Алана практически ничего не было сказано, и никто не связывал его самоубийство с судом 1952 года.

Г-жа Тьюринг не могла принять этого вердикта. Она считала, что это был несчастный случай. Она дала показания, что пока Алан лежал в своей спальне, в другой комнате проходил электролитический эксперимент. На самом деле, он использовал цианид в электролизе для золочения. Недавно он использовал золото из часов его деда Джона Роберта Тьюринга, чтобы покрыть им чайную ложку . Она утверждала, что цианид попал на его руки случайно. На рождество 1953 года, когда он в последний раз приехал в Гилдфорд, она все предупреждала его: «Мой руки, Алан, и следи за чистотой ногтей. И не нужно класть пальцы в рот!» В ответ на это Алан лишь отнекивался: «Я не собираюсь себе вредить, мама». Это значило, что он был в курсе того, что она постоянно волновалась, что с ним что-то может случиться. Поэтому для матери это стало настоящим потрясением. Самоубийство официально считалось преступлением, и она верила в чистилище. В 1937 году он рассказал о плане, включающем в себя яблоко и электропроводки, Джеймсу Аткинсу, возможно, именно этот план он и использовал. Поэтому это было «идеальное самоубийство», рассчитанное таким образом, чтобы обмануть единственного человека, которого он хотел обмануть.

Любой, кто отрицал возможность несчастного случая, должен был признать, что это была суицидальная глупость. Сам Алан Тьюринг был бы очарован сложностью проведения линии между несчастным случаем и самоубийством, линии, которая разделяется лишь концепцией свободной воли. В его смерти чувствовался элемент русской рулетки. Однако когда его нашли, не было следов борьбы с удушением от отравления цианидом. Казалось, что он просто примирился со смертью.

Подобно Белоснежке он откусил отравленное яблоко. Но чем это яблоко было отравлено? Что, если следствие было бы не таким искусственным? Спросить о причине его смерти — это то же самое, что и спросить о причинах Первой мировой войны: выстрел, расписание поездов, гонка вооружений или логика национализма — можно назвать любую причину.

Если не вдаваться в подробности, то причин не было. Его бумаги так и лежали в беспорядке в его офисе в университете. Гордон Блэк, который работал с компьютером, видел в пятницу вечером, как Алан направлялся домой на велосипеде.

Как обычно он собирался поработать с компьютером во вторник вечером, инженеры ждали его, а на следующий день узнали, что он мертв. Его дружелюбные соседи переехали в четверг и за неделю до этого он пригласил их на ужин. Он очень расстроился, что они переезжают и даже хотел съездить к ним в гости, но сказал, что рад, что рядом поселится молодая семья с детьми. После его смерти в доме были найдены купленные им билеты в театр. Он также написал письмо, которое не успел отправить, в котором он согласился приехать на прием, устраиваемый Королевским обществом 24 июня, он поел и оставил немытую посуду. Ничто из этого не могло пролить свет на причину его смерти.

Его старые друзья видели в Алане некое неспокойствие в течение года. На Рождество 1953 года помимо поездки в Гилфорд он останавливался у друзей Дэвида Чамперноуна в Оксфорде и Фреда Клейтона в Экзетере. На прогулке с Дэвидом он взволнованно рассказал ему о молодом человеке из Норвегии. У Чамперноуна сложилось впечатление, что Алан вел себя неблагоразумно и даже безрассудно. Но так и не услышав чего-то внятного, он просто заскучал во время их беседы.

В Экзетере он также отправился на прогулку с Фредом и его женой, у которых на тот момент было уже четверо детей. Один из сыновей очень напоминал Алану его дядю из Дрездена. Алан рассказал Фреду об аресте, суде, гормональной терапии и о том, что из-за этого у него выросла грудь. Для Фреда это стало подтверждением всех его опасений, он понимал, что интрижки не могли удовлетворить Алана и пожелал ему найти друга из академического мира (Он не знал о Невилле). Будучи семейным человеком, Фред понимал, что Алан завидует этому. Алан нашел большой гриб и сказал, что он съедобный. Они вместе приготовили его и съели. Потом Алан отправил ему благодарственное письмо, записки по астрономии и самодельные солнечные часы в коробке. Но это вряд ли было прощанием. После визита в Гилдфорд он отправил матери письмо, в котором также не было ни намека на прощание, в нем он рассказал о магазине, на который он недавно наткнулся в Лондоне, там можно было бы купить недорогие вещи из стекла, например, в качестве свадебного подарка.

Ни один из двух его близких послевоенных друзей (Робин и Ник Фербанк) не мог предположить, что такое может произойти. 31 мая Робин на выходные поехал в Уилмслоу, это было за десять дней до смерти Алана. Их дружба основывалась на взаимном доверии в эмоциональных вопросах, но Робин не увидел ни намека на психологический кризис у Алана. Они вместе проводили эксперименты, чтобы создать неядовитое средство от сорняков или чистящее средство из натуральных ингредиентов. Они планировали вновь встретиться в июле.

Алан очень сблизился с писателем Ником Фербанком, пожалуй, эта дружба отразила его стремление уйти от науки, его даже заинтересовала литература. Тема самоубийства как-то раз была затронута в одном из их разговоров, Ник вспомнил это, когда 13 июня написал Робину, что он увидел в Уилмслоу, когда приехал туда. Но опять же никакого объяснения смерти Алана не было. Даже Франц Гринбаум, который был хорошо знал Алана, не понимал, как и почему это произошло. Все книги, в которых Алан записывал свои сны, были переданы его психоаналитику, но и они не ответили ни на один вопрос.

Перед тем, как сжечь эти книги, Франц Гринбаум одолжил их Джону Тьюрингу. Комментарии Алана в сторону матери и описание его гомосексуальной жизни с подросткового возраста рассказали Джону куда больше, чем он желал знать. И для него эти откровения оказались достаточными, чтобы объяснить произошедшее. Он был благодарен, что они не попали на глаза матери. Для друзей Алана же все равно не было ничего понятно.

Была лишь одна зацепка, что он готовился к смерти: 11 февраля 1954 года он составил новое завещание. Он назначил Ника Фербанка исполнителем своего завещания и отдал Робину все свои математические книги и бумаги. Он оставил по 50 фунтов каждому члену семьи своего брата и 30 фунтов своей домработнице, остальное было поделено между его матерью, Ником Фербанком, Робином, Дэвидом Чамперноуном и Невиллом Джонсоном. Джона Тьюринга удивило и даже потрясло, что он поставил свою мать наряду с друзьями, но это также был более теплый жест по отношению к ней, так как он посчитал ее другом, а не человеком, которому он что-то должен из-за семейных связей.

Его завещание содержало еще один пункт, его домработница должна была получать дополнительные 10 фунтов за каждый год работы у Алана (с конца 1953) — странное дополнение, если он планировал покончить жизнь самоубийством. Нику показалось, что он подготовил некоторые письма, но его личные документы и его исследования были не убраны. Казалось, что он готовился к возможности самоубийства, а потом действовал импульсивно. Так что же сподвигло его на такой шаг?

Он умер в Духов день, это был самый холодный Духов день за последние 50 лет. Г.Х. Харди пытался покончить жизнь самоубийством в 1946 году после семи лет отсутствия творческой деятельности. Сам Алан признавал, что у него было вдохновение в 1935 году, потом же ему было очень тяжело сохранять этот уровень. После смерти Кристофера Моркома вдохновения к нему приходило лишь раз в пять лет: машина Тьюринга в 1935, Энигма в 1940, ACE в 1945 и морфогенетический принцип в 1950.

В каждом случае ему не становилось скучно, его не настигало разочарование от предыдущей работы, он просто чувствовал, что исчерпал все, чего мог достигнуть. Он беспокоился, что его будут характеризовать по его репутации. Поэтому в 1954 или 1955 ему было бы необходимо найти новое занятие. Но к июню 1954 время для отчаяния не было.

Возможно, его работа над морфогенетикой оказалась слишком трудоемкой. Он так и не смог достигнуть поставленных целей. Но в то же время он не показывал, что потерял к теме интерес. Летом 1953 года он взял студента Бернарда Ричардса (до этого был еще один студент, но он не смог ничего достичь). Ричардс занимался детальным вычислением модели узоров на сферических поверхностях. Он даже разработал несколько решений для уравнений Алана.

Между ними существовали лишь рабочие отношения, но несмотря на это Ричардс был уверен, что никаких изменений в работе Алана не было до самого конца. Тогда Алану не нужно было доказывать правильность или неправильность теории. На этом уровне он мог работать над разными идеями в химии и геометрии и наблюдать, куда они его заведут.

Вместе с Робином они работали над теорией типов, и в планах было создание совместной работы на эту тему. Также он написал довольно известную статью о проблеме тождества слова, которая появилась в начале 1954 года в книге Science News (Вести Науки) издательства Penguin. Русский математик Пётр Сергеевич Новиков заявил, что проблема тождества для групп слов не имеет четкого, установившегося решения. Алан писал об этом в своей статье, а также связал это с некоторыми вопросами топологии, показывая, что проблема выбора, состоящая в определении идентичности разных групп слов, это, в сущности, и есть проблема тождества. Эти факты были актуальны и, по сути, предвосхитили появление полного обоснования заявления Новикова. Интерес к решению проблем не пропадал у него до последнего дня. Например последнее письмо к Робину, датированное маем 1954 года, в котором вообще-то речь шла о некоторых идеях и намерениях Робина вернуться к обсуждению доводов Гёделя, заканчивается следующими строками: «Вновь обратил внимание на вопрос о радуге. Может это и может положительно отразиться на звуке, но с электричеством — провал. С любовью, Алан». А дело вот в чем: как-то прогуливаясь по лесу Чарнвуд, что близ Лестера, они наткнулись на удивительное явление — двойную радугу, и Алан просто настаивал на исследовании этого феномена. На то должна была быть веская причина.

Если он и искал что-то новое, то это, скорее всего, касалось теоретической физики, которой он не занимался с 30-х годов двадцатого столетия. Ещё до войны в беседе с Алистером Ватсоном Тьюринг выказывал свой интерес к спинорам, которые возникли в новой квантовой теории элементарных частиц и уравнении Дирака, и в последний год жизни он так же занимался исследованием алгебраических принципов вычисления спинора. И то, что он прежде определял как «источники», превратилось в «типовой источник». Он также интересовался идеями Дирака в области гравитации и космологии, предложенными к рассмотрению в 1937 году, согласно которым гравитационная постоянная подвержена изменениям в зависимости от возраста Вселенной. Однажды обедая с Тони Брукером, Алан задал ему следующий вопрос: «Как думаешь, мог бы *палеонтолог* по *отпечатку следа* вымершего *животного* определить, соответствовал ли вес животного *норме* и среднему весу этого вида того времени?». Так и в вопросе квантовой механики, к официальной теоретической версии, которой он всегда относился с недоверием, в Тьюринге вновь проснулась заинтересованность в основах этой дисциплины. Он обнаружил противоречие в стандартной интерпретации квантовой механики, представленной фон Нейманом, а именно отметил, что в случае постоянного наблюдения за квантовой системой, понадобилось бы неопределенное количество времени, чтобы отметить эволюционные изменения, произошедшие в ней, а говоря о наблюдении, ограниченном по времени, — невозможно было бы получить плоды эволюции вовсе. Таким образом, стандартный подсчёт в основе имел лишь предположение, подразумевающее, что таинство «наблюдения» происходило в определенные интервалы времени.

Было у него ещё несколько еретических идей, которыми он делился с Робином: «Те, кто занимается квантовой механикой, всегда имеют дело с бесконечным множеством измерений, не думаю, что мне нужно так много — хватит и сотни, или около того — и этого будет вполне достаточно, не так ли?» А как вам такой вариант его идеи: «Описание должно быть нелинейным, а функция прогнозирования — линейной». Его всплеск интереса к фундаментальной физике был вполне своевременным, ведь уже в 1955 новая волна изучения и развития теории относительности сменила полный штиль военного времени в этой сфере. Интерпретация квантовой механики, слегка видоизмененная в сравнении с работой фон Неймана 1932 года, также требовала новых идей и решений и помимо всего прочего отчасти совпадала с его личным мнением по данному вопросу.

С одной стороны, госпожа Тьюринг ошибалась, теша себя надеждами и полагая, что перед смертью Алан был на пороге совершения «эпохального открытия». С другой, ничто не предвещало упадка или неудачи в его интеллектуальной жизни, что могло бы послужить объяснением его внезапной кончины. Скорее это был подверженный постоянным изменениям переходный период, который уже случался в его развитии, и в этот раз включал в себя более разнообразный спектр интересов, а также был сопряжен с более открытым отношением к интеллектуальной и эмоциональной сторонам жизни.

Этот последний год не был и насыщенным, как многие полагали, скорее совсем наоборот. Один странный инцидент выделялся среди прочих и, возможно, поможет прояснить ход мыслей, роившихся в его голове, которые мог оценить далеко не каждый. Это случилось в середине мая 1954 года, когда Алан вместе с семейством Гринбаум отправился на выходные в Блэкпул. Выдался погожий денёк, и они бодро прогуливались по маршруту Золотой Мили со всеми её аттракционами и развлечениями у моря, пока не набрели на шатёр гадалки, королевы цыган. Алан зашёл внутрь, чтобы пообщаться с ней. Может быть цыганка предугадала его гениальность уже в 1922? Чета Гринбаумов ждала снаружи, Тьюринга не было уже с полчаса. Когда он, наконец, появился на пороге, лицо его было белее простыни, и по дороге домой в Манчестер в автобусе он не проронил ни слова. Пара не получала от него никаких вестей, до тех пор, пока он не позвонил в субботу, за двое суток до своей кончины, во время которой их не было в городе. О его смерти они узнали прежде, чем смогли ему перезвонить.

Какова была его судьба? Девизом семьи Тьюринг было латинское выражение *Audentes Fortuna Juvat — смелым судьба помогает*, тем не менее, его родной дядя Артур был убит в Большой Игре, находясь в засаде в незащищенной Британской точке в 1899 году. Что касается Алана, в большом зеркале отражение всего произошедшего было совсем смутным. И, без сомнения, существовала та часть его сознания, что была сокрыта от Робина, Ника и Франца Гринбаума, и которая не принадлежала даже ему самому, а зависела лишь от тех, кто двигал фигуры: Красные и Белые. Финальная партия должна была быть разыграна, так и случилось, но она разительно отличалась от той версии событий, которую нам предложил Льюис Кэрол, где Алиса побеждает Червонную Королеву и просыпается, избавившись от кошмара. В действительности, Красный Ферзь стал праздновать и веселиться в Москве. Белый Ферзь нуждался в спасении, и Алан Тьюринг пожертвовал собой ради него.

Встретив в октябре 1952 года Дона Бэйли, Алан, пусть и не особо вдаваясь в детали, поведал ему то, о чем его друзья понятия не имели. Всё это время он помогал Хью Александру в его криптоаналитической работе по дешифровке. Тьюринг также признался, что больше не в силах этим заниматься, потому что в этой сфере нет места гомосексуалисту. Он смирился с этим фактом. Рассматривая это как психологический удар, важно отметить, что он был наименее значительным на фоне тех остальных, что случились с ним в 1952 году. Вполне возможно, что это решение математика стало серьёзным ударом для Центра правительственной связи (ЦПС), в котором, со слов Алана при разговоре с Тони Брукером, ему единовременно предложили колоссальную зарплату в 5 000 фунтов, чтобы поработал с ними ещё один год. Только в военное время правительство могло работать как монолитный организм, и становление криптологического направления деятельности при полной поддержке со стороны Кембриджа могло здорово пошатнуться, лишись они своего ведущего консультанта. Правда, совсем другое мнение бытовало в «Секретной службе», или М15, роль которой стала более значительной в 1952 году, благодаря министру иностранных дел, сэру Дэвиду Максвелу Файфу. Стремительно развивающаяся концепция «безопасности» получила ещё большее признание и господство в течение последних двух лет жизни Алана Тьюринга. Хотя он не имел никакого отношения к политике, но не мог изолировать себя от изменчивых потребностей государства. В действительности, он находился в центре урагана проблем и потребностей в их разрешении.

Механизация, управление клиническими данными, безопасность — это одновременно были и своеобразные ступени развития на пути к ясности и рационализации, и действия, в которых Американское правительство было на шаг впереди. В 1950 году подкомитет Сената стал искать сведения о степени занятости гомосексуалистов и других лиц, страдающих половыми извращениями, в правительстве, с целью рассмотреть причины, почему их занятость в правительстве является нежелательной; и изучить эффективность методов, используемых в борьбе с данной проблемой.

Исследование данного вопроса, первого в своем роде, привело к следующим выводам. Один из них состоял в том, что гомосексуалисты, как правило, непригодны для работы в правительстве, потому что, как правило, считается, что те, кто участвует в открытых актах извращения, лишены эмоциональной устойчивости, свойственной нормальным людям. Кроме того, существует множество доказательств достоверности вывода о том, что снисходительность к актам сексуального извращения истощает моральный дух человека до такой степени, что он не подходит на ответственную должность. В этой фазе исследования, Комитет обратился к знаниям выдающихся психиатров. Второй же выдающийся вывод, однако, был получен, опираясь на мнение других инстанций.

Заключение подкомитета было следующим: гомосексуалисты или другие лица, страдающие половыми извращениями, представляют собой угрозу безопасности, и это не просто гипотеза. Этот вывод основывается на тщательном изучении мнения тех, кто наилучшим образом осведомлен по вопросам безопасности в правительстве, а именно, мнении Спецслужб правительства.

Наученное опытом Второй Мировой Войны американское правительство стало во многом полагаться на разведку. На основе идей Уильяма Стивенсона было создано Центральное разведывательное управление для того, чтобы собирать информацию и действовать за рубежом. Многое изменилось с 1945 года, когда казалось, что Соединенные Штаты вернулись к политике изоляционизма, охраняя лишь интересы своего полушария. При этом внешняя политика Великобритании со времен войны неизменно работала на удержание американских интересов в Европе, хотя в 1945 году мало кто мог предположить, какие формы она примет в итоге: Североатлантический договор и договоры о дружбе и взаимопомощи. США быстро избавились от довоенной наивности в отношении мировой политики и теперь посредством ЦРУ получили возможность действовать подобно любому другому национальному государству, только в еще большей степени, стремясь, в частности, следовать методам работы британской разведки. Существенное отличие заключалось в том, что новая организация не скрывалась от законодательной власти, подобно британскому аналогу, отсюда более чем прямое заявление:

«Были опрошены... представители Федерального Бюро Расследований, Центрального Разведывательного Управления и служб разведки Армии, ВМФ и ВВС США. Все агентства придерживаются единого мнения о том, что сексуальные извращенцы в правительстве представляют собой угрозу государственной безопасности.

Эмоциональная нестабильность, присущая большинству сексуальных извращенцев, и слабость их нравственности создают угрозу их вербовки иностранными агентами... Кроме того, большинство извращенцев, как правило, собираются в одних и тех же ресторанах, клубах, барах... Среди служб разведки общепринятым является мнение о том, что любая шпионская организация мира сочтет сексуальных извращенцев, располагающих, либо имеющих доступ к конфиденциальным материалам, главными целями для оказания давления в первую очередь. Практически в каждом случае и, несмотря на протесты со стороны извращенцев о том, что они никогда не уступят шантажу, подобные граждане неизбежно проявляют значительное беспокойство в отношении факта, что их образ жизни может стать известен друзьям, коллегам и в целом быть предан огласке.»

ФБР стало свидетелем того, как «русская разведка поручила агентам сбор информации о частной жизни правительственных чиновников...», сделать вывод не составляло труда. Следует признать, что в данной аргументации имелось зерно истины, отражавшее неоспоримые реалии. Порицание со стороны общества вело к тому, что гомосексуалисты были особенно уязвимы перед шантажом, и разве можно было ожидать, что советская разведка не воспользуется этим. Такова была политическая данность. Выходило, что жизнь Алана Тьюринга любопытным образом оказалась частью мечты Черного Короля.

Особое положение гомосексуалистов в обществе далеко не новость. Однако теперь реакция правительства на них и на другие проявления индивидуального поведения должна была ужесточиться. Шел переходный период, когда порядки, пригодные в 1930-х, или уместные в экстренных условиях Мировой Войны, стремительно сменялись новыми реалиями противостояния двух сверхдержав, вооруженных ядерным арсеналом. Теперь крупные научные предприятия приходилось поддерживать в постоянной готовности к войне, которую можно проиграть в считанные часы. Весь мир стал полем боя, а Кремлю вменяли в вину любое изменение политической обстановки в мире, которое шло в разрез с интересами Соединенных Штатов. Противостояние в области логического мышления, как и фактические военные действия, подверглись полному пересмотру, впрочем в условиях официального мира невозможно было контролировать поток информации, идущий через границы, настолько же эффективно, как в военное время. Задачи изменились, встал вопрос как, каким бы то ни было способом, взять под контроль поток, проходящий через сознание людей.

Идеально было бы заменить весь государственный аппарат машинами, но пока это было невозможно, приходилось мириться с тем, что им управляют человеческие умы — умы из которых не сотрешь информацию, в которых информация может смешаться с неизвестными данными и инструкциями, которые в нерабочее время пропадают неизвестно где. Проблемы государства усугублялись тем, что не существовало изобретения, которое позволило бы узнать мысли человека, если тот не желает ими делиться. Человеческий фактор оставался опасно непредсказуем. Однако без непредсказуемости не было бы ни изобретений, ни инициативы, а значит, она была нужна. Та же проблема занимала и Ноэля Смита: поощрение «независимого характера» в системе «сплошной рутины».

Блестящие, но ненадежные умы ученых позволили одержать победу над колдунами противника. Ученые стали жрецами и волшебниками современного мира. Но постойте, если войны выигрывают волшебные машины, непостижимые уму военных и управленцев, то тем же путем войну можно и проиграть. Успех, но и угроза, — вот две стороны одной и той же медали. Когда-то на них смотрели с высока, затем покровительственно и с толикой страха, но, как бы то ни было, ученые 1930-х годов спасли государства Союзников. Став незаменимыми, они заняли привилегированное положение. Ценой стала невинность. Политическое значение науки переменилось: в условиях 1950-х годов те противоречия, которые двадцать лет назад можно было игнорировать, поднялись на поверхность.

На ряд из них пролило свет разоблачение Фукса, передававшего ядерные секреты Советскому Союзу. Никто не утверждал, что он действовал злонамеренно, руководствовался жаждой наживы или чувством противоречия, либо же выдал секреты по небрежности. Нет, он, в самом деле, изменил идеологические убеждения и был твердо уверен, что поступает правильно. Мораль истории вывел Алан Мурхед в своей книге 1952 года «Предатели»:

> «Пожалуй, Фукс не лгал, когда после ареста клялся, что теперь верен Великобритании, и проклинал Советский Марксизм. Он был из тех, кто первым делом сверяется со своей совестью, а затем уже оглядывается на социум. Таким людям не место в упорядоченном обществе. Их место там, где сейчас и находится Фукс — в Стэффордской тюрьме за общественно полезным трудом.»

Такое жесткое мнение предполагает, что и Кинс и Рассел, и Форстер и Шоу, и Оруэлл и Харди, — все они тоже должны быть в тюрьме. Подобно Эйнштейну они позволили себе усомниться в аксиомах, а если и соглашались подчиниться правилам, то исключительно по собственному выбору. Именно подобную отчужденность, подобную способность делать выбор и должно отвергать упорядоченное общество. Даже либеральные писатели Англии собственноручно признали верность сего логического заключения несмотря на то, что их культура во многом, в отличие от Германии, основывалась на том, что на подобные противоречия закрывают глаза. Кинс, к примеру, отмечал, что «последствия того, что такой человек обнаружен», заключаются в необходимости добиться принятия обществом. Идеалам «свободы и последовательности рассудка», выраженные Фредом Клейтоном, попросту не оставалось места, когда под угрозой оказывались действительно важные вопросы для мира. Короткий всплеск «творческой анархии», возможно, замаскировал правду, однако к 1950 году политические реалии вновь стали ясны.

Наука, претендующая на описание объективной реальности вне зависимости от законов, традиций и убеждений, наука, стремящаяся к абстрактному мышлению, наука, для которой мир был единой страной, именно она, возможно, укажет на опасность отрыва от аксиом общества. В равной степени, а может и более непосредственно и явно, представляли опасность сексуальные предпочтения, не соответствующие социально одобренным формам. Гомосексуалисты, в частности, предпочли быть выше явного и несомненного осуждения общества, создав проблему без вины виноватых нравственно сомнительных нарушителей закона. Разве не скрывал каждый из них в себе зародыш Фукса? Впрочем, существенное различие заключалось в том, что Фукс нарушил явным образом взятое обязательство. Фукс в своей гордыне претендовал на право власти, право изменить ход истории, а вовсе не право контролировать свои личные близкие отношения. Большинство геев, вынужденных мимикрировать, не могло избежать участия в лжи и обмане. Ни один из них не мог с уверенностью утверждать, куда заведут те, или иные личные связи.

Эти вопросы отнюдь не новы, однако в эпоху ядерной угрозы они приобрели особо насущный характер. Глубоко традиционное уравнение о том, что содомия равняется ереси и предательству, всегда лежало на поверхности. И оно, пусть и несколько раздутое сенатором Маккарти, содержало зерно истины. Христианская доктрина больше не имела значения для государства, чего нельзя было сказать о вере народа в социальные и политические институты. Система в которой семья строится на сексе, как товаре, который мужчина должен заработать, а женщина — отдать, оставалась главной доктриной новой веры, следовательно сама мысль о гомосексуальности, подрывала её. В послевоенные годы, когда возрождался порядок, при котором мужчина работает, а женщина занимается хозяйством, угроза от этой мысли стала еще более явной. Тем, кто воспринимал брак и воспитание детей как долг, а не личный выбор, гомосексуалисты виделись скрытыми сторонниками ереси, в религиозных терминах «обращенцами» и «прозелитами», которые, совместно с коммунистами советских стран, замышляют изуродовать мир, в насмешку над христианством сделав запретное обязательным. Либералы с восточного побережья, а в Великобритании — образованные интеллектуалы, выходцы частных школ, виделись менее привилегированным сословиям особенно подозрительными, так как не представлялось возможным узнать, что происходило в, как говаривал Алан, «храме Принстона и залах Короля». Между тем, аксиомы государственной политики гласили, что при наличии врага, неважно реального ли, вымышленного ли, любой протест или неподчинение рассматриваются как ослабляющие позиции государства, а следовательно, являются изменой. Кроме того, широко распространилось мнение о том, что мужчина, который занимается «этим» — хуже занятия и не представить — способен вообще на что угодно. Он утратил остатки разума. Он способен полюбить и врага. Вот по этим причинам и расцвели вновь древние мифы и представления о предателе-гомосексуалисте.

Верные современному подходу на базе социальных и управленческих наук, доклад Сената от 1950 года избегал этих сильных и стойких архетипов. Внимание было сконцентрировано на более обнадеживающей картине гея как слабой и беспомощной жертвы шантажа. В соответствии с данным представлением после 1950 года всех установленных гомосексуалистов убрали из правительства Соединенных Штатов. Тем не менее с помощью научного языка не удалось полностью вытравить старые представления. Возник и страх, переходящий в панику. Страх от того, что теперь рассматриваемый предмет видится незримым раком, поразившим общество и превращающим послушных граждан в неизвестное, не подконтрольное, не американское нечто, что проблема вышла за рамки простого и рационального описания возможной уязвимости перед шантажом.

В отличие от американского Сената, британские законодатели не имели обыкновения настолько открыто вмешиваться в работу правительства. Однако здесь работали те же самые силы нового времени, которые и вынудили правительство Великобритании пойти на сходные меры. 25 мая 1951 года два чиновника Министерства Иностранных Дел Бёрджес и Маклин исчезли и уже 10 июня в воскресных новостях проливался свет на данное исчезновение с намеком на то, что пора бы взять на вооружение американскую политику «искоренения сексуальных и политических извращенцев.»

Система безопасности Великобритании уже подвергалась критике годом ранее после рассмотрения дела Фукса. Впрочем тот был беженцем из Германии, а проект атомной бомбы виделся чем-то нетипичным, ведь он во многом опирался на работы изгоев, которым в 1940 нельзя было доверить ничего, что казалось важным. А вот дело Бёрджеса и Маклина отличалось, так как оба были выходцами из верхушки среднего класса, учениками Кембриджа — кузницы кадров британской администрации. Ранее можно было рассчитывать на то, что обучение в частной школе гарантирует со стороны выдающихся учеников верность факультету и школе, что позволило правительству Великобритании во время войны обойтись без дорогостоящего и трудоемкого процесса надзора за кадрами, который требовался в Соединенных Штатов, не отличавшихся подобным доверительным отношением. И вот, ко всеобщему удивлению, кодекс частных школ оказался нарушен. Требовались новые меры. Тем не менее та форма, которую приняли новые порядки, не полностью объяснялась бегством Черной Королевы. В них нашли отражение революция в среде управленцев, где более аристократическая прослойка постепенно отстранялась от дел, а также союз со Штатами.

Журнал «Воскресная пиктораль» в 1952 прокомментировал:

> «В дипломатических кругах и на гражданской службе извращения расцениваются как отдельная угроза, так как несут в себе риск шантажа. Именно угроза шантажа и создает подобную масштабную проблему для полиции.»

В журнале также говорилось, что «гомосексуализм особенно распространился среди интеллектуалов». Такого рода замечания в прессе сопровождались и действиями со стороны правительства, которое в 1952 году ввело «удостоверяющую проверку на благонадежность» для занимающих государственные посты, имеющих дело с информацией государственной важности, а также кандидатов на подобные должности.

До сих пор государственные служащие проходили только «поверхностную проверку». Служба безопасности проверяла дела тех, кто был замечен в «провокационных воззрениях», и ставила штамп «Порочащих сведений не имеется». Суть «удостоверяющей проверки» заключалась в том, чтобы «провести подробное расследование прошлого и личных качеств». В частности, учитывались «заметные слабости характера, которые влекут уязвимость перед шантажом и неблагонадежность». Иными словами, если обнаруживалось малейшее свидетельство или даже обоснованное подозрение на гомосексуальные наклонности, то человек считался непригодным для должности, требующей «благонадежности».

На практике требовалась искусное и дорогостоящее расследование с тем, чтобы установить, является ли тот, или иной человек гомосексуалистом. Тут не удастся обойтись выявлением «манерных» мужчин, так как (согласно американскому докладу) не существует «явных признаков, или примет, которые позволили бы однозначно выявить сексуального извращенца». Присущая британцам закрытость и презумпция гетеросексуальности усложняли выявление гомосексуалистов, которые общались исключительно через друзей и на приватных встречах. Однако, будучи обнаруженным, гомосексуалист оказывался в трудном положении, так как на него одного обрушивались все накопленные страх и подозрения, которые в ином случае приняли бы на себя многие люди.

Алана Тьюринга раскрыли, более того, оказалось, что для любого официального лица, да и просто для любого, обеспокоенного вопросами государственной безопасности, он ведет себя с попросту ужасающей неосмотрительностью. В его голове хранились тайны криптографической и криптоаналитической работы Великобритании, со времен которой не прошло и десяти лет, а он при этом позволял себя якшаться с публикой на Оксфордской дороге, да и Бог знает где еще. Хуже того его работа во время войны и работа консультантом с 1948 года вооружили Тьюринга, по меньшей мере, знаниями о конкретных проблемах страны, тогда как разрабатываемые им компьютерные методы, да и сама идея компьютера, находились на передовом крае науки.

Не существенно, представляла ли данная информация интерес для Советского Союза, само её существование должно было сохраняться в тайне. Тьюринг совершил немыслимое. Вхожий в Ближний Круг, он запятнал себя с пролетариями, да так, что сам Оруэлл не назвал бы это ничем иным, как извращением, хотя Альдус Хаксли и расценивал требование сексуальной свободы, как спутник усиления диктаторского режима. Тьюринг был сам себе законом.

Можно, пожалуй, возразить, что его поведение как раз и демонстрировало, что Алан неуязвим для шантажа. Разве он не обратился бы в полицию при малейшем намеке на угрозу, даже если бы та не имела никакого отношения к хранимым тайнам? Он даже не скрывал подробностей, какими бы нелепыми, или шокирующими те ни были, чем ясно дал понять, что не вздрагивает от мысли, что они станут известны «друзьям, коллегам и в целом будут преданы огласке». Увы, подобные аргументы лишь подчеркнут впечатление о нескромности, выставят его вызывающе антисоциальным и отталкивающе непредсказуемым.

Тьюринг не был завсегдатаем тех немногих тайных «ресторанов, клубов и баров», но для служб безопасности его времяпрепровождение за границей было сущим кошмаром. Безусловно, Великобритания — свободная страна, а Алан — её свободный гражданин, но кто дал ему право у себя принимать молодых норвежцев, и в чем состоит суть кризиса с Кьолем в марте 1953, о котором местный центр разведывательного управления совершенно не осведомлен. В результате, Кьоль вернулся в Норвегию, так и не увидев Алана. Намеки Алана Робину о том, что иммиграционные службы повсюду видят «кротов», «еретиков» и заговоры извращенцев, — вот, пожалуй, и все чем Тьюринг мог намекнуть на то, что «по масштабам непристойности могло потягаться с историей Арнольда», не раскрыв при этом причины, по которой он оказался объектом особого внимания, чтобы защитить себя от себя же.

В свете сказанного, отпуск Тьюринга летом 1953 стал актом протеста, да таким, что дело могло закончится допросом, причем не из тех, где за столом мило обсуждают сонеты. Откуда им знать, что он изначально не скомпрометирован? Откуда им знать, что он не повредился рассудком? Что они толком знают о его связях? В чем вообще есть уверенность? Суть убеждений Алана Тьюринга о жизни и свободе лежит в скрупулезном соблюдении данных обещаний, но подобные джентльменские соглашения опираются на безмерное доверие, а в 1953 наблюдалась острая недостача данного ценного ресурса. Сам Тьюринг тоже не был совершенен: однажды он сболтнул лишнего Невилю, отметив, что поляки внесли колоссальный вклад в его работу во время войны. Позже, за год до его смерти, правила вновь изменились и отнюдь не в сторону джентльменских манер. Игра стала еще жестче.

Когда в 1952 году тема гомосексуализма стала впервые обсуждаться открыто, журнал «Воскресная пикторэль» пояснил, что «для начала» следует «направить прожектор общественного внимания на подобные отклонения и покончить с заговором молчания...» Издание признавало, что окончательно искоренить проблему «не так просто». Движение на искоренение ускорилось в 1953 году. Красной нитью через месяцы от июня 1953 до июня 1954 прошли все более открытые и жесткие действия правительства. Считалось, что пришло время вернуться во времена суда на Уайлдом, тогда подобные меры позволили сдержать диссидентство на полвека.

Возможность предоставилась в августе 1953, когда лорд Монтегю Бьюли сообщил в полицию о краже. В результате Монтегю и его другу были предъявлены обвинения в «непристойном нападении» на двух мальчиков-скаутов, которые были экскурсоводами в его музее автомобилей. Обвинения были отвергнуты, да и основывались они исключительно на показаниях мальчиков, однако дело получило беспрецедентно широкую огласку. Дело Тьюринга являлось прямой противоположностью: не было ни сенсационных фактов, ни заявлений в полицию, разве что жалоба из мелочных интересов, да и то — единственный свидетель происшествия Хью Александр остался не упомянутым. Однако его разбирательство изначально подавалось как показательный процесс: суд не над индивидуумом, но осуждение «падения нравов» в стране.

Суд над Монтегю завершился в декабре 1953 года. Подсудимый не был признан виновным, однако Краун не признал поражения и 9 января 1954 года Монтегю был вновь арестован, на этот раз по обвинению в «нападении», совершенном в 1952 году. Вместе с ним обвинения были предъявлены еще двоим, в частности, Питеру Уайлдбладу, дипломатическому корреспонденту «Дэйли Мэйл». Этим намеки на то, что дело имеет государственное значение не ограничились — обвинение привлекло также несколько военнослужащих ВВС, дав пищу для опасений, что гордость и краса вооруженных сил страны тоже под угрозой этой «заразы». Оба процесса отметились прослушиванием телефонных линий, обысками без ордера, освобождением тех, кто давал показания против «сообщников», подлогами со стороны Короны — всецелое пренебрежение требованиями закона давало понять, что речь идет об угрозе самому государству. Действительно, было задействовано Особое Отделение — отдельная, политическая, ветвь полиции. Повышенное внимание прессы вызвало жалобы в Парламент о «подрыве общественной морали». Несмотря ни на что Правительство явно решило повысить осведомленность общественности о проблеме мужского гомосексуализма и замалчивание данного вопроса осталось в прошлом. Министр Внутренних Дел сэр Дэвид Максвелл Файф вызвал магистратов для прояснения внутренней политики и произнес речь о «переходе в наступление на мужские пороки». Судьи отметили, а газеты послушно сообщили о резком всплеске преступлений, в которых замешаны гомосексуалисты, в стране. На самом деле произошел всплеск официальной обеспокоенности проблемой, вылившейся в резкое увеличение числа судебных дел.

Помимо жалоб консервативной партии в парламенте на открытое освещение дела Монтегю, возникали и вопросы более современного толка о функционировании закона. Они не имели отношения к идеям прав и свобод, люди нового времени призывали лечить гомосексуалистов с помощью науки, а не заключать под стражу, или наказывать.

26 октября 1953 года молодой депутат от лейбористской партии Десмонд Доннели обратился к Министру внутренних дел с просьбой включить проблему гомосексуализма в ведение Королевской Комиссии по вопросам душевных заболеваний. Просьбу поддержал 26 ноября свободомыслящий депутат из партии консерваторов сэр Роберт Бутби, который призвал новую Королевскую Комиссию изучить «возможности лечения гомосексуализма... в свете новых научных знаний...» Другой депутат предложил «учредить больницу для этих несчастных, где они получат необходимое лечение

и дисциплину». Однако Максвелл Файф подчеркнул, что тюрьмы «осведомлены о проблеме и обращаются с подобными гражданами в соответствии с наиболее современными взглядами и подходами». Теперь даже тюрьма, вернее, как он говорил, «тюремная терапия», была научно обоснована.

28 апреля 1954 года в Палате Общин прошло краткое обсуждение закона 1885 года. Затем 19 мая процесс переместился в Палату Лордов, где, в основном, обсуждалась концепция девятнадцатого века о складе гомосексуальной личности «как об определенной школе, так называемой, науки, чьи опасные доктрины нанесли и продолжают наносить огромный вред молодым поколениям, причем, доктрина эта, к которой мы не имеем никакого отношения, утверждает, что, в большой мере, подобные импульсы невозможно сдержать». Епископ Саусвелльский присоединился к нападению на «бихевиористские доводы». Один из лордов вспомнил о «странах, бывших великими, но утративших величие в силу упадка и разложения нравственности». Все же нашлись и защитники науки. Лорд Чорли прервал данное прощание с Империей замечанием, что «вопрос лежит, скорее, в области медицины, нежели криминалистики». Лорд Брабазон, первопроходец авиации, тоже высказался в пользу медицинского подхода: «существуют и горбуны, и слепцы, и умственно отсталые, но из всех ужасающих уродств, пожалуй, наиболее противоестественным являются искаженные сексуальные инстинкты».

Как бы ни были важны все эти наблюдения, проблемы, стоявшие перед правительством, требовали более прагматичного, а отнюдь не философского, подхода к вопросу свободы воли. 29 апреля в Палате Общин обсуждался билль об атомной энергии. Дискуссия вылилась в создание поправки о возражениях, которая позволяла работникам создаваемого Агентства по атомной энергетике подавать апелляции в случае, если они были уволены как представляющие «угрозу безопасности». На стороне правительства выступал сэр Дэвид Экклс, который, в противовес новой поправке, указывал на случаи, когда подобные апелляции будут неуместны, в особенности, случаи нравственной развращенности. В вкратце, он имел в виду, что будучи гомосексуалистом, человек скорее станет мишенью для шантажа, особенно, в силу действующих законов. Были случаи, когда вымогатель требовал не денег, а раскрытия тайн. Впрочем, он отмечает, что дискуссия идет не о такого рода случаях:

> «Общественность волнуют вовсе не такие дела. Общественность волнуют, и я считаю совершенно правильно, политические связи».

Если уж общественность не была взволнована, то один из лейбористов точно был:

ГОСПОДИН БЕСВИК: Помимо общих возражений, Министр сделал крайне важное заявление. Неужели он утверждает, что гомосексуалист автоматически рассматривается как угроза безопасности? Он сказал именно это. Мне бы хотелось услышать подтверждение этих слов, так как сейчас мы не расцениваем подобных людей как угрозу нашей безопасности, следует ли понимать, что теперь нам нужно следует изменить свое отношение.

СЭР ДЭВИД ЭККЛС: Я бы хотел уточнить данный вопрос у Министра, но, по моему впечатлению, ответ «да». Определенно, именно таково положение дел в Америке. Такой подход проистекает и законодательства в его теперешнем виде.

Так, возможно, неумышленно было создано новое правило. По окончании дебатов, предположительно, получив информацию от своего департамента, Экклс скажет:

> «Не исключено, что я совершил ошибку — хотя я и полагаю, что её не совершал — в выборе слов и они были поняты так, что все гомосексуалисты непременно являются угрозой безопасности. Впрочем, если это, действительно, так, я приношу свои извинения.»

Несмотря на сказанное выше, он раскрыл карты, причем игра шла на два континента. Область атомной энергетики особенно тщательно подвергалась проверкам на «благонадежность», а любой имеющий даже отдаленное отношение к атомной энергетике проходил предварительную проверку. Причина лежала вне правительства Великобритании — это было «условие соглашения между Великобританией и Соединенными Штатами Америке об обмене информацией в области атомной энергетики».

Американские власти, по понятным причинам, с недоверием относились к способности британцев навести порядок в своем доме и поэтому выдвигали условия, когда речь шла об обмене секретной информацией. Так одно из обвинений против Фукса заключалось в том, что «он поставил под угрозу добрые отношения между нашей страной и Соединенными Штатами Америки, с которыми у Её Королевского Величества существуют договоренности». Бёрджес и Маклин скомпрометировали секреты США, а это был отчаянно важный и деликатнейший вопрос.

Тщательно выбранные слова Экклса отражают традицию более скрытных механизмов государственной власти, которая никогда охотно не сообщала народу о взятых на себя обязательствах. Между тем перемены, необходимые для скрепления нового союза, шли своим чередом. Пока в прессе обоих стран гремели заголовки о судах над Монтегю, которые давали понять, что ни лорды, ни выходцы из Итона не избегут чистки, за закрытыми дверями решались куда более серьезные вопросы.

Для общества акцент был сделан на тайнах из области ядерной физики, между тем имелись и другие секретные области знания, которых официально не существовало, и они на тех же основаниях попадали под требования особого режима отношений. Зайдя в 1952 году в здание ЦРУ в Лондоне, американец с удивлением бы обнаружил, что «партнерские отношения военных времен по-прежнему приносят изрядные плоды».

Великобритания сознавала, насколько важно поддерживать активное участие Штатов в сдерживании нападок со стороны СССР, и поэтому проявляла необычайные открытость и стремление к сотрудничеству в области разведывательной деятельности. Были предоставлены не только разведданные высочайшего уровня, но даже большинство отчетов МИ6. Также велся сбор информации путем перехвата сигналов и сообщений.

Этими материалами тоже обменивались и большинство из них доходило до Агентства по Национальной Безопасности — объединенной службы по расшифровке сигналов и разведке, учрежденной в 1950 году...

Если ЦРУ представляло собой американское подражание британской секретной службе, то АНБ стало лишь продолжением тенденции к централизации, которая в Великобритании победила еще после Первой Мировой Войны. Американская сторона перенимала опыт коллег с Туманного Альбиона. Обмен опытом происходил в Лондоне — «сосредоточении самого тесного обмена разведданными в истории». Один из представителей США отметил, «какое неизмеримое богатство союзники давали нам с качественными разведывательными данными, без них сама система альянса не смогла бы эффективно функционировать». Обмен формализовали, «разделив мир, примерно, пополам и сообщая друг другу зафиксированные данные». Британцы поделились и уроками, полученными в Блетчли:

> «Один из высокопоставленных чинов армии Великобритании Командор Е.А. Коул недавно провел три месяца в США, консультируясь с представителями ФБР и завершая работу над планом...»

Особое Отделение начало составлять «черный список» выявленных извращенцев, занимающих высокие посты в правительстве, после исчезновения двух дипломатов: Дональда Маклина и Гая Бёрджеса, замеченных в порочащих связях. Началась непростая работа по вытеснению этих людей на менее значимые посты, либо же заключению их под стражу.

«Невозможно держать руку на пульсе ситуации, если не собирать данные с таким размахом, которого не одобрила бы ни одна бухгалтерия, а затем не полагаться на прозорливость и опыт аналитиков, которые отсеют крошечный процент жизненно важных сведений, которые должны дойти до самого верха правительства».

Шпионаж ЦРУ «в значительной мере оказался дополнен» данным вкладом, аналогичную пользу из построенных тесных связей извлекла и Великобритания, особенно, в критических областях контрразведки и контр шпионажа — что также способствовало работе с другими союзниками, располагавшими хорошими внутренними службами безопасности.

В свете новой ситуации британская разведка была вынуждена приспосабливаться к требованиям безопасности со стороны США, как, например, в области атомной энергетики. Соответственно и дело Алана Тьюринга следует рассматривать с американской точки зрения. Неважно, что происходило в 1945 году, в 1943 он был связующим звеном между двумя странами, занимал высокую должность и имел допуск к секретам США. Более того Тьюринг был глубоко осведомлен о технических подробностях работы и «держал руку на пульсе». Он был знаком с тем, как работает система в целом: с её сотрудниками, методами, оборудованием, базами. Если бы заголовок газеты гласил «ФИЗИК-ЯДЕРЩИК НАЙДЕН МЕРТЫМ», дело немедленно стало бы достоянием общественности. В случае с Аланом Тьюрингом вопрос был не столь однозначен, однако именно потому, что область его деятельности охранялась еще более тщательно, чем ядерное оружие. Именно эта сверхсекретность и заботила лично Черчилля, приключение тайных служб несли пользу только в качестве прикрытия. Алан Тьюринг стоял в самом сердце Англо-Американского союза. Сам факт его существования служил неприкрытым позором, ставя власти Великобритании в положение, при котором они лично отвечают за поведение Тьюринга. Как еще мальчишкой понял его брат Джон, нести груз подобной ответственности нелегко. Не только тихий суд в Натсфорде, но даже его посещение стран на границе восточного блока, замеченные американской стороной, могли стать повод для международного скандала. Глубину этого омута сложно описать.

Основополагающую трудность, с точки зрения служб безопасности, представляла даже не его гомосексуальность, а отсутствие контроля, элемент неизвестности. Следователь отметит, что «с человеком подобного склада» — подобного Профессору! — «никто не сможет предугадать, куда в следующую минуту заведут его мысли». Такого рода иконоборчество и «оригинальность» были приемлемы в период «творческой анархии», который стерпел даже заносчивость и волю, необходимые, чтобы разгадать неразрешимую «Энигму» и навязать последствия реакционной системе. Теперь в 1954 царили иные настроения. Во время рождественского визита в Гилдфорд Алан забыл свои бумаги, успокаивая мать по этому поводу, он выдает свое неприятие послевоенных перемен:

«Гриф «секретно» на документе M из S не более чем очковтирательство. Документ «не классифицированный» (идиотское слово американцев, которое означает, что содержание документа не представляет ни малейшей тайны. Дело в том, что они «классифицируют» документы согласно своим грифам секретности, поэтому «не классифицированный» означает «не отнесенный пока к какой-либо категории» и не «секретный»)».

Он принадлежал эпохе безоговорочного доверия и конфиденциальности, построенной на классах общества, но жил во времена, когда доверие и конфиденциальность механизировали и классифицировали. В условиях 1954 года практически не имело значения, что на Советский Союз у него попросту не было времени, так как под подозрением был каждый, до тех пор пока не будет установлено, что он «чист», а всякий, кто не был безукоризненно Бел, расценивался как потенциально Черный.

Потеряв стратегическую независимость и утратив имперскую уверенность в себе, страна Алана изменилась. Старый учитель определил его как «в основном, лояльный», что удовлетворило людей нового времени. Им, вероятно, и в голову не могло прийти, что англичанин со связями способен достаточно серьезно отнестись к абстрактной зарубежной идее и превратить её в нечто значимое. Пятнадцать лет спустя произошло именно так. Если в 1940-е мысль о «разуме» вылилась в нечто вполне конкретное и определенное, то 1950-е в равной мере явно проявили концепцию «лояльности». Кембридж, который снабжал страну умами, являлся неизвестной величиной в плане лояльности. Именно в те времена Патрик Блэкетт, когда то бывший доверенным советником в ВМФ, стал среди профессуры Манчестерского университета «собратом путешественником».

По сравнению с ним, Алан Тьюринг был совершенно аполитичен. Однако он в свое время успел высказать противоречие Королю. Тьюринг поддерживал антивоенную демонстрацию 1933. Он не вращался в утонченных кругах Бёрджеса и Маклина, но связи найти не сложно, было бы желание. В те времена причастный считался виновным — и порой не было ничего иного, кроме причастности — и Тьюринг был виновен. Совершались чудовищные ошибки, и как можно быть уверенным, что Алан Тьюринг не одна из них, учитывая инструкции, полученные им от Черной Королевы двадцатью годами ранее? Что станет достаточным доказательством? Вот вопрос Витгенштейна применительно к реальной жизни. Бёрджес и Маклин играли в подражание абсурдно и неуклюже — но были ли другие, более умелые, которых предстояло найти? Даже если отмести самые тяжкие подозрения, оставался тот факт что объединив в себе и вобрав в себя два немыслимых явления — гомосексуализм и криптоанализ — тайны «цифр» и «порока», он превратил себя в демоническую фигуру, вызывающую первобытный страх. А само время дало благодатную почву для страха. Старый социальный порядок не давал защиты от ядерной войны, да и научный метод не предлагал ничего лучше планов мести, или самоуничтожения перед её лицом. Раздираемой противоречиями в отношении новых американских партнеров, на волю которых сдалась британская держава, стране отвлекли внимание паникой вокруг шпионов и гомосексуалистов.

Мир переменился в 1943 году, а к 1954 не осталось и следа от систем, сложившихся во Вторую Мировую Войну. Сталина не стало, что, впрочем, не сказалось на системе, построенной на угрозе и ответной угрозе, которая, похоже стала неподвластна отдельным людям. В августе 1953 Советский Союз произвел испытание водородной бомбы, способной нести разрушения, в масштабах, превышавших самые пессимистичные прогнозы 1939-го. Бомбы, в разы превосходившей испытанное

Великобританией в 1952 году устройство. 1 марта 1954 года американцы испытали 14-мегатонную бомбу, которая взрывом захватила экипаж «Везучего Дракона», что неожиданно всколыхнуло общественное сознание». 5 апреля в ходе обсуждения вопросов обороны в парламенте Черчилль посчитал нужным предать огласке условия Квебекского соглашения 1943 года между Великобританией и Соединенными Штатами, из которого последние приняли решение выйти. Он заявил:

> «В словах нет нужды, чтобы описать, в какой смертельной опасности оказался весь мир... Водородная бомба приводит нас в области, которые не освещались прежде человеческим разумом, а оставались уделом воображения и фантазий».

Что реально, а что вымысел? США подталкивали Великобританию к участию в военном вмешательстве во Вьетнам, после поражения французов 7 мая. После отказа Черчилля заговорили о «предательстве англичан» и о том, насколько взаимовыгоден режим особых отношений. Страх перед новой войной в Азии не был беспочвенным: 26 мая адмирал США произнес речь о «кампании, направленной на абсолютную победу», во Вьетнаме, вплоть до применения ядерного вооружения. Генерал описывал применение атомных бомб, чтобы создать «пояс выжженной земли, который отрежет дорогу коммунизму и заблокирует азиатскую орду». После этого Даллес выразил надежду на то, что Великобритания «пересмотрит свою позицию».

Особенной неопределенностью характеризовался июнь 1954. Женевские переговоры по вопросу Вьетнама сравнивали с мюнхенскими. Теперь пришла очередь американских горожан отрабатывать укрытие в бомбоубежищах, тогда как в Британии возродили войска местной самообороны — прием в её ряды начался в Вилмслоу на последней неделе мая. Не менее напряженной, чем в Европе, была и обстановка в Азии. Перевооружение Западной Германии дополнительно подливало масла в огонь. Правила игры изменились, переменился и смысл прошлого. Серебряные слитки давно пропали, старые мосты оказались сожжены, но возникли и новые на прочном фундаменте из бетона. Настал черед немцев прийти на выручку, пока бывшие враги заняты поисками в своем стане шпионов и предателей. Именно 2 июня в газетах напишут, что «новичок» в Принстоне лоялен, но считается «риском в области безопасности». Как можно было заявить об уверенности в Роберте Оппенгеймере, когда он был известен недобными мыслями и неверными знакомствами. В то воскресное утро газеты освещали еще одну особую тему. Неярко, приглушенно, почти смущенно воздавались почести тем, кто ровно десять лет назад высаживался на пляжи Нормандии.

Алан Тьюринг уже не остров, но заблудшее теченье в море бед. Следователь говорил о «неустойчивости его умственного склада» — образ, весьма близкий к морфогенетической модели самого Тьюринга в момент кризиса. При росте температуры равновесии системы становится все более и более неустойчивым. Аналогично и по мере роста политической температуры уравновешенность Алана постепенно сходила на нет. В одной из проблем слились его жажда свободы, с одной стороны, и последствия былых обещаний — с другой. Разве мог он пересечь границу вновь летом 1954 года, когда никто не знал, как будут развиваться события, когда в самом разгаре была паника вокруг гомосексуалистов? Весь год Министерство иностранных дел издавало меморандумы о вербовке со стороны СССР. Одновременно ширились проверки «благонадежности». Ситуация усугублялась заявлениями со стороны советского перебежчика Петрова. В то же самое время суды на Монтегю продемонстрировали, что теплая вера британцев в свое правительство, как власть «бархатной перчатки», далеко не всегда имела под собой почву. В любой момент Алану могли состряпать обвинение на основании давно прошедшего романа. Вот во что вылилась волна преследований, когда хватало лишь малейшего подозрения и туманнейшего обвинения. Достаточно прочитать любую газету, если он сможет заставить себя это сделать, чтобы понять — его загнали в угол. Тьюринг всегда был готов ограничить борьбу своим личным пространством — тем пространством, которое оставит ему общество, но сейчас ему не оставили ничего.

Е. М. Форстер, стремясь ответить на ересь Короля бравадой, писал в 1938 году, что если бы ему довелось встать перед выбором предать страну или предать друзей, то он надеется, что хватило бы смелости предать родину. Для него личное всегда стояло выше политики. Но для Алана Тьюринга, в отличие от Форстера, Витгенштейна, Харди вопрос был отнюдь не отвлеченным. Личная жизнь смешалась с политикой, а политика влезла в личную жизнь. Он сам сделал в свое время выбор, решив работать на правительство. Дал обещание самому себе. Таким образом для Тьюринга выбор заключался в том, предать ли одну часть себя, или другую. Как бы он не колебался между данными альтернативами, мышление категориями безопасности не было лишено логики — и не стоило ожидать от него интереса к идеям свободы и развития. На подобное Тьюринг не имел права, он сам бы согласился с таким выводом. Допустим, он обхитрил ополчение, но в значимых вопросах не оставалось никаких сомнений — на него распространяются законы военного времени. А война идет. Идет сейчас.

Черчилль обещал кровь, слезы и лишений — и данное обещание политики сдержали. Десятью годами ранее десять миллионов соотечественников Алана принесли в жертву. От их выбора мало что зависело. Роскошь выбора в вопросах принципов и свободы сама по себе является огромной привилегией. Лишь предположения о «головах в песке» 1938 года позволило ему занять подобное положение, а за его место в 1941 многие отдали бы всё, что имеют. По большому счету жаловаться Тьюрингу грешно. Последствия распространились, усугубляясь, и привели к беспощадному противоречию. Своим же собственным изобретением он погубил курицу, несущую золотые яйца.

Старая Империя уступала институтам Океании. Никто из друзей Тьюринга не видел в этом предпосылок к его гибели, равно как никто не видел его в роли Касабланки. Пройдет пятнадцать лет, прежде чем различные, сыгравшие свою роль, элементы начнут проявляться, но даже тогда никто не сможет сопоставить и объединить их. В 1954 не потребовалось ничего замалчивать и скрывать: никто и не подумал задавать вопросы. Злая Ведьма Запада никого не смутила, ведь друзьям Дороти не на что было опираться. Мало кто из увидевших 7 июня

1944 изобретателя на велосипеде, мог провести связь между ним и началом высадки в Нормандии. Смерть также пришла изолированной потерей и одинокой болью без намеков на некое более широкое значение. Юнг писал:

> «Современный человек защищается от собственного расщепленного состояния системой отделений. Определенные области внешней жизни и поведения хранятся в своего рода отдельных ящиках и никогда не соприкасаются друг с другом».

Современному человеку, столкнувшемуся с Аланом Тьюрингом, следовало защищаться особенно тщательно, не позволять содержимому ящиков перемешаться. Не исключено, что также поступал и сам Тьюринг, когда оставался лицом к лицу со своими проблемами.

Под личиной прямодушного поклонника Шоу, созданной для окружающих и особенно явной после войны, под маской неудержимого фонтана идей, которые он готов отстаивать вплоть до костра, подобно Жанне Д'Арк современной эпохи, скрывался противоречивый, мучимый неопределенностью человек. Вряд ли Замок Сомнение и Гигант Отчаянья были его любимыми отрывками из «Путешествий Пилигрима» в детстве — однако роль Тьюринга в процессе человечества напоминает именно о них, при том, что горы более приятного толка редки и весьма далеки друг от друга. В частности, здесь крылась неопределенность отношений Алана с социальными институтами: он никогда не станет здесь своим, но и вызова им по-настоящему не бросит. Такое отношение объединяло его со многими учеными, глубоко ушедшими в математику, или иные науки: те тоже никак не могли понять — то ли относиться к общественным институтам как к чему-то абсурдному, словно из Эдгина Батлера, то ли принимать их как неизбежный факт. Стремясь, подобно Харди (и Кэроллу) все обратить в игру, он размышлял о том, что математика могла бы служить защитой от мира для того, кто не столько слишком слеп в отношении дел земных, сколько слишком восприимчив к их ужасу. Его свободное чувство юмора и способность посмеяться над собой имели много общего с реакцией многих геев на невозможную социальную ситуацию, в какой-то мере они демонстрировали ярое и сатирическое неприятие общества, но и в конечном итоге, уход от него.

Для Алана Тьюринга эти составляющие усугублялись еще тем, что так никогда полностью и не смог соответствовать роли математика, ученого, философа, инженера: он не смог войти в Блумсберийскую группу, да и в любую другую группу, если на то пошло. Для Тьюринга всегда повторялась история «Смеха из соседней комнаты», так как никто не знал, стоит ли включать его в свою компанию, или нет. Как вскоре после смерти Тьюринга напишет Робин Гэнди, «так как его интерес чаще занимали объекты и идеи, а не люди, он часто оставался в одиночестве. Но Алан жаждал привязанности и дружбы, порой, пожалуй, слишком сильно, что усложняло ему жизнь на первых этапах знакомства...» Вряд ли кто-либо из окружающих видел, на сколько на самом деле одинок Тьюринг.

Экзистенциалист-самоучка, вряд ли даже слышавший о Сартре, он стремился найти свой собственный путь к свободе. По мере того, как жизнь становилась всё более запутанной, всё менее ясным было, куда же этот путь должен вести. Да и откуда взяться ясности? На дворе двадцатый век, когда каждый истинный художник, чувствует призыв к действию, а любой чувствующий человек приходит в крайнее волнение. Он всеми средствами ограничил свою роль сколь возможно простой сферой интересов, так как старался при этом остаться верным себе, увы ни простота, ни честность не уберегли Алана от последствий — совсем наоборот.

Университетский мир Великобритании был изолирован от двадцатого века настолько, насколько это вообще возможно, и слишком часто за эксцентричностью Тьюринга не видел его прозорливости, выдавал размытые похвалы в адрес его смекалки, вместо того, чтобы предложить подлинно критический взгляд на идеи ученого, запоминал истории о велосипеде охотнее, чем подлинно великие вехи. Будучи никем иным, как интеллектуалом, при этом не вписывался в ученое сообщество. Лин Нейман, которая имела возможность близко познакомиться с этим сообществом как изнутри, так и снаружи, выразила гораздо красноречивее прочих это отсутствие идентичности: она видела в нем «очень странного человека, который не вписывался никуда. Его сумбурные усилия, направленные на то, чтобы казаться в своей тарелке в кругах высшего среднего класса, к которому он и принадлежал по рождению, отличались особой степенью неуспешности. Да, он принял ряд социальных конвенции, выборах их словно случайным образом, но большинство из их представлений и порядков он отвергал без колебаний и извинений. Как не прискорбно, порядки научного мира, который мог бы стать для Тьюринга убежищем, озадачивали его и нагоняли скуку...» Отношение Алана к своему привилегированному происхождению отличалось двоякостью: он отбросил большинство присущих своему классу атрибутов, сохранив лишь внутреннюю верность себе и нравственный долг, оставаясь в этом всегда сыном Империи. Аналогичная неоднозначность присутствовала в его положении среди интеллигенции, которая проявлялась не только в его презрении к наиболее тривиальным аспектам научной жизни, но и в той смеси гордости и пренебрежения, которую Алан проявлял к собственным достижениям.

В равной мере неопределенно он относился и к привилегии родится мужчиной в мире, где правят мужчины. В большинстве случаев он попросту принимал этот факт как должное. Уязвимость либерализма Короля крылась именно в том, что тот покоился на богатствах скопленных лишь на благо мужчин и никого другого, и он не стал бы человеком, ставящим такое положение дел под сомнение. В беседах с Робином, который придерживался прогрессивных взглядов на вопрос равной оплаты труда (а лишь на этой проблеме в те времена зиждился феминизм), Алан лишь отмечал, что выйдет несправедливо, когда женщины будут отсутствовать на работе в связи с рождением детей. Он также не сомневался, что именно женщины станут наводить вокруг порядок и вообще возьмут на себя те вопросы, которыми Алан решил себя не утруждать. В разговоре с Доном Бейли в Хансло-пе, Тьюринг упоминал о своей помолвке и от том, как он понял: « ничего не выйдет» из за его гомосексуальных наклонностей, при этом он отметил, что если и женится когда-нибудь, то на женщине, не имеющей представления о математике, на той, кто возьмет на себя удовлетворение его бытовых потребностей — вполне распространенное отношение, близкое к тому, как обстояли дела в семье Алана и совершенно не соответствовавшее тому, как развивалась его дружба с Джоанной Кларк. Налицо неразрешенное противоречие, по крайней мере, на этом этапе жизни ученого. Он не одобрял снисходительного отношения и тривиальностей, которые ожидались от мужчин в «смешанной компании», а также, без сомнения, необходимости проявлять эротический интерес, которого не чувствовал. В результате Тьюринг избегал исполнения социальных обязательств. Впрочем, когда данные ограничения не играли роли, быть может, в отношениях с Лин Нейман, а в какой-то мере и с матерью, Тьюринг проявлял открытость мышления, не свойственную многим мужчинам, принадлежавшим миру, в котором слово «женщина» служила синонимом сексуальной собственности и помехи. Алан никогда не укреплял позиций мира доминирующих мужчин, но лишь пользовался его институтами. Он никогда не пытался обосновать свои гомосексуальные предпочтения тем, что выбирает мужчин как превосходящих женщину, а когда он сталкивался с речами и текстами века, который многие называли эпохой простолюдина, в своих комментариях Тьюринг оставался примечательно корректен, тогда как большинство мужчин охотно направляли недоброжелательный поток осуждения, как прикрытого, так и нет, на претензии и посягательства женщин. Алан, безусловно, высказывался о том, что «девочки» выполняли неквалифицированную работу и им в Блетчли отводилась, роль «рабов». Впрочем, таковы были порядки, а Тьюринг, пожалуй, лишь чуть лучше других осознавал имевшее место неравенство между полами. Изменить его он не пытался, хотя стоит отметить, что никогда и не стремился изменить мир, лишь истолковать его.

Он был не Эдвард Карпентер, указавший на связь между низким социальным положением женщины и клеймлением гомосексуализма. Тьюрингу, пожалуй, не пришло бы и голову, что те трудности, которые он испытывает, сродни злоключениям женщин: заседания комитетов, на которых решение принимали, не считаясь с его мнением, словно он в них и не участвовал, то как никто не обращает внимание на его слова, но пристально оценивает манеры поведения и одежду. Женщинам пришлось научиться компенсировать подобное пренебрежения, прилагая дополнительные усилия, но Алан даже не пытался этого сделать. Он ожидал, что мир мужчин станет действовать в его интересах и с удивлением обнаруживал, что этого не происходит.

Мужская работа в мире мужчин и пока она остается для него куда более понятной и определенной, чем хитросплетения любовных дел и вопросов власти. В этом отношении Алан Тьюринг сыграл практически все отпущенные обществом роли: комедия, трагедия, пастораль, изгнание, пария, посредники и, наконец, жертва. Но он поднялся над ролями не только избегая повсеместных лжи и обмана, сопровождавших их, но и сделав то, чего гомосексуалисту делать никак и никогда не позволительно: стал ответственным за нечто подлинно значимое. Он также отказался страшиться недоброжелательной атмосферы мира техники (то была очередная попытка романа — как водится — твердо отвергнутая). Его переезд в Манчестер, к примеру, вполне мог отражать сознательный отказ от соблазна остаться в «прекрасном захолустье» Короля. При этом той самой целеустремленностью он проиллюстрировал проблемы, которая только начала проникать в умы в 1950-е годы: отвергая ярлык общества о «женоподобности» и «эстетстве», рискуешь впасть в иную крайность и чрезмерно акцентировать атрибуты «маскулинности». Не исключено, что этими мыслями окрасилось его бегство, которое свидетельствовало о поиске целостности, иной жизни, заслуженной не «разумом», освобождения от агрессивных чувств, рождающихся от попыток на протяжении всей жизни пробить лбом стену. Возможно, те же мысли нашли отражения и в его эмоциональной закрытости, стремлении, в первую очередь, «мыслить» как подобает профессионалу, а затем уже давать волю чувствам, — всё это вполне могло проистекать из намерения не быть «мягким». И всё же мягкость не была ему чужда.

Смятение и конфликт, пронизывающие его, лишь на первый взгляд, целостную индивидуальность гомосексуалиста, отражали тот факт, что мир не позволял геям оставаться «обыкновенными», или «подлинными», вести простую жизнь и не привлекать внимания, сохранять приватность и не иметь общественной позиции. К Тьюрингу, разумеется, было обращено особое внимание. В 1938 году Форстер вывел заключение из требования нравственной автономии:

> «Любовь и верность в отношении индивида способны противоречить интересам государства. Когда такое происходит, к чертям государство, говорю я, что означает, что и государство пошлет к чертям меня». При этом Форстеру никогда не пришлось столкнуться с последствиями подобного выбора лицом к лицу, равно как и Кинса так и не раскрыли. Именно Алану Тьюрингу, причем не как интеллигенту Короля, но как одному из тысяч, пользующихся дурной славой людей, пришлось выходить из этого морального кризиса, практически молча, практически в одиночестве. Даже если бы события декабря 1951 года не привели к данному конкретному кризису, имеющиеся противоречия вылились бы в какую-либо иную форму. Для него не было возможности «простой» жизни, как не было и «просто» науки. Блетчли доказал, что Харди ошибается насчет чистой математики. Чистоты не бывает. Никто не может быть островом. Быть может, Алан Тьюринг и является Героем Истины, но даже его наука завела ко лживым делам, а секс ко лжи властям.

Дорога из желтого кирпича разделялась надвое и не было ни единого знака, намека на то, какой из поворотов истинный, а какой — ложный. Впрочем, неопределенность в жизни Алана Тьюринга, колебание между двумя путями, наиболее сильно поражает не в отношении социального класса, или профессионального положения, пола, но колебаниями между ролями «взрослого» и «ребенка». Некоторых это отталкивало, кто-то считал, что такое поведение придает известное очарование. Конечно, в какой-то мере слово «ребяческий» люди часто используют, чтобы объяснить собственное удивление от встречи с человеком, который, в самом деле, говорит то, что думает, ничего не приукрашивая и не скрывая. Кроме того, в поведении Тьюринга присутствовали присущие только ему странности, которые стали особенно заметны на исходе его четвертого десятка в Манчестере. Крепко сложенный мужчина с манерами и дви-

жениями «школьника», или «мальчишки», Алан также сму-
щал стремительными сменами настроения: напористость вдруг
сменяется наивностью, затем огонь молчаливой ярости и вот
уже он излучает искреннее добродушие. Лин Нейман сравни-
вала его со ртутью, отчасти в связи с занятиями бегом. Двойст-
венность проявлялась на нескольких уровнях: в интеллектуальной сфере в его отказе опираться на заработанную репутацию и переходе в совершенно новую область работы
к сорока годам. Само собой, и в чувственной сфере, частично
в виде реакции на положение гомосексуалистов в целом, когда
роли ищущего и искомого менялись гораздо проще, чем в гете-
росексуальных взаимоотношениях. Алан не мог оставаться на
месте, он всегда должен был пребывать в движении. Эти факторы, в самом деле, могли вносить свой вклад в напряженность
(но и в незамутненное наслаждение жизнью, недоступное другим), которая росла с возрастом. Помимо сказанного, мальчи-
шеские качества Алана Тьюринга отражали и основной вопрос
его бытия: он не хотел «становиться совершеннолетним»
в двадцать один год и также закрывал глаза на свой возраст
в сорок два. Он никогда не стремился принимать зрелость, что
впрочем, не означает, что Алан избегал ответственности. Он
оказался на противоположном фон Нейману полюсе, хотя их
мысли имели так много общего. Руководитель комитетов, кон-
сультант всех военных организаций США, внесший особый
вклад в создание водородной бомбы и межконтинентальной
баллистической ракеты, в 1954 году фон Нейман был человеком мира, и это он был главным в приютившей его стране,
а вовсе не страна довлела над его жизнью. Алан Тьюринг, выходец и самоуверенного класса руководителей, напротив, навя-
зывал свои идеи другим только лишь в том случае, если иначе
произошла бы катастрофическая глупость и растрата ресурсов.
С лета 1933 года — середины его жизни — до самого 1954 в нем
бушевал глубинный конфликт между невинностью и опытом.

Современник Тьюринга Бенджамин Бриттен, который
воздержался от участия и пошел иным путем, публично развил эту тему после 1945 года. Алан Тьюринг не оставил после себя практически ничего, кроме этих страниц короткого
рассказа, страниц, которые, однако, вместили проницатель-

ные размышления о жизни. Описывая, как ведет молодого человека в ресторан, он так обрисовал эту сцену:

> «... Наверху Алек снимал пальто. Под ним неизменно оказывалась старая спортивная куртка и плохо выглаженные шерстяные брюки. Он не утруждался костюмом, предпочитая «униформу студента последнего курса» — так он видел свой возраст. Одежда помогала ему верить, что он по-прежнему остается привлекательным юношей. Эта задержка в развитии сквозила и в работе. Любой мужчина, в котором не виделся потенциальный сексуальный партнер, расценивался как замена отцу, которому Алек должен [не читается] продемонстрировать интеллектуальную мощь. «Униформа студента» не произвела заметного эффекта на Рона. В любом случае, его внимание приковал ресторан и происходящее здесь. Обычно он стеснялся подобных ситуаций, либо от того, что был один, либо от того, что ведет себя как-то не так...»

Здесь сохранившиеся страницы обрываются, причем, именно на мысли об одиночестве стеснении и неловкости — центральных темах его жизни. Впрочем, подобное смущение, вызванное само осмыслением, шло дальше «обращения к себе» Гёделя, когда абстрактный разум обращается к абстрактному «я». В жизни Тьюринга присутствовал и змей от математики, пожирающий собственный хвост, и тот змей, что искусил его отведать плодов древа познания. Гилберт как-то отметил, что теория Кантора о бесконечности создала «рай», из которого теперь не изгнать математиков. Однако Алан Тьюринг утратил этот рай, не из-за своих мыслей, но из-за поступков. Его проблема лежала в области поступков: как поступить верно и поступать ли.

Никто в июне 1954 не увидел бы символизма в том, что Тьюринг ест яблоко, яблоко, наполненное ядом 1940. В отрыве от контекста данный символ лишен смысла, его не представляется возможным интерпретировать, равно как и прочие оставленные Тьюрингом мелкие намеки. Не исключено, что Алан размышлял о символизме еще до войны, когда упомянул свой план самоубийства другу Джеймсу Аткинсу. Ведь оно произошло именно в то время, когда он (в своей небрежной манере) поделился с матерью своими сомнениями в «нравственности» криптографии. Мать верила в прикладную науку, Джеймс же был пацифистом и оба они занимали важное место в поворотном моменте жизни Алана Тьюринга — его готовности познать грех. Пожалуй, он чувствовал, что для него участие в жизни мира означало бы постоянную опасность. Пускай Алан вел себя как ребенок — дитя гордых, импульсивных и неудачливых Тьюрингов и дитя более приземленных мостостроителей Стоуни — но будь то осознанно, или нет, он был ребенком своей эпохи.

Намеки на саморазоблачение со стороны Тьюринга были редки и загадочны, в них проявлялось глубокое нежелание становиться центром внимания и стремление оставить подобные дела под покровом тайны. Еще один вопрос без ответа состоит в том, как Тьюринг, наконец, увидел концепцию компьютерного разума, которой он в итоге посвятит большую часть своей жизни. Несмотря на то, что слова Робина верны и Тьюринг, действительно, предпочитал объекты и мысли людям, однако многие с помощью своих рассуждений ученый старался приблизиться к пониманию себя и окружающих, начав с основополагающих принципов. При таком подходе «помехи» со стороны общества надлежит рассматривать как вторичное вторжение в разум индивидуума. При том, что он всегда признавал трудности, связанные с подобным подходом, в свои последние годы Тьюринг проявлял значительно более активный интерес к другим точкам зрения на человеческую жизнь, в которых взаимодействие с окружающими играло куда большую роль. Неудивительно, в свете того, что в 1952 году Алан признался Дону Бэйли, что математика приносит все меньше и меньше удовлетворения. Юнг и Толстой рассматривали разум в социальном, или историческом контексте, но на книжных полках Тьюринга стояли и романы Форстера, в которых взаимодействие между обществом и индивидуумом становилось куда менее механистичной игрой идей, как у Шоу, Батлера и Тролоппа. Между тем в последние два года социальные «помехи» сыграли неожиданно значимую роль в его жизни. Не утратил ли он веры в смысл и актуальность своих основополагающих идей?

Вдобавок к разочарованию от неспособности манчестерского компьютера (да и любого компьютера той поры) соответствовать масштабам видения Тьюринга, в послевоенные года твердость его убеждений и уверенность в себе начинает давать трещину. С другой стороны, Алан был не из тех, кто легко отказывается от мысли, или позволяет миру её отнять. Не мог он и разочароваться в науке, от того, что та обратилась против себя, ни отказаться от рациональности, оказавшись на принимающей стороне интеллекта. Движущая им страсть к созданию осязаемого воплощения абстрактного объединяла Тьюринга скорее с Гауссом и Ньютоном, чем с математиками-теоретиками двадцатого века. Она неизбежно толкала его на поиск практического применения научных знаний. При том Тьюринг не впадал в интеллектуальные заблуждения относительно предназначения своих устройств. Его замечания о компьютерах с самого начала жесткостью не уступали тому, как Харди отзывался о математике. Ни разу он не предлагал практического применения теории, которое бы не было направлено либо на дальнейшее развитие науки, либо на военные нужды. Тьюринг никогда не говорил о социальном прогрессе, или экономическом благополучии посредством науки, тем самым заняв позицию, защищенную от разочарования.

В 1946 году, говоря о ядерных испытаниях США, Тьюринг назвал в качестве их «главной опасности», то, что они способны вызвать «противонаучные настроения». Как бы не заманчиво было применение науки, например, в «органотерапии» и других областях, Тьюринг никогда не ставил под сомнение структуру самого научного знания. Так он расценивал как интеллектуальную несостоятельность неспособность отделить личные чувства от взглядов на научную истину. Он часто упрекал интеллектуалов в «эмоциональной» реакции на концепцию разумных механизмов. Для Тьюринга большое значение имело освобождение науки от оков религиозного мышления и выдавания желаемого за действительное. Наука для него оставалась независима от человеческих целей, суждений, чувств, которые не существенны для поиска ответа на вопрос, как устроен мир. Эдвард Карпентер призывал к «рациональной и гуманистичной» науке, напротив для Тьюринга не существовало причин смешивать рациональное и гуманистическое, данные в инструкции. Его беспощадный и прямой взгляд на науку хорошо ухватила Лин Нейман, сравнив Тьюринга с алхимиком семнадцатого века, или даже более ранних времен, когда наука не была окутана титулами, покровителями и респектабельностью, но была обнажена и опасна. В нем было что-то от Шелли, но и от Франкенштейна: гордая безответсвенность чистой науки, сконцентрированная в одном человеке. Именно эта неимоверная концентрация в сочетании со способностью отбросить всё, что видится несущественными, с силой воли, позволявшей размышлять о вопросах, которые другие отбросили за чрезмерной сложностью и запутанностью, — вот рецепт его успеха. Сила Тьюринга крылась в умении абстрагироваться до простого и ясного принципа, а затем продемонстрировать его истинность на практике, а вовсе не решение задач в установленных рамках. Увы, такой тип мышления не всегда подходил для решения некоторых наиболее тонких проблем, поднятых моделью «разума» Тьюринга.

Он писал Робину, что «не испытывает почтения ни перед чем, кроме истины» и верен бескомпромиссному материализму, что проистекает из всепоглощающего желания уберечь истину незапятнанной «эмоциональными» представлениями и интеллекте и сознании. При этом в своем стремлении отсечь несущественное Тьюринг отмахнулся и от ряда фундаментальных вопросов у сути интеллекта, коммуникации, языка, — вопросов проистекающих из фунционирования человеческого разума в обществе.

Впрочем, речь не идет о том, чтобы опровергать мысли Тьюринга, скорее об анализе его научного метода. Модель «разума» Тьюринга, опирающаяся на математику и шахматы, скажем, отражала ортодоксальный взгляд на науку, как на хранилище объективных истин. В статье «Разум» Тьюринг ясно дает понять, что, по его мнению, данная модель способна вобрать в себя все типы коммуникации между людьми, что в свою очередь отражало его позитивистское убеждение в том, что наука способна разъяснить человеческое поведение, подобно триумфальным успехам в области физики и химии. Уязвимость его теории заключается в том, что в ненадежности аналитического научного метода применительно к человеческим существам. Концепция объективной истины отлично сарботала в мире простых чисел, однако ученые не способны легко распространить ее на людей.

Как пояснял сам Тьюринг, в своей теории морфогенеза любое упрощение неизбежно является и фальсификацией. Раз данная мысль справедлива в обсуждении развития клеток, то она более чем уместна и в отношении развития человека, как в плане «разума», так и его стремления к коммуникации, переживаниям, любви. Когда наука использует слова человеческого языка для того, чтобы описывать человеческих существ, может ли она, в самом деле, разделить «данные» и «инструкции» внутри общества? Возможны ли «наблюдение», «эксперимент», «постановка проблемы» вне социальных институтов? Способна ли оценка значимости и важности фактов наукой быть непредвязатой, а не нести в себе лишь императивы главенствующей идеологии? В науках о жизни провести разделительную черту не так легко, как в физике и химии. Именно трудность в разделении фактов и действий в данном контексте указывает на уязвимость аргументов Тьюринга в пользу машинного разума.

Проблема выходит за рамки философии Гёделя. Способен ли научный язык выйти за рамки породившего его общества — дать ответ на этот вопрос разум Алана Тьюринга был не готов. Равно как и любой другой ученый ум его эпохи. Те, кто в 1930—40 годы стремился связать социальные структуры и научное знание, как правило, отличались и стремлением привить социальную систему к древу науки, либо вывести её из науки. Наболее яркими примерами служили идеологии нацистской Германии и Советского Союза. Полани тоже, в противовес влиянию механистического марксизма 1930-х годов, подталкивал науку к возрождению христианства в более проработанном виде. Он также помыкал наукой, требуя от неё ответов, которые подошли бы к существующим политическим и религиозным философиям. Подобный подход был чужд Алану Тьюрингу. Он твердо придерживался позиций экспериментально доказанной истины.

В то же время нашелся ученый, исследовавший способность языка отделять фактическое от нефактического. Впрочем, характер методов Витгенштейна приводил к тому, что мало кто мог с уверенностью сказать, что тот подразумевает. Подход Алана Тьюринга предполагал, поправ вопросы Витгенштейна, доискаться простой истины в самом центре. Преимуществом служила простота и ясность получаемой картины: результат, который можно опробовать на практике. Что касается интеграции теории логических задач, психологической теории, приведшей Тьюринга к «истоку проблемы» отсутствия у него счастья, исторической проблематики Толстого о природе действий инидвида, вопросов Форстера о личности и классовом сознании, — то никому одному не под силу было бы охватить все эти вопросы, к тому же Тьюринг работал и мыслил совсем иначе. В Блетчли он работал над проблемами логики и находил смелые простые решения по мере того, как вокруг него разрасталась обширная организация. От Тьюринга не ожидалось, что он сведет всю сложную структуру воедино.

Он держался за простое среди пугающей и сбивающей с толку сложнсти мироустройства. При этом Тьюринг был далеко не ограниченным человеком. Миссис Тьюринг не солгала, сказав, что сын погиб, работая над опасным экспериментом. Имя эксперименту жизнь — тема, которая приносит немало страха и смятения в научный мир. Тьюринг не только мыслил свободно в меру своих сил, но вкусил сразу от двух запретных плодов: плодов мира и плоти. Между ними пролегало бурное разногласие и в нем заключалась окончательная и неразрешимая проблема. В определенном смысле, жизнь Тьюринга противоречила его работе, так как не умещалась в рамки машины дискретных состояний. На каждом шагу вставали впросы о связи (или её отсутствии) между разумом и телом, мыслью и действием, разведкой и операциями, наукой и обществом, индивидуумом и историей. Однако все эти вопросы, кроме как в отдельных случаях, Алан оставил без комментариев. Рассел и Форстер, Шоу и Вайнер, и Блеккет бились над ними, Алан Тьюринг играл за скромную пешку.

Да, он играл пешкой и, в конечном итоге, подчинялся правилам.

Алан Тьюринг любил считать себя ученым-еретиком, восхитительно оторванным от уступок общества в своем поиске истины. Но ересь оказалась направленна лишь против выживших остатков распадающейся религии и вежливых уступки мира интеллигенции. Философы подняли шумиху вокруг теоремы Гёделя в защиту свободы человека, притом что к подлинной неволе двадцатого века она имела то же отношение, в какой Кембридж являлся «прекрасным захолустьем» по Лоуэсу Дикинсону:

> «Вильям Джойсон Хиггс и Черчилль, и коммунисты, и фашисты, и отвратительные жаркие улицы городов, и политика, и ужасное явление под названием Империя, за которую все, похоже, готовы пожертвовать жизнью каждого, вся красото, всё стоящее в мире, — имеет всё это хоть каую-то ценность? and Churchill and Communists and Fascists and hideous hot alleys in towns, and politics, and that terrible thing called the 'Empire', for which everyone seems to be willing to sacrifice all life, all beauty, all that is worthwhile, and has it any worth at all? Всё это не более, чем двигатель.

К концу 1950 сложилась новая Империя, а вернее, две. Каждую обслуживали свои ученые. Великолепные родники Новой Эры — высвобождение способностей индивида, коллективная собственность на природные ресурсы — свелись к либерализму Пентагона, с одной стороны, и социализму Кремля — с другой. Именно здесь скрывались важные доктрины и ереси, а вовсе не в учебном классе, или викторианской религии.

В 1930-х годах у Короля был один главный козырь: и Пигу, и Кинс и Форстер не забыли о личных свободых, порицая расточительность невмешательства государства в экономику, они поддались очарованию СССР не больше Бертрана Рассела. После того, как Германия оставила мир в руинах, а проклятье Гитлера легло и на победителей, и на побежденных поток свободомыслия утратил былую значимость. И всё же возник мимолетный период после войны, до того как Великобритания превратилась в военно-воздушную зону номер один Оруэлла, когда Форстер взглянул на послевоенный мир в довоенном свете:

> «В силу политических потребностей времени наука заняла аномальное положение, о котором ученый обычно забывает. Он получает субсидии от напуганных прави-

тельств, ищущих помощи, его укрывают, холят и лелеют, если тот послушен, и его наказывают по всей строгости закона о неразглашении государственной тайны, когда он набедокурил. Всё это отличает его от обычных людей и лишает его способности проникнуть в их чувства. Пора бы ему выйти из лаборатории. Пусть он занимается разработками для наших тел, но оставит наши умы в покое...»

Алан Тьюринг вышел из своей изолированной лаборатории и, в каком-то смыле, прошел гораздо дальше Форстера. Впрочем, он имел мало общего с Бернальем, которого и порицал Форстер выше, тот полагал, что ученые должны править миром. Тьюринг ни слова не произнес о том, что оказалось вовсе не «аномальным положением», но подлинной ортодоксальностью 1950-х: зависимость от колоссальных машин. Работа Тьюринга была, пожалуй, одной из самых мирных из всех военных занятий и все же она вела к тому, что государство все больше и больше полагалось на машины, которые не только не контролировало, но даже не понимало. В этом процессе Алан Тьюринг остался незамеченным.

В некотором роде опасения, что ученые «распланируют наш рассудок», не нашли подтверждения в последовавших событиях. Так планы по искоренению гомосексуализма с помощью научных средств, скажем, кибернетики оказались чересчур амбициозными. В Великобритании 1950 они точно не являлись осуществимым предложением. Несмотря на то, что научные медицинские исследования в этом направлении продолжились, всесторонней поддержкой правительства они так и не заручились. Притом вопрос гомосексуализма остался сочной костью, за котороую могут побороться бульдоги нравственности с силами технического прогресса.

Между тем развитие новой экономики, в которой рекламируются путешествия, досуг и развлечения, приведет к тому, что сексуальность обретет еще более осознанную привлекательность, подрывая позиции одновременно и консерваторов, и медиков. Найдется даже место личному выбору — неслыханная для 1954 года идея. Государство так и не приняло масштабных планов, будь то научных, или каких-то иных для того, чтобы контролировать поведение всего населения. Раздутый «нравственный кризис» 1953—54 окружала атмосфера вымысла, ритуального действа, столкновения символов. При том, что в 1950-е правительство Великобритании последовательно передавало экономику в руки международных предприятий, закаленных в классовой, религиозной, клановой, предвыборной борьбе. Так Уинстон Черчилль дал народу свободу.

Новое запутанное и противоречивое будущее стало творением новых людей и вовсе не походило на индустриально-научное видение будущего 1930-х, ни на фантастические идеи о контроле сознания 1950-х. Старые нравственные и моральные общественные институты сохранят форму, но утратят абсолютный характер и всеохватное значение. Даже епископы вскоре возьмут на вооружение слова Карпентера и станут проповедовать «новую нравственность». Уроки частных школ, да и не менее мрачных учебынх заведений низших сословий, устарели в 1920-е годы и оказались совершенно бесполезными в критических условиях Второй Мировой Войны. Этот факт был признан неохотно и сильным опозданием. Судьбы мира теперь лежали, например, на устройствах атаки и контратаки Хита Робинсона, а война все больше отдалялась от рук и умов людей, которые играли в нестабильную игру, где каждый участник постоянно проигрывал, и британское правительство, чтобы не остаться ни с чем возглавило распространение осложнений.

Расщепленное состояние Алана Тьюринга предвосхитило модель развития, проявлений которой он не увидел по своей воле: цивилиацию, в которой пение, танцы, спаривание, размышление о числах стали доступны широким слоям населения, но и цивилиацию, построенную вокруг машин и методов неизмеримо опасных. Своим молчанием Тьюринг указал и на природу научного сотрудничества при подобной политике. Вскоре станет ясно, что подозрения в нелояльности ученых были лишь временной проблемой, а самоуверенность единиц, считавших, что стоят выше правительств, оказалось прорезавшимися молочными зубами развивающихся принципов государственной и национальной безопасности. Кто увидел, что Тьюринг отдернул штору и продемонстрировал непоследовательный, хрупкий и неловкий мозг, стоящий за машиной? Ведь он, в отличие от Дороти, не проронил не слова. Тьюринг не был еретиком — маскировка, не более, хотя, не исключено, что он, так редко нарушавший свои обещания, ближе к концу всего лишь сдерживался. В своей области он был гроссмейстером. В политическом плане Тьюринг сам назвал себя верным слугой Черчилля.

Но он не желал становится сосредоточением противоречий современного мира. На протяжении всего жизненного пути его преслодовал один и тот же конфликт: движимый желанием чего-то добиться, Тьюринг при этом предпочел бы вести ординарную жизнь, предпочел бы, чтобы его оставили в покое. Понято, что эти цели несовместимы. Только в смерти он наконец смог поистине поступить точно так же, как и в начале своего пути — в высшей точки индивидуализма отбросить общество и направить усилия на то, чтобы избавиться от его вмешательства. В романе «1984», так впечатлившем Тьюринга, упоминались научные открытия и мысли, противоречившие его собственным идеям, все же на определенном уровне Оруэлл говорил о чем-то крайне близком Алану. Оруэлла вряд ли заботило бы наследие Блэтчли Парк, или очередные события в Министерстве правды, или тот факт, что компьютеры создаются людьми, которые совершенно не обеспокоены, например, вопросами о том, чей интеллект копируется в машине и для каких целей. Он отверг бы социльную культуру Короля и черты Тьюринга, которые чем-то напоминают короткий путь к социализму через чувственность как у Эдварда Карпентера. Несмотря на всё это имелась глубинная общая идея: те самые несколько кубических сантиметров внутри черепа, которые только и можно назвать своими и которые надлежит любой ценой сберечь от губительного внешнего мира. При всех своих противоречиях Оруэлл не утратил веры в способность Старояза передавать истину, а его видение просто говорящего англичанина тесно перекликалось с упрощенной моделью разума Алана Тьюринга, с видением науки, не подверженной человеческому фактору.

Мрачные визионеры они оба видели не только пышную Англию Кембриджа, оба выдыхали холодный горный воздух, готорый пугает слабых духом. Они противоречили друг другу, так как многое из пережитого Тьюрингом и в науке, и в сексе наврядли можно описать на Староязе, тогда как представление Оруэлла об истине требовало связи между разумом и миром, которой не обладала машина Тьюринга и к которой не целиком стремился ум самого ученого. Ни тот, ни другой мыслитель не могли достоверно описать всю полноту явления, как не мог и целостный сложный человек, такой как Алан Тьюринг оставаться верным простым идеям. И всё же, достигнув *"niente"* своей «Антарктической сифонии» он остался настолько близок к своему видению, насколько позволял мир. Не способный довольствоваться учеными проблемами из точек и скобок он нашел более чистый финал, чем Винстон Смит.

Сообщений от скрытого разума осталось так мало, что его внутренний код остается в неприкосновенности. Согласно принципу имитации Тьюринга довольно бессмысленно строить домыслы о невысказанном. *Wovon man nicht sprechen kann, dar ber muss man schweigen.* Однако Алан Тьюринг не мог, подобно философам, отстраниться от жизни. Как мог бы сказать компьютер, именно перед лицом невыразимого он терял дар речи.

Вернее говоря, речь шла премущественно о гомосексуализме, которая пробретала все больший общественный резонанс, так как в Акте 1885 года в качестве преступление, совершенного мужчиной, говорилось о «вызывающей непристойности». В аналогичный период во время Первой Мировой Войны были сделаны далеко идущие выводы о «черном списке сексуальных извращенцев», якобы, составленном немецкой разведкой и содержащим тысячи имен мужчин и женщин. По этой причине в 1921 году Палата Общин проголосовала за распространение действия Акта 1885 года на женщин. Однако лорды отвергли предложение, полагая, что даже упоминание о подобном преступлении может зародить в головах женщин неподобающие мысли. Тот факт, что мужчинам уделялось такое внимание, а женщин обходили стороной, можно назвать одним из признаков привилегированного положения, впрочем, Алан Тьюринг, пожалуй, не согласился бы с подобной формулировкой.

ПОСТСКРИПТУМ

Когда я лежу головой у тебя на коленях, камерадо,

Я продолжаю признанье тебе, тебе и открыто-
му небу, подвожу итог:

Знаю, я — мятежник, и других обращаю в мя-
тежников,

Знаю, мои слова — оружие, в них опасность
и запах смерти,

Я ведь посягаю на успокоенность, безопасность,
установленья, законы и стою за беззаконье;

Я очень решителен, потому что все меня отвергли,

Более решителен, чем мог бы, если бы я был
желанным.

Я ни в грош не ставлю и никогда не ставил
опытность, осмотрительность, мнение большинства, насмешки,

И угроза того, что называют адом, — для меня
такая малость, или, вернее, пустой звук,

И соблазн того, что называют раем, — для меня
такая малость, или, вернее, пустой звук для меня.

...Возлюбленный камерадо!

Признаюсь, что подстрекал тебя отправиться
в путь со мной,

И неистово упорствую в этом желанье,

Хотя и не знаю, зачем и куда мы идем

И вознесемся ли мы на вершину победы

Или будем сокрушены и наголову разбиты.

Тело Алана Тьюринга кремировали 12 июня 1954 года
в крематории Вокинга. На церемонии присутствовали его
мать, брат и Лин Нейман. Прах развеяли над теми же сада-
ми, что и прах его отца. Могильный памятник устанавливать
не стали.

КОММЕНТАРИИ
ОТ АВТОРА

О такой значимой фигуре в мировой истории как Алан Тьюринг сохранилось крайне мало первоисточников, по которым можно восстановить его портрет — несколько подлинных документов, и несколько сопутствующих при публикации комментариев. Аура секретности и запутанности всех мастей лишь частично могла скрыть информацию о нем, но недостаток фактов имеется даже в темах далеких от запретных. История раннего развития Автоматической Вычислительной Машины (АВМ), например, полностью состоит из записей живущих — и множество интереснейших записей такого рода сохранились только благодаря личной инициативе граждан. АВМ являет собой масштабный акт государственного предпринимательства, и события 1946-1949 гг. в значительной степени приняли форму, знакомую в Великобритании, которая в скором времени стала рассматриваться как вторая промышленная революция. Если бы сотрудничество между правительством, промышленностью и интеллектуальной мощью продолжалось на одном уровне, как в военное, так и в мирное время, будущее британской экономики, возможно, было бы совсем иным. Но никаких особых усилий к тому, чтобы сохранить запись хода принимаемых решений, приложено не было, как не было и интереса к данному вопросу со стороны историков, журналистов и политических теоретиков. И то, что мы знаем об АВМ в целом, отчетливее показывает нам самого Алана Тьюринга в частности.

Необходимо признать, однако, что Алан Тьюринг совсем не стремился стать значимой фигурой в мировой истории: по мере возможности он старался остаться обычным математиком. А математики (по сравнению с литературными или политическими деятелями, артистами или шпионами) обычно не стремятся к тому, чтобы быть у всех на слуху или на устах, независимо от их научного вклада. Они даже не ждут того, что остальные действительно знают, что такое математика, и, как правило, счастливы, когда их оставляют в покое. Судя по математическим стандартам, нельзя сказать, что существует особый дефицит в записях для фигуры его уровня или пренебрежение к его репутации. Являясь ничтожно малым по общечеловеческим стандартам, объём биографического материала о нём по-прежнему вполне существенен на фоне биографий коллег по профессии.

Начиная поиски информации о Тьюринге, в первую очередь рассматриваем то, что было написано в течение следующих двадцати лет после его смерти. Конечно, речь идет о некрологах: Макс Ньюман в газете The Times, Робин Ганди в Nature, Филипп Холл в Ежегодном отчёте Королевского Колледжа, а также различные более мелкие статьи в дань уважения математику. Ньюман, в последствии, написал краткую биографию Тьюринга, на которую Алан имел право как член Королевского общества. Этот труд среди себе подобных явился наиболее полным и берущим за душу, так как был написан о жизни и работе Тьюринга с точки зрения настоящего математика. Таким образом, Вторая мировая война предстала как помеха его работе по логике и теории чисел. Тема, над которой он работал в военное время, так и не была нигде упомянута, то же самое, с беспощадной последовательностью, произошло с темой о подключении одного используемого компьютера сразу к нескольким каналам. Этот анализ содержал в себе мировоззрение интеллектуальной традиции, к которой Алан Тьюринг, конечно, принадлежал, но лишь наполовину.

Один человек не был доволен такого рода оценкой, и предчувствовал, как следствие, совершенно другого рода признание. Это была госпожа Тьюринг, которая в 1956 приступила к написанию биографии своего сына — что само по себе являлось исключительным событием по любым стандартам, ведь 75-летней «леди Гилфорд», до сих пор не имевшей влияния на в литературной, ни в общественной сферах, почти ничего не знавшей о науке, было необходимо собрать воедино обломки крушения мечты о современном мире. Ее викторианская система ценностей, как и прежде, была непоколебима. Г-жа Тьюринг сохранила святую веру в то, что работа Алана была, есть и будет лишь на пользу человечеству.

Ее скромный труд был издан в 1959 году. Возможно, лучшая версия книги так и осталась в уме Сары Тьюринг, та версия, которая могла бы стать подлинным мемуаром, где наряду со смертью раскрывались бы другие тайны (какими они и были для нее) и дела, которым посвятил себя ее сын при жизни: что-то, что стало бы убедительным указателем разделения XX века, разделения науки и обычной жизни, и усилиям, пусть и не очень успешным, которые они оба приложили к тому, чтобы разделение это их не коснулось. Она же сделала все совершенно иначе: ее книга являла собой биографию и была написана с оттенком явной эмоциональной бесстрастности, что являлось фактом уникальным само по себе, учитывая страшные обстоятельства, которые стали стимулом к написанию этого труда.

Одна из причин, по которой мать Алана с такой лёгкостью смогла писать о нем как сторонний наблюдатель, кроется в том, что во многом она действительно писала о том, кого не знает. Читатель не должен был это почувствовать, но в её повествовании было крайне мало написано о ранних годах его жизни, если факты не были предоставлены из сохранившихся писем и школьных отчетов — и целый период до 1931 занял лишь треть её описаний. Естественно, она пыталась продлить в памяти последнее время сплоченности и близости к сыну, проецируя его обратно в прошлое, о котором она знала немного — не догадываясь, к примеру, о роли Кристофера Моркома в развитии её сына. Объективно следующим шагом с её стороны должно было стать подробное изложение на тему его научной карьеры — но фактически это было также невозможно. Алан однажды сравнил работу написания программ для подражания интеллектуальному поведению, с написанием отчета о «семейной жизни на Марсе». Г-жа Тьюринг поставила себе задачу схожую с этой по сложности; как компьютер, который можно запрограммировать на написание предложений в определенной грамматической форме, она могла составить мозаику из названия его работ, обрывков дошедших до нас некрологов, комментариев, запрошенных у других людей, и газетных вырезок. Тем не менее, она совершенно не представляла о том, что имелось ввиду на самом деле.

Слабость ее позиции также подчеркивалась чрезвычайно подобострастным отношением к любому человеку выше чином, это означает, что, судя по подтексту, она оставила сына на уровне перспективного шестиклассника. В действительности вся ее книга читалась как отчет о школьной успеваемости. Поток похвалы свидетельствовал, что она все еще пыталась убедить себя в том, что результат его трудов оказался, в конце концов, вполне удовлетворительным, да и вообще, к ее удивлению, существовал мир, в котором её сыном восхищались. Снова и снова миссис Тьюринг подрывала его репутацию, ибо работа «Вычислимые числа» была хороша потому, что Шульц был впечатлен ею, интерес Тьюринга к мозгу был существенным, потому что Винер и Джефферсон высказывались одобрительно на эту тему... Для Алана, возможно, эта оценка была хуже смерти, хотя отчасти это был результат его собственной неспособности к созданию своего положительного имиджа и саморекламе.

Тем не менее, там был один пункт, отмеченный его матерью, который сведущие люди могли и не заметить, а именно, что в 1945 году он начал создавать компьютер. Она сконцентрировала все своё внимание на этом факте, в то время как тема эта повергала общественность в замешательство. В общем, она проявила удивительное упорство и самообладание в борьбе с мужскими институтами, из которых она была исключена, и при столкновении с вежливой уклончивостью и отказами. Ибо, конечно, существовало две темы, которые были вне границ понимания общественности — то, что он сделал во время войны, и его гомосексуальность. Внушительное количество людей посчитало, что они не могли дополнить имеющийся материал достоверной информацией до тех пор, пока то, что необходимо упомянуть не будет упомянуто — и, конечно, никакого упоминания не последовало, не более, чем в любом другом письменном произведении. В описании военных лет ей удалось немного углубиться в нужную тему, ей было разрешено сказать, что "он был частью команды, совместная работа которой стала важным фактором в нашей победе в войне" — это намек, ставший самым громким из заявлений, появившихся на эту тему в последующие десять лет. Красться на цыпочках среди минных полей — возможно, никто, кроме нее, не счёл бы эту идею достойной продолжения, но она кралась на цыпочках по минным информационным полям ради него, в конечном счете, всегда оставаясь на его стороне, а это мог себе позволить далеко не каждый.

Даже то, что, не обладая необходимыми полномочиями, она не смогла исполнить всё задуманное, расстраивает не так сильно, как тот факт наличия своих идей и историй, которые не добавили понимания и не помогли раскрыть конкретной тайны, коей для неё был Алан. В конце концов, всё свелось к сравнению написанного ею с Житиями святых. Алан бы высмеял эту попытку, так как легче было бы продеть канат через игольное ушко, нежели защищать его, а между тем она продолжала со всей серьезностью балансировать на противоречии между терминами "непорочный" и "нужный", у нее вполне получилось бы обоснованно выразить всё церковным языком и найти нечто совсем особенное для высказывания. Но она так ничего не предложила: границы оценочности, государственная служба, и производство на заказ машин преподносились как Хорошие Вещи, не имеющие четкого разделения и описания. Отсутствие какого-либо обращения к вопросам науки стало, пожалуй, одной из причин, почему ее книга, ничтожная по стандартам, обычно применяемым к литературной или политической биографии, получила снисходительные похвалы критиков. Это был праздник для мира, который пытался забыть Доктора Стрейнджлава. Наконец, казалось, вот он, учёный, избежавший ран и шока ужасов 1940-х — 1950-х годов! Это высказывание верно лишь наполовину, было что-то от 1880-х годов в Алане Тьюринге, а также в его матери; но опять же это не конец истории.

В 60—70-х годах, Ньюман и Сара Тьюринг явились источниками, на базе которых стали появляться различные энциклопедические статьи, краткие биографии и популярные статьи. Но на рубеже десятилетия появились различного рода комментарии, своеобразные небольшие зеленые ростки, которые пробивали себе путь сквозь каменные джунгли. Одним из факторов их возникновения стало просто расширение и усовершенствование понятия «информатика», несколько изменив статус компьютеров с устоявшегося «чего-то недостойного» внимания для математика. В 1969 году Дональд Мичи опубликовал отчет Национальной Физической Лаборатории (НФЛ) на тему *Машины обладающие интеллектом*, сам же он был обеспокоен тем, чтобы занять лидирующую позицию в ходе развития Великобритании. В этот период он высказался, выражая скорее мнение большинства о том, что идеи о машинном интеллекте являются отклонением от серьезной работы; но в 1970-х появилась положительная оценка компьютера в качестве универсальной машины, связанной с любыми видами логических манипуляций, а не только для арифметических расчетов. Это общее развитие привело к более четкому пониманию того, что Алан Тьюринг предвидел с самого начала.

Кроме того, именно в 1969 году компьютер полностью вошел в оборот, в статьях Майка Вуджера и Р. Малика впервые было отмечено, что Алан Тьюринг за время войны обрёл практические знания по электронике. Этот факт совсем не противоречит преобладающему стереотипу «логика», каким он предстал в стандартном учебном докладе Голдстайна на тему *Компьютер: от Паскаля до фон Неймана*, представленном в 1972 году. Термину потребовалось некоторое время, чтобы ассимилироваться; то же самое потребовалось и АВМ, чтобы остаться в компьютерной истории. В сборнике классических работ, документально подтверждавших происхождение цифровых вычислительных машин (примечание 5.23) Б. Рэнделла, АВМ частично упоминается в библиографии и мини-бум в компьютерной истории был оставлен без внимания; исходный отчет был издан НФЛ в 1972 году, но первый серьезный обзор он получил лишь в 1975 году.

Между тем к концу десятилетия также появилась решимость, чтобы начать говорить о Блетчли-Парке, хотя первое прямое заявление о его стратегической значимости произошло только в 1974 году в работе Уинтерботэма *Операция «Ультра»*. В этой книге не было упоминаний об Алане Тьюринге, но в том же году в художественном произведении Энтони Кейва Брауна *Телохранитель лжи* неоднократно появляется термин «Тьюринг», иногда в сочетании с такими словами, как «машина» и «bombe» (первое устройство для расшифровки кода шифровальной машины «Энигма»). Процесс пошел. Тем временем Джек Гуд и Дональд Мичи опубликовали некоторые разоблачающие факты об электронных машинах в Блетчли. Сводя все ветви развития ситуации вместе, запросы Б. Рэнделла, движимые отчасти интересом к участию Алана Тьюринга в происхождении компьютера, пользовался некоторым успехом. Его откровения о технологии секретного компьютера Colossus и в самом деле скорее отражают достижение Ньюмана и Флауэрса, нежели нечто связанное непосредственно с Аланом Тьюрингом, но это означало, что появилось первое серьезное представление о гигантских масштабах возможных операций. Многое из этого, наряду с другой раскрытой в середине 1970-х информацией, было представлено в телевизионной программе BBC, одной из серий под названием *Тайная война*, которая транслировалась в начале 1977.

1969 был также годом освобождения геев, что послужило очередной смене мысли и привело к возможности размышлять о Тьюринге в 1970-х. Это не было результатом реформ Джона Вулфендена — которые, хотя и с задержкой из-за неимоверных усилий виконта Монтгомери и других, превратились в законный Акт о половых преступлениях в 1967 году. Установка «возраста согласия» на планку в двадцать один год, эти рационализация и модернизация закона лишь стали подтверждением того, что преступление Тьюринга осталось преступлением. Довольно краткое возрождение американского либерализма позволило поменять концепцию термина «проблема»: видение общества как проблему для личности, а не наоборот. По-своему это изменение создало условия для повторного исследования жизни Алана Тьюринга так же, как и для других открытий нового десятилетия: дело не только в том, что стало возможным вести разговор о его гомосексуальности, но и в том, что появилась возможность оценить его гордость, упрямство, и моральную силу, которые он пустил в ход; оставаясь скрытным и застенчивым человеком, он, тем не менее, настаивал на том, что гомосексуальность не предмет стыда, который нужно скрывать.

Принимая всё это во внимание, в 1970-х стало по-настоящему возможным кому-то увидеть, кто же такой Алан Тьюринг, отчасти давая понять, что никто в его жизни (кроме него самого) не смог бы сделать ничего подобного. Случилось так, что оказался в таком положении, времени, и был поражен всеми этими событиями. Впервые я столкнулся с именем Алана Тьюринга летом 1968 года — по сути, в самый расцвет информатики, потому что я читал о кибернетике и машинах Тьюринга, как студент-математик. На самом деле мой выбор был не в пользу этой области, а скорее в направлении математической физики, изучение теории относительности и квантовой механики Роджера Пенроуза в аспирантуре с 1972 года, и главной задачей было внести свой вклад в развитие теории твисторов Пенроуза.

Но в 1973 году имя Алана Тьюринга вновь произвело на меня неизгладимое впечатление, на этот раз в иной сфере моей жизни. Я был тогда членом группы, сформированной лондонским Освободительным движением геев для создания брошюры, в которой осуждалась бы биолого-медицинская модель гомосексуализма. Один из членов группы, Дэвид Хаттер, что-то слышал что-то об окончании истории Тьюринга от Ника Фербэнка. Ничего не зная о его секретной работе, и, полагая, что его смерть могла стать результатом работы над гормональной терапией, мы включили параграф, содержавший в себе эту идею, чтобы проиллюстрировать нашу тему. Таким образом, после двадцати лет молчания прозвучал первый публичный визг протеста.

Эта история, в течение многих лет скрывавшаяся в глубине моего сознания, сопряженная с чувством, что я должен со временем узнать больше о том, что произошло, неожиданно вышла на передний план снова 10 февраля 1977. В тот день, во время обеда исследовательской группы Роджера Пенроуза в Оксфорде, состоялся разговор о знаменитой статье *Со-*

знание, которая вернула мне прежний интерес к идеям Тьюринга, а затем вполне самостоятельно — уже в программе ВВС о Блетчли-Парке, которая шла накануне по телевизору. Роджер Пенроуз прокомментировал своё мимолетное упоминание Алана Тьюринга так: он давно слышал разговоры о нем как о человеке «затравленном до смерти», но только в последнее время стали ходить слухи о нем как о человеке, который «заслуживал графский титул». На тот момент ничего не было ясно или с чем-то связано, и случилось тремя годами ранее, прежде чем я мог составить последовательную интерпретацию того, что случилось, — но этого мне было достаточно, чтобы почувствовать

Война и солдаты были не только для себя,

Далеко, далеко тихонько позади стояли они в ожидании, чтобы теперь появиться в этой книге.

Так должно было случиться, и это был самый подходящий момент, чтобы начать.

Первым шагом стал сбор сохранившихся публикаций, примерно таких, как представлено выше. Но, конечно, необходимо было подобраться как можно ближе к моей теме. Так что я обратился теперь к вопросу об оригиналах работ Тьюринга, и в данном случае в первую очередь нужно отдать дань уважения миссис Тьюринг. Как говорится в ее книге, когда она сообщила Алану, что начинает сбор материалов для составления будущей биографии, и он лишь сердито бурчал в знак согласия. Конечно, она взяла на себя труд по сохранению писем ее сына начиная с школьной скамьи и далее, использовала их для своей книги, а затем в 1960 оставила на хранение их в виде небольшого архива в библиотеке Королевского Колледжа в Кембридже. Она также добавила к этим 77-ми письмам ряд вспомогательных материалов, например выдержки из переписки, которая возникла во время написания книги. Ещё несколько материалов было отправлено в Шерборнскую школу.

Г-жа Тьюринг умерла в возрасте девяноста четырех лет 6 марта 1976 года, и поэтому никогда не узнала ни меня, ни того, что ее сын сделал для битвы за Атлантику. Прежде чем она умерла, однако, она сделала вклад в фонд А.М. Тьюринга, под председательством Дональда Мичи, к тому моменту уже профессора по теме об искусственном интеллекте в Эдинбургском университете. Случилось так, что в 1977 году, в то же время, когда я наводил свои справки, попечители фонда объявили сбор всех сохранившихся работ Тьюринга в архиве Королевского колледжа. Эти документы хранились с 1954 Робином Ганди, который в настоящий момент является математическим логиком в Оксфорде; но в 1977 году они были отсортированы и занесены в каталог Джанин Олтон из Оксфордского Современного Научно-Архивного Центра. Сосредоточение этих следов Тьюринга в Оксфорде было лишь совпадением, но крайне полезным в моих ранних усилиях по изучению предмета. На данном этапе я хотел бы выразить особую благодарность Робину Ганди, Дональду Мичи, и Джанин Олтон, а также другим членам фонда Тьюринга, которые поддерживали меня и изначально помогали сортировать материалы для моего труда. С 1977 года, многие также сыграли жизненно важную роль в судьбе этой книги; но я особо благодарен тем, кто готов был помочь тогда, когда у меня в голове не было ничего, кроме неоформившейся идеи. Необходимо добавить, что использование данной информации, конечно, осуществлялось полностью под грифом моей ответственности; моя интерпретация предоставленного мне материала также является моей собственностью.

Дополненный архив Тьюринга в Королевском колледже, на первый взгляд не очень обширный, действительно лёг в основу произведения в виде документального материала. Вот подтверждение, продиктованное самим Аланом Тьюрингом: он не держал что-либо в форме писем, также не было у него и общей аккумуляции переписки, больше времени тем самым уделяя своему научно-образовательному уровню. Он больше заботился о том, чтобы сохранить как можно больше основных пунктов и маркёров своей интеллектуальной деятельности. Например, он хранил звездный глобус и зубчатые колеса от механизма с зета-функцией, от которых избавились после его смерти. С таким интересом к обучению и развитию, он всё же заботился о своем прошлом.

Итак, многое было собрано воедино уже к 1977 году. В ходе моего собственного исследования удалось получить документы из ряда частных и государственных источников, и в то же время растущий интерес к истории компьютеров принес мне свою пользу в виде свежих работ других исследователей об Алане Тьюринге. Тем не менее, из документальных данных было бы невозможно воссоздать целостный портрет Тьюринга. А воссоздать его полностью удалось только посредством встреч и разговоров с огромным количеством людей. В этот момент необходимо вновь припомнить и обратиться к предмету моего исследования, к человеку, который обладал неисчерпаемым запасом доброжелательности, на что я по мере сил обращал ваше внимание. Но если описать то, что я приобрел в ходе проделанной работы, одним словом, то это скорее слово «опыт», нежели «информация».

Процесс составления данной строки символов на моей машинке кардинально отличалась от каких-либо компьютерных процессов, а также отличалась от моих работ по математике, так как она была сопряжена с вмешательством в жизни других людей. Если эта книга в действительности рассматривается как биография — история жизни, а не совокупность фактов, — то это так лишь потому, что люди согласились с такого рода вмешательством и были готовы доверить мне свои слова и мысли, которые обладают жизненной силой и поныне. В работе при разговоре на эту доселе фактически запретную тему стали возникать более сложные, и зачастую весьма эмоциональные моменты. Так например г-н Арнольд Мюррей, делясь со мной воспоминаниями, снял с души камень, который висел у него на шее в течение двадцати пяти лет. Ибо только вернувшись в Манчестер в 1954 году, он узнал о смерти Алана Тьюринга. Он чувствовал и свою вину в этой трагедии; будучи особо уязвимым в этот период и толком не имея понятия о произошедшем, он взвалил всю вину на себя. Ни его успех на музыкальном поприще в 60-х, ни семейная жизнь не смогли избавить его от нанесенной травмы, которая преследовала его вплоть до 1980 года, когда этот вопрос был должным образом освещен.

Это один из тех примеров, который ясно дает понять, почему в ряде случаев моя благодарность людям, оказавшим мне помощь, выходит далеко за рамки понятия «формальная благодарность». В некоторых случаях это будет ясно из текста, в других истинная природа долга останется незрима. Нижеследующий список далеко не полон, но я хотел бы поблагодарить всех нижеперечисленных и прочих людей, которые помогли воссоздать этот портрет Алана Тьюринга за всё, что они сделали:

Дж. Андерсон, Джеймс Аткинс, Дон Аткинсон, Боб (в прошлом Аугенфельд), Патрик Барнс, Джон Бейтс, С. Бауэр, Дональд Бэйли, Р. Бидон, Г. Блэк, Виктор Федорович Беттель, Мэттью Х. Блэйми, Р.Б. Брейсуэйт, Р.А Брукер, В. Байерс Браун, Мэри Кэмпбелл (урожденная Уилсон), В.М.Кэннон Брукс, Дэвид Чамперноун, А. Черч, Джоан Кларк, Ф.В. Клейтон, Джон Крофт, Дональд У. Дэвис, А.С. Дуглас, Рой Даффи, Д.Б.Г. Эдвардс, Ральф Элвелл-Саттон, Д.Б. Эперсон, Алекс Д. Фаулер, Т.Н. Флауэрс, Николас Фербэнк, Робин Ганди, А. Глисон, А.И.Глинни, Гарри Голомбек, Джек Гуд, Е.Т. Гудвин, Хилла Гринбаум, член Королевского общества Филипп Холл, , Артур Харрис, Дэвид Харрис, Кеннет Харрисон, Норман Хитли, Питер Хилтон, Ф.Х Хинсли, Питер Хогг, Хоскин, Хильда Дулитл Хаски, Невилл Джонсон, член Королевского общества Р. Джонс, У.Т. Джонс, член Королевского общества Т. Килберн, Лев Кноп, Уолтер Х. Ли, член Королевского общества сэр Джеймс Лайтхилл, Р. Локтон, Д.С. МакФэйл, Малкольм МакФэйл, сэр Уильям Мэнсфилд Купер, А. В. Мартин, член Королевского общества Р.В.С. Мэтьюз, В. Мейс, П.Х.Ф. Мермаген, Г.Л.Михель, Дональд Мичи, сэр Стюарт Милнер-Бэрри, Руперт Морком, Арнольд Мюррей, Д. Нильд, Е. А. Ньюман, член Королевского общества М.Х.А. Ньюман, член Королевского общества Джон Полани, Ф.В.Прайс, член Королевского общества Д.В.С. Прингл, член Королевского общества М.Х.Л. Прайс, член Королевского общества Дэвид Риз, Б. Ричардс, Т. Риммер, К. Робертс, Норман Рутледж, Дэвид Сейр, Клод И. Шэннон, Кристофер Стид, Джефф Туттил, Д.Д. Трастрэм Ив, В.Т. Тутти, Питер Твинн, С. Улам, Д.С. Вайн, А.Г.Д. Уотсон, мистер и миссис Р.В.Б. Уэбб, В. Гордон Вельхман, А.С. Уэсли, Патрик Уилкинсон, член Королевского общества Д.Х. Уилкинсон, Сесили Уильямс (урожденная Поппелуэл), Р. Уиллс, Майк Вуджер, Шон Уайли.

Невозможно перечислить всех тех, кто, помимо этих первопроходцев, кто помогал мне, отвечая на вопросы, комментируя черновой вариант, и во многом другом, но я всё же хотел бы отметить и следующих людей:

А.Д. Чайлдс (Шерборнская школа), Д.И.С. Иннес (член старого сообщества Шернбурга), В. Ноулз (Манчестерский университет), Симон Лавингтон (Факультет компьютерных наук, Манчестерский университет), Дэвид Ли (газета The Guardian), Джулиан Мелдрам (архивы Карпентер Холла, Лондон), Д.И. Тейлор (Национальный архив, Вашингтон), Кристофер Эндрю, Данкан Кэмпбелл, Мартин Кэмпбелл-Келли, Питер Чедвик, Стивен Коэн, Си Девур, Робин Деннистон, Фишер Дильке, Д. Даннел, Джеймс Флек, Стивен Хикс, Дэвид Хаттер, Дэвид Кан, Питер Лори, член Королевского общества сэр Бернард Ловелл, Д.Мондер, член Королевского общества Роджер Пенроуз, Феликс Пирани, Брайан Рэнделл, Джеффри Уикс.

Ещё один человек, однако, сыграл решающую роль при воплощении моих идей в практической форме книги. Это Пирс Бёрнетт, человек, по воле которого я взялся за написание этой книги, который преодолел все трудности на этом пути вместе со мной, читая и давая советы по исправлению неисчислимых черновых вариантов произведения. Изначально я заключил контракт с издательством André Deutsch Ltd, где Пирс Бёрнетт был директором, и где мною был получен аванс в пять с половиной тысяч фунтов за книгу. (В 1981 году, в последний год работы над книгой, возникли некоторые трудности, которые привели к острой необходимости в смене издательского дома. Первое британское издание было опубликовано в Burnett Books [Книги Бёрнетта], совместно с издательской группой Hutchinson). У меня не было гранта или каких-либо дополнительных субсидий из иных источников. И хотя по стандартам издателей такая сумма была весьма щедрым вложением, и к тому же решающим фактором в вопросе *быть или не быть* этой книге, было довольно нелегко остаться в рамках бюджета, учитывая длительность проекта, с 1978 по 1980 гг.

Нужно было по-Тюринговски затянуть пояса, чтобы завершить проект. С одной стороны, это ограничение работало на благо проекта, но с другой, я остался в долгу у друзей и приятелей. К примеру, не предоставь они мне ночлег в свое время, создание архива моих исследований и интервью в Северной Америке было бы под угрозой срыва. Дома я так же требовал ангельского терпения от тех (в частности, Питера Чедвика и Стива Хикса), кто был вынужден смиренно делить со мной всё напряжение и беспокойство ничего не получая взамен.

Помимо Пирса Бёрнетта нашлись и другие люди, которые каким-то образом смогли разглядеть в этой работе то же, что и я, те, кто осуществлял своего рода моральную поддержку, без которой я вряд ли мог бы продолжать. В решающий момент один из этих людей очень услужливо отметил, что с моей стороны было бы правильным оставить хоть какие-то материалы для исследования вопроса кем-то другим! Конечно, в работе есть пропуски и нехоженные тропы. Там также есть ошибки, надеюсь, не слишком грубые, как относительно добавлений, так и опущений. Возможно, если микроэлектронная революция станет завершением эры печатных книг, то это практически гарант продолжительного пересмотра опубликованных работ. Между тем, помня о большом будущем наследия Тьюринга, можно перестать говорить о несовершенстве творения. Собранные материалы я был обязан передать в Современный Научно-Архивный Центр при Королевском кембриджском колледже, и было бы вполне справедливо ожидать от них последующих коррективов и дополнений в ближайшем будущем. Одним из немаловажных фактов в исследовании такой персоны как Тьюринг является конкретно этот: по мере того как меняется мир, будет меняться и восприятие Алана Тьюринга. Даже во время написания этой книги уже изменилось значение слова «компьютер» в обществе: универсальная машина со шкалой и скоростью АВМ, появление которой он предвидел, лежит на столе и помещается у меня в руке. Алгоритмы, заложенные в первых машинах Bombe, в настоящее время не превышают по объёму и нескольких строк в BASIC. Личное взаимодействие с персонального компьютера, с его маленькими боями за объём места для хранения информации и визуализацией, и проверками, в настоящее время этим знанием обладают сотни тысяч людей. Неизвестно, куда это может привести, но наше восприятие прошлого точно изменилось навсегда. Если сейчас в сфере генной инженерии совершаются лишь первые шаги, как в свое время в сфере информационных технологий, логично, что более поздние работы будут представлены в совершенно новом свете.

Алан Тьюринг, по-видимому, считал, что в конечном итоге машина была бы способна написать такую книгу, как эта. В своем интервью на радио в 1951, посвященном открытию фестиваля посвященного Великобритании, он отметил, что *Это очень расхожее мнение, некая доля уверенности в следующем высказывании: машина никогда не сможет воспроизвести некоторые особенности, которыми обладает человек. Лично у меня эта уверенность отсутствует, считаю, что в этом вопросе нет предела.* В этом был элемент эпатажа, особенно удавшийся, когда он привел в качестве примера специфическое человеческое качество, а именно находиться «под влиянием сексуальной привлекательности». Тем не менее, он серьезно полагал, «практически уверен» в пришествии интеллектуальных машин в качестве витка развития, «которое принесет нам беспокойство» гораздо сильнее, чем Дарвиновское «мы все можем быть эволюционно сменены свиньями или крысами». На самом деле, я бы с радостью передал все свои дела машине — и этот «текстовый процессор» сэкономил бы недели вырезания и склеивания материалов, — но это было не самое трудное при написании этой книги. Наиболее подходящим примером сложности в данном случае послужит необходимость преодолеть пропасть двадцатого века между научной мыслью и человеческой жизнью — кроме того, чтобы ещё более сложная задача — противостоять устоявшемуся в определенных кругах мнению о том, что моя книга действительно призвана увеличить этот разрыв. Я должен был жить, и даже пришлось немного побороться, чтобы отстоять свою точку зрения.

Одно событие 1979 года представляет особый интерес для меня как для автора, работавшего над этими же идеями, произведение Дугласа Хофштадтера «Гедель, Эшер, Бах» Эта работа поставила меня в тупик, тем что центральное место в книге занимает тема, на которую я не обратил должного внимания — значение понятий Геделя о неполноте и Тьюринга о неразрешимости в рамках концепции Сознания. Лично я не считаю, что эти результаты, касающиеся, как они делают бесконечные статические ненарушенных логических систем, есть какие-либо прямые последствия для наших конечных, динамичных, взаимодействующих мозгов. Более значимым фактором, на мой взгляд, является ограничение человеческого разума, в силу своего социального статуса — и этой проблеме отводится второстепенная роль в работе Хофштадтера, как и во многих других, хотя в моей работе эта тема центральная. Изучение жизни Алана Тьюринга не показывает нам, есть ли границы у человеческого разума, или нет, и это один из парадоксов Гёделя. Это показатель того, что работа разума может быть приостановлена и уничтожена посредством того, что его окружает. Но почему тогда, как вполне мог предположить Алан Тьюринг, искусственный интеллект должен быть чем-то ограничен в мирской реальности? Действительно, кажется, будто все основания полагать, что умная машина приспособится к сумасшедшим требованиям политической системы, в которой она воплощена. В тепличных лабораторных условиях гораздо легче сосредоточиться на теоретических соображениях.

По этой причине мои опасения весьма отличаются от тех, что беспокоили Алана Тьюринга: вопрос не в том, есть ли у машины «мышление», местонахождение подобной мысли в политическом организме. Учитывая те условия, в которых мы находимся, я не боюсь победы чьего-либо интеллекта, в этой борьбе страшна победа свиней или крыс.

ОГЛАВЛЕНИЕ

Издание для досуга

Эндрю Ходжес
ИГРА В ИМИТАЦИЮ

16+

Подписано в печать 15.01.2015
Формат 84х108/32 Усл. печ. л. 30,24
Тираж 5000 экз. Заказ № 415.

Общероссийский классификатор продукции
ОК-005-93, том 2; 953000 — книги и брошюры

Ответственный за издание *И. Анискин*

Ведущий редактор *Е.Кравченко*

Компьютерная верстка *А.Грених*

ООО «Издательство АСТ»
129085, Москва, Звездный бульвар, д.21, строение 3, комната 5

«Баспа Аста» деген ООО
129085, г. Мәскеу, жұлдызды гүлзар, д. 21, 3 құрылым, 5 бөлме
Біздің электрондық мекенжайымыз: www.ast.ru
E-mail: lingua@ast.ru

Қазақстан Республикасында дистрибьютор
және өнім бойынша арыз-талаптарды қабылдаушының
өкілі «РДЦ-Алматы» ЖШС, Алматы қ., Домбровский көш., 3«а», литер Б, офис
1.
Тел.: 8(727) 2 51 59 89,90,91,92
факс: 8 (727) 251 58 12 вн. 107; E-mail: RDC-Almaty@eksmo.kz
Өнімнің жарамдылық мерзімі шектелмеген.
Өндірген мемлекет: Ресей
Сертификация қарастырылмаған

Отпечатано с готовых файлов заказчика
в ОАО «Первая Образцовая типография»,
филиал «УЛЬЯНОВСКИЙ ДОМ ПЕЧАТИ»
432980, г. Ульяновск, ул. Гончарова, 14